DONKERE ROSETTA

BARBARA EWING

DONKERE ROSETTA

H&W

VAN HOLKEMA & WARENDORF
Unieboek BV, Houten/Antwerpen

Oorspronkelijke titel: *Rosetta*
Oorspronkelijke uitgave: Time Warner Books
Copyright © 2005 Barbara Ewing

Copyright © 2007 Nederlandstalige uitgave:
Uitgeverij Unieboek BV,
Postbus 97, 3990 DB Houten

www.unieboek.nl

Vertaling: Annet Mons
Omslagontwerp: Wil Immink
Omslagillustratie: Imagestore en Ladislav Janicek/Zefa/Corbis
Opmaak: ZetSpiegel, Best

ISBN 978 90 475 0094 0/ NUR 340

Voor Fatma Moussa
die me in Caïro een les in Engelse
geschiedenis heeft gegeven

... en dit decreet zal worden gegrift in een stèle van harde
steen, in heilig schrift, en in inheems schrift en in Grieks
schrift... om eeuwig voort te leven.

De Steen van Rosetta
196 v.C.

1795

Sentimentele verhalen, en boeken die slechts ter
ontspanning zijn bedoeld... dienen spaarzaam te worden
gebruikt, vooral bij de opvoeding van meisjes.
Dit soort lectuur doet dat wat het hart wordt
genoemd voortijdig rijpen...

MARIA EDGWORTH
(*Practical Education*, 1798)

*D*ie zomer verschenen de oude mannen net als anders boven op Vow Hill, met hun kleine verrekijkers. Ze wachtten, zeiden ze, om de glorieuze vloot van Zijne Majesteit de Koning van Groot-Brittannië in Het Kanaal te zien verschijnen, terugkerend van heldhaftige zeeslagen tegen de Fransen en de nieuwe generaal over wie iedereen het had: generaal Bonaparte. Soms was er helemaal geen vloot te bekennen, maar toch waren de oude mannen met hun kijkers op Vow Hill te zien, waar ze op mooie ochtenden vroeg arriveerden om de beste plek in te kunnen nemen. Vlak boven de badkoetsjes.

De badkoetsjes voor dames waren de zee in gereden. Rose en Fanny droegen een lange zwemjurk die tot onder hun kin gesloten was, en een badmuts. Eerst waren ze door de vrouwelijke badhulpen in het kalme, glinsterende water gedompeld, nu dreven ze, op deze mooie, rustige zomerdag, in hun donkere jurk verder van de kust weg. De golfjes klotsten om hen heen en zuchtten en fluisterden. Het haar van Rose was donker en dat van Fanny rood; er waren veel lokken uit hun badmuts gezakt en verward geraakt in het zeewier, alsof ze zeemeerminnen waren. Hun gelach en hun stemmen weerkaatsten langs het strand, omhoog naar Vow Hill waar de oude heren al dan niet zaten te kijken.

Nog lang daarna herinnerde Rose zich die zomerdag toen zij met haar nichtje in Het Kanaal had gedreven, waar het verboden Frankrijk met nog steeds geruchten over verschrikkingen in de verte schitterde; en ook hoe het koude water hen de adem had benomen terwijl ze lachten, zodat hun lach een ademloze, verbaasde vreugde bevatte.

Later werden ze uit het water getild, uitgeschud en afgedroogd door een badjuffrouw, en teruggebracht naar de kust. Die avond was er een bal en beide nichtjes, de lachende met het donkere haar en de kleine en serieuze met het rode haar, hadden een kapsel dat niet geheel door het dienstmeisje Mattie getemd had kunnen worden — het schoot los en danste in krullen rond hun gezicht.

Er waren wat officieren uit Zijne Majesteits Marine op het bal. Hun rood-met-blauwe uniformen schitterden vrolijk voor de jongedames. Die avond ontmoette juffrouw Rose Hall, geliefde dochter van de zeeheld admiraal Arthur Hall, Harold Fallon, een knappe, jonge kapitein (nog geen held, maar met goede vooruitzichten). Ze dansten een mazurka en daarna een Schotse volksdans. De muzikanten speelden — de violen en het klavecimbel en de klarinet — en de mensen lachten en praatten heel luid en de balzaal werd ondraaglijk warm, zoals balzalen dat 's zomers werden, en er begonnen zich steeds sterkere menselijke luchtjes te verspreiden. Geurige kruiden in schalen en pommades en parfum en poeder deden hun best zoveel mogelijk te verhullen; dames verscholen zich achter waaiers om de problemen met hun gebit en hun adem te verbergen; iedereen gebruikte grote hoeveelheden eau de cologne; heren zogen op geurende pastilles. Ondanks de warmte voelde Rose, toen kapitein Harry Fallon (pas de volgende dag begreep ze dat hij ook burggraaf Gawkroger was) haar jonge hand kuste — opnieuw — die verbazingwekkende ademloosheid die ze in de zee had gevoeld, hoewel ze dit gevoel echt niet onder woorden had kunnen brengen.

Haar nichtje Fanny Hall, die voorbijwervelde, zag dat kapitein Fallon zich absurd diep over Rose boog toen hij met haar in het rond zwierde. Hij deed Fanny onmiddellijk denken aan de knappe maar onbetrouwbare heren die voorkwamen in alle nieuwe romans, en ze wist dat Rose, die net als zij alle nieuwe romans had gelezen, dit ook zou zien. Fanny sloeg haar hand voor haar mond om niet hardop in de lach te schieten.

Een week later slenterden de nichtjes door de uitleenbibliotheek vlak bij Hanover Square, min of meer hun meest geliefde plek in Londen (voornamelijk om de nieuwe romans te bemachtigen, af en toe om bezoekende heren gade te slaan) toen Fanny Hall, geliefde oudste dochter van een directeur van de East India Company, opeens bijna bezwijmde bij de aanblik van een uitzonderlijk knappe man in het gewaad van een geestelijke, die kritisch de grote variëteit aan beschikbare boeken had bekeken en die niet naar zweet en een slecht gebit en pommade rook maar, slechts vaag, naar lavendel.
    'Ik zou niet willen dat mijn vrouw Tom Jones las,' zei hij, en Fanny (die net als Rose uiteraard Tom Jones en Pamela en Clarissa en Evalina en zelfs Fanny Hill had gelezen) bloosde charmant en wist dat deze man Locke zou lezen, en Hume, en Pope en Milton. De geestelijke, die Horatio Harbottom heette, glimlachte naar de blozende Fanny, bewonderde vriendelijk haar prachtige rode haar en bood haar zijn arm aan om haar wandeling voort te zetten. (Aangezien hij een man van God was, leek dit niet aanmatigend.) Dominee Horatio Harbottom had zojuist, via familieconnecties, een rijke gemeente gekregen en was nu op zoek naar dat wat hij nodig had om zijn bestaan compleet te maken: een vrouw. Hij had een heel melodieuze stem en de stem sprak van filosofie en geschiedenis en God, een schijnbaar bodemloze explosie van kennis voor Fanny, die zich hem onmiddellijk fraai op de kansel voorstelde, waar hij allerlei wijsheid verkondigde. Rose bleef

wat achter en deed of ze in een boek stond te snuffelen, maar toen ze zag hoe de knappe maar belachelijk zelfingebeelde geestelijke tegen Fanny praatte, sloeg ze haar hand voor haar mond om niet hardop in de lach te schieten.

Bij Rose thuis, vlak om de hoek in Brook Street, praatten ze over de heren die ze aldus hadden ontmoet met het dienstmeisje Mattie, die koele citroenlimonade voor hen had gemaakt. Ze fluisterden het woord 'liefde'. Mattie was tien jaar ouder dan beide meisjes en ze was ooit zelf getrouwd geweest en had dus verstand van zulke dingen.

'Zorg ervoor dat je ze ook aardig vindt, naast dat je verliefd op ze bent,' merkte Mattie droog op. 'Je zit levenslang in de gevangenis als je ze niet aardig vindt!' Rose en Fanny luisterden zonder het te begrijpen, want Mattie was al oud. Maar ze spraken het woord liefde uit vol ontzag, want ze hadden dat vaak gelezen in die nieuwe romans. Ze hadden niet gehoord dat veel mensen kritiek op deze nieuwe romans hadden en vonden dat ze een slechte invloed hadden op jonge meisjes: onbenullige romannetjes, zei men, waren veel te verleidelijk en misleidend.

Na amper zes maanden tijd waren de twee jonge, romannetjes-lezende nichtjes van zeventien die die zomermiddag in de zee hadden gebaad allebei in de heilige echt verbonden. Om trouwjurken te bemachtigen had Fanny's moeder hen meegenomen naar Bond Street, een geweldige, bedrijvige, schitterende straat met opwindende nieuwe etalages van glas en uithangborden en elegante rijtuigen die voorbijratelden en alle schoenen en kleren (en alle venters en ambachtslieden en de bokszaal en de zakkenrollers en de stinkende open riolen en het lawaai). In Bond Street werden de twee maagdelijke jongedames in golvend wit gekleed en bereidden ze zich vol opwinding voor, waarbij ze hardnekkig warm ondergoed weigerden: ze verklaarden dat ze het op hun trouwdag liever

koud hadden dan er opgepropt uit te moeten zien. Mattie gaf hun
's avonds warme chocolademelk om tot bedaren te komen. Deze
drank werd ook aan Fanny's moeder gegeven (met een scheutje
cognac erin), want ze had een rood hoofd van alle opwinding. De
twee meisjes deden ananassap op hun gezicht voordat ze naar bed
gingen, om rimpels te voorkomen.

Rose had een echt societyhuwelijk (met veel marineaanwezig-
heid uit beide families) in St. George's Church, op Hanover
Square, waarna ze burggravin Gawkroger werd en deel uitmaak-
te van de enigszins illustere familie Fallon uit Great Smith
Street. (De schoonmoeder keek nogal hooghartig en zuur: ze had
op zijn minst op een onbekende prinses gerekend.) Deze gebeurte-
nis werd echter wel in diverse Londense kranten genoemd, naast
officiële marineberichten over de strijd tegen generaal Bonaparte;
en een verslag dat James Preston (70) en Sussanah Morton
(24) op de dag van de trouwerij waren terechtgesteld wegens de
moord op hun onwettige mannelijke kind. Verder waren er artike-
len over hoe twee heren die rond middernacht in een draagstoel
naar huis terugkeerden, bij Uxbridge van horloges en geld waren
beroofd; en dat er geen wormen konden leven in het lichaam van
hen die regelmatig de Enige Echte Schotse Pillen van dokter An-
derson gebruikten. Er was ook een verslag van de rechtszitting in-
zake de gravin van Pugh, die was weggelopen van de graaf van
Pugh en nu vergeefs smeekte haar kinderen te mogen zien: de
rechtbank was onverbiddelijk: alleen vaders hadden recht op hun
kinderen. In Conduit Street, daar vlakbij, had de drukkerij in de
etalage een onflatteuze cartoon van de prins van Wales, dik en
met juwelen behangen, afgebeeld als een varken.

Fanny's huwelijkssluiting vond plaats in het mooie markt-
plaatsje Wentwater, waar Horatio Harbottom (wiens oom bisschop
was) de voornoemde financieel aantrekkelijke kerkelijke benoeming
had gekregen, benevens een uitermate gezellige landelijke pastorie.

*Hij was een man met vooruitzichten, dat was duidelijk. En hij had
er nadrukkelijk op gestaan te midden van zijn gemeente te trouwen;
hij vond dat dit zijn plicht als hun voorganger was. Fanny's familie was ontdaan over zijn besluit – het was werkelijk een heel ingewikkelde zaak om haar broer en al haar zusjes naar Wentwater te
vervoeren – maar ze móésten naar Wentwater: vader, moeder, en de
vijf andere kinderen. De connecties van Montague Hall, Fanny's
vader, met de East India Company betekenden een uitermate royale
financiële regeling voor het jonge paar en Horatio's familie was zeer
tevreden, inclusief de oom die bisschop was. Fanny's familie en
vrienden (vooral haar vader, die de aankoop van de pastorie had verzorgd) waren niettemin een beetje ontdaan over de weigering van de
bruidegom om op de gezondheid van zijn nieuwe vrouw te drinken
met de oude Spaanse sherry die speciaal voor deze dag was aangeschaft. 'Gods zuivere water zal mijn keuze zijn,' scheen hij te hebben gezegd, terwijl de vage geur van lavendel zich om hem heen verspreidde. Toch werd iedereen gesust door het feit dat hij een
uitermate knappe en fris ruikende man van God was – en aangezien Gods wegen ondoorgrondelijk waren, was het ongetwijfeld nuttig om een van Zijn vertegenwoordigers in de familie te hebben. De
Wentwater Echo beschreef in gloedvolle bewoordingen het huwelijk van hun nieuwe dominee; in dezelfde editie werd tevens een preek
van Horatio Harbottom geplaatst en deze (en andere godsdienstige
verhandelingen) werden te koop aangeboden. De gravin van Pugh –
meldde de Wentwater Echo eveneens – was nu in nachtkledij gillend in de hoofdstraat van Oxford aangetroffen, waar ze om haar
kinderen liep te huilen, en ze was naar Bedlam afgevoerd. De rest
van het nieuws bestond uit marineberichten over de strijd tegen generaal Bonaparte.*

*Op de markt van Wentwater stond een eenzame prediker op een
krukje over God te vertellen.*

Als de twee nichtjes al twijfels hadden gehad over elkaars keuze van echtgenoot, hielden ze die verborgen. Want ze hielden echt veel van elkaar en hoopten slechts op elkaars geluk.

Op Vow Hill hadden de oude mannen reeds lang hun kleine verrekijkers opgeborgen en hoopten ze dat ze een volgende zomer mochten beleven om misschien nog eens een glimp op te vangen van jeugd en vrolijkheid en een jongedamesenkel, alle zaken die ze ooit hadden gekend.

Een

*T*oen Rosetta Hall, dochter van marineheld admiraal John Hall, een klein meisje was, geloofde ze dat ze was vernoemd naar een prinses in een kinderverhaal: prinses Rosetta, die trouwde met de koning van de Pauwen en nog lang en gelukkig leefde – haar vader had haar dat verhaal zelf voorgelezen. Prinses Rosetta beleefde allerlei narigheid voor ze met de koning van de Pauwen trouwde. Zo werd ze te land en ter zee door een boosaardige heks achtervolgd, maar telkens als ze door een oude visser werd gered (met de hulp van haar eenorige hond) slaakte de achtjarige Rose iedere keer een heel echte zucht van opluchting. En als prinses Rosetta de oude visser tot Ridder in de orde van de Dolfijn en Vice-Admiraal ter Zee benoemde, begroef Rose van pure vreugde en herkenning haar gezicht in haar vaders marinejasje. 'Dat ben ik! Dat ben ik!' riep ze dan, want ze wist dat haar naam Rosetta was en dat haar vader admiraal van de marine was. Haar vreugde om zichzelf als prinses te kunnen zien, was zo groot dat haar vader stilletjes glimlachte.

Hoewel er veel grote woorden waren waar ze niets van begreep, las haar vader haar toch af en toe uit de kranten voor en uit de tijdschriften die op zijn grote bureau in Brook Street lagen, naast de kaarten en de officiële documenten, en het velijnpapier en de ganzenveren en de inkt en de kist sigaren en de klok uit Genua waarvan Rose geloofde dat hij in het Italiaans sloeg. Daarna was er het geritsel van haar moeders rokken en dan kwamen er nog meer heren van de marine de kamer binnen in hun blauwe jasjes (vaak met snoepgoed voor het kleine meisje) en dan werd Rose mee naar boven genomen, naar de lichte, luchtige salon waar haar moeder haar eigen bureau had, een mahoniehouten bureau met ganzenveren en inktstellen en een geheime lade, een bureau dat als bij toverslag in een kaarttafel kon veranderen. En daar, met de zon die door de grote ramen naar binnen scheen en met de paarden die met hun rijtuigen en wagens over de keien voorbijdraafden, en met de passerende straatventers met hun ratelende handkarren die naar elkaar schreeuwden en luidkeels hun waar aanprezen, hield Rose haar eerste ganzenveer vast en leidde haar moeder haar hand om de speciale tekens te maken die de letter R vormden.

'Dit is jouw letter,' zei haar moeder. 'Met letters kun je woorden maken.'

'Woorden maken,' herhaalde Rose vol ontzag.

Soms, wanneer ze zich over het papier bogen, konden ze het geluid van een klavecimbel horen dat uit het buurhuis naar binnen dreef, vermengd met het geroep en geschreeuw en het geluid van paardenhoeven. Zodat het geluid van het klavecimbel zich in haar herinnering vermengde met het avontuur van leren schrijven. Vanaf dat moment kon de volgende dag niet snel genoeg komen.

Het was allemaal heel natuurlijk, het werd zo gemakkelijk en betoverend gebracht dat Rose pas later besefte dat
veel mensen niet konden lezen en schrijven en dat de bedienden van Brook Street inkt op hun duim deden om
hun 'handtekening' te zetten. Algauw kreeg Rose het plan
om zelf tekens te verzinnen, niet alleen de R en de O en de
S en de E die haar moeder vormde.

'Waarom kan ik het niet zó schrijven, mama?' vroeg ze
dan, terwijl ze een kleine roos tekende. Haar moeder
keek verbaasd. 'Dat ben ik! Rose!' zei het meisje ongeduldig, terwijl ze naar de tekening wees, geërgerd dat
haar moeder dat niet meteen zag. Daarna tekende ze een
prachtige vorm, als een ster.

'Dat is niet schrijven, het zegt niets,' protesteerde haar
moeder lachend. 'Maar het is wel heel mooi.'

'Toch zegt het iets!' verklaarde Rose koppig. 'De ster
zegt "mijn mama" tegen mij. Omdat jij mooi bent, als een
ster. Dit is mijn schrijven. Ik schrijf het op mijn manier.'

Af en toe was Mattie, het dienstmeisje, erbij en leerde,
daartoe aangemoedigd door de ouders van Rose, ook
schrijven.

Het meisje begon brieven te schrijven naar allerlei
mensen: aan de heren van de marine in Somerset House,
die snoepjes voor haar meebrachten, naar het nichtje
Fanny Hall in Baker Street, naar Fanny's vader en moeder. En iedere keer dat Fanny's moeder weer een dochtertje kreeg, schreef Rose een brief om de nieuwe baby in
de wereld te verwelkomen. (En de baby's schreven altijd
terug, in het ronde en vertrouwde handschrift van haar
tante.) Rose vroeg haar moeder of zij ook wat baby's konden krijgen. Maar haar moeders gezicht stond treurig
toen ze zei dat dat niet ging. (Rose en Fanny waren van

plan heel veel baby's te krijgen.) Haar moeder nam haar mee naar een boekwinkel, en Rose werd onmiddellijk verliefd op de geur van boeken en papier, Oost-Indische inkt, blocnotes, kasboeken en kaarten.

Haar moeder kocht een notitieblok en liet Rose zien hoe ze een dagboek moest bijhouden: een verslag van alles wat ze deed, van wat ze las. Ze zat aan haar moeders bureau en zag de tekens uit haar eigen ganzenveer te-voorschijn komen en op het papier belanden. Ook later beschouwde ze woorden nooit helemaal als vanzelfspre-kend, ze staarde ernaar, was altijd verbaasd dat ze, door haar hand te dwingen iets te doen wat ze in haar hoofd had, alles wat ze wilde in het dagboek kon overbrengen. *'We hebben in Hyde Park geschaatst,'* schreef ze, en dan staarde ze geboeid naar de letters op het papier die maak-ten dat ze het ijs weer zag, en Fanny's broer en zusjes die gleden en zwierden. Ze kon bijna niet uit haar woorden komen als ze probeerde over haar verbazing te vertellen en ze schopte met haar voeten tegen het mahoniehouten bureau in haar pogingen zich duidelijk uit te drukken. 'Hoe is het gebeurd? Hoe zijn de mensen op de gedachte gekomen om tekens te bedenken en die op papier te zet-ten? Wie heeft dit bedacht? Wie heeft er gezegd dat het ene teken iets voorstelde en het andere niets? Dit is het vreemdste dat ik ooit in mijn hoofd heb gehad!' En ten slotte moest Rose een poosje naar bed worden gebracht omdat ze volledig in de war leek te zijn.

De volgende dag ging ze verder, al schoppend tegen het bureau, in een poging zich uit te drukken. 'Schrijven is... Schrijven is beter dan spreken, mama,' zei ze, 'want bij spreken is alles meteen weer vergeten, maar hier in mijn dagboek of in mijn brieven aan Fanny zal het altijd blijven bestaan.' Haar moeder glimlachte, bedwong de spartelende beentjes van haar dochter. Rose probeerde opnieuw een gedachte onder woorden te brengen. 'Met deze speciale tekens in mijn dagboek schrijf ik ons eigen verhaal, mama.' En toen werd de gedachte eindelijk duidelijk. 'Ik schrijf ons leven!'

Altijd wanneer ze over haar moeder schreef, tekende ze een ster.

Ze begon Frans te leren en zag dat de meeste tekens, de letters, dezelfde letters waren maar dat ze andere dingen betekenden en anders klonken. Haar kleine hoofdje deed letterlijk pijn toen ze lang nadacht over hoe dit zo kon komen.

Haar vader, geïntrigeerd door haar wonderlijke nieuwsgierigheid, toonde haar het totaal andere schrift van de Grieken, met andere tekens die heel andere letters betekenden. Ze staarde er gefascineerd naar. Hij vertaalde een paar woorden. Hij had het over vreemde landen en ook over vreemde talen. Hij liet haar zijn sigaar proeven, hij liet haar de koffie proeven die hij uit Turkije had meegebracht, hij bracht de wereld in zijn studeerkamer in Brook Street. En op een dag haalde hij een heel oud boek tevoorschijn en liet haar voor het eerst de onvertaalbare hiërogliefen van het oude Egypte zien. Rose staarde naar de wonderlijke plaatjes. Er waren verschillende soorten vogels: één leek net een uil, een andere was als een havik. Er was een hommel. Er waren rechte strepen en krullen. Er was een kleine leeuw, die lag. Eén teken leek net een voet, één een lief eendje, één een kever.

'Wat is Egypte?' vroeg Rose terwijl ze naar de prachtige plaatjes keek.

Haar vader dacht hier lang over na. 'Egypte is een van

de oudste beschavingen in de geschiedenis van de wereld. In Egypte zijn nog teksten op oude stenen te vinden en op oud Egyptisch papier dat van riet is gemaakt. Hun schrifttekens vertegenwoordigen de oudheid die tegen ons spreekt. Maar we kunnen het niet verstaan.'

En Rose herhaalde, gefascineerd, steeds weer: 'De oudheid die tegen ons spreekt.' Ten slotte zei ze: 'Ik zou er wel eens heen willen gaan om de oudheid tegen ons te zien spreken. Heb jij het gezien, papa? Ik bedoel... niet alleen in dit boek?'

Haar vader trok even aan zijn sigaar, zodat de geur van tabak zich verspreidde. 'Lang geleden,' zei hij, 'toen ik als jonge kerel midscheeps moest beginnen, ben ik naar Egypte gevaren.' Hij sloeg een boek met kaarten open en wees de reis aan, over de oceaan. De ogen van Rose werden groot van verbazing. 'Ik was nog maar net bij de marine, het was lang voordat ik je mama ontmoette. Egypte was een vreemd en mooi land, maar heel anders en... wonderlijk. De lucht was van het blauwste blauw, heel anders dan thuis, en de hele dag waren er stemmen die riepen, om mensen op te roepen zich te richten naar hun God, die heel anders was dan onze God. Het was heel vreemd en beangstigend. En overal was zand, mijlen en mijlen eenzame, oneindige woestijnen van zand die zich uitstrekten tot aan de horizon.' Rose had de indruk dat hij in overpeinzingen verzonken raakte. 'Langs de rivier de Nijl rook het naar sinaasappels en naar... ik denk naar munt. Er was een handelaar die ons met een zeilboot over de Nijl vervoerde, vanaf een mooi stadje dat Rosetta heette.'

'Rosetta?'

Hij glimlachte naar haar en keek even naar zijn sigaar, zonder iets te zeggen.

'Heette dat dorp Rosetta?' vroeg ze opnieuw, verbaasd. 'Rosetta?'

Ten slotte zei hij: 'Daar komt jouw naam uiteindelijk vandaan, liefje. Van dat mooie stadje. Jij zou ons enige kind blijven, en we wilden je een heel speciale naam geven. Maar je was zo diep onder de indruk van het verhaal over prinses Rosetta en haar Koning van de Pauwen, dat we ons er niet toe konden brengen je te vertellen dat het een heel ander verhaal was.'

'O papa,' zei Rose ademloos van verrukking. 'Vertel me eens wat over dat Rosetta!'

Haar vader zuchtte heel even, alsof hij niet wist dat hij dit deed. 'Het was natuurlijk heel lang geleden, er waren toen nog niet veel vreemdelingen daarheen gereisd, we waren een curiositeit. De Egyptenaren waren vriendelijk, ze lachten en schreeuwden en zwaaiden met hun armen. Ze waren heel hartelijk tegen ons. Rosetta was een havenstadje aan de monding van de Nijl, dat is de rivier die dwars door Egypte naar Afrika stroomt.' En in zijn boek met kaarten wees hij Egypte aan en de loop van de Nijl. 'Ik herinner me dat er mooie moskeeën waren – zo noemen ze hun kerken daar – en overal waren vruchtbomen en watermolens die het water voor de velden uit de rivier schepten. En de vrouwen verborgen hun gezicht achter doeken. Maar niet,' ging hij langzaam verder, 'hun mooie ogen.' Hij zweeg weer. Rose wilde honderd vragen stellen, maar voor deze ene keer zei ze helemaal niets. Op de een of andere manier begreep ze dat ze moest afwachten. Haar vader, die nietsziend over Brook Street uitkeek, zei: 'In Rosetta heb ik op een warme vroege morgen, aan de oever van de rivier, een paar Arabieren gezien, in hun lange gewaad en met hun tulband op, bezig koffiebonen te malen in een grote stenen bak met grote stenen stampers.'

'Wat is een stamper?'

'Dat is een zwaar gewicht aan een lange hendel. En naast de bak met koffiebonen zat een man in kleermakerszit en hij zong een heel vreemd lied, iets... heel anders... dan onze muziek.' Rose kreeg de indruk dat hij het weer hoorde. 'De Arabieren met de stampers stonden hoger op de oever, om de koffiebonen van bovenaf te vermalen. Ik stond naast de bak te kijken. En toen opeens – en het leek wel uit het niets – zag ik een heel kleine bruine arm die door een gat in de zijkant in de bak greep! En het leek natuurlijk of die elk moment door de neerkomende grote stampers zou worden verpletterd. Maar de oude Arabische man begon opeens heel snel te zingen – en de stampers gingen omhoog. Het jongetje van wie de arm was, moest erin grijpen om de gemalen koffie opzij te schuiven en de bonen heen en weer te bewegen. Als de oude zanger snel zong, deden de mannen daar boven de stampers omhoog. En als hij langzaam zong betekende dat dat de arm van het jongetje veilig weg was en dat ze de stampers weer omlaag konden brengen om de koffiebonen te vermalen.'

Rose wachtte, als betoverd.

'Het geluid van een Arabische stem die zingt, dat dringt door tot in je dromen, wanneer je ver van huis bent. En de mooie ogen van de vrouwen. En het geluid van de houten waterraderen, het piepende, zingende geluid, wanneer de geblinddoekte buffels steeds maar in het rond lopen.' Hij dwong zich ten slotte weer terug te keren naar Brook Street, en naar zijn dochter Rosetta. 'Ik heb dit schrift, de hiërogliefen, met mijn eigen ogen gezien,

Rosie. Maar de oude Egyptische cultuur is duizenden jaren geleden verloren gegaan en de zuilen en beelden lagen afgebrokkeld in het zand, vergeten, overdekt met het schrift waar niemand, waar dan ook, nog de betekenis van kende.

'Is dit... het eerste schrift van de hele wereld?'

'Misschien wel. Alles, alles wat we zagen was heel oud – de manier van leven, de omgevallen pilaren, het land zelf. Ik voelde me bijna...' Hij zocht naar woorden. 'Ik voelde me bijna alsof ik... in de bijbel was.' Maar Rose begreep dit niet.

'Waarom hielden die dames hun gezicht verborgen?'

'Dat is hun gewoonte.'

'Waarom?'

'Andere mensen leven anders dan wij, liefje. Wij zijn niet de enige mensen op de wereld.'

'Waarom waren die buffels geblinddoekt? Is dat ook hun gewoonte?'

'De buffels waren geblinddoekt om ze niet draaierig te laten worden. Ze liepen de hele dag rondjes om een waterrad water naar de velden te laten pompen, en het rad piepte en zong terwijl het ronddraaide.'

'Papa, gaan we een keer naar Rosetta? Naar mijn stadje?' Ze hield haar adem in terwijl ze op zijn antwoord wachtte.

'Misschien, lief kind,' zei hij. 'Misschien doen we dat een keer.' En hij zuchtte opnieuw. bij de herinneringen uit zijn jeugd. 'Het is ver weg en het is een heel ander land dan ons land. Maar...' Hij glimlachte naar haar. 'Wie weet wat ons vergund zal zijn? Misschien gaan we nog wel een keer naar Rosetta, als onze dromen bewaarheid worden.' Ze was te jong om te denken dat hij andere dromen bedoelde dan die van haarzelf. En de admiraal, die meestal heel precies was met zijn marinepapieren, liet haar een kleine roos op zijn kaart tekenen, haar teken voor haarzelf, in Egypte, bij de havenstad Rosetta, waar de rivier in de zee stroomde.

'Papa,' zei Rose ten slotte. Iemand heeft ooit die tekst opgeschreven, ook al is nu alles kapot. Op stenen en zo, net zoals ik in mijn dagboek schrijf. Ze schreven over hun leven.'

'Jawel, maar de sleutel tot die tekst is verloren gegaan,' zei haar vader.

Haar vader en zijn in blauw geklede collega's gingen vaak naar zee. In de tijd dat hij weg was namen zijn vrouw en Fanny's moeder Rose, Fanny, en soms Fanny's oudere broer en jongere zusjes mee naar de parken en de nieuwe galeries en de uitleenbibliotheken en concertgebouwen die overal in Londen werden geopend. Eén keer gingen ze zelfs naar een nieuw circus waar dieren brulden en dansten en mannen en vrouwen op draden hoog in de lucht liepen. Acrobaten waren de nieuwste mode. Het grootste vermaak in Vauxhall Gardens vormden, naast de orkesten en het vuurwerk en de goochelaars, De Zingende Acrobaten: knappe dames met glinsterende sjaals die langs touwen of pilaren omhoog en omlaag klommen terwijl ze 'Waarheen gij ook gaat' van Händel zongen (geliefd bij de kinderen omdat Händel in Brook Street had gewoond), of een lied van Schubert. De Zingende Acrobaten zongen vaak terwijl ze ondersteboven hingen (het werd de kinderen verboden dit thuis na te doen). Soms ging de familie naar Greenwich om de Sterrenwacht te zien, en de nichtjes lieten zich lachend van de met gras overdekte Greenwich Hill rollen.

Brook Street fascineerde alle kinderen, zelfs de klein-
tjes, niet alleen vanwege Händel. Ze knielden vaak achter de grote ramen van het huis van de admiraal neer om
te kijken naar de paarden en de rijtuigen en de mensen
die voorbijkwamen: zakenmensen, handelaren, straatverkopers. Ze waren een keer heel verbaasd een bedelaar
snel weg te zien hollen, zonder zijn krukken. 's Avonds
vielen ze in slaap bij het geluid van de nachtelijke rijtuigen of het rauwe gezang van de mannen die uit de herbergen of de koffiehuizen naar huis gingen, of de kreten
van de nachtwakers. Fanny sprak tegen haar goede
vriend God om hem te vragen voor de bedelaars en de
zwervers te zorgen en ook een plek voor hen te vinden
om te slapen.

Op een dag werden ze meegenomen naar het havenge-
bied en gingen ze zelfs aan boord van een schip van de
East India Company waar ze Fanny's vader bezig zagen
papieren te tekenen. Ze waren vol ontzag toen ze thee
kregen geserveerd door Indiase bedienden met een tulband op hun hoofd, en overal hing de geur van peper of
kaneel, naast de stank van de Theems, en ze zagen grote
ratten, en Rose schreef over alles in haar nieuwe dagboek.

Toen Fanny en haar broer en zusjes weer terug waren
naar Baker Street, voelde Rose zich eenzaam en ze vroeg
opnieuw aan haar moeder of ze niet een paar baby's konden krijgen.

'Dat is niet mogelijk,' zei haar moeder met een treurig
gezicht.

'Ik wil in elk geval een heleboel baby's krijgen,' zei
Rose, en ze schopte tegen een stoel terwijl ze naar het
lege huis luisterde. In haar moeders kamer stond een
chaise-longue. Er lagen vier kleine kussens op. Rose zette

de kussens onder het raam en las ze voor uit Prinses Rosetta en de Koning van de Pauwen, en uit Robinson Crusoë. De kussens kregen een naam: Margaret, Elizabeth, Angel en Montague. Soms vergezelde Angel Rose en haar moeder naar de mooie winkels in Bond Street, en dan fluisterde Rose haar allerlei geheimpjes toe.

Als de admiraal terug was van zee namen hij en zijn broer, Fanny's vader, hun gezin mee naar het buitenland: naar Duitsland, naar Spanje, naar Italië. De admiraal vond het belangrijk dat kinderen reizen maakten, dat ze iets over andere volken leerden, en iets over kunst. (Fanny's vader was het daar helemaal mee eens, zolang er 's avonds maar lekker te eten en te drinken viel.)

Het vaakst gingen ze naar Frankrijk. Rose en Fanny vonden Frankrijk het allermooist, ze zeiden steeds weer 'la belle France' tegen elkaar, vertelden opgewonden dat ze over drie, twee, één nachtje slapen weer naar la belle France zouden gaan, en ze waren dan bijna buiten zichzelf wanneer de reis naar de zee begon. Frankrijk betekende elegante vrouwen en boulevards en de Seine, met de brug die de Pont Neuf heette, en overal de Franse taal om hen heen. Rose bekeek met evenveel enthousiasme de schitterende mode als de prachtige kathedralen, en ze schreef alles in haar dagboek. Fanny, een serieuzer meisje dan haar nichtje, las almanaks en poëzie en dacht na over de Zin van het Leven, zelfs in Parijs, zelfs met haar jongere zusjes die zich aan haar vastklampten. 'Fanny is de bedachtzame,' zeiden de volwassenen. Fanny's koppige gezichtje vol sproeten stond vaak peinzend, in haar pogingen de zin van het leven te ontdekken, maar ook om God – die ze persoonlijk kende – te danken voor de wereld waarin ze leefden. Rose daarentegen beschouwde

God als een vriendelijke achtergrond voor haar leven. Wanneer Rose haar *joie de vivre* even achterwege liet om na te denken, bekommerde ze zich om de betekenis van woorden, niet om de zin van het leven.

Vanaf zo vroeg als ze zich kon herinneren kregen de ouders van Rose in Brook Street veel vrienden op bezoek. Ze zaten dan in de salon en de brandende kaarsen wierpen schaduwen op de lichte muren en op de geschilderde portretten van Rose en van haar ouders en van haar grootouders. En dan werd er gepraat.

Aanvankelijk was het alleen maar geroezemoes, stemmen van volwassenen die naar het meisje glimlachten voor ze ging slapen. Later mocht ze, net als Angel, opblijven om te luisteren: naar marinemensen, mannen in vest, oude mannen met een korte witte pruik, jongere mannen met hun eigen haar dat naar achteren was samengebonden, jonge vrouwen met krullen, oudere vrouwen met een witte muts op hun haar. Rose herinnerde zich heel goed een vrouw met een witte muts die juffrouw Proud heette. Haar moeder had haar verteld dat juffrouw Proud over de hele wereld had gereisd en boeken schreef, zodat Rose de oude dame heel interessant vond. Juffrouw Proud las boeken met een dusdanige gretigheid dat het leek of ze ze opat als ze erover gebogen zat. Diverse keren werd ze met veel excuses naar de uitgang van de bibliotheek op Hanover Square gebracht omdat ze opnieuw de laatste klant was. Eén keer, op een zomeravond, was ze echt ingesloten. De bibliothecaris had haast om weg te gaan en had de kaartenafdeling niet gecontroleerd. Juffrouw Proud vertelde dit avontuur met veel plezier, en verklaarde dat ze het als een voorrecht had beschouwd met zoveel boeken om zich heen te mogen slapen. Haar kennis was indrukwekkend. Er kwamen vaak jonge dichters en schrijvers bij haar op bezoek om met haar te praten en dan vergat iedereen de tijd. Ze had een broer die bevriend was met William Wordsworth. Die broer bracht Wordsworth mee, Wordsworth bracht Coleridge en Southey mee. Ze spraken over poëzie en revolutie en over de regering. Ze dronken thee en praatten en kibbelden en opeens was het twee uur in de nacht en dan stapten de jongelui eindelijk op, nog steeds pratend, met in hun hand een lantaarn om de weg naar huis bij te lichten.

In de salon in Brook Street praatten de mensen over van alles, over de opwindende wereld met alle nieuwe dingen: over boeken, over 'de Mensenrechten', over de nieuwe natuurwetenschap met elektriciteit, over het theater, de tegenvoeters, de ontwikkeling van de vrouw, God, de monarchie, de evangelische kerk, verrekijkers, microscopen, ballonvaren, unitariërs, astronomie, filosofie, muziek, de rede. Rose kende al deze woorden voor ze tien was, ook al ontging haar soms de betekenis ervan. Men praatte over de lawine aan boeken die verscheen, en over alle frivole nieuwe romans. Zouden de mensen alleen nog maar rommel lezen en de grote boeken, die voor de ontwikkeling onmisbaar werden geacht, vergeten? Zouden vrouwen ook kunnen studeren? Haar moeders ogen straalden wanneer ze Rose in bed stopte. 'Mijn lieve meisje, je boft heel erg dat je mag opgroeien in deze opwindende nieuwe wereld.' En de warme geur die ze als die van haar moeder herkende, bleef nog even in de kamer hangen, zweefde daar op het flakkerende licht van de lamp in de gang en op het geluid van de stemmen beneden tot Rose ten slotte in slaap viel.

Fanny en Rose waren allebei geschokt en ontdaan toen

er in Frankrijk een revolutie uitbrak en ze beseften dat ze er niet langer heen konden gaan. Maar de admiraal legde hun uit hoe belangrijk het was dat alle mensen vrij waren. 'Misschien wordt ons reizen er voorlopig door beperkt, maar het is desalniettemin met goede bedoelingen, het is voor vrijheid en gelijkheid en voor de broederschap der mensen.' Rose liet deze woorden door haar hoofd gaan. 'Vrijheid', 'gelijkheid' en 'broederschap'. En ze vertelde Margaret, Elizabeth, Angel en Montague over deze zaken.

Maar al spoedig ontdekten jonge meisjes die konden lezen zoals Rose en Fanny berichten in de kranten die niet langer over vrijheid en gelijkheid gingen, maar over bloedvergieten en verschrikkingen en dood in hun geliefde Frankrijk. Er werd gesproken over een krankzinnige Fransman die Napoleon Bonaparte heette, en over oorlog. En Fanny's broer Richard meldde zich bij het illustere leger van Zijne Majesteit en droeg nu een rood jasje. Het dienstmeisje Mattie kwam in Brook Street wonen, want haar man, Cornelius Brown, vertrok naar de oorlog. De admiraal zat weer op zee. Rose en haar moeder huilden, en dat deden ze ook toen hij veilig terugkeerde van de zoveelste missie. Maar ze huilden het allermeest, en wel van vreugde, toen er werd besloten dat hij in Londen moest blijven, waar zijn kennis en kunde nodig waren bij de admiraliteit. Er kwamen nog steeds vrienden, de salon was nog steeds vervuld van gepraat. Rose hoorde veel verhitte discussies over waar revolutie toe kon leiden. Over hoe bloedig deze revolutie was geworden. Over of een republikein een verrader was nu Frankrijk Engeland de oorlog had verklaard. En soms waren de debatten zo verhit dat ze tot diep in de nacht duurden.

De pagina's van Rose' dagboek dansten voor haar ogen

en werden wazig. Een consult bij de dokter had als uitkomst dat ze te veel las. Bij Dickens and Smith waren kleine brillen te koop, die de letters vergrootten, maar zo'n bril mocht slechts één uur per dag worden gedragen, vanwege de schade die hij aan de ogen toebracht.

'Eén uur lezen per dag,' verkondigde de dokter streng. Rose staarde hem aan met onbewogen gezicht, alsof hij lucht was. In de eerste week van de bril stak ze eerst een deken in brand doordat ze probeerde in bed bij kaarslicht in haar dagboek te schrijven, en daarna een damasten tafelkleed bij een poging stiekem *Robinson Crusoë* onder de grote tafel in de eetkamer te lezen.

Matties man, Cornelius Brown, kwam net als een aantal andere matrozen niet met zijn schip naar Engeland terug, maar hij scheen evenmin te zijn gesneuveld. Hij was vertrokken om de rest van de wereld te zien. 'Wat gemeen, om zijn moeder dit aan te doen,' zei Mattie verontwaardigd.

'Wat gemeen om de marine dit aan te doen,' zei de admiraal heel streng. 'Hij heeft zijn koning en de marine in de steek gelaten, hij is gedeserteerd, Mattie. Dit betekent dat er een aantekening bij zijn naam zal komen, en als ze hem vinden zal hij ter dood worden veroordeeld. Dat is de straf voor deserteurs.'

Rose slaakte een gesmoorde kreet van ontzetting en keek naar de arme Mattie.

'Nou,' zei Mattie, 'dat spijt me heel erg, meneer. Echt waar.' Maar ze kregen de indruk dat Mattie dacht dat niemand Cornelius Brown te pakken zou kunnen krijgen, en het leek net of ze glimlachte. 'Je zou kunnen zeggen dat hij ook van mij is gedeserteerd, maar ik heb hem verteld dat ik geen dertien kinderen wilde krijgen, net als zijn moeder. Dank je feestelijk! Dus ik hoop dat hij in een ver land een geschikt meisje vindt om haar plicht te doen.' En ze begon de tafel af te ruimen. Toen kondigde ze aan: 'Maar ik zal 'm dit wel betaald zetten. Let maar eens op!' Toch vond Rose dat ze niet erg boos leek, de meeste tijd liep ze te neuriën en peinzend voor zich uit te kijken.

Toen de vrouw van de admiraal, de geliefde mama van Rose, die werd afgebeeld als een ster, mager begon te worden, had ze eerst nog veel belangstelling voor alles, verheugde ze zich nog steeds op de avonden in Brook Street. Mattie probeerde haar aan te laten sterken. Toen begon de pijn. Het bleek dat ze vanbinnen door iets werd verteerd en dat ze stervende was. Binnen een jaar was de beeldschone vrouw die Rose altijd als een ster had getekend, zo mager als een vogeltje, met een gezicht dat vertrokken was van pijn. Ze konden haar niet helpen, ze konden haar geen verlichting schenken. Ten slotte was er een wijze dokter die haar opium gaf. Ze probeerden zich niet aan haar vast te klampen, maar ze konden het niet helpen: 'Mama,' huilde Rose, 'je mag ons niet in de steek laten.' Maar op een zomeravond in Brook Street, toen Rose vijftien was, terwijl de nachtegalen tegen de donkerblauwe hemel afstaken en naar huis vlogen in de bomen van Hanover Square, werden de pijn en het verdriet en de verschrikking toch uitgewist en verliet de mooie vrouw hen.

De admiraal weende. 'Maar gelukkig heb ik jou,' zei hij ten slotte tegen Rose, toen hij zag hoe zijn tranen zijn dochter verdriet deden. 'Je mama heeft heel veel kinderen verloren. Daarom was jij zo kostbaar.'

Bij de begrafenis klampten Rose en Fanny zich aan elkaar vast, terwijl de tranen hen over de jeugdige wangen stroomden. Het was niet in hen opgekomen dat de mensen van wie ze hielden niet eeuwig zouden blijven leven.

Het was de eerste keer in haar leven dat Rose verdriet en narigheid en een sterfgeval meemaakte, en ze tekende haar allerlaatste ster, mooi en stralend, om samen met haar moeder te worden begraven. Ze hoorde het lege huis en ze nam zich stellig voor zoveel kinderen te krijgen dat ze nóóit meer in een leeg huis zou wonen.

En toen ontmoette ze kapitein Harry Fallon, burggraaf Gawkroger, op een bal in de buurt van Vow Hill, en Fanny ontmoette dominee Horatio Harbottom in de bibliotheek op Hanover Square.

Twee

*D*e twee nichtjes waren nooit eerder van elkaar gescheiden geweest en ondanks hun nieuwe en wonderbaarlijke geluk misten ze elkaar vreselijk.

The Rectory
Wentwater
mei 1796

Liefste Rose,
Zes uur in de morgen, tijd voor mij om te schrijven voordat Horatio beneden komt! Ik kijk als eerste, altijd als eerste, of er Brieven van jou zijn – ik mis je meer dan ik kan zeggen – maar dat is natuurlijk zo omdat we zo'n groot deel van ons leven Samen hebben doorgebracht. Het spijt me dat mijn Brieven altijd zo kort zijn! maar het leven van mevrouw Fanny Harbottom is erg druk! Die lieve Horatio heeft veel werk en Bezoekende Geestelijken. Ze zitten urenlang in zijn Studeerkamer te praten, dus moet ik honderden (zo lijkt het wel) kleine Zaken regelen waar Mensen in hun leven

hulp bij nodig schijnen te hebben – en ik vind dat erg leuk om te doen, ik geniet ervan, ik deel hun levens en hun Verhalen. Er is veel lijden onder de arme mensen – we wisten niet veel, Rose, jij en ik, maar ik leer.

En Rose – heb je het al gehoord? – de Oost-Indische Compagnie zal mama en papa over een Paar Maanden naar India sturen – India – wat een onvoorstelbaar avontuur! Papa moet daar toezicht houden op het uit- kiezen van de Katoen in India, geloof ik. Mama is bui- ten zichzelf door al het Regelen voor vier meisjes (Richard moet uiteraard in het leger blijven). O Rose – mijn hele Familie wordt opeens over de Aardbol ver- spreid. Maar we hebben uiteraard ons hele leven nog vóór ons en – wie weet? – misschien wordt Horatio op zekere dag ook door de Kerk Overzee gestuurd?

Maar opeens zonder al mijn Lieve familie te zitten, dat is heel zwaar.

Maar ik heb het natuurlijk heel druk met mijn be- staan als Getrouwde Vrouw. Het is geweldig om mijn eigen Huis te hebben – ik ruik de kamperfoelie al – de Pastorie is een mooi huis met overal veel ruimte, grote kamers (voor onze kinderen! – o, lieve Rose, ik geloof dat ik misschien al in verwachting ben – maar ik wil dit niet aan mijn familie vertellen voordat ik zeker ben – maar dan is mama al vertrokken...).

Ik denk dat ik erg geschikt ben voor het bestaan als Domineesvrouw! want je weet hoe graag ik altijd naar de Kerk ging, naar de weergalmende Vrede, en het be- sef dat God daar is. Maar ik ben nooit zo Veelvuldig naar de Kerk geweest – Horatio vindt het heel fijn om soms 's avonds de Kerk van Wentwater binnen te gaan en een paar Kaarsen aan te steken en dan, alleen voor

mij, te Preken. (Ik weet inmiddels dat ik veel omslagdoeken moet meenemen omdat het 's avonds heel koud
kan zijn in de Kerk!) En Horatio is niet de enige die in
Wentwater over God spreekt – er zijn ook wat andere,
heel Ernstige mensen die op Marktdagen naar ons
stadje komen om daar op het Plein te preken – ik geloof dat het Methodisten of Evangelischen of zelfs
Quakers zijn. En Rose, een van hen is een Vrouw! Ik
had niet gedacht ooit een Vrouw te zien Preken, en ze
is heel eenvoudig en de mensen Luisteren, Verbaasd.
Al deze bezoekers Preken op een klein krukje dat ze
overal met zich meenemen: ze staan op het krukje over
God te praten – zelfs als het regent – het is echt een
heel vreemd gezicht. Horatio noemt al deze (ongeno-
de!) bezoekers Charlatans en Ketters – hij zegt dat ze
de Grote Kerk van Engeland bezoedelen en dat ze ver-
raders zijn. Hij gaat vooral 's zondags in de Kerk tekeer
– het is niet erg eerbiedig van me om het te zeggen,
maar ik vind dat zijn prachtige Stem gewoon is geschapen voor het Bulderen, en de vage geur van lavendel (Horatio heeft er altijd een fles van in de Consistoriekamer en hij brengt er wat van op voordat hij
verschijnt!) is nu onherroepelijk verbonden geraakt
met de geur van oude kerkbanken en gezangenbundels
en kaarsen, en mijn leven...

O liefste nicht, ik mis je. Ik zou zo graag met je willen praten. Er zijn Vreemde dingen wanneer je getrouwd bent, hè? (Zoals er ook Vreemde Dingen waren waarvan we van tevoren heel goed op de hoogte
waren!) Weet je nog toen we dat boek vonden van
Aristoteles' Meesterwerk (dat boek met doorsneden van
het menselijk lichaam dat jongedames niet hoorden te

lezen) en dit in de Bibliotheek achter de gordijnen verstopten als we mensen hoorden komen?! Nou, ik weet nu niet zeker of ik alles heb geleerd wat ik zou moeten leren, of alles heb Begrepen in dat Verboden Boek... En Rose, wat lees jij nu? Ik Honger naar Boeken. Hoewel ik Horatio toch in de Uitleenbibliotheek op Hanover Square heb ontmoet, verbaas ik me enigszins te beseffen – hij is natuurlijk niet tégen boeken, dat zou ondenkbaar zijn – dat hij vindt dat vrouwen geen romans horen te lezen. Hij is heel Welsprekend op dat punt, hij zegt dat ze een gevaar voor het Huwelijk vormen! Hij zegt dat Boeken zijn bedoeld om hardop voor te lezen en er samen over te praten, en hij laat doorschemeren dat er iets immoreels is aan lezen – vooral Romans – voor jezelf! Nou, ik zal een nieuwe Roman zoeken en die hardop aan hem voorlezen, als hij dat wil. En zijn lieve en heel mooie gezicht wanneer hij me liefhebbend aankijkt, zoals hij vaak doet, zal me veel Geluk geven en ik weet hoeveel ik van hem zal leren.

Behalve dat – o, Rose, zeker jij weet hoeveel ik altijd, mijn hele leven, heb gepraat tegen God, van wie ik weet dat Hij over ons waakt. Maar – Horatio denkt dat God me nog niet echt heeft aangeraakt en dat ik nog geen Volwassen Beeld van God heb... O Rose, er is zo veel dat ik nog niet weet en hij zal natuurlijk wel gelijk hebben, maar het is vreemd te denken dat ik het nog niet helemaal... heb begrepen. Maar ik weet zeker dat ik veel zal Leren van Horatio, die zoveel Weet. Ik zeg steeds weer tegen mezelf dat hij mij zal Onderwijzen, dat hij mijn Leraar zal zijn.

Schrijf gauw, lieve Rose, jij zult toch zeker nooit ophouden met Brieven te schrijven en met in je Dagboek te schrijven, hè? Alleen maar omdat je getrouwd bent? Mijn eeuwige beeld van jou is zittend aan het oude bureau van je mama dat in een kaarttafel kon veranderen, volledig Geconcentreerd op wat je zit te Schrijven, alsof de rest van de wereld niet bestaat. Lieve Rose, ik mis je zo.

Achter het stadje ligt de Heide, en als ik tijd heb ga ik daar soms wandelen. Nu de Dagen warmer worden ga ik soms tussen de Bomen en het Gras liggen en kijk omhoog naar de Lucht en zie de wolken voorbijdrijven. En dan zeg ik 'Lieve God, ik weet dat U er bent en ik wacht op Uw Woord als U toch niet tegen mij hebt Gesproken toen ik dacht dat U dat deed.' En de wolken vormen zich en veranderen en lijken te zeggen: 'We horen je.' Vind je dat kinderlijk van me? Ja, waarschijnlijk wel!

God zegene je, liefste Rose,
Fanny

Lieve, lieve Fanny,
Je bent de verstandigste persoon die ik ken, niet de kinderlijkste. Je bent mijn eigen lieve nichtje en ik mis je vreselijk. Je lieve mama en papa en alle Meisjes zijn net op bezoek geweest – O, om over de Wereld te reizen! India! Wie weet wat ze zullen Ontmoeten! Je zusjes denken dat er in India veel verkieslijke Engelse jongemannen zijn die op hun komst zitten te wachten! En ze hebben het over apen en slangen en olifanten, en legerbals en ze huiveren letterlijk van opwinding! En iedereen keek Gekweld en we huilden en ze zeiden dat ze gauw Afscheid van jou kwamen nemen – o Fanny! Wanneer zullen we hen weer Zien?

Zij gaan naar India, en wij zijn Getrouwde Vrouwen die de zorg hebben voor onze Woning! (Moet jij jezelf ook wel eens in de arm knijpen om je eraan te herinneren dat je geen 'meisje' meer bent? – O Fanny, wat mis ik je Mama, zelfs nu al.) Ben ik echt niet meer Rose Hall? Het schijnt dat ik Rose Fallon, burggravin Gawkroger, Gastvrouw en Echtgenote ben geworden! O Fanny, Harry houdt van me en hij maakt me erg gelukkig. We hebben een uitzonderlijk leven wanneer Harry aan wal is: we staan laat op, we gaan laat naar bed, vier of vijf uur in de morgen is niets! En Fan, let op het nieuwe adres – Harry en ik hebben eindelijk onze intrek genomen in ons eigen (grote!) huis in Wimpole Street. (Maar er gebeurt eigenlijk helemaal niets in Wimpole Street, hoe deftig het ook is, en de straat leidt nergens naartoe – alleen maar naar de velden achter Portland Place.)

Het mooiste aan onze verhuizing is dat we nu zijn ontsnapt aan mijn Schoonmoeder! en aan dat koude huis in Great Smith Street dat zo pompeus Gawkroger Hall wordt genoemd. De Douairière is een vreselijke Bezoeking, zoals je al bij diverse gelegenheden hebt kunnen ervaren. Ik schijn erg te hebben Geboft (zoals me maar al te vaak wordt verteld) om een zoon uit zo'n Familie 'aan de haak te hebben geslagen', maar die medaille heeft wel een keerzijde! Zelfs jouw liefste Horatio (van wie we weten dat hij dol is op titels!) leek min of meer Verbijsterd toen de Douairière Burggravin Gawkroger hem op onze Trouwdag in een hoek dreef en hij bespeurde dat er niet viel te vluchten toen de Woordenstroom losbrak. Ik werd steeds Nieuwsgieriger naar hoe ze in staat was zo lang te praten zonder adem te halen, en door middel van Serieuze observatie heb ik me ervan vergewist dat ze voortgaat met spreken, zelfs wanneer ze Inademt, en ook wanneer ze Uitademt, zodat er geen enkele kans op Interruptie is!

In Wimpole Street ontvangen we onze gasten in een lange blauwe Salon met allemaal Portretten van de Familie Fallon aan de muur: oude gezichten, door kaarsen beschenen, kijken op me neer, sommige streng, sommige welwillend. Ik dacht natuurlijk dat het allemaal Oude Edelen waren, tot de huishoudster me verzekerde dat het voornamelijk 'Zakenlui' waren – en dat zei ze heel Neerbuigend! Het beetje Adel dat aan de muren hangt stamt uit de familie van de Douairière. Het schijnt dat zij degene is die een beetje Adellijk Bloed in de aderen van de Familie Fallon heeft gebracht! Mijn favoriete schilderij is een groot doek waarop de huidige Familie Fallon in vroeger dagen staat afgebeeld – Wijlen Burggraaf Gawkroger met lange pruik en schoenen met gespen, Harry als ondeugend kijkende jongen, en zijn jongere broer George met een wat sluwe blik. De Familie staat Heel Ernstig opgesteld rond een Klavecimbel waarachter de Burggravin zit met haar vingers op het Klavier. Ze heeft een hoge pruik met Veren op, jong maar reeds Indrukwekkend, met die lange adellijke neus en die doordringende ogen die ik helaas maar al te goed heb leren kennen. Ze domineert het Schilderij, maar aangezien ik haar nog nooit één noot heb zien spelen, of door enig lid van deze illustere familie ook maar één woord van belangstelling voor Muziek heb horen uiten, geeft dit Schilderij eerder blijk van hun Sociale Verlangens dan van hun Muzikale Waardering! Wat wij schijnen te zijn, lieve Fanny, is de 'nieuwe' Adel. (Alsof mij dat wat kan schelen! Ik heb mijn lieve Harry en dat is het enige wat ertoe doet, en hij heeft het zelf zo druk met van het leven genieten, dat ik zeker weet dat het hem ook niet interesseert!) Maar de Douairière en George SMACH-TEN om grootser te zijn, en helemaal niet 'nieuw' – ze smachten ernaar deel uit te maken van *le beau monde* – ik bedoel de paar belangrijke, oude Gevestigde families, Hertogen en Graven en Markiezen, rond de Koning en de Eerste Minister en ik denk ook de Prins van Wales (hoewel die een aantal heel vreemde kennissen schijnt te hebben). Maar de beau monde valt gewoon niet te bereiken: de regels zijn heel strikt en onwrikbaar: je kunt er niet 'bij' horen tenzij je van bijzondere Adel bent of uit een Oud Geslacht stamt, en wij horen er niet 'bij'. Hoe zouden we dat ook kunnen? Maar de Douairière en George schijnen voortdurend te piekeren hoe ze Hoger en Hoger kunnen komen. Alles wat ze doen heeft dit als doel en geld speelt geen rol (want de familie Fallon is ERG rijk, ik begin dit nu pas een beetje te bevatten). En daarom draait een groot deel van ons leven rond het ontmoeten van de Juiste Mensen. In Londen gaan we voortdurend op bezoek bij Belangrijke Families, of we gaan met een gezelschap naar het Theater, of naar Ranelagh Gardens, of naar Vauxhall – naar alle uitvoeringen en vuurwerk en champagne en soupers (weet je nog dat we daar vroeger ook naartoe gingen – hoewel minder duur! – en Fanny, onze favorieten, De Zingende Acrobaten, weet je nog? die zijn er nog steeds!). En we bezoeken elegante huizen en zelfs kastelen op het land! En dan drinken we Champagne en we dansen – ze hebben me een keer ge-

dwongen mee te gaan met de Jacht en dat was zo afschuwelijk dat ik dat nooit meer wil. Ze hebben toen
een hert geschoten, en er was een klein jong bij, George, de broer van Harry, raapte het jong op en doodde
het met zijn blote handen, brak de kleine nek, en smeet
het dode dier toen tussen de bomen, en daarna reden
we verder. George lachte me uit en zei dat hij wreed
deed om barmhartig te zijn.

Maar niemand schijnt ooit Boeken te lezen of te praten over wat ze hebben gelezen, of waarover ze hebben
nagedacht, zoals jij en ik dat altijd deden – Harry leest
nooit iets! Hij zegt dat hij geen tijd heeft om te lezen.
Boeken schijnen hem Ongeduldig te maken en daarom
bewaar ik nu al mijn Boeken in mijn eigen kamer. Ik
had graag veel met hem willen delen, maar het enige
boek dat ik heb gelezen en waar hij belangstelling voor
heeft getoond is *Aristoteles' Meesterwerk* – hij lachte me
uit toen ik hem vertelde over hoe jij en ik het achter de
gordijnen van de bibliotheek hadden verstopt en hij zei
dat een 'fatsoenlijk meisje' zo'n boek niet hoorde te
kennen, maar hij heeft het er vaak over en kijkt me dan
heel veelbetekenend aan! (Denk je dat Horatio het ook
heeft gelezen?!) Ik begon me laatst op een avond, bij
de een of andere *soiree*, zo te vervelen dat ik in een andere kamer een boek ging zitten lezen. Helaas werd ik
gevolgd door een akelige grote man die zo dicht tegen
me aan ging zitten hijgen dat ik genoodzaakt was 'Laat
dit, Meneer' te zeggen, net als de heldinnen over wie
wij hebben gelezen!

En we ontvangen, uiteraard. Die blauwe salon is dan
vol Londense Society – wat een jurken, wat een juwelen, wat een Griekse kapsels! Wat een Parfums en

Pommades! De mensen arriveren heel elegant, heel chic, ze steken loom een hand uit naar de Champagne, soms hebben we zelfs een klein orkest. Er wordt verfijnd voedsel geserveerd. In één kamer stapelt het geld zich op de kaarttafels op; de dames wapperen met hun waaiers en wisselen nieuwtjes uit. Maar, Fan, soms verdwijnt er een dame of heer. En dan nog één... en daarna verschijnen ze weer en dan zien ze er wat vreemd uit, op een manier die ik alleen maar als Verfomfaaid kan omschrijven. Gewoon, een klein beetje Verfomfaaid, zodat ik me soms afvraag of ik het me alleen maar verbeeld. (Maar je kunt natuurlijk moeilijk je gasten over je eigen trap achternagaan om dit raadsel op te lossen!) Harry lacht er alleen maar om, ik glimlach zoals het een goede Gastvrouw betaamt. De Douairière Burggravin troont in het midden van de blauwe salon en George (die uiteraard alles regelt), denkt meer aan het succes van zijn soiree (want het is uiteraard eigenlijk zijn soiree) of aan de Sociale Status van de Gasten, dan aan hun activiteiten als ze hier eenmaal zijn. Dit is dus Society! En vaak zitten er in donkere hoekjes chagrijnige jongelieden die enorme hoeveelheden Champagne nuttigen en achter hun hand het Gezelschap of de Gastheer of de Jurken van de Dames bekritiseren, en dit doet George briesen van woede. Ik begrijp niet goed waarom – ik heb hem zich net zo zien gedragen bij andere mensen Thuis! O maar Fanny, stel je voor dat we papa op zo'n avond zouden uitnodigen... Dat hij mijn huwelijk afkeurt is mijn enige Verdriet. Zoals hij al heeft voorspeld komt er veel Fraaie Mode maar weinig Hersens – veel mensen die we ontmoeten zijn echt louche – zoals je uit deze brief kunt opmaken.

'Liederlijk', waarschuwde papa, en 'Kunstmatig'. Ik denk dat dat allemaal waar is – maar dat geldt niet voor mijn lieve Harry. Ik wou dat papa dat kon zien. Harry is uitbundig, maar lief.

Toen jouw Mama en Papa en de meisjes waren vertrokken, bleef ik in de blauwe salon naar de stilte zitten luisteren, gewoon naar het getik van de klokken, en ik dacht aan alle lege kamers en ik deed mijn ogen dicht en stelde me ze vol kinderen voor (en die zullen vast wel snel komen, want uit je brief begrijp ik dat het jou is gelukt, liefste Fanny). En de klokken tikten en ik wachtte op mijn Leven – kijk, ik ben net zo kinderlijk als jij! We hebben wel zeven klokken! bij onze trouwerij gekregen, inclusief de oude Italiaanse Klok van Papa uit Genua, de klok waar ik altijd zo dol op was en waarvan ik beweerde dat hij in het Italiaans sloeg, weet je nog? En ze zijn allemaal door een Klokkenmaker nagekeken en gelijkgezet, en ze slaan allemaal: in de hal, in de blauwe salon, in het trappenhuis, maar allemaal net niet helemaal gelijk. Ik vind dit wel leuk, ik houd van die verschillende klokslagen die met elkaar wedijveren, ik houd van de gedachte dat de tijd niet noodzakelijkerwijs is zoals we denken. En het is – uiteindelijk – de oude klok uit Genua die het meest betrouwbaar is. Mattie windt hem iedere dag nauwgezet op. Mattie is natuurlijk als kamenier met me meegekomen en ze vindt onze hele manier van leven Belachelijk! Ik hoor haar vaak lelijke dingen mompelen! Weet je dat ze nog steeds vastbesloten is die matroosman van haar, Cornelius Brown, te vinden? Ze dreigt vermomd als man aan boord van een schip te gaan om naar hem te zoeken, niet om hem weer terug te krijgen (beweert ze) maar om hem op zijn oog te timmeren voor zijn slechte gedrag! Het is jaren geleden dat hij van zijn schip is gedeserteerd, maar ze meent het echt en ik geloof dat ze bezig is voor een reis te sparen en het zou me helemaal niet verbazen als ze haar dreigement uitvoert! Maar ik heb haar laten beloven dat ze minstens bij me blijft tot ik mijn eerste Kind heb. 'Beloof me dat, Mattie!' zeg ik. 'Dat beloof ik, juffrouw Rose,' zegt ze. 'Ik zal niet bij u weggaan voordat u uw eerste Kind heeft.'

Harry begint ongeduldig te worden, hij zegt dat anderen bij de marine al in de Middellandse Zee zitten: in Malta, Italië, Griekenland, en zelfs in Egypte. O, kon ik maar met hem naar Egypte gaan om de dingen te zien waarvan Papa ons heeft verteld! Napoleon Bonaparte schijnt overal en nergens te zijn. Harry wil een Held zijn en heeft het gevoel dat Anderen alle Kansen krijgen maar dat hij moet wachten om zelf een Schip te krijgen, hij zegt dat er bij de Engelse Marine gewoon te veel Kapiteins zijn. Tja, als de Engelse Marine nou eens de Kapiteins in de Stad kon houden, zou ik de gelukkigste mens op deze Mooie Wereld zijn, want je kent het sprookje: Prinses Rosetta leefde nog lang en gelukkig toen ze de Koning van de Pauwen had gevonden (en Harry lijkt met zijn gele vest en zijn roze jasjes inderdaad op de Koning van de Pauwen!).

Vorige week ben ik, via machinaties van mijn zwager, die wel eens met hem te maken schijnt te hebben, voorgesteld aan de Prins van Wales, in Carlton House, een uitzonderlijk en Flamboyant onderkomen. Ik werd ontvangen in een zaal die met rood en goud was ingericht! Ik voelde me niet erg op mijn gemak door de overdreven vleierij van de Prins – volgens mij had hij veel wijn gedronken – en hij droeg een geweldige pruik en had lovertjes op zijn kuitbroek. Ik heb hem bijna gevraagd of hij dan tenminste Boeken leest! – dat zal hij toch zeker wel doen. Hij sprak gedurende vijf minuten heel interessant, maar wel wat dronken, over Kunst, en toen was mijn audiëntie voorbij. Maar ik heb daar de Hertogin van Brayfield ontmoet! Je weet vast wel wie ik bedoel, ze wordt in de kranten altijd omschreven als de drijvende kracht achter de regering, achter de Eerste Minister, en zelfs Papa had het over haar legendarische diners voor machtige mensen. Ze was heel knap en heel charmant, en we spraken samen – o vreugde! – over de boeken van Smollett. George boog heel diep toen hij zo'n belangrijk personage ontmoette! (Niet iemand om op zijn soort feestjes op Mysterieuze Wijze Verfomfaaid te raken, dat weet ik wel zeker!) Ik zal me de hertogin van Brayfield als voorbeeld voor ogen houden, misschien kan ik zelf ook ooit een Interessante Gastvrouw worden? Intussen zal ik, via bemiddeling van een nicht van de douairière, de hertogin van Seaforth, waarschijnlijk snel aan het Hof worden voorgesteld, en dan moet ik een hoepelrok en een korset en veren dragen, net als in vroeger tijden!

Ik zit nu in mijn roze slaapkamer, achter Mama's oude bureau, op het geluid van het rijtuig van Harry te wachten. Op mijn geliefde man, Harry. (Het is me nog steeds een vreugde die woorden op te schrijven, ik schrijf ze bijna elke dag in mijn dagboek!) Hij is naar de een of andere Club, ongetwijfeld om te kaarten om geld. Harry gokt werkelijk op Alles, niet alleen met kaarten – de paardenrennen; de Snelheid van rijtuigen in Bond Street; dobbelstenen; het traject van die nieuwe Ballonnen die hoog in de lucht vliegen; zelfs, vertrouwde Harry me toe, over of het mogelijk is om met een vrouw de liefde te bedrijven in een Ballon die boven Londen vliegt!! (Ik denk dat hij me daarmee plaagde, om te zien of hij me kon Schokken!) En al die grapjes haalt Harry uit samen met zijn broer, die voortdurend bij ons in Wimpole Street op bezoek komt. Hij – George – schijnt niet zonder zijn oudere broer te kunnen. Hij kijkt heel blij als hij Harry ziet en doet alles wat Harry wil. Hij verwent hem... en hij speelt de baas over hem. Ik probeer hem aardig te vinden, George bedoel ik, maar er is iets... iets aan hem wat me niet bevalt (misschien is het de herinnering aan dat hertje). Hij lijkt op Harry, maar hij is Harry niet. (Hij kan geen Felle Kleuren dragen, zoals Harry dat kan, een gele jas die Harry geweldig staat lijkt bij George te opzichtig, niet gepast, alsof hij een Toneelspeler is!) Maar ondanks alles moet ik toch bewondering hebben voor George, om zijn – wat is het? – ik denk dat het zijn Energie is. Ik zie dat hij maakt dat de 'echte' Adel lui en sloom lijkt. Hij zit nooit stil. Hij heeft het altijd druk met Familiezaken, want hij zegt dat hij alles voor Harry doet. En toch, hoe druk hij het ook heeft, hij is altijd 'aanwezig' – zelfs wanneer je denkt dat hij er niet is. Om je de waarheid te zeggen, hij doet me altijd aan een slang denken, klaar om toe te slaan! Maar ik sta mezelf eigenlijk niet toe aan slangen te denken, omwille van Harry. En hij – George – is altijd volmaakt vriendelijk. Dus doe ik mijn best heel aardig te zijn, want ik wil echt een Boeiende toevoeging zijn aan deze 'illustere' Familie. Ik voel me in elk geval heel Illuster, zoals ik hier in mijn zijden nachthemd zit – het nachthemd dat Harry het mooiste vindt. (O, nu heb ik inkt op mijn vingers gekregen, sommige dingen veranderen ook nooit, Fanny lieverd, zoals ik hier veilig aan Mama's bureau zit met mijn dagboek en mijn pennen en mijn vertrouwde bril – hoewel Harry niet wil dat ik die opzet wanneer hij me kan zien!)

Het enige wat ik nu nog wens is dat ik jou zou kunnen vertellen dat ik ook een Kind verwacht.

Wanneer kom je naar Londen om afscheid te nemen van je familie? Laat het me meteen weten. Lief meisje, lieve Fanny, ik mis je erg. Maar laten we maar denken dat onze wereld groter is geworden. We zullen allerlei nieuwe dingen leren in onze verschillende levens, en we zullen die delen als altijd – ik weet dat God je heel veel boodschappen zal sturen, want hij was altijd je beste vriend. Ga verder, Fanny, moge Horatio jou net zo gelukkig maken als Harry mij.

Rose

The Rectory
Wentwater
mei 1796

Beste Nicht Rose,
Fanny en ik bidden Dagelijks voor jou, dat God je zal helpen de Frivoliteit van je nieuwe Leven te overwinnen en dat Leven Rechtvaardig en volgens Zijn Woord te leiden. Ik vind het voor Fanny niet Gepast om jou in Londen te Bezoeken, en ook niet voor jou om haar hier te Bezoeken nu jullie Levens zo Verschillend zijn.

Wees alsjeblieft zo zorgvuldig haar te Schrijven op een Betamelijke wijze, zoals het aan de Vrouw van de Dominee van Wentwater gepast is.

Moge God je leiden.
Je neef,
Horatio Harbottom
(Predikant)

Onder dit korte epistel waren de volgende woorden heel haastig gekrabbeld: *hij heeft je brief gelezen.*

Drie

*H*arry en Rose werden beschouwd als het Volmaakte Paar (alleen niet door de vader van de bruid, die
over de familie Fallon oordeelde als 'meelopers van de echte adel en zelfs nog immoreler', of door de moeder van de
bruidegom, die heel graag had gewild dat haar zoon met
een lid van het Koninklijk Huis was getrouwd, om de familie sociaal hogerop te laten komen). De jonggehuwden
waren heel populair. Ze waren erg gezellig in de omgang
en knap om te zien, om nog maar te zwijgen van het feit
dat ze erg rijk waren. Harry dwong Rose hen samen in een
grote spiegel te bekijken: 'Kijk, *Rosetta mia*. Kijk eens hoe
mooi we zijn.' Maar ze wendde verlegen haar blik af van
hun naakte lichamen. Hij dwong haar echter weer te kijken, en ze was het ermee eens. (En zo zag ze hen in gedachten altijd: allebei met donker haar, allebei met van
champagne glanzende ogen, haar eigen blozende gezicht
terwijl Harry haar vasthield en haar dwong te kijken.)

Ze noemden het de High Heavens Club (kortweg HH),
een heel onschuldige titel. Als er om een uitleg werd ge-

vraagd, hadden ze het over belangstelling voor astronomie. Er waren in elk geval diverse heren die het een en ander van sterrenstelsels wisten (behalve dat het natuurlijk noodzakelijk was om te landen voordat de duisternis inviel). Ze zouden zweren dat als je op een heldere dag omhoogging, je de sterren soms écht kon zien, weerkaatst door de zon.

Leden van de High Heavens Club hadden aan de binnenzijde van een vest dat ze bij ballonvaarten droegen sterren van echt goud. Eén gouden ster voor iedere geslaagde onderneming. Het was een exclusieve club, alleen zij die hun doel hadden bereikt werden als lid beschouwd. Dat was uiteraard de reden waarom er Waarnemers moesten zijn. De Waarnemers waren op erewoord verplicht – uiteraard – om op zijn minst te doen alsof ze het landschap aanschouwden. Af en toe waren de kreten van een jonge vrouw meelijwekkend. Dan was het de taak van de Waarnemers om haar op vriendelijke wijze ervan te overtuigen dat aangezien ze nu toch boven, hoog in de lucht, was, ze er net zo goed van kon genieten. Eén keer brak er brand uit in de ballon van kapitein Ocean en liep een meisje lelijke brandwonden op. Ze werd daarna niet meer in beschaafd gezelschap gesignaleerd (maar de heren hadden botje bij botje gelegd en haar een donatie gestuurd).

Kapitein Ocean verhuurde zijn ballon en zijn diensten voor honderd guinea's per uur (veel meer dan zijn koetsier in een jaar verdiende): slechts de financiële elite was in staat lid te worden van de High Heavens Club. Sommige heren beweerden dat voor hen een uur voldoende was; er werden weddenschappen afgesloten. Het moest natuurlijk goed weer zijn, dus werden er weddenschappen op het weer afgesloten. Diverse jongedames werd op gepaste wijze het hof gemaakt, vlak onder de neus van hun ambitieuze mama. Er werden weddenschappen afgesloten op het succes van de hofmakerij (want de heren die zich honderd guinea's per uur konden veroorloven waren ook de heren op wie de ambitieuze mama's hun oog hadden laten vallen als mogelijke schoonzoon). Soms kwamen de mama's hun dochters zelfs uitzwaaien, bleven met hun zakdoekje wapperen terwijl de mooie ballon kleiner en kleiner werd.

De getrouwde heren moesten iets discreter te werk gaan, maar sommige avontuurlijk ingestelde en meer ervaren gehuwde vrouwen waren niet afkerig om zelf lid van de HH te worden: ze lachten om alle opwinding en brachten achter hun waaier verslag uit van hun avontuur.

De clubs in St. James's leverden picknickmanden die oesters, truffels en asperges bevatten (en *trifle*, voor het geval mensen na afloop nog honger hadden). Alle picknickmanden van dit soort gingen vergezeld van twee dozijn flessen champagne: de lege champagneflessen en de kristallen glazen werden overboord gegooid. Eén keer werd een koe achter Portland Place op slag gedood toen zij werd getroffen door iets wat een donderslag bij heldere hemel leek, maar in werkelijkheid een volle fles champagne was die per abuis uit de ballon van kapitein Ocean was gevallen.

Kapitein Harry Fallon bezat de meeste sterren; wanneer hij op zee zat, miste de High Heavens Club zijn frequentste ballonvaarder.

Rose hield haar geheim nog even voor zich. Haar ogen straalden. Zoals ze daar in haar eentje in het rijtuig zat, op weg naar Drury Lane, wist ze dat ze glimlachte, ze kon het niet helpen (ieder lid van de HH-CLUB die de blik in haar ogen had gezien, zou hebben verondersteld dat ze haar minnaar ging ontmoeten, en zou hebben gewenst dat hij dat was).

Ze keek uit het raampje naar de pleinen en de straten. Het begon net donker te worden en de lampen die de winkels langs de Strand verlichtten brandden, de mensen wandelden lachend door de straten en riepen naar elkaar in de schemering: dames en heren met handschoenen en hoeden, straatjongens op blote voeten, zakenmensen met kleine koffertjes. De rijtuigen reden naast elkaar, misten elkaar net, de koetsiers schreeuwden naar elkaar. Het rook er naar uien die werden gebakken en naar koffie en vis en naar stinkende goten: haar stad.

Fanny had al twee kinderen. Rose had haar eerste baby verloren, net als haar tweede, maar deze magische keer was ze voorbij de gevaarlijke periode en Mattie en zij hadden alle mogelijke voorzorgsmaatregelen genomen. Niemand mocht het nog weten, vooral niet haar schoonmoeder, voor wie alles ondergeschikt was aan de wens dat Rose een erfgenaam produceerde voor de familie Fallon en voor hun fortuin. Tot Rose hierin slaagde zou de douairière haar schoondochter met argusogen volgen – vooral wanneer Harry op zee zat, zoals nu – en zich ongenood bij etentjes en theaterbezoeken opdringen, waarbij ze haar monologen bleef afsteken, soms tot immense ergernis van de nieuwe vrienden van Rose. Toen Rose haar eerste twee baby's verloor ('Het waren niet echt baby's,' zei Mattie resoluut, 'je hebt het zelf gezien, het was alleen maar bloed, dat overkomt veel vrouwen') kwam dit volgens de douairière door haar vrolijke leventje.

Deze keer zou Rose haar baby niet verliezen. Ze voelde zich zelfs zeker genoeg om het nieuws in haar dagboek te schrijven. Ze was opgetogen. Nu kon ze de lege kamers beginnen te vullen met veel stemmen, zoals ze dat altijd al van plan was geweest. Ze zag de kinderen van Harry en haar al door de kamers van het grote huis in Wimpole Street rennen. Maar ze wist dat ze haar heerlijke geheim niet veel langer zou kunnen bewaren. Vanavond, in het theater, nadat ze op wonderbaarlijke wijze aan de klauwen van de douairière was ontsnapt, zou ze het nieuws aan haar vriendinnen vertellen. Morgen zou ze haar geliefde papa bezoeken, die hier heel blij mee zou zijn, wist ze, en pas daarna zou ze het aan de douairière vertellen. Als Harry terugkeerde van zijn avonturen in de Middellandse Zee, met lord Nelson, zou hij vader zijn.

Ze stapte uit in Drury Lane, haastte zich de foyer in. Ze stond op het punt om de loge die Harry het hele jaar aanhield binnen te gaan, toen ze zich opeens misselijk voelde worden. Ze ging even op een stoel zitten, vlak buiten de rode gordijnen, terwijl de suppoosten haar water aanboden.

'Dank u,' zei ze. 'Het gaat wel weer, maar dank u.' Ze haalde een paar keer diep adem. Er klonk gelach vanaf de andere kant van de rode gordijnen. Ergens werden violen gestemd.

'Harry?' Een heldere, luide stem, een stem die ze kende.

'Sst!'

'Zeg, jij kleine verleidster... Ik dacht dat hij Lucinda het hof maakte!'

'Je weet maar al te goed, uit eigen ervaring, dat Harry meer dan één het hof kan maken!' Weer gelach. 'Ik heb een briefje vanaf het schip gekregen, waarin hij me zijn eeuwige toewijding beloofde en erop aandrong hem te gedenken wanneer ik toevallig in Vauxhall Gardens door Lovers' Lane kwam!'

'Ben je ook lid geworden van de HH?'

'Wat is de HH?'

Er klonk gefluister, en toen gierend gelach.

'In een ballon!'

'Liefje, het is echt heel opwindend om...'

'... maar is dat niet een beetje koud?'

'... om de wind op je blote huid te voelen, hoog in de lucht!' Weer gelach. 'Maar zeg niets tegen Rose!'

'Harry zegt dat Rose nooit zoiets zou denken! Rose houdt van Harry!'

'Ach... liefde! Je moet nooit een Man van de Wereld liefhebben, je moet er alleen maar pret mee maken!' De stem daalde. 'En Harry Fallon weet hoe hij je daarbij moet helpen!' Geschater.

'Ssst!' Het gelach stierf weg. De rode gordijnen. Het doordringende geluid van violen die werden gestemd.

Rose was onvoorstelbaar geschokt. Harry had inderdaad gelijk: zoiets was absoluut nooit in haar opgekomen. Ze liet het bericht doorgeven dat ze zich niet goed voelde, en verliet het theater, terwijl het gelach nog steeds in haar oren klonk.

In de blauwe salon probeerde ze de scherven van haar hart bijeen te rapen. *Harry? Haar vriendinnen?* Al die vrolijke jonge mensen die champagne met haar dronken en lachten tot ze de tranen in hun ogen kregen, die een wedstrijd met elkaar deden wie er de hoogste rekening kon verwachten? *Maar Harry houdt van me.* Kaartspelletjes, huiselijke feestjes, soirees. Had ze dan alles verkeerd begrepen? Ze liep door de blauwe kamer te ijsberen. Met wie kon ze hierover praten? Ze kon het natuurlijk niet aan haar vader vertellen. Ze kon niets hierover aan Fanny schrijven, in een van die beleefde, onbenullige briefjes die ze elkaar nu schreven – ze zag de naar lavendel geurende Horatio Harbottom zich al over haar brief buigen om te controleren of ze wel fatsoenlijk was.

Maar ze hield het niet uit zo door Harry's voorouders te worden bekeken. Ze ging het huis uit en begon in het donker te lopen. Ze dacht niet na over waar ze naartoe liep, ze liep helemaal naar Brook Street, alsof haar moeder nog leefde. Er klonk muziek uit de Hanover Square Concert Rooms. Snel ging ze naar binnen. Er speelde een klavecimbel en ze dacht aan haar mama en aan de salon in Brook Street, zo lang geleden, en aan hoe ze had leren schrijven, en er rolden dikke tranen over haar wangen.

Voor het eind van het concert ging ze weer naar buiten. Mattie stond haar op te wachten.

'Wat doe jij hier?' zei Rose kwaad.

'Wat doe jíj hier?' zei Mattie kalm. 'Je was heel vroeg uit het theater terug!'

Samen liepen ze langzaam terug naar het huis in Wimpole Street.

Tien dagen later begonnen de verscheurende pijnen. Er werden dokters geroepen. Admiraal Hall zat zwijgend in de blauwe salon beneden. De douairière liep woedend door de gang heen en weer toen ze haar ten slotte de roze slaapkamer uit hadden gestuurd. Mattie liep steeds weer met warm water de trappen op. Deze keer was het geen bloed. Het was een kleine, dode baby met handen en voeten. Het was een meisje. Rose had nog nooit in haar leven zo'n intens verdriet gevoeld toen ze het piepkleine lichaampje zag. Ze draaiden haar hoofd opzij, pakten het wezentje snel in, brachten het weg.

'Ik vrees,' zei de dokter, terwijl hij zijn handen waste, 'dat het niet waarschijnlijk is dat er nog meer baby's komen.' Maar hij was een goedhartige man en deelde dit niet aan de douairière mee, hij zei het toen alleen Rose en Mattie hem konden horen.

Harry werd eindelijk een held.

Horatio Nelson versloeg de Fransen in de glorieuze Slag bij de Nijl en kapitein Harry Fallon keerde terug als een van de helden, vol verhalen over hoe de zee buiten Alexandrië in brand was gezet, waarbij de hele Franse vloot 's nachts was verbrand en duizenden Fransen waren gesneuveld. Hij kreeg onderscheidingen, er werd een schilderij van hem gemaakt, met de onderscheidingen. Het schilderij werd in de blauwe salon gehangen. De dames streelden zijn medailles.

'Was Egypte mooi?' vroeg Rose. 'Mijn vader was dol op Egypte.'

'Egypte was walgelijk en smerig!' zei Harry. 'Een berg oude ruïnes. Maar we hebben de Fransen verslagen!' Wanneer hij zijn medailles niet droeg werden ze op een tafeltje tentoongesteld, onder zijn portret en dat van zijn voorouders in de blauwe salon.

Harry vond het moeilijk om over dode baby's te praten. Hun sociale activiteiten werden hervat. Op de bals en feestjes en in de huizen op het land keek Rose om zich heen. Nu ze het wist viel het gemakkelijk te zien: bijna alle mannen hadden een maîtresse, je moest er gewoon even oog voor hebben. *Hoe heb ik zo onnozel kunnen zijn!* Wanneer ze bij haar vader op bezoek was glimlachte en glimlachte ze, want ze wilde dat hij geloofde dat ze gelukkig was.

'Maar wat had je dán verwacht?' vroeg een van de jonge vrouwen verbaasd toen ze begreep dat Rose het wist. 'Dit is ons leven. Breng een zoon voort en zoek daarna een minnaar! Dat moet je gewoon accepteren.'

Rose hield ten slotte op met schrijven in het dagboek dat ze sinds haar achtste had bijgehouden. Ze had niet kunnen denken dat het zo moeilijk zou zijn, haar vingers jeukten letterlijk om de ganzenveer op te pakken, ze wilde de geur van inkt inademen zoals ze dat altijd had gedaan, zittend aan het oude bureau. 'Ik schrijf ons leven!' had ze lang geleden tegen haar moeder gezegd. Maar nu wilde ze haar leven niet schrijven. Ze wilde liever over niets schrijven dan over de pijn in haar hart. Op een dag sloeg ze haar oude bril tegen het mahoniehouten bureau kapot.

'Je begint saai te worden, *Rosetta mia!*' zei Harry, en hij kwam minder vaak naar haar toe.

En toen stierf haar vader, de admiraal. Rose huilde en kuste vergeefs zijn koude, wijze voorhoofd. Bij zijn grote marinebegrafenis in Greenwich, met overal blauwe uniformen en ernstige gezichten, zag Rose na al die jaren eindelijk Fanny weer. Ze omhelsden elkaar heel innig, zonder over iets anders te spreken dan over de admiraal, want dominee Horatio Harbottom hield toezicht op hun ontmoeting, waarbij hij Fanny stevig bij de arm hield. (Harry had Rose teder omhelsd toen ze het bericht kreeg, en hij had haar getroost, maar nu was hij in de tent met de cognac en de rum en alle blauwe uniformen.)

'God zegene je, liefste nicht,' zei Fanny. En toen Rose

Fanny eindelijk zag, zonder af te moeten gaan op hun nu nietszeggende briefjes aan elkaar, zag Rose iets in de blik van haar nichtje, en misschien zag Fanny hetzelfde. Ze zeiden verder niets tegen elkaar, en er kwamen oude marinemensen naar Rose toe die haar hand pakten. Horatio Nelson wilde haar ontmoeten. Maar toen de nichtjes uiteengingen, ieder met haar zelfverkozen man, keken ze nog even om en begrepen het.

Rose had nu nog maar één ambitie: *ik moet een kind hebben, er moet iemand zijn die bij me hoort.* Ze stopte haar oren dicht tegen de woorden van de dokter.

Harry ging naar zee.

Rose bleef thuis. Ze was nu twintig jaar oud en niet zwanger.

1801

De ingewikkeldheden van het menselijk hart zijn zo
divers, zo ontelbaar, en de gevoelens ervan, bij alle
belangrijke gebeurtenissen, zijn zo verfijnd en complex
dat ze de kracht van de taal te boven gaan.

FANNY BURNEY
(Ongepubliceerd voorwoord voor
Cecilia, 1782)

Vier

*A*lle klokken sloegen middernacht en ze begonnen allemaal naar eigen inzicht te rinkelen, galmen en slaan. De laatste slag was van de oude klok uit Genua.

Hoewel het zomer was huiverde Rose Fallon in de lange blauwe salon in Wimpole Street, ze trok aan een sigaar en keek naar de rook. In haar hand hield ze een brief.

Ze liep langzaam van de ene kant van de kamer naar de andere, langs de portretten van de familie Fallon, en langs de sofa's en de tafeltjes.

Ze bekeek zichzelf in een van de grote spiegels die aan weerszijden door kaarsen werden verlicht en ze zag daar een bleke, flakkerende vrouw naar haar staan kijken. De tocht deed de vlammen van de kaarsen dansen en de sigarenrook omhoogkringelen. De vrouw in de spiegel werd wazig, onduidelijk, alsof ze helemaal zou kunnen verdwijnen. Rose wendde haar blik af, deed haar ogen dicht, zo sterk was het gevoel van nevel en mist en verlatenheid in haar hoofd.

Haar vader en zij zaten in zijn studeerkamer in Brook Street. Ze kon het velijnpapier zien en het zegel op zijn bureau, de klok

uit Genua die volgens Rose in het Italiaans sloeg, het scheepsmo-
del dat door zijn matrozen was gemaakt, zijn blauwe jasje, en zijn
korte witte pruik die hij vaak uit ongeduld afzette en aan de zij-
kant van zijn stoel hing. En ze kon het allemaal ruiken: de kost-
bare boeken, de kaarten, het bureau, zijn ganzenveren, het inktstel
met de zwarte inkt, en rond dit alles kringelde de rook van haar
vaders exotische sigaren, van tabak die hij van zee had meege-
bracht. Ze was verliefd geworden op het schrijfstel en de boeken. En
daarna was ze verliefd geworden op Harry Fallon.

Rose deed haar ogen weer open en de geur van sigarenrook was nog steeds aanwezig, maar nu was het van
haar eigen sigaar. Langzaam las ze de brief opnieuw, de
brief van de Admiraliteit betreffende de Slag bij Aboekir.
De brief maakte haar tot een tweeëntwintig jaar oude,
kinderloze weduwe. *De Slag bij Aboukir.* De lege woorden
draaiden rond in haar hoofd.

In een hoek van de kamer lag een versleten kussen dat
Angel heette.

Vijf

$\mathcal{B}$ij de Slag bij Aboukir hadden de Britten eindelijk de Fransen verslagen in Egypte.

Twee jaar eerder, bij de Slag aan de Nijl, met de enorme verliezen aan Franse zijde en bijna de volledige Franse vloot die buiten Alexandrië in vlammen was opgegaan, hadden alle kranten Nelson een held genoemd en had kapitein Harold Fallon, burggraaf Gawkroger, zijn onderscheidingen gekregen. Er hadden geruchten de ronde gedaan dat Napoleon en zijn resterende leger door de Arabieren in de pan waren gehakt en hopelijk door hen waren opgegeten. Maar de waarheid bleek later toch iets anders te zijn: Napoleon was niet verslagen. Zijn vloot was inderdaad voor Alexandrië door Nelson verslagen, maar Napoleon Bonaparte en zijn leger waren reeds in Caïro gearriveerd en hadden deze stad ingenomen. Nelson mocht de Slag aan de Nijl hebben gewonnen, maar de waarheid was dat de Fransen in Egypte waren gebleven.

Deze keer echter zouden de Britten de Fransen voorgoed uit Egypte verjagen. DE GLORIEUZE OVERWINNING VAN DE SLAG BIJ ABOEKIR, schreeuwden de Britse kranten. Eindelijk waren de Fransen Waarlijk Verslagen. Maar de ongrijpbare Napoleon Bonaparte, die al terug was in Frankrijk, was nog steeds in leven en had zichzelf tot Eerste Consul uitgeroepen. En lord Abercrombie, de Britse commandant in de Slag bij Aboukir, was gesneuveld.

Toen Rose Fallon, burggravin Gawkroger, de condoleancebrief van de admiraliteit kreeg, die haar meedeelde dat haar man eveneens was overleden, werd er niet bij gezegd dat kapitein Harold Fallon, burggraaf Gawkroger, in werkelijkheid in een straat in Alexandrië was doodgestoken door een Arabier die woedend was over het gedrag van de Britse soldaten jegens Arabische vrouwen.

Die dag in Alexandrië, de dag van de moord op Harry Fallon, wendden de vrouwen zich af – met volledig bedekt gezicht en lichaam – schijnbaar omdat ze er niet bij betrokken waren, omdat ze niets opmerkten. Behalve dat hun ogen die dag alles zorgvuldig van achter hun sluiers volgden, dat ze de Britse soldaten bekeken, die stampend met hun laarzen over de kapotte stenen naar de haven liepen met het lichaam van de Engelsman. De matrozen probeerden door de achterafstraatjes terug te lopen, maar ze vonden hun weg versperd door woedende Arabieren met blikkerende ogen en zwaarden. De spanning hing voelbaar in de lucht, er had van alles kunnen gebeuren. Die verhitte, zwetende matrozen, de overwinnaars, die na een paar dagen aan wal hadden verwacht om wat van de geneugten van deze verlaten, droefgeestige havenstad te kunnen proeven, waren ook kwaad: een van hun kapiteins was vermoord door een inboorling en ze hadden opdracht gekregen het lichaam op te halen en de straten onmiddellijk te verlaten zonder wat voor geneugten dan ook.

De matrozen droegen het lichaam terwijl ze met een strak gezicht terugmarcheerden naar hun schip. Om zomaar vast te zitten in dit achterlijke oord, zonder ook maar één pleziertje, zelfs al hadden ze gewonnen... 'Kijk eens naar die hoeren in hun voederzakken,' zeiden ze, terwijl ze langs de in sluiers gehulde vrouwen liepen.

Maanden later barstte er in dit gruwelijke oord een wolkbreuk los, zoals dat in Alexandrië wel vaker gebeurde. Het had sinds 's ochtends vroeg continu geregend. De smalle steegjes waren nu rivieren van slijk en modder terwijl er grote regendruppels uit de vijandige grijze lucht neerkletterden. Maar de in rode jassen gehulde soldaten die zes of zeven karren voorttrokken, en die zich een weg baanden door de modder en de afgebrokkelde stenen die overal lagen, klaagden niet (in elk geval niet meer dan anders), zelfs in de regen. Ze hadden een intense hekel aan Egypte, ze hadden nog nooit een plaats zo gehaat, ze hadden er na de glorieuze overwinning in de Slag bij Aboukir maandenlang vastgezeten. Nu echter zouden ze dit van God verlaten land verlaten om eindelijk naar huis te gaan! Toen de schemering inviel hadden ze eindelijk opdracht gekregen de oorlogsbuit op te halen en hoopten ze iets voor zichzelf te vinden na al die ellendige maanden in een vijandig land. Goud, hadden ze gehoord, en wonderlijke stenen standbeelden.

De vreemde, norse huizen leken zich boosaardig aan weerszijden van de steegjes naar hen toe te buigen, zodat de al donker wordende hemel nog verder werd verduisterd. De soldaten marcheerden stug verder. Alleen de bevelen van de korporaal waren te horen en het geroffel van de regen en het geluid van hun laarzen en de wielen van de wagens die krakend over stenen en door modder gingen. Ergens riep een schelle stem op tot het gebed... *Allahu Akbar... Allahu Akbar...* de kreet die hen zo vertrouwd was geworden klonk overal om hen heen. De soldaten ploeterden verder, met het hoofd omlaag, de oren opzettelijk gesloten voor het vreemde, griezelige geluid.

Overal waren de donkere ramen afgeschermd door iets wat op ijzeren kant leek. Het was niet mogelijk te weten of de bewoners van de stad zich in die huizen bevonden of niet. De soldaten voelden zich ongemakkelijk, bekeken. De kreet klonk nog steeds: *Allahu Akbar. Allahu Akbar.* Maar ten slotte, beneden bij de haven, zagen ze het grote pakhuis waar ze naartoe waren gestuurd. Buiten brandden al fakkels, binnen klonken boze stemmen.

'*Cette antiquité, c'est à moi!*' schreeuwde de Franse generaal voor de tiende keer. Hij probeerde zijn armen rond een groot, in matten verpakt voorwerp te slaan. '*C'est à moi, absolument. Je l'avais trouvé, moi!* Ik heb het gevonden. Het is van mij, het is *absolument* van mij.'

'Het spijt me, meneer, maar we hebben onze orders. Dit voorwerp, net als de andere op de lijst, maar vooral dít voorwerp, moet aan de Britten worden afgestaan, zoals bij de capitulatie is overeengekomen.'

'*Cochon,*' spuwde de Franse generaal. '*Cochon!*' De Britse kapitein en de Britse hoogwaardigheidsbekleder die hem vergezelde waren diep geschokt. Ze zouden dit beslist rapporteren. Dit was niet zoals een officier en een heer zich gedroeg. Er was een verdrag over de herstelbetalingen getekend, alles was afgesproken.

'Dieven! *Ecoutez-moi!* Dieven!' riep de generaal. En opeens begonnen hij en enkele andere officieren, ondanks de gemompelde vermaningen van de Franse geleerden die om hen heen stonden, te rukken aan de matten die zo zorgvuldig om hun schat heen waren geslagen, en na de matten – terwijl de Britten niet-begrijpend toekeken – aan lappen zachte, felgekleurde Egyptische stof. Met een woedende, energieke por had de geagiteerde Fransman de staande steen omvergeduwd zodat hij op de stenen vloer viel en de klap weergalmde spookachtig door het pakhuis terwijl de scherven in het rond vlogen.

'Nou moet u eens goed luisteren,' zei de Britse functionaris kwaad, 'dit is echt heel onterecht. U beschadigt deze waardevolle steen nog erger.'

'*Bon!*' zei de Franse generaal. 'Hij valt nu in handen van het domste volk van de hele wereld: *nation boutiquiers*, het volk van winkeliers! En wat hebben die daar nou aan? Hebt u hier gewoond, zoals wij? Om de oudheidkundige vondsten jarenlang te bestuderen, zoals wij dat hebben gedaan? *Non! Bon*, dus laat 'm dan maar kapotvallen. De heidenen mogen hem hebben!'

De hand van de Britse kapitein trilde op zijn zwaard terwijl hij probeerde zich na zulke beledigingen te beheersen.

De enorme steen lag stil op de vloer, met de voorkant omlaag, alle geheimen nog intact. Hij was inderdaad beschadigd, maar voornamelijk van voor deze avond: vanaf de zijkanten waren verscheidene stukken afgebroken en bovenaan ontbrak er één groot stuk.

Op dat punt arriveerden de Britse soldaten, inmiddels overdekt met modder. Een stuk of twintig van hen marcheerden het pakhuis binnen en gehoorzaamden aan de scherpe bevelen van de kapitein terwijl ze de grote, beschadigde steen optilden en naar een van hun karren, buiten in de regen, droegen. Het was nu te zien dat de steen was overdekt met vreemde tekens en dat er op sommige stukken tekst wat inktvlekken zaten alsof iemand had geprobeerd er een kopie van te maken. De Franse generaal zag eruit alsof hij elk moment in huilen uit kon barsten. De rest van de Fransen keek grimmig. Andere Britse soldaten laadden andere oudheden in, maar opeens viel er een omhulsel van een mummie op de vloer en barstte in stukken uiteen. Het was een lijkwade – gedurende een onderdeel van een seconde zagen ze dat het een lijkwade was – die voor hun ogen tot stof verviel. Slechts een deel van de schedel bleef intact, rolde naar een hoek van het pakhuis, stuiterde even en bleef toen liggen. Heel even zweeg iedereen. Ze waren allen soldaten, ze hadden honderden doden gezien. Maar hier zagen ze wat hun was beloofd: *stof zijt gij, en tot stof zult gij wederkeren.*

Ten slotte gingen de Britse soldaten, een stuk chagrijniger, weer aan het werk en vulden ze hun karren met andere voorwerpen die hun kapitein noemde. De Franse generaal en zijn officieren begonnen weer te weeklagen. Een van de Franse geleerden identificeerde onwillig de antiquiteiten, een andere, een lange man met een gezicht vol spijt over wat er gebeurde, drapeerde met tegenzin, bijna ondanks zichzelf, heel zorgvuldig wat van de Egyptische stof weer over het grootste stuk steen toen dat in de regen op de kar lag, ter bescherming. '*Vous faîtes l'idiot, Pierre!*' riep een van de Fransen spottend, en de lange man schudde zijn hoofd om zijn eigen dwaasheid: de steen had tweeduizend jaar lang de elementen getrotseerd. Wat was dan nu het nut van een Egyptische lap stof?

De karren en de soldaten werden achtervolgd door

Franse kreten en vloeken terwijl ze met de oudheidkundige vondsten in de duisternis en door de modder verdwenen. De hevigste, kwaadste vloeken waren voor het verlies door de Fransen van de grootste schat van alles: de kapotte steen die het geheim van de wereld zou ontcijferen.

Zes

*H*et was een klein diner.
De hertog van Hawksfield, raadsheer van Zijne Majesteit koning George III, bezocht zijn familie op Berkeley Square om van zijn neef uit de eerste hand over de overwinning op de Fransen in Egypte te horen.

De hertog en hertogin van Torrence, gerenommeerde leden van de beste Londense society, ontvingen zelden in hun schitterende onderkomen op Berkeley Square aangezien de hertogin, ooit een energieke en heel machtige gastvrouw in Londen, niet helemaal meer zichzelf was, zoals het aan andere dinertafels werd omschreven. Of, zoals in de beslotenheid van slaapkamers door sommigen die haar in het verleden hadden bezocht werd gezegd: *zo gek als een deur.*

Maar ter ere van de hertog van Hawksfield, de illustere broer van de hertogin, was vanavond de hele familie Torrence aanwezig: de hertog en hertogin, hun zoon William, markies van Allswater, hun dochters de ladies Charlotte, Amelia en Emma, die er via huwelijken een verwarrende reeks titels op na hielden; en de jongste dochter, lady Dorothea, bij iedereen bekend als Dolly. Ze zaten met misschien hoogstens dertig andere gasten aan een klein diner: soep; *le turbot à l'anglaise avec la sauce anguille; le sauté de faisons aux truffes*; er waren verscheidene schildpadden aangeschaft, en ook kalfsvlees, tong, gans en uiteraard Engels roastbeef en grote hoeveelheden varkensbouten. Dit maal werd gevolgd door vruchtentaarten en plumpudding. Bedienden met pruiken die imposanter waren dan alles wat de dames of heren meetorsten liepen bedrijvig rond de enorme tafel waarop alles werd neergezet terwijl ze borden doorgaven en wijn inschonken. Gedurende het diner vielen er lange pauzes in de gesprekken wanneer het eten, uitermate luidruchtig, werd geconsumeerd. Maar er was al veel wijn genuttigd en toen de vruchtentaarten werden binnengebracht begon er een luid gepraat over het leven van de jonge prinses Charlotte, wier ouders, de prins en prinses van Wales, nu, zoals iedereen wist, in afzonderlijke onderkomens woonden. Het lieve, arme prinsesje had haar eigen woning. Op een gegeven moment vond Dolly's huisdier, een pauw, de weg naar de eetkamer, en haar zusters gilden het uit en de lange veren (vermoedelijk pauwenveren) die ze in hun haar droegen schudden en wapperden naar Dolly's pauw. Dolly sleepte het dier bij de halsband weg terwijl ze hem vermanend toesprak. Rond de tafel werden enkele uitermate discrete blikken aangaande de jonge lady Dorothea gewisseld. Maar nu de serieuze bezigheid van eten voorbij was en de grote tafel gedeeltelijk door de bedienden werd afgeruimd, gingen de wijnflessen nog eens rond en werd ieders aandacht, inclusief die van de dames die zich niet hadden teruggetrokken, volledig gericht op de jonge neef van de hertog van Hawksfield, William, markies van

Allswater, die onlangs was teruggekeerd van de Middellandse Zee en van het volledig uitschakelen van de Fransen in Egypte tijdens de glorieuze Slag bij Aboukir. William wilde het uiteraard niet over doden en gevechten hebben in aanwezigheid van de weduwe, Rose Fallon. Dus omdat de dames nog aan tafel zaten, begon hij te verhalen over wonderbaarlijke avonturen met de Turkmenen. Daarna sprak hij over oudheidkundige vondsten en schatten en juwelen en een bijzonder waardevolle, kapotte steen – alles veroverd op de verslagen Fransen. Hij had ieders aandacht. Het kaarslicht schitterde in hun ogen, wierp schaduwen, viel op de mollige witte armen van zijn vrouw Ann, viel op het glimmend geboende hout van de tafel en op de warmrode kleur van de wijn, op het gepoederde haar van de oudere vrouwen, op de medailles van de hertog van Hawksfield, op de sieraden en veren van de zusters, en op de twee gasten die in het zwart waren gekleed. De veertien jaar oude Dolly Torrence, wier pauw veilig bij het personeel in de keuken was opgeborgen, zag dat haar vader, de hertog, een verschrompelde, vermoeide man, ergens anders met zijn gedachten leek te zitten en in zijn glas staarde terwijl hij al dan niet naar zijn zoon luisterde. Maar de hertog van Hawksfield was een en al aandacht voor zijn jonge neef. En die lieve William was zo mooi in zijn blauwe uniform, met gouden strepen omdat hij nu kapitein was, en met zijn blonde haar naar achteren gebonden. *Op de een of andere manier lijken we wel een schilderij,* dacht Dolly, die artistieke neigingen had. Ze keek de tafel rond en vroeg zich af aan welk schilderij ze moest denken. Sommige mensen luisterden naar William zonder hem aan te kijken, sommigen bogen zich naar voren en staarden haar broer vol aandacht aan. De oude blaffende heren waren nu stil, waren opgehouden met hun gesnuif en gekuch en het schrapen van hun keel en het snuiten van hun neus zoals oude heren dat altijd deden. De hertogin, ooit een beroemde schoonheid binnen de Londense society, droeg een witte muts waar een paar krullen aan vast waren gemaakt om haar kaalheid te verhullen.

Dolly besefte opeens aan welk schilderij ze moest denken: *Een Experiment met een Luchtpomp*, dat ze ooit op een schilderijententoonstelling had gezien. Verscheidene aanwezigen hadden Dolly kunnen vertellen dat het schilderij eigenlijk helemaal niet op deze eettafel leek, maar het was het licht dat maakte dat ze dit verband legde, de manier waarop de schaduwen over de gezichten vielen terwijl William aan het woord was. Dolly's opvoeding op het gebied van kunst was, net als haar overige opvoeding, op zijn zachtst gezegd mager.

Er stond nog steeds allerlei snoepgoed op de tafel, maar de mensen waren verzadigd en hadden hun belangstelling voor eten grotendeels verloren, zo groot was nu de concentratie in de eetzaal. Alleen Dolly pakte nog een paar bonbons zonder haar ogen van haar geliefde broer af te wenden. Ten slotte leunde William achterover in zijn stoel, een glas wijn in de hand, en Dolly glimlachte naar hem. Wat waren ze blij en wat boften ze dat ze hem weer veilig terug hadden. De arme George Fallon, nu natuurlijk zelf burggraaf Gawkroger, had zijn oudere broer verloren in de Slag bij Aboukir. De arme Rose Fallon, in het zwart gekleed, die zo heel stil zat, was nu weduwe. Voor Dolly, die heimelijk naar Rose zat te kijken, had Rose iets heel speciaals over zich, het uiterlijk van een Heldin; maar, zoals de familie vaak opmerkte, was Dolly iets te *romantique* voor haar eigen bestwil.

'Binnenkort,' ging William verder, 'zullen al deze antieke voorwerpen, inclusief deze uiterst belangwekkende kapotte steen waarover ik het heb gehad, alles wat we op de Fransen hebben veroverd, daar zijn waar ze horen: in Groot-Brittannië, als het zoveelste bewijs van onze overwinning op Napoleon.' De oude heren kuchten en hoestten instemmend bij deze terechte wending in de gebeurtenissen. 'En op ditzelfde moment worden er met Napoleon vredesbesprekingen gevoerd. Ik denk dat binnenkort de vrede tussen onze landen zal worden gesloten, en dan zijn wij de overwinnaars!' William hield zijn glas op om zich nog eens in te laten schenken. 'Hoewel u, meneer,' haastte hij zich tegen zijn oom te zeggen, 'natuurlijk meer van zulke dingen weet dan ik.'

De hertog van Hawksfield knikte afstandelijk. Het was niet zijn gewoonte aan tafel over staatszaken te praten.

Het kaarslicht viel opnieuw op de blote armen van Williams vrouw Ann en de diamanten om haar hals fonkelden en schitterden toen ze zich eveneens naar de wijn boog en haar glas ophield om weer te worden gevuld. Er schoot een bediende toe. Niet alle dames dronken wijn bij het eten, waarschijnlijk had niet iedereen zo'n pijn in de voortanden.

'En de juwelen?' vroeg ze aan haar man terwijl ze met haar tong langs haar pijnlijke tanden streek.

'Onze generaals hebben de Fransen uiteindelijk toegestaan enkele van hun minder interessante vondsten te houden, maar wij hebben uiteraard de belangrijkste gered en die juwelen heb ik zelf gezien.'

'Waar zijn al deze schatten nu?' Alle dames bogen zich verder naar voren.

'Aan boord van een bark in de Golf van Biskaje, op

weg hierheen, hoop ik,' zei William. 'Toen wij vertrokken waren ze in Alexandrië nog bezig het vervoer van de grote steen samen met de andere vondsten te regelen.'

'Hoe groot is die steen, dit *pièce de résistance*?' Ann keek haar man aan en nam nog een slok wijn.

Hij haalde zijn schouders op. 'Misschien zo'n anderhalve el hoog en een kleine el breed. Hij is zwart van kleur, misschien van basalt.'

'Hemel, wat enorm!' Dolly zag dat Ann met haar enigszins spottende stem en haar licht spottende glimlach de lieve William probeerde te plagen of te amuseren. Het was toch zeker niet zo – er ging een onvoorstelbare gedachte door Dolly's hoofd – dat ze de nieuwe burggraaf Gawkroger probeerde te amuseren? Ann glimlachte vaak genoeg naar hem. Ze zag dat William op zijn beurt naar zijn vrouw keek met een ondoorgrondelijke uitdrukking op zijn gezicht. (Maar aan de andere kant verslond Dolly alle nieuwe 'damesromans', zag ze overal drama en hoopte ze op drama in haar eigen leven, zolang ze zelf uiteraard maar als heldin uit de strijd kwam en er een glorieus einde volgde.)

De eregast bij het diner, Dolly's oom, de hertog van Hawksfield, schraapte zijn keel. 'Als ik het goed begrijp, mijn beste William' – de gepoederde hoofden van de oudere gasten en de van sluik haar voorziene hoofden van de jongere werden onmiddellijk in de richting van de hertog gedraaid, want hij scheen een van de machtigste mannen in Engeland te zijn – 'ligt de waarde van deze bijzondere Egyptische steen zoveel hoger dan die van alle andere vondsten omdat er drie talen op staan, inclusief Grieks, dat na Alexander de Grote in Egypte de taal van het ambtenarenapparaat was. Klopt dat?'

'Ja meneer,' zei William.

'Oudgrieks, naar we begrijpen?'

'Ja meneer.'

Dolly zag dat Rose Fallon zich opeens naar voren boog. De plooien van haar zwarte rouwjurk streken ritselend langs de tafel. 'Wat staat er in het Grieks?' vroeg Rose met een zachte, bijna hese stem. 'Waarom is dit zo belangrijk?' Afgezien van enkele sociale beleefdheden was dit het eerste dat ze de hele avond had gezegd en Dolly zag dat haar ogen schitterden in het kaarslicht. Het licht viel ook op de kleine frons die zich tegenwoordig voortdurend op haar voorhoofd aftekende, als een klein vraagteken. Dolly vond die kleine frons heel mooi, het leek net of Rose over alle vraagstukken had nagedacht en ze allemaal begreep.

William wendde zich beleefd tot Rose. 'Om te beginnen, mevrouw – en dit is natuurlijk het belangrijkste punt – geloof ik dat de Griekse woorden zeggen dat de tekst op de steen drie keer moest worden herhaald: in het heilige Egyptische schrift, in het inheemse Egyptische schrift en in het Grieks. Dit is inmiddels algemeen bekend. De Fransen hebben zelfs een kopie van de steen gemaakt, ze hebben hem met inkt ingesmeerd en hem zodoende gekopieerd voordat we in staat waren hem te vorderen. Dus die informatie is in elk geval de Fransen bekend. En naar ik heb begrepen was de heilige taal van de Egyptenaren uiteraard...' – hij kon zich niet bedwingen om even te pauzeren voor het effect – 'de hiërogliefen.'

Er ging een gesmoorde kreet door de eetzaal: de oude hiërogliefen?

'Hiërogliefen, het schrift van Gods woorden,' zei Rose vol verwondering, en William boog instemmend en de

77

hertog van Hawksfield keek Rose onderzoekend aan.

'Met een groot deel van de Griekse woorden intact,' ging William verder, 'moet het voor onze geleerden vast eenvoudig zijn om ze te vertalen. En de hiërogliefen zullen hetzelfde zeggen als het Grieks! Dat is natuurlijk de reden dat Zijne Majesteit per se wilde dat wij die steen zouden bemachtigen. Als onze geleerden de hiërogliefen vertalen, zullen we in staat zijn weer naar oude Egyptische teksten te kijken en dan zullen we' – hij probeerde niet overdreven zwaarwichtig te klinken – 'alles kunnen begrijpen.'

George Fallon, de nieuwe burggraaf Gawkroger, zette zijn glas op de tafel. 'Alles? Wat een uitzonderlijk iets om te zeggen.'

William boog zich opeens weer naar voren. Hij had zich tot nu toe weten te beheersen terwijl hij het verhaal vertelde. Maar nu kon hij dat niet langer en zijn opwinding werkte aanstekelijk op iedereen in de kamer, behalve op de gastvrouw die alleen maar vaag glimlachte. William herhaalde de zin van Rose terwijl hij zijn oom aankeek. 'U weet wat ze zeggen, meneer, over de geheimzinnige hiërogliefen die we nooit hebben kunnen duiden. "Het schrift van Gods woorden!" Veel geleerden over de hele wereld geloven dat de Oude Egyptenaren de geheimen van het universum kenden!'

'Je denkt dat we die zullen vinden?' De hertog van Hawksfield toonde geen emotie. Misschien dacht hij dat er op deze wereld geen geheimen waren die hij niet reeds kende.

'We zullen in staat zijn alle hiërogliefen die we vinden te vertalen. En Egypte bezwijkt onder het gewicht van zulke voorbeelden! Men zegt dat alle kennis is verborgen in de magie van de hiërogliefen, in de symboliek van de tekens. Als we ons een weg kunnen banen door het stinkende afval van het land' – hij trok vol afkeer zijn neus op – 'om de beste exemplaren eruit te zoeken, kunnen we misschien...' William zocht naar een woord dat groot genoeg was. 'Het oneindige ontdekken!'

'Misschien,' zei de hertog van Hawksfield droog. Hij leek niet erg onder de indruk. 'Toch zou ik geïnteresseerd zijn de Griekse vertaling te zien naast de andere inscripties.'

Rose Fallon kon zich niet langer inhouden. 'O Excellentie, ik ook!' Ze zag onmiddellijk dat de mannen een blik van toegeeflijk ongeloof wisselden, maar geen van hen zei iets onbeleefds tegen haar, die er zo knap uitzag in het zwart.

George Fallon had zorgvuldig alles aangehoord. Nu zei hij: 'Zeg eens, William, kun je die antieke spullen zelf vinden als je je toevallig aan de oevers van de Nijl zou bevinden?'

William schoot in de lach. 'Ze liggen overal, George, echt óveral. Stenen van oude monumenten en tempels liggen in de havens, in de woestijnen en langs de Nijl. En de beelden staan er gewoon voor het meenemen, goden en godinnen en adelaars en wat al niet meer. Alexandrië is gewoon een stad van kapotte antieke spullen! De gegraveerde obelisken liggen zomaar tussen de rommel, niet voor te stellen!' Dolly zag dat de ogen van de nieuwe burggraaf opeens in het kaarslicht begonnen te schitteren.

De burggraaf zag dat Dolly naar hem keek en hij hief zijn glas even naar haar. Dolly wendde onmiddellijk haar blik af, ging bedrijvig aan de gang om haar moeder te helpen, die stukjes kaas op de vloer had laten vallen. Ze was er niet zeker van wat ze voor burggraaf Gawkroger voelde, maar zijn glimlach beviel haar niet echt. De hertog van Hawksfield sloeg haar nauwlettend gade.

Anns stem klonk opnieuw spottend. Haar tanden deden nu vreselijk pijn. 'Speet het die Egyptenaren niet een heel klein beetje deze steen uit hun land te zien verdwijnen, gezien het feit dat hij de geheimen van het universum bevat?'

'Liefste,' antwoordde William kortaf, 'de moderne Egyptenaren begrijpen niets van hiërogliefen en bekommeren zich er totaal niet om. De moderne Egyptenaren zijn onwetend en onnozel en lui, en voor hen is het heidense verleden, nu ze mohammedanen zijn, kennelijk iets om zich voor te schamen. Ik zeg je nogmaals, je zou Egypte moeten zien om het te geloven: overal kapotte stenen. Er zijn zelfs boeren die in oude graftombes zijn gaan wonen! Pff!' Hij maakte een geluid vol afkeer. 'Dat kan ze niets schelen. Deze uiterst waardevolle steen was door de Fransen in een oud fort van het leger gevonden. Moet je nagaan! Zo'n schat als deze, en die werd gebruikt om een muur te verstevigen! Maar de Britten zullen het raadsel van de hiërogliefen oplossen en misschien zijn de Egyptenaren hen dan wel dankbaar.'

'Natuurlijk! Natuurlijk zullen ze dankbaar zijn!' riepen de oude mannen, terwijl ze aan Engeland dachten. Hun korte witte pruiken gingen instemmend op en neer, de Egyptenaren waren inboorlingen en ze zouden vast wel heel dankbaar zijn. De wijnflessen gingen nogmaals rond en de oude mannen rochelden en spuwden in kwispedoors.

'Heb jij geen belangstelling voor de oudheid van je eigen land, George?' vroeg een van de zusters.

George keek heel verbaasd. 'Niet in het minst,' zei hij. 'Er zijn hier geen oude geheimen te koop.' De hertog van Hawksfield keek George aan met een nietszeggende blik.

'William,' zei Dolly bijna streng tegen haar oudere broer, 'heb jij die steen met de geheimen aangeraakt? Heb je hem echt aangeraakt?' De anderen lachten. 'Nee, nee, wat ik wil zeggen is dat als ik in jouw plaats was geweest ik zo graag die tekst had willen aanraken, met alle oude magie en alle geheimen. Om...' – ze zocht naar de juiste woorden – 'deel uit te maken van de geschiedenis.'

'Wij máken ook deel uit van de geschiedenis,' zei William. 'We hebben de steen niet alleen aangeraakt, we hebben er ook op geschreven!'

'Wat bedoel je daar in 's hemelsnaam mee?' zei Rose Fallon geschokt.

'"Gevonden in Egypte door het Britse leger in 1801." Op een dag, zeg ik je, zal die steen op zijn juiste plaats in het British Museum staan en dan zul je aan de zijkant een nieuwe inscriptie zien die over onze triomf vertelt!'

'Ik zou best een Egyptische obelisk willen hebben wanneer ik ons Gawkroger Hall op het land laat bouwen,' verklaarde burggraaf Gawkroger, terwijl hij de hertog van Hawksfield aankeek. 'Dat lijkt me erg mooi.'

'Waar zou u hem neer willen zetten?' vroeg een jongedame die iets meer belangstelling voor George Fallon toonde nu hij een titel had; niet dat hij goed genoeg was, maar voor het geval ze niets beters kon krijgen.

'Ik denk dat ik hem in mijn siertuin zou zetten, op een sokkel, zichtbaar vanuit het huis. Het lijkt me een leuke aanvulling op de bomen die ik ga planten, vind je niet, Dolly?'

William zag dat zijn zusje niet zeker wist of ze werd geplaagd en hij kwam haar te hulp. 'We hebben een aantal mooie bomen meegebracht, Dolly,' zei hij tegen haar. 'Mimosa.'

'Wat is mimosa?'

'Een boom met kleine gele bloemen.' William draaide zich om naar zijn oom. 'Ik wil ze graag in dit land proberen te kweken, meneer, ze geuren heerlijk en ze zijn erg mooi. En nog iets anders. Een wierookboom, een *Boswelia*.' Er viel een verbaasde stilte rond de tafel.

'Wierook, zoals in de bijbel?' zei Dolly, vol ontzag.

De hertog van Hawksfield zei: 'Ja. Ik heb ervan gehoord. We zullen ze allebei op het terrein van het kasteel planten en zien of ze in dit klimaat gedijen.'

'Wat ís wierook eigenlijk?' vroeg Rose, en de hertog keek haar aan.

'Dat is een oliehoudende hars die wordt gewonnen uit de boom waar William het over heeft. De Oude Egyptenaren geloofden dat het een geneeskrachtige werking had als het werd verbrand. We zullen de boom kweken en dan zien we wel of dit zo is.' En hij glimlachte naar Rose, de kille glimlach van een machtige oude man, een man die hele wouden kon aanplanten als hij zulks verkoos, en Anns hart trok even samen, ook al deden haar tanden pijn.

'William, hoe noemen ze hem, die speciale steen?' vroeg ze snel aan haar man.

'Ik heb begrepen dat hij is gevonden in een stadje ergens tussen Alexandrië en Caïro, en de inheemse bevolking, of de Fransen, of wie dan ook noemden het Rosette. En daarom hebben zij, en wij in navolging van hen, de steen naar dat plaatsje vernoemd: *la pierre de Rosette* noemden de Fransen het, geloof ik. En bij ons zullen we het over de Steen van Rosetta hebben.'

'Rosetta?' Rose Fallon sprak zacht, toch hoorde iedereen haar, zo verbaasd, zo intens was haar vraag.

George lachte. 'Ach, Rose,' zei hij. 'Je zult beroemder zijn dan in je stoutste dromen!' Daarna keek hij de anderen aan. 'Volgens mij heeft mijn schoonzuster de doopnaam Rosetta ontvangen.'

Dolly's stem klonk hoog van opwinding. 'Is dat waar?' vroeg ze.

Rose glimlachte naar haar. 'Ja,' zei ze. 'Ik heet Rosetta.'

'Je bent genoemd naar prinses Rosetta in het sprookje!' riep Dolly uit. 'Die prinses die met de Koning van de Pauwen ging trouwen! O, wat zou ik trots zijn als er zo'n steen was die de Steen van Dolly werd genoemd!' Ze liet zich zo meeslepen dat ze ging staan. Iedereen zag nu dat het arme meisje uitzonderlijk lang was, langer zelfs dan haar broer, hoewel ze pas veertien jaar was. Ann, markiezin van Allswater (putatief hertogin van Torrence), die Dolly uitermate irritant vond en haar tandpijn bijna ondraaglijk, stond eveneens op, wetend dat haar schoonmoeder niet langer tot zulke dingen in staat was, om aan te geven dat de dames haar naar de salon konden volgen. Dolly beheerste zich en hielp haar moeder overeind, die nog vrolijker glimlachte dan eerst. Er vielen stukjes kaas op de grond.

'Misschien kunnen we binnenkort weer naar het continent,' zei Ann over haar gladde witte schouder tegen William en tegen de mannen in het algemeen, terwijl ze de vertrekkende dames volgde. 'Als u ons kunt verzekeren dat we Frankrijk hebben verslagen en dat de wereld weer veilig is, en dat we binnenkort de geheimen van het universum zullen kennen.'

De nieuwe burggraaf Gawkroger was degene die haar antwoord gaf. 'De wereld, mijn beste Ann, de geheimen van het universum daargelaten, zal nimmer veilig zijn voordat die gek van een Napoleon Bonaparte dood is. Hij vormt een bedreiging voor de beschaafde wereld. Het is onze plicht als natie hem te verslaan. Maar het schijnt dat er voorlopig een wapenstilstand zal worden gesloten. Mijn moeder wil ook weer graag op reis gaan en ik weet zeker dat mijn schoonzuster Rose tegen het voorjaar opnieuw bij ons zal wonen, zoals dat gepast is,' – hij boog glimlachend naar Rose, die zich snel omdraaide – 'en dat ze mijn moeder en mij naar Parijs zal vergezellen.' En tegen Ann ging hij verder: 'Ik weet zeker dat William het een uitstekend idee zal vinden dat jij meegaat, als hij er niet zelf met je naartoe kan gaan.' Ondanks al haar pijn glimlachte de markiezin even stralend als haar diamanten, terwijl de hertog van Hawksfield alles nauwlettend volgde.

De stem van Dolly's vader, de oude hertog van Torrence, die nauwelijks had gesproken, klonk nu luid, tot aan de dames in de salon voordat de deuren dichtgingen. Hoe blij hij was dat er eindelijk vrede werd gesloten en dat Franse wijn en Franse worst en vooral Franse boeken en Franse hoedenmaakstertjes weer beschikbaar zouden zijn. De heren zuchtten van opluchting om het vertrek van de dames en de bedienden haastten zich onmiddellijk naar de kastjes onder het grote buffet om de po's tevoorschijn te halen.

'Misschien ga ik wel naar Egypte.' George Fallon, burggraaf Gawkroger, nam in zijn hoek van het rijtuig een flinke dosis snuiftabak en zijn nies klonk een aantal keren tot buiten in de koude nacht.

'Waarom? Het is er afschuwelijk, dat verzeker ik je, ondanks alle antiquiteiten. Je broer is daar door inboorlingen vermoord!'

George zat chagrijnig in zijn hoek en zei niets over zijn broer. 'Ik ben die Zwitserse bergen en Italiaanse meren spuugzat,' zei hij. En daarna tikte hij veelbetekenend op de zijkant van zijn neus. 'Ik zie weidsere horizonnen, William! Er valt volgens mij veel geld te verdienen met antiek. Je weet heel goed dat ik veel schatten naar dit land heb gebracht, uit Griekenland, uit Italië, en na de anarchie, uit Frankrijk. Allerlei kostbaarheden gingen voor een appel en een ei van de hand toen de rijken in Frankrijk voor hun leven vreesden.'

'En nadat je alles voor een appel en een ei had gekocht, heb je ze tegen heel hoge prijzen in Engeland verkocht!' William, markies van Allswater, lachte. 'Nou George, in Egypte liggen de antieke spullen overal op je te wachten.'

'Het zou mijn bijdrage aan ons land kunnen zijn! Het zou heel goed kunnen dat de prins van Wales er veel belangstelling voor heeft...'

'Je bedoelt dat je deze schatten aan het land zou willen schénken?' viel William hem spottend in de rede.

'Natuurlijk niet. Maar door zulke eeuwenoude spullen naar Groot-Brittannië te brengen, uit een land als Egypte,' zei George groots, 'zou ik de smaak van het land kunnen verbeteren!'

William schoot weer in de lach. 'De inheemse bevolking spuugt erop omdat ze ze als heidense monstruositeiten beschouwen en ze gebruiken ze als pispotten!'

'Schiet eens een beetje op en verwek een erfgenaam,

William,' zei George zacht in het donker van het rijtuig, 'want misschien heb je wel zin om met me mee te gaan.' Nu zweeg William.

Het diner was afgelopen, de rijtuigen waren voorgereden en de gasten waren vertrokken naar andere vormen van vermaak: de burggraaf en de markies hadden het huis op Berkeley Square verlaten en waren in het kille decemberweer op weg, zeiden ze, naar het theater, hoewel dit natuurlijk een speelhuis was – en misschien ook nog iets anders. De mannen hadden ook kunnen lopen, hun bestemming was niet ver weg, maar afgezien van het weer was Londen verre van veilig nu bandieten en gewonde soldaten de onverlichte straten onveilig maakten.

George veranderde abrupt van onderwerp. 'Het wordt hoog tijd dat Rose weer teruggaat naar Great Smith Street en bij mijn moeder en mij gaat wonen. Ze gedraagt zich naar mijn mening op een belachelijke en ongepaste manier door zo aan Wimpole Street vast te blijven houden, alsof de arme Harry nog terug zou kunnen komen. Ze heeft ons niets gegeven: geen erfgenaam voor de familie Fallon, helemaal niets. Ze is natuurlijk in onze macht, en ze zou afhankelijk horen te zijn van onze barmhartigheid.' Hij snoof nogmaals uit zijn gouden doosje. 'Als ik ooit een voorstander was geweest van het vastzetten van geld op vrouwen, zou ik er nu niet meer voor zijn geweest. Haar vader had bij haar huwelijk een speciale regeling voor haar getroffen, en daarom bezit ze nu een zekere mate van onafhankelijkheid, ook al is mijn broer overleden. Heel ongepast voor een vrouw.' Hij staarde naar het licht dat uit de grote huizen op St. James's Square viel. 'Ze beschadigt zijn reputatie,' ging hij verder, en hij werd kwaad door de smalende glimlach die hij op Williams gezicht zag, in het licht van de toorts van een passerend rijtuig. Zijn gezicht liep rood aan in het donker. 'Je weet heel goed wat ik eigenlijk wil zeggen. Háár gedrag moet onberispelijk zijn, opdat zíjn gedrag niet in twijfel wordt getrokken. Harry's dood moet geen enkel opzien baren, dat is het beste waarop we kunnen hopen.' Hij zuchtte diep en probeerde de doek om zijn hals wat losser te maken. Het noemen van zijn broer en diens dood veroorzaakte nog steeds veel emoties bij hem. 'Voor jou maakt het allemaal niet zoveel uit, weet je. Jij bént er, jij zit veilig, jij maakt deel uit van de beau monde. De hertog van Hawksfield is de broer van je moeder. Maar wij zitten nog steeds aan de rand. Alles moet heel zorgvuldig worden bekeken en afgehandeld. Je weet heel goed dat de koning en koningin niemand willen ontvangen aan wie ook maar een vermoeden van een schandaal kleeft.'

William zei zacht: 'Hoe eerder jij wordt bevorderd, hoe beter, George. Er zijn geen regels voor ons zolang we de schijn maar ophouden.'

'Weet ik,' zei George humeurig. 'Dat weet ik maar al te goed!' Hij keek het donker in. 'Rose doet echt dwaas. Al dit gedoe alsof ze belangstelling heeft voor Grieks en voor hiërogliefen! Ik wil haar in Great Smith Street hebben, als gezelschap voor mijn moeder, en dan... nou ja, je weet de rest. De hertog van Hawksfield is niet op zijn achterhoofd gevallen, hij weet dat ik een oplossing ben voor veel problemen.' Er vielen schaduwen en lichtvlekken op het donkere rijtuig toen de paarden in zuidelijke richting draafden. Opeens ging de koetsier een wedstrijd aan met een ander rijtuig en raceten ze nek aan nek in de richting van Piccadilly. Maar hun vaart werd weer vertraagd doordat er verderop twee rijtuigen op elkaar waren ge-

botst. De eerste sneeuwvlokken van de winter dwarrelden omlaag, bleven op de gladde, zwarte vacht van de
paarden liggen.

'Ik moet zeggen dat ik je schoonzuster een heel aantrekkelijke vrouw vind,' zei William. 'Maar het is misschien niet te verwonderen dat ze nog wat zorgelijk doet,
nu ze op deze leeftijd weduwe is geworden!'

George staarde uit het raampje en nieste opnieuw. 'Het
sneeuwt,' zei hij, alsof hij Williams woorden niet had gehoord. Toen ging hij plotseling verder: 'Hoe kun je bij
Rose weten wat ze denkt? Ze is niet het onschuldige
jonge meisje dat we omwille van Harry in de familie hebben opgenomen. Ze is erg veranderd. Ze is zo stil als een
slang!'

William verbaasde zich over het venijn in de stem van
de burggraaf en hij lachte. 'Volgens mij, George...' Maar
George boog zich naar voren, woelde in het haar van zijn
vriend en lachte ook.

'Laat maar zitten, lieverd,' zei hij.

Eenmaal alleen thuis in Wimpole Street slaakte Rose Fallon een enorme zucht van opluchting. Ze had Mattie verboden voor haar op te blijven, en had de huisknecht gezegd naar bed te gaan. Ze had haar voeten eindelijk uit
haar winterlaarzen gewurmd en zat op de sofa in de lange
blauwe salon naast het hoog opvlammende haardvuur. Ze
hoorde het geknetter van de houtblokken en af en toe het
slaan, niet helemaal gelijk, van de klokken in het verder
stille huis. Op de tafel naast haar lag het oude boek dat
van haar vader was geweest, ze had het opgezocht zodra
ze binnen was gekomen. Ze stak een kleine, handgerolde
sigaar op en leunde achterover op de bank.

Haar zwager had erop aangedrongen dat ze mee zou gaan naar het diner bij de familie Torrence, omdat het volgens hem hoog tijd werd dat ze haar sociale verplichtingen begon na te komen, en dit was een heel belangrijke familieconnectie. Ze deed haar best om onder de mensen te komen. Ze had ingestemd, niet wetend dat de gastvrouw, de hertogin, op de een of andere manier niet meer van deze wereld was, althans waar het haar geestelijke vermogens betrof. Rose had de familie Torrence verscheidene keren ontmoet, op Berkeley Square, of af en toe was een van hen aanwezig geweest op George' soirees in Wimpole Street: de leeghoofdige hertog met zijn neiging het familiekapitaal en zijn maîtresses aan zijn goklust te besteden – het scheen dat hij soms zijn maîtresses vergokte. De giechelende getrouwde dochters, hoewel de oudste een zekere loomheid bezat die Rose nu herkende: ze moest iemands maîtresse zijn. Maar degene voor wie ze altijd een soort angstige bewondering had gevoeld – en die uiteraard nooit op de soirees van George was geweest – was de oude hertog van Hawksfield, en ze was vanavond onder de indruk geweest van zijn voornemen om te onderzoeken of wierook geneeskrachtige eigenschappen bezat en het plan om mimosabomen te kweken. Ze vermoedde dat het zijn macht was die haar fascineerde: zijn banden met koning George, zijn enigszins afstotende maar dominante uitstraling. Hij was de autoriteit in die familie. Iedereen zweeg als hij zijn keel schraapte, en ze had vanavond gezien dat hij haar in de gaten hield. Maar ze was veilig, ze maakte geen deel uit van zijn familie. *Dat is een man met wie ik niet graag de degens zou willen kruisen.*

William leek een veel jongere versie van zijn oom, maar er was iets zachters aan hem, iets minder nadrukkelijks, hoewel hij zeker knap was. Rose vond het leuk dat hij zo beschermend deed jegens zijn vreemde jongste zusje. Tot vanavond had ze Dolly slechts als een klein kind op de achtergrond beschouwd. Maar nu had ze gezien hoe vreemd ze eigenlijk was, en zo vreselijk lang en onaantrekkelijk. *Net een flamingo*, dacht Rose opeens. De rook van de sigaar kringelde omhoog. *De Steen van Rosetta...* Wat had ze graag gewild dat haar vader nog leefde, zodat hij dit wonderbaarlijke nieuws had kunnen horen over het stadje waar de oude man had gezongen bij de vijzel en de stamper. Misschien zouden ze toch nog naar Rosetta terug zijn gegaan. *Als dromen waarheid worden*, had hij gezegd, en ze vroeg zich opeens af of hij zijn eigen dromen had bedoeld, en ze voelde even een wonderlijke huivering in haar nek. Ze keek naar haar vaders boek over hiërogliefen dat ze zo goed had gekend.

Ze had in geen jaren aan woorden gedacht, aan het schrijven, aan de hiërogliefen. Ze was bijna vergeten dat ze ooit meer van woorden had gehouden dan van wat ook ter wereld. Ze herinnerde zich weer hoe ze als kind met haar moeder had gewandeld, onderweg de berichten lezend die soms aan de kerk op Hanover Square hingen, of de grote borden in de etalages van Bond Street, of boektitels die ze moeizaam in boekwinkels spelde, zoals ENCYCLOPÆDIA BRITANNICA. *Waarom vinden de mensen het wonder van het schrijven zo gewoon? Waardoor werken onze hersens?* Ze moest opeens weer aan de hertogin van Torrence denken, zoals die vanavond met haar kaas had zitten knoeien terwijl ze zo strak en opgewekt had geglimlacht, die gastvrouwenglimlach, om niets. Rose Fallon huiverde opnieuw. Wat een vreselijk lot: aan je eigen eettafel zitten, blijkbaar krankzinnig, met zo'n grimas.

Ze stond snel op, legde haar sigaar in een speciale bak die ze voor dit doel had bestemd, en pakte haar vaders boek op. Er waren geschilderde hiëroglief en: verschillende vogels en kevers, een bij, een liggende leeuw – alle prachtige vormen, net als haar eigen ster voor haar moeder. Ze staarde en staarde zoals ze als kind altijd had gestaard, alsof staren op de een of andere manier de betekenis eruit tevoorschijn kon dwingen. Duizenden jaren geleden had een Griekse geleerde erover geschreven. Haar vader had haar de vertaalde passage vaak voorgelezen, en nu herlas ze deze nog eens, met half dichtgeknepen ogen, het boek vlak onder de kaars, zodat ze het goed kon zien.

Wanneer ze het begrip *god* of *hoogte* of *laagte* of *uitmuntendheid* of *bloed* of *overwinning* willen weergeven, tekenen ze een HAVIK. Dit is het symbool voor GOD omdat de vogel vruchtbaar is en een lang leven heeft, of misschien eerder omdat hij een beeld van de zon schijnt te zijn, omdat hij in staat is aandachtiger naar het schijnsel ervan te kijken dan enig ander gevleugeld wezen... En ze gebruiken het om HOOGTE aan te geven omdat andere vogels wanneer ze omhooggaan altijd heen en weer bewegen en niet in staat zijn verticaal op te stijgen; alleen de havik schiet rechtstreeks omhoog. Ze gebruiken het als een symbool voor LAAGTE omdat andere dieren niet in een verticale lijn bewegen maar geleidelijk dalen; de havik echter duikt recht omlaag op alles wat onder hem is. Ze gebruiken het om UITMUNTENDHEID aan te geven omdat hij alle vogels overtreft – en voor BLOED omdat ze zeggen dat dit dier geen water drinkt maar bloed – en voor OVERWINNING omdat hij laat zien dat hij in staat is elk gevleugeld dier te overwinnen. Want wanneer hij door een sterkere vogel wordt belaagd, draait hij zich in de lucht op zijn rug en vecht met naar omhoog uitgestoken klauwen, en met zijn vleugels omlaag. Hierdoor wordt zijn tegenstander, die dit niet kan, overwonnen.

Maar uiteindelijk had de geleerde de tekens toch niet kunnen vertalen, en Rose en haar vader waren het erover eens dat hij het misschien bij het verkeerde eind had gehad, dat het onwaarschijnlijk was om zoveel betekenissen te hebben voor één symbool: een havik. Misschien denken verschillende mensenrassen anders? Ze hadden geboeid naar het vogelsymbool gestaard en gestaard.

Rose had haar ouders er voor de zoveelste keer van trachten te overtuigen dat ze hiërogliefen begreep, want aan de ster die haar moeder voorstelde, en de roos die ze zelf was, had ze een boom toegevoegd om haar vader af te beelden. 'Ik begrijp hun manier van denken,' had ze boos gezegd, dertien jaar oud, 'ze schrijven plaatjes.' Toen werd ze subtieler: omdat Fanny's vader altijd lachte, beeldde ze hem uit met slechts een simpel teken: een glimlach.

En dan te bedenken dat nu, aan het begin van een nieuwe eeuw, die mysterieuze hiërogliefen op ditzelfde moment over de zee reisden, magische tekens die na duizenden jaren nog tegen Engeland zouden spreken en de geheimen van de oudheid zouden onthullen (en de betekenis van de havik), en de steen en zij droegen dezelfde naam. In gedachten zag ze de Steen van Rosetta voor zich, een heroïsch stuk graniet, varend naar Engeland, stormen trotserend.

Wat zouden die geheimen zijn? Ze staarde nogmaals

naar de mysterieuze tekens, naar de vogels en de vormen en de gestalten. Zouden die geheimen bevatten van het begin van de wereld? (Daar zou Fanny vast heel blij mee zijn.) Zou ze zelf in staat zijn te geloven dat haar ouders nog steeds ergens stonden te stralen door de geheimen die ze uit de magische tekens had geleerd? Of zouden er geheimen van het menselijk hart worden onthuld?

Nadat ze het boek gesloten had bleef ze nog even zitten bij het uitdovende vuur in de haard. Ze dacht aan Harry. Harry Fallon; de charmante, knappe, slappe Harry Fallon, had haar onvoorstelbaar gekwetst, en toen ze huilde bij het bericht van zijn dood – want ze had echt gehuild bij de gedachte dat haar man in een vreemd land was gesneuveld – huilde ze eigenlijk om het besef welke schade het ene menselijke wezen het andere kon toebrengen.

Ze wist dat er van haar werd verwacht dat ze Wimpole Street binnenkort zou opgeven. Ze had nu erg gemengde gevoelens over dit huis, waaraan zowel haar gelukkigste als haar ongelukkigste herinneringen waren verbonden. Ze keek om zich heen in de lange blauwe kamer: naar de zakenlieden en edelen die vanaf de muren omlaag keken, naar burggravin Gawkroger, met haar vingers elegant over het klavecimbel gespreid, en ten slotte naar het portret van de heldhaftige Harry. Ze keek naar de klokken die niet tegelijk sloegen, om te vertellen dat de tijd niet helemaal is wat de mensen ervan denken. Ze zou haar geliefde Italiaanse klok uiteraard meenemen. Maar uit het vervelende gesprek met George, eerder die avond, begreep ze dat de volgende stap in het plan van de familie Fallon was dat zij terugkeerde naar Great Smith Street als gezelschapsdame voor haar schoonmoeder.

'Zéér zeker niet!' zei Rose Fallon hardop, terwijl ze een

kandelaar pakte om zich bij te lichten op de trap. Ze moest haar eigen plannen klaar hebben wanneer George en zijn moeder toesloegen, zoals George vanavond had laten doorschemeren dat zou gebeuren. Maar haar hand treuzelde op de glimmend gewreven trapleuning. Ze voelde zich alsof er mist in haar hoofd hing, waardoor ze geen echte besluiten kon nemen. Vanuit haar kamer keek ze uit op Wimpole Street, zag de sneeuw vallen.

Toch ging ze nog steeds niet echt naar bed, want dat was de plek waar de demonen haar opwachtten. In plaats daarvan ging ze in haar kamer zitten achter de mahoniehouten tafel van haar moeder, en voor de eerste keer in vele maanden klapte ze de tafel uit tot een grotere tafel en daarna tot een kaarttafel, en daarna tot de schrijftafel met het geheime compartiment. Vanuit het geheime compartiment pakte ze behoedzaam een notitieboek en staarde ernaar alsof ze het nauwelijks kende. Heel langzaam en voorzichtig maakte ze de tekens die ze ooit zo vaak had gemaakt: *Vanavond*, schreef ze zonder enige inleiding, *werd me verteld over de ontdekking van een oude steen die misschien het geheim van de hiërogliefen kan onthullen, in het plaatsje Rosetta, waar mijn geliefde papa koffie heeft zien worden gemalen en waar vrouwen hun gezicht verborgen hielden en waar hij en ik ooit misschien heen waren gereisd, als dromen werkelijkheid waren geworden.* Dat was alles wat ze schreef. Daarna stopte ze het notitieboek weer in het geheime compartiment.

Na een tijdje trok ze een leeg vel papier naar zich toe. *Mijn liefste Fanny*, schreef ze.

Maar ze schreven elkaar nu nooit hun hartsgeheimen. Want de tegenwoordigheid van Horatio was altijd voelbaar in hun brieven. Rose kon de lavendel bijna ruiken. Toen ze van haar miskramen hadden gehoord en na de dood van haar man gaven ze haar de vriendelijke raad zich voor Gods wil te buigen. Soms voegde Horatio er nog een stijve, formele paragraaf in zijn eigen handschrift aan toe, bijna altijd over hun oudste kind, een zoon, die het uitzonderlijkste wezen was dat ooit in de hele wereldgeschiedenis was geboren. Rose begreep dat hij bijna zeker op zijn tiende jaar al aartsbisschop van Canterbury zou zijn. Van hun tweede kind, een dochter, kwam geen nieuws, behalve dat Fanny had gezegd dat ze een engeltje was. Dus kennelijk waren het allebei kinderen die rechtstreeks vanuit de hemel naar de pastorie van Wentwater waren gestuurd. Heel even zag Rose Fanny en zichzelf weer zoals ze met hun familie de Pont Neuf waren overgestoken. Zij waren vooruit geheld, hadden gestopt om over de borstwering naar het water van de Seine te kijken, hadden verklaard dat die er beslist veel Franser uitzag dan de Theems, waren daarna teruggeheld om verslag uit te brengen, vol blijdschap over alles wat er op deze wereld te zien was. Dat was toen zij nog kinderen waren. Nu waren er andere kinderen en was het verleden voorbij.

Mijn liefste Fanny, zag ze dat ze had geschreven. Ze wist dat haar liefste Fanny nog steeds bestond, ze had haar eindelijk weergezien bij de begrafenis van haar vader. Maar ze waren getrouwd en elkaar kwijtgeraakt. Ze borg het papier op en kleedde zich uit.

Ten slotte ging Rose naar het kastje naast haar bed. Daar wachtte een flesje opium, om haar dromen tot bedaren te brengen.

Lady Dorothea Torrence had haar pauw in het kamertje naast haar eigen kamer opgesloten, na het dier eerst verslag te hebben uitgebracht van de gebeurtenissen van die avond. Zijn commentaar bestond uit klaaglijk ge-schreeuw zoals pauwen dat kunnen voortbrengen, en zijn veren spreiden en aan de deurkruk pikken, maar ze zei tegen hem dat hij het koud zou hebben in de tuin en ze probeerde een deken om hem heen te slaan. Overal in de kamer lagen kleine kloddertjes poep. Uiteindelijk kreeg ze het zelf koud en liet hem pruilend in een hoek achter.

Haar zussen waren vertrokken, met hun gelach en hun gefluister en hun kleren en hun rijtuigen en hun mannen. Nu lag ze in haar bed, met haar lange lichaam uitgestrekt onder al het beddengoed, en ze zocht naar de warme steen. De pauw krijste.

Dolly mocht dan pas veertien jaar oud zijn en weinig onderwijs hebben genoten, toch zouden de mensen ver-baasd hebben opgekeken van de omvang van haar ken-nis. Ze wist bijvoorbeeld wat hiërogliefen waren, want ze had afbeeldingen gezien van die mystieke, onvertaalbare tekens, wanneer ze in haar vaders bibliotheek snuffelde als hij de stad uit was – ongetwijfeld, zei haar moeder, om te rollebollen met een van zijn lichtekooien. Dolly had veel uiterst productieve uren in deze bibliotheek doorge-bracht. Ze had alles gelezen dat haar aansprak. Ze had *Pamela* en *Tom Jones* gevonden, en bovenal *Fanny Hill*, waar ze eerst niet veel van begreep maar waarvan ze nu besefte dat ze er veel van had geleerd. Ze had veel boe-ken gelezen over oorlog in vroeger tijden, en over verre-kijkers. Ze las de opstandige gedichten van Alexander Pope. Ze had gebogen gezeten over haar vaders prenten-verzameling van naakte vrouwen die vreemde dingen deden – soms bij elkaar, soms bij mannen. Ze had die te-keningen achter een geheime plank gevonden toen ze twaalf was. Ze bekeek ze vaak, zonder dat iemand ervan wist. Niemand had enig idee van de omvang van Dolly's kennis en hoe vertrouwd ze was met *Aristoteles' Meesterwerk* en *Tableau de l'Amour Conjugal.* En ze wist zeer zeker wat hiërogliefen waren. Wat geweldig dat Rose Fallon eigenlijk Rosetta heette! *Ik wou dat ik Rose Fallon was in plaats van mezelf.* Ze dacht weer aan de kleine frons op het voorhoofd van Rose en aan hoe interessant die soms kon lijken, alsof Rose had nagedacht over alle geheimen van de wereld. Wat wáren de geheimen van de wereld eigenlijk? Konden die soms worden ontdekt met behulp van de Steen van Rosetta? Kon zij, Dolly, met de vertaler trouwen? Het begon te tintelen in haar hoofd terwijl haar gedachten rondtolden en ze in slaap viel.

Ze droomde van de steen. In haar droom zweefde ze rond met een zwarte steen die op de een of andere manier licht en mooi en stralend was, en ze kon de woorden gemakkelijk lezen. De vogels en de mensen en dieren van de hiërogliefen spraken tegen haar en de zuilen gaven hun betekenis vrij. In haar droom zweefde nog iemand anders, een man met een soort tulband en een lange, wapperende mantel. Hij was net als Dolly van meer dan gemiddelde lengte en ze werd naar hem toe gedreven op een volslagen andere manier.

Ann, markiezin van Allswater, had het rijtuig door de sneeuw over het plein zien wegrijden, de nacht in, met haar man en zijn vriend erin. Haar man en háár vriend. George Fallon wist dat ze zijn hulp nodig had. Ze staarde naar de stille, dwarrelende sneeuw. *Zorg dat hij het doet!* had ze vanavond tegen George gefluisterd. *Je moet zorgen dat hij het doet!* Ze dronk cognac in haar kamer om de pijn in haar gebit te verdoven. De pijn zat voor in haar mond, op een plek waar iedereen het kon zien. Ze kon daar onder geen voorwaarde haar tanden laten trekken, nu nog niet.

Toen ze naar binnen waren gegaan voor het diner had de hertog van Hawksfield, broer van de hertogin van Torrence, haar even bij de arm genomen en zacht tegen haar gezegd: 'Kom liefje. Nu William weer bij ons terug is, wil ik graag bericht over een erfgenaam. We zouden het jammer vinden als we je kwijt zouden raken.' Hij had het heel luchtig gezegd maar hij had heel koud geglimlacht. Ze wist dat ze zich het dreigement niet had verbeeld. De hertog van Torrence, haar schoonvader, was een onnozele dwaas, dat wist iedereen, en de hertogin was niet goed bij haar hoofd. Maar de hertog van Hawkesfield, die veel invloed had op de beslissingen die binnen deze familie werden genomen, was een uitermate machtige man. Zat hij nu naar de weduwe, Rose Fallon, te kijken met de gedachte aan haar als mogelijke opvolgster van Ann als zij er niet in slaagde een erfgenaam op de wereld te zetten? Ann huiverde. Ondanks het vuur in de haard was haar kamer koud, zoals altijd in de winter, maar dat was het niet. Ze kwam uit een uitstekende familie. Iedereen was heel tevreden geweest over dit huwelijk, inclusief de hertog van Hawksfield. Maar ze wist dat haar positie als de volgende hertogin van Torrence niet veilig was tot ze een mannelijk kind had gebaard, en tot ze zwanger was vond ze dat ze het niet zonder haar voortanden kon stellen.

De cognac verdoofde de stekende pijn.

Haar kamenier hielp haar met het afdoen van haar sieraden – haar eigen sieraden, familiejuwelen die ze in het huwelijk had ingebracht – en ze bekeek zichzelf in de spiegel. Ze was knap, dat zei iedereen. Het moest toch zeker voor William niet zo'n probleem zijn tot ze zwanger was? Sinds zijn thuiskomst was hij steeds minder naar haar toe gekomen, en toch wist hij ook hoe belangrijk een erfgenaam was. Ze keek nogmaals in de spiegel, draaide haar hoofd heen en weer. Het kaarslicht flatteerde haar, zoals bij bijna iedereen het geval was. Toen liep ze terug naar het raam. Het was harder gaan sneeuwen. Ze had vanavond opgemerkt hoe de nieuwe burggraaf Gawkroger naar Dolly glimlachte. En Ann glimlachte ook, nu dankzij de cognac de pijn in haar mond was afgenomen. Ze staarde naar de sneeuw die heel zacht op de platanen op het plein neerdaalde. Burggraaf Gawkroger zou Ann, putatief hertogin van Torrence, helpen. Ze dronk nog wat cognac. En Ann, putatief hertogin van Torrence, zou burggraaf Gawkroger helpen. Dat was de afspraak.

Zeven

O p de ochtend van eerste kerstdag, toen in heel Londen sneeuw viel, kwamen er twee oude heren van het marinekantoor in Somerset House – vrienden en mentors van de overleden vader van Rose – in Wimpole Street op bezoek. Jaren geleden waren deze twee heren altijd op eerste kerstdag in Brook Street op bezoek gekomen, met cadeautjes voor Rose. De moeder van Rose had hun geglazuurde pruimentaart en warme gekruide wijn geserveerd en na haar dood had Rose hetzelfde gedaan. Sinds haar huwelijk had Rose de oude heren niet meer met Kerstmis gezien, maar dit jaar hadden ze bericht gestuurd dat ze deze gewoonte graag wilden hervatten, als zij daarmee instemde. Rose huilde toen ze hun briefje ontving.

Toen Mattie bezig was de taart van glazuur te voorzien zei ze terloops tegen Rose: 'Ik ga vandaag naar mijn moeder en naar de moeder van Cornelius Brown toe, als dat mag.'

'Uiteraard,' zei Rose. 'Iedereen mag vandaag weg.'

'Wat gaat u doen?'

'Ik heb me voor de eerste keer geëxcuseerd voor Kerstmis op Gawkroger Hall. Er zijn al genoeg feestelijkheden!'

'Nou, ik zal niet lang wegblijven. Maar... ik heb een bericht gekregen.' Mattie sprak heel geheimzinnig, terwijl ze de taart op een bord legde.

'Wat was het?'

'Cornelius Brown is in Italië gezien. Hij is nu handelaar, schijnt allerlei spullen te kopen en te verkopen! En hij was van plan terug te gaan naar Egypte zodra de marine daar is vertrokken. Hij heeft daar gewoond!'

'Grote hemel!'

'Misschien zijn het alleen maar geruchten, maar het is wel de eerste keer dat zijn moeder in al deze jaren iets heeft gehoord.'

Er werd op de deur gebonsd. De oude heren van de marine hadden cadeautjes voor Rose meegebracht alsof ze nog steeds zeven was en geen drieëntwintig. Mattie glimlachte breed toen ze de heren zag die ze zich nog goed herinnerde, en ze bracht de taart en een kan warme kruidige wijn binnen. De geur van kruidnagels steeg op en vermengde zich met de geur van de jasjes en hoeden van de oude mannen, en van oude pijpen. De sneeuw viel aan de andere kant van de hoge ramen. Weldra zagen ze Mattie, met muts en omslagdoek, op weg naar Ludgate Hill gaan. Nadat er veel hartelijke woorden over haar vader en moeder waren gewisseld, vroegen de oude heren heel ernstig of ze Rose wat informatie mochten geven over de dood van haar echtgenoot, informatie waarvan ze meenden dat zij op de hoogte diende te zijn.

Ze keek hen aan, niet-begrijpend.

De twee oude heren zaten voor de grote haard in de blauwe salon en vertelden Rose dat haar man, hoewel met marine-eer in Engeland begraven – toen Rose bij de familie Fallon had gestaan, stil en bleek, de weduwe in het zwart – in werkelijkheid door een Arabier was vermoord in een ruzie over een Egyptische vrouw. Hoewel Rose bleek was geworden bij het horen van hun woorden, huilde of protesteerde ze niet.

'Juist ja,' was alles wat ze zei.

'We hebben er lang over nagedacht of we je dit moesten vertellen,' zeiden de oude heren. Ze spraken vriendelijk maar niet neerbuigend. 'Je vader zou hebben gewild dat wij je begeleidden. We weten dat hij' – de oude heren schraapten hun keel en probeerden de juiste woorden te vinden – 'bedenkingen had ten aanzien van de familie Fallon. Zij bezitten misschien niet de... de morele statuur van je eigen familie, en toen je vader wist dat hij stervende was, heeft hij gevraagd of wij ons op de hoogte wilden stellen van jouw situatie.'

'Bezit de familie Fallon deze informatie?'

De heren haalden hun schouders op. 'We nemen aan van wel. Ze zullen contacten hebben binnen de marine. Niemand wil er uiteraard iets over zeggen – niet alleen de familie Fallon! Er is bij Aboukir een grote overwinning behaald, er is een groot generaal gesneuveld, er werd onderhandeld over de capitulatie van de Fransen – er gebeurden op dat moment allerlei belangrijke en triomfantelijke dingen. In het grote geheel van de gebeurtenissen is zo'n ongelukkig incident niet meer dan dat: een ongelukkig incident waarvan werd gehoopt dat het weldra zou zijn vergeten. Om die reden, en omdat jij de dochter van je vader bent, besloten we dat de begrafenis met alle marineplechtigheid diende te worden uitgevoerd. Maar zeelieden praten nu eenmaal.'

'Uiteraard.'

'Het probleem was dat de betreffende jonge vrouw een Egyptische vrouw was die door haar vader was beloofd aan een belangrijke Turkse hoogwaardigheidsbekleder, en de Egyptenaren en de Turken voelden heel veel schaamte en woede, juist op het moment dat onze onderhandelingen in een beslissend stadium waren gekomen. Onder alle omstandigheden waren we beducht voor repercussies. Ze was geen' – opnieuw geschraap van kelen – 'meisje van de straat, om zo te zeggen. Ze werd zorgvuldig bewaakt, maar ze mocht wel in de sinaasappelgaard van haar vader wandelen, zei men, en op de een of andere manier is ze... ontvoerd. Toen je man werd vermoord, werd het meisje, voor haar eigen veiligheid, heimelijk in het huis van een Engelse koopman aldaar opgenomen. Zij zou anders beslist ook zijn vermoord, dat was een kwestie van eer geweest. De hele affaire was uitermate pijnlijk.'

'En nu?'

'Het grootste deel van het Britse leger heeft Alexandrië inmiddels verlaten, dus de kooplieden verkeren zelf in groot gevaar, het is daar een volstrekte chaos. We weten niet hoe lang we zelfs maar in staat zullen zijn daar een Britse consul te handhaven of wat voor soort Britse vertegenwoordiging dan ook. En we hebben geruchten gehoord dat de Egyptenaren eisen dat deze vrouw aan hen wordt teruggegeven. Het schijnt dat dit omwille van de vrede en teneinde verdere... onaangenaamheden te voorkomen, inderdaad zou kunnen gebeuren. We hebben niet veel keus, we hebben er geen leger voor. De arme vrouw. Ze zal natuurlijk worden vermoord. Zo gaat dat daar.'

'Arme vrouw,' herhaalde Rose onwillekeurig.

'Er valt echt niets aan te doen,' zeiden ze. 'We zullen het eind van dit droevige verhaal waarschijnlijk nooit horen. Maar de handelwijze van je man heeft lange schaduwen geworpen. Het is geen verhaal dat de Britse integriteit in een gunstig daglicht stelt.' Heel even vroeg Rose zich af wat die gewetensgetrouwe oude marineheren van de High Heavens Club zouden vinden.

Ze zweeg een tijdje, zag bleek. De oude mannen wachtten, stil en ernstig. Het vuur knetterde en verspreidde vonken. Ten slotte sprak ze, maar niet over zichzelf. 'De familie Fallon is geobsedeerd met het zichzelf verheffen en Harry's reputatie maakt deel uit van die pogingen. Ze zouden zich hier totaal niet om bekommeren, ware het niet dat ze niet willen dat er enig vermoeden van een schandaal met betrekking tot Harry's dood bekend wordt, in verband met het lot van die vrouw.'

De heren knikten. 'Dat begrijpen we. En we vonden het niet gemakkelijk jou over het lot van die vrouw te vertellen.'

Rose schonk langzaam nog wat wijn in en sneed de taart, maar die bleef onaangeroerd op hun bordjes liggen, want ze dachten allemaal aan een Arabische vrouw in Alexandrië. Rose zag dat ze nog iets anders wilden zeggen maar dit erg pijnlijk vonden. 'Het geeft niet,' zei ze. 'Het is me niet onbekend dat mijn man... belangstelling voor andere vrouwen had.'

'Liefje.' Er volgde weer veel geschraap van kelen. 'Je vraagt je misschien af waarom we je dit alles hebben verteld hoewel dit kennelijk verdrietig voor je is. Het is niet waarschijnlijk, zoals gezegd, dat we ooit het eind van deze affaire zullen kennen – we kunnen verder niets doen. Dit gaat niet om die ongelukkige vrouw, maar om jou. Om een lang verhaal kort te maken, Rose, je vader wist, ook al probeerde je het voor hem verborgen te houden, dat jij ongelukkig was.' Ze deden of ze niet hoorden dat Rose een gesmoorde kreet slaakte. 'En hij maakte zich zorgen dat de familie Fallon jou op enig moment – en hier komen we bij de kern van de hele zaak – wel eens niet zo zou kunnen behandelen als hun plicht dit voorschrijft. Je vader had een bijzondere aversie jegens de huidige burggraaf Gawkroger.' Er werd wat in stoelen heen en weer geschoven en er werd nog meer gekucht. 'Ze horen jou, als weduwe binnen hun familie, met veel zorgvuldigheid te behandelen. Des te meer omdat jij geen naaste familie van jezelf hebt en je oom en tante in India zitten.'

Rose bleef enige tijd roerloos zitten, maar ten slotte sprak ze. 'Mijn vader heeft me goed verzorgd achtergelaten, zoals u weet,' zei ze langzaam. 'Daar ben ik hem eeuwig dankbaar voor. Dankzij zijn wijze inzicht zal ik in staat zijn voor mezelf te zorgen.'

'Desalniettemin heeft de familie Fallon wellicht haar eigen idee omtrent jouw toekomst. De nieuwe burggraaf Gawkroger is een meedogenloze man. Het zou voor jou van belang kunnen zijn de familie Fallon er heel duidelijk van te overtuigen dat ze je waardig en eerbiedig dienen te behandelen.'

Ze keek hen verbaasd aan. 'Ik hoop dat u de situatie verkeerd hebt ingeschat. Ik heb een paar jaar te midden van deze familie geleefd en ik kan me niet voorstellen dat ze me echt fysiek kwaad zouden doen! Het ergste dat ze hebben genoemd is dat ik bij hen zou moeten komen wonen. Maar daar zal ik niet mee instemmen,' voegde ze er haastig aan toe.

'We wilden alleen maar jouw positie versterken, voor het geval de omstandigheden dit noodzakelijk maken,' gingen de oude mannen hardnekkig verder. En toen besefte ze het eindelijk. Ze hadden haar wat informatie verschaft waarmee ze een wapen had tegenover de familie Fallon, die over Harry uitsluitend in termen van een held sprak en, zo had ze gehoord, een groot herdenkingsportret liet schilderen, voor wanneer dat nodig mocht zijn. 'En om je te laten weten dat bepaalde mensen binnen de admiraliteit dit verhaal steunen – desgevraagd. We hebben er uitvoerig over gesproken voor we besloten deze nogal onorthodoxe stap te nemen, en als je vader het mis had, waar het je schoonfamilie betreft, dan zijn we daar alleen maar blij om.'

'Het is heel vriendelijk van u,' zei Rose weifelend. 'Dank u wel.' Ze glimlachte naar hen en zij ontspanden zich ten slotte en keken steels naar het tafeltje. 'Alstublieft. Neemt u alstublieft wat taart en drinkt u nog wat wijn. En weet dat als er zich moeilijkheden mochten voordoen, ik u om raad zal vragen, zoals mijn vader uiteraard heeft gewenst.'

De oude heren glimlachten eveneens, opgelucht, en er vielen kruimels op de vloer en er werd nog meer wijn gedronken en het gesprek kwam op de marine, op de hoop op vrede met Napoleon, op mensen die ze allemaal hadden gekend, en weer op haar vader. Er klonk zelfs gelach in de blauwe salon toen ze terugdachten aan sommige avonturen van hem en de oude heren glimlachten nog steeds, inmiddels met blozende wangen, toen ze in hun jassen werden geholpen om naar buiten te gaan, de sneeuw in.

'Wij zijn natuurlijk altijd graag bereid je te helpen,' zeiden ze, en ze bogen naar haar toen de deur openging en de sneeuw naar binnen dwarrelde.

Ze stapte naar buiten om hen uit te zwaaien. 'Ga naar binnen, ga naar binnen, liefje,' riepen de heren terwijl ze in de sneeuw bleven staan en weigerden weg te gaan tot ze zagen dat ze deed wat zij vroegen. Ze maakten wat gebaren om haar naar binnen te sturen, alsof ze een kip was, terwijl de sneeuw op hun oude hoofden en hun dikke marinejassen neerdaalde en de deur van het huis in Wimpole Street dichtging.

Ze luisterde naar het lege huis. De bedienden waren weg, Mattie was weg.

In de blauwe salon stak ze een sigaartje op en staarde naar de familieportretten. Ze dacht terug aan de plechtige marinebegrafenis voor een Engelse kapitein met de zwaarden en de admiraals. Na afloop, in het rijtuig, toen zelfs de douairière burggravin zweeg, had Rose George Fallon zien huilen. Ze dacht aan Harry en aan de Egyptische vrouw en ze hoorde het geluid van de stilte.

Ten slotte drukte ze de sigaar uit, midden in het portret van kapitein Fallon, met al zijn medailles.

Toen de veertienjarige lady Dolly Torrence op de dag na Kerstmis wakker werd, herinnerde ze zich dat ze weer over die heel lange man met een tulband had gedroomd. Ze voelde dat ze een beetje bloosde. Toen de Britten Napoleon in Egypte versloegen, stonden er soms tekeningen van woeste Turkmenen, met grote tulbands en grote zwaarden, in de krant. Dus kon ze het echt niet helpen als er zo'n man in haar dromen verscheen. Misschien schreef ze dit zelfs wel op, netjes gecensureerd. Ze had nooit eerder iets over dromen in haar dagboeken geschreven, alleen maar een verslag van haar activiteiten van dag tot dag, maar ze had de laatste tijd bijzondere aandacht aan haar dagboek besteed. Het was haar een paar keer opgevallen dat het leeslint in haar dagboek leek te zijn verplaatst. De eerste keer had ze tegen zichzelf gezegd dat ze niet zo raar moest doen, maar ze had het lint toch op een heel speciale manier neergelegd. Het was later duidelijk dat het weer was verplaatst. Dolly was zowel gevleid als nieuwsgierig en ze besloot haar dagboek zo interessant mogelijk te maken. Ze hoopte dat het haar broer William was die het had gelezen, want er was pas sinds zijn terugkeer aan het dagboek gezeten. Voor haar broer William in haar dagboek schrijven zou een taak van liefde zijn. (Maar misschien moest ze die Turkmeen er toch maar uit laten.)

Toen ze zich had aangekleed liep Dolly snel naar haar moeders kamer, want dit was het moment dat haar moeder het meest ontredderd was, wanneer ze uit de mist van haar slaap kwam, om vervolgens in de mist van haar waken te komen. De hertogin van Torrence begon steeds verwarder te worden. Toen haar zoon William van zee terug was gekomen, had ze hem helemaal niet herkend, en hoewel Dolly pas veertien was, zag ze duidelijk dat William het heel verdrietig vond dat zijn eigen moeder hem niet meer herkende, hoe vrolijk ze ook bij het eten mocht glimlachen en hoezeer zijn vrouw hem ook plaagde over de eettafel heen. Dus kwam Dolly elke morgen bijna een uur bij haar moeder zitten, en probeerde haar over te halen Indiase thee te drinken waarvan men zei dat die goed was voor de hersenen.

En dan praatte Dolly. Ze praatte over Williams reizen naar de landen rond de Middellandse Zee en Malta en Egypte. Over nichten en neven en tantes en logeerpartijen op het land, van jaren geleden. Zelfs over de bals die haar moeder altijd belangrijker had gevonden dan haar dochter, in de hoop haar moeder (zo verklaarde Dolly tegenover zichzelf) enig gevoel van de werkelijkheid te geven. Dolly had nog nooit zoveel aandacht gekregen. Ze greep deze gelegenheid met beide handen aan en praatte, praatte en praatte. Als haar moeder onrustiger leek dan anders, vertelde Dolly haar sprookjes, alsof haar moeder een kind was. Ze vertelde haar opnieuw alle verhalen waarvan ze had gedroomd dat haar illustere moeder die had verteld (hoewel ze het in werkelijkheid met kinderjuffrouwen en dienstmeisjes had moeten stellen). Al dit gepraat maakte Dolly in elk geval blij, want haar moeder had haar vroeger oninteressant en te lang gevonden.

Toen ze haar moeders kamer binnenging, hoorde ze een gil. 'Wie ben je?' zei de hertogin van Torrence, en ze staarde haar dochter aan.

Dolly schrok. Ze zag dat er een nieuwe blik van verbijstering in haar moeders ogen was gekomen en ook iets anders. De oude dame keek bang. Dolly werd van de weeromstuit ook bang. Ze pakte vlug haar moeders hand. 'Ik ben Dolly, jij bent mijn moeder,' zei ze. 'Ik kom met je praten, zoals ik dat altijd doe.' Maar haar moeder keek alleen maar verward en streek haar dunne haar steeds weer glad, zoals ze dat altijd deed wanneer haar onrust op zijn hevigst was. Dolly belde heel lang en luid om haar moeders kamenier. 'Zal ik je voorlezen, mama?' zei ze snel en nerveus. 'Of zal ik je een verhaaltje vertellen? Je houdt van sprookjes.' De kamenier kwam binnen en samen begonnen ze de hertogin aan te kleden en zetten ze haar de muts met krullen op om de kalende plekken op haar hoofd te verbergen.

'Er was eens,' begon Dolly, 'een mooie prinses die prinses Rosetta heette...'

'Wie zijn jullie allemaal?' vroeg lady Torrence met een plotseling luide stem. Ze deinsde achteruit voor Dolly en voor haar kamenier, en in haar ogen lagen angst en paniek. Vol ontreddering riep ze steeds luider: 'Wie zijn jullie toch?'

Dolly was nu heel bang geworden en ze zei hulpeloos: 'Ga lekker hier bij de haard zitten, mama.' Maar haar moeder begon geagiteerd aan haar jurk en aan haar haar te trekken en het leek of ze de gang in wilde hollen. Dolly gebaarde de kamenier dat ze hulp ging halen. Ze holde de trap af terwijl ze luid om haar vader riep. William zou ongetwijfeld al naar de admiraliteit zijn vertrokken, op zoek naar een ander schip. Ann kwam nooit voor twaalf uur haar bed uit. Er schoten allerlei bedienden toe, maar haar vader verscheen niet. De hertog van Torrence zat in zijn bibliotheek, geheel verdiept in een van zijn bijzondere boeken: *De School van Venus* (geïllustreerd), vertaald uit het Frans.

'Vader?'

'Wat is er?' Hij keek niet op van zijn vergrootglas.

'Vader, vader, kom vlug, snel, het gaat om mama. Ze is helemaal overstuur. Ze is...' Dolly barstte in tranen uit.

'Wat is er, Dolly?' De hertog sloeg met tegenzin zijn boek dicht en ging kribbig staan – dat meisje begon steeds hysterischer te worden, waarom deed niemand daar iets aan?

'Mama is – ze herkent me niet.'

'Toe nou, Dolly...' zei hij afwerend, en hij zuchtte. Dit waren dingen die vrouwen onder elkaar moesten oplossen.

'Vader, ze herkent William niet, en nu weet ze ook niet meer wie ik ben. Ik ben bang. Je moet komen, vader, want jou zal ze vast wel herkennen en dan wordt ze weer kalm.'

De hertog pakte zijn dochter bij de arm en liep langzaam naar boven, naar de kamer van zijn vrouw. Maar zijn vrouw zag alleen maar een lelijke oude man.

Binnen een maand was de hertogin van Torrence overleden en in de Westminster Abbey begraven, naast alle grootheden van Engeland. Er waren veel mensen bij aanwezig. De familie Torrence had veel geld verloren, dit was algemeen bekend, maar ze waren nog steeds immens belangrijk in het grote geheel der dingen, zoveel land hadden ze ooit in Engeland bezeten. De prins van Wales en de hertogen van Clarence en Kent waren aanwezig, evenals hun moeder, koningin Charlotte. De broer van de overleden vrouw, de hertog van Hawksfield, liep vlak achter hen. De man en de zoon en de dochters waren in het zwart. De mensen maakten opmerkingen over de ene extreem lange dochter wier bleke gezicht op een wonderlijke manier boven de andere hoofden uitstak. Veel verder achterin maar desalniettemin te midden van de Londense society, bevond zich de nieuwe burggraaf Gawkroger met zijn schoonzuster en moeder.

De grafsteen droeg het opschrift: HIER LIGT LYDIA, GELIEFDE VROUW VAN JAMES, HERTOG VAN TORRENCE, want grafstenen vertellen niet altijd hoe het leven is geweest.

De donkere winterdagen duurden voort, het werd februari. Er werden nog steeds vredesonderhandelingen met de Fransen gevoerd. Rose Fallon begon weer te lezen, ze bestelde een nieuwe leesbril bij Dickens and Smith. Ze liet het enigszins beschadigde portret van kapitein Harold Fallon in Great Smith Street bezorgen: *U zult uiteraard dit laatste portret willen hebben*, luidde haar begeleidende brief.

En daarna, bijna onmerkbaar, begonnen de avonden een beetje langer te worden en op een dag stond er een bericht in de krant: DE STEEN VAN ROSETTA, DOOR ZIJNE MAJESTEITS DAPPERE SOLDATEN IN EGYPTE VEROVERD, IS AANGEKOMEN IN DE HAVEN VAN PORTSMOUTH.

Acht

*I*n het hele land heerste grote vreugde.
Alle kranten berichtten dat het krankzinnige gedrag van Napoleon Bonaparte een halt was toegeroepen: de oorlog was afgelopen! De Engelsen begonnen weer naar hun favoriete stad Parijs te gaan, zelfs nog voordat de Vrede van Amiens officieel was getekend!

Te midden van alle opwinding werd alom voorspeld, zowel in de kranten als in de koffiehuizen, dat de Britten de hiëroglyfen bijna onmiddellijk zouden weten te vertalen. De Fransen waren daar uiteraard niet in geslaagd. De Steen van Rosetta was bij het Oudheidkundig Genootschap. Op een dag zou hij aan de wereld worden vertoond.

De wereld wachtte met ingehouden adem op de geheimen van het universum.

Er was iets gebeurd tussen Rose Fallon en haar zwager.

Het was niet duidelijk wat het precies was, want geen van beiden vertelde iets.

Hij was op een avond onaangekondigd bij het huis in Wimpole Street gearriveerd. De nieuwe burggraaf Gawkroger was meer geschokt dan hij ooit van zichzelf had verwacht – hij was nu eenmaal over het algemeen niet zo snel uit zijn evenwicht gebracht – toen hij de lange blauwe salon beneden binnenkwam nadat een dienstmeisje hem had binnengelaten. Zijn voorouders keken zwijgend op hem neer. *Hij kon duidelijk sigaren ruiken.* Op de een of andere manier was hij hierdoor geschokt. Alleen zeelieden en dieven rookten iets anders dan een pijp. (En heren een heel enkele keer ook.) Had Rose iemand anders op bezoek gehad voor hij arriveerde? Was ze van plan te hertrouwen, zo snel al? Daar kon geen sprake van zijn, ze was nog steeds in de rouw om zijn broer, ze maakte deel uit van de familie Fallon, ze droeg hun naam en hij had plannen met haar. Hij keek snel in de spiegel, streek de baleinen van zijn boord recht, liep naar het raam en keek naar de boeken die overal lagen, een heleboel nieuwe boeken, romans vermoedde hij, tijdverspillende rommel die vrouwen lazen. De tabakslucht hing er nog steeds. Hij bedwong zijn frustratie en met enige moeite iets anders wat hij had meegebracht: zijn boosheid. Hij was woedend dat hij in deze positie was beland, maar hij had Rose nodig. Hij liep ongeduldig door de kamer te ijsberen.

Hij haalde een gouden snuifdoos uit zijn zak toen Rose binnenkwam. Hij ging op de sofa bij de haard zitten en strekte zijn benen bijna pruilend voor zich uit terwijl hij op zijn degenstok steunde.

'Dit is een verrassing, George,' zei Rose. Maar dat was het natuurlijk niet. Sinds het bezoek van de oude heren had ze hem verwacht. En ze had heel uitvoerig nagedacht over wat ze met hem zou bespreken. Toch klopte haar hart snel. Ze had nooit eerder een confrontatie met een lid van de familie Fallon gehad.

Een dienstmeisje bracht koffie binnen. Dat was ook al zoiets wat hem ergerde. Mannen dronken koffie in een koffiehuis, waar ze elkaar ontmoetten om over politiek en oorlog en vrede te praten.

Rose was bezig met inschenken en serveren; de nieuwe burggraaf, nog steeds ongewoon slecht op zijn gemak, zei niets terwijl de tabaksgeur van de onbekende bezoeker nog steeds in zijn neusgaten hing.

Toen Rose hem zijn koffie in een verguld kopje overhandigde en op de hoge rechte stoel tegenover hem ging zitten, zei ze: 'Heb je Dolly gezien, George? Ik had erg met haar te doen bij de begrafenis van haar moeder, ze leek erg verdrietig.' George ging rechtop zitten, zette het belachelijke theekopje op een tafeltje naast zich neer. Mannen dronken geen koffie uit theekopjes. Hij voelde zich ongemakkelijk op deze sofa, dat ding was altijd zachter dan hij verwachtte.

'De hertogin heeft zich het grootste deel van haar leven heel onvriendelijk tegenover Dolly gedragen, maar ze had haar nodig toen ze haar verstand begon te verliezen. Dolly, die altijd vol fantasie zit, was dankbaar dat ze eindelijk iemand had om tegen te praten, dat is alles. Ze hechtte kennelijk veel waarde aan dit "praten" met haar moeder, maar er was natuurlijk niemand anders die luisterde!'

Rose voelde een steek van medelijden met het onbevallige meisje. 'Heeft ze jou over haar gevoelens verteld?' vroeg ze nieuwsgierig.

George glimlachte. 'Laten we zeggen dat ik ongeveer weet wat ze denkt,' zei hij wonderlijk. 'Ik ben ervan overtuigd dat ze dit te boven zal komen, en jij, Rose, kunt de gelegenheid te baat nemen haar daarbij te helpen.' Hij ging bijna zonder pauze verder: 'Mijn moeder en ik, Rose, vinden dat het tijd wordt dat jij terugkeert naar Great Smith Street, naar Gawkroger Hall, waar je thuishoort, als deel van de familie Fallon. Je zult daar niet lang hoeven blijven. De hemel zij dank zullen we dat huis binnenkort verlaten om naar Berkeley Square te verhuizen.'

'Eindelijk naar Berkeley Square? Dat is een enorme verhuizing.'

'Uiteraard. Goed, we hebben geduld getoond voor je verdriet, want we hadden uiteraard ook ons eigen verdriet, maar het is eerlijk gezegd niet goed voor Harry's reputatie dat jij hier in je eentje blijft wonen.'

Rose gaf niet meteen antwoord. Ze zette haar kopje ook neer en ging toen weer kaarsrecht in haar stoel zitten. Ze zei ten slotte: 'De reputatie van je broer, George, is bij mij veilig.'

Zijn doos met snuiftabak was halverwege zijn neus. Hij bleef daar een paar seconden steken, zo verbaasd was hij over de keuze van haar woorden.

Ze leek opeens van onderwerp te veranderen. 'Ik heb gepopeld van verlangen om de Steen van Rosetta te zien, maar ik begrijp dat hij nog niet in het British Museum tentoon is gesteld. Ik geloof dat jij bekend bent bij de beheerders van het museum, door je belangstelling voor oudheidkundige zaken in het algemeen.'

Hij keek haar onderzoekend aan en nam een snufje voor hij sprak. 'Ik heb begrepen dat de steen op dit moment bij het Oudheidkundig Genootschap is, waar diverse geleerden er hun volle aandacht aan schenken.'

'Is er al een vertaling van de Griekse tekst gepubliceerd? Ik zou er veel voor over hebben om die te zien!'

'Ik geloof dat de Griekse tekst naar universiteiten en

bibliotheken is gestuurd opdat de beste geleerden de beste vertalingen kunnen maken. Daarna zal de werkelijke puzzel, de vertaling van de hiërogliefen, beginnen. Ik weet zeker dat dat niet lang zal duren. Waarom heb je er zo'n belangstelling voor? Afgezien van het feit dat die steen jouw naam draagt, natuurlijk.' Ze hoorde de spot in zijn stem. 'De oude taal van de farao's! Dat is nou niet direct een gepaste belangstelling voor een vrouw.' Daarna ging hij meteen verder, alsof het hetzelfde onderwerp was: 'Mijn moeder en ik willen dat je bij ons komt wonen, Rose. Dat verlang ik. En het is de wet. De wet geeft je het recht als weduwe in mijn familie om in mijn huis te komen wonen en' – hij glimlachte strak – 'je aan mijn vuur te warmen. Dat zijn exact de bewoordingen die in de wet staan.'

'Maar de wet zegt niet dat ik me aan jouw vuur moet warmen, George! Je moet echt gaan trouwen – je bent nu burggraaf Gawkroger. Je hebt een vrouw nodig om de dingen te doen die je van mij schijnt te verlangen.'

Hij stond abrupt op van de zachte sofa. 'Ik zal uiteraard trouwen wanneer dat nodig is, en ik heb daar mijn maatregelen voor getroffen.' Rose zag dat dit onderwerp hem tegenstond. Ze overzag haar leven als hij deze strijd won. George zou bevrijd zijn van zijn bazige, veeleisende moeder. Hij zou een mogelijk huwelijk waarschijnlijk uitstellen. Rose zou eindeloze saaie sociale verplichtingen op zich moeten nemen, met oude dames met mutsjes met valse krullen eraan vastgemaakt, en met gezichten vol rouge en poeder. Ze zou moeten luisteren naar voortdurende gesprekken over de tekortkomingen van de Koninklijke Familie, en het immorele gedrag van de jeugd (en van de niet meer zo jeugdigen), de schandaaltjes van andere mensen. En bovenal de eindeloze monologen van zijn moeder moeten aanhoren. Met altijd George Fallon op de achtergrond, glibberig als een valse slang. *Dat zou ik niet kunnen verdragen.*

Dus keek ze hem recht en kalm aan. 'Ik ben me uiteraard bewust van de eer die je moeder en jij me bewijzen door me te vragen deel uit te maken van jullie huishouden. Maar ik ben geen frivool jong meisje dat gechaperonneerd moet worden, en ook geen oude vrijster met wie je wordt opgezadeld. Ik ben – of ik was – een getrouwde vrouw en mijn leven is veranderd.' Ze sprak heel duidelijk en eenvoudig. 'Ik kan niet teruggaan, George.'

Hij bleef haar aankijken. 'Ik verlang het, Rose,' zei hij op zijdeachtige toon. 'Ik verlang en eis het, en zo zal het gebeuren. Je bent nu geen getrouwde vrouw meer, je bent een weduwe. Je hoort bij ons en je toekomst ligt in onze handen. Ik geef er de voorkeur aan niet te trouwen voordat dit noodzakelijk is.' Hij pakte een van de boeken en bekeek de titel. '*Het Oude Landhuis* van Charlotte Smith, welja.' Hij keek haar sluw aan. 'Je weet toch wat ze zeggen over jongedames die in hun eentje in hun kamer romans zitten te lezen, Rose?'

'Uiteraard. "Het lezen van romans geeft ongeoefende geesten een verkeerde indruk van het leven en leidt tot frivoliteit onder vrouwen."'

'*Frivoliteit*, noemen ze het nu zo? Wij hadden een ander woord voor al te opgewonden meisjes die alleen in hun kamer zitten!' Hij lachte, een zeer onaangename lach.

Rose wendde haar blik af. Hoe dúrfde hij zo tegen haar te spreken? *Maar hoe kan ik zeker weten wat hij bedoelt?* En ze wist het antwoord. *Omdat ik getrouwd was met zijn broer die me heel veel dingen heeft geleerd.* George pakte het volgende, heel oude, boek op: *De Allegorieën van de Egyptische Hiëro-gliefen.* Hij bekeek het zonder commentaar te geven. Toen legde hij de twee boeken ongeduldig neer.

'Ik weet dat je vader bij je huwelijk een financiële regeling heeft getroffen, maar dit huis is bezit van de familie Fallon. Ik ben van plan het te verkopen. Berkeley Square zal groot genoeg zijn voor ons allemaal. Je hebt geen erfgenaam voortgebracht, en jouw positie zal, afgezien van de plaats aan mijn haardvuur, uitermate afhankelijk zijn van onze goede wil.'

Ze vatte moed uit de aanblik van de lachwekkende witte snuifsporen rond zijn neus en uit de informatie die ze had gekregen, en ze liet een stil dankgebed opstijgen in de richting van de oude marineheren die haar voor deze woordenwisseling hadden gewapend. 'Het spijt me dat het de familie Fallon aan erfgenamen ontbreekt,' zei ze koud. 'Dat is iets wat je zelf zult moeten verhelpen. Ik besef uiteraard dat dit niet langer mijn thuis kan zijn, dat jij niet zult willen dat ik hier nog langer zal wonen, en ik ben dankbaar dat mij deze periode van' – ze aarzelde even voor ze het woord uitsprak – 'rouw is gegund. Ik ben bereid andere regelingen te treffen zodra jij dit verlangt.'

Maar hij glimlachte slechts. 'De familie Fallon is heel machtig, *Rosetta mia*, en uitermate rijk. We beschikken over uitstekende advocaten. We zijn bezig de regelingen bij je huwelijk heel grondig te bestuderen. Er is mij verteld dat die vaak niet waterdicht opgesteld blijken te zijn.'

Ze was nu voor het eerst uit haar evenwicht gebracht en hij zag het. Geld was de sleutel. Geld was altijd de sleutel.

'Harry heeft met de regelingen ingestemd,' zei Rose

boos. 'Jij kunt – en hoort – je niet te bemoeien met wat mijn vader en hij zijn overeengekomen.'

'Harry wist hoeveel je van hem hield. Hij besefte terdege dat hij jou zou kunnen overhalen alles aan hem over te maken als hij dat nuttig vond.' Ze staarde hem ontzet aan. 'Aan de andere kant, als jij binnen onze familie woont, zal jouw persoonlijke bezit uiteraard als onaantastbaar worden beschouwd. De familie Fallon wil zich gedragen zoals het betaamt. Uiteraard.' Hij stond nu bij het raam en glimlachte vaag. Er brandde een kandelaar op een kast naast hem en hij stak in silhouet af tegen het licht. Ze moest denken aan diorama's en toverlantaarns en verhalen over de Boosaardige Koning. Die natuurlijk altijd werd verslagen. *Hoe durft hij me te bedreigen! Hoe durft hij zo'n toon aan te slaan! Die oude heren hadden echt gelijk.*

Ze haalde diep adem en begon toen heel kalm te spreken, terwijl ze kaarsrecht in haar stoel met hoge rugleuning bleef zitten. 'Als jij tegen de wensen van mijn vader in gaat, George, zal ik in de stad bekend laten worden dat... dat je broer niet als held in de Slag bij Aboukir is gesneuveld maar dat hij in de straten van Alexandrië door een Arabier is vermoord tijdens een ordinaire ruzie over een plaatselijke vrouw.' Ze hoorde hoe hij verschrikt naar lucht hapte. 'Ik heb begrepen dat de Egyptenaren van mening waren dat hij, de Engelse heer, zich heel onfatsoenlijk had gedragen en geen rekening had gehouden met de godsdienst en de gebruiken in Egypte. Het was een incident dat voor het Britse leger uitermate pijnlijk was omdat de vrouw niet alleen een Egyptische was maar ook verloofd met een Turkse heerser. Dit incident zou gemakkelijk – zelfs nu nog – schande over de familie Fallon kunnen brengen.'

Het silhouet was volmaakt stil blijven staan, en omdat hij zijn hoofd afwendde kon ze zijn gezicht niet meer zien. Maar er trilde een felle woede in de kamer. Een van de klokken sloeg negen, en toen nog een. Rose merkte dat ze zich vastklampte aan de armleuningen van haar stoel. Ze dwong zichzelf los te laten en haar handen in haar schoot te leggen.

Pas toen de klokken allemaal stil waren, sprak hij, met een stem die laag was van woede en ingehouden gewelddadigheid. 'De Egyptenaren zijn barbaren. De Turken zijn barbaren. Het zijn allemaal barbaren.'

Ze wist dat ze nooit bang voor hem moest zijn, want dan was ze verloren. Ze antwoordde hem onmiddellijk. 'Je broer is, zoals je weet' – ze zocht naar het woord – 'indiscreet geweest.'

Weer viel er een stilte. Gedurende één kort moment moest ze aan Harry denken zoals hij daar bij het raam stond. Ze vermoedde dat George er knap uitzag, maar... er was iets... anders. En hoewel hij jonger was dan Harry, was hij veel gevaarlijker. Ze zag dat hij probeerde zich te beheersen. Er was weer een klok die negen sloeg.

'Wie heeft je dit verteld?'

'Wist jij het, George?'

Hij gaf geen antwoord en dus begreep ze dat hij het wist. Maar William, Dolly's broer, was natuurlijk marinekapitein in Egypte geweest, en had het kunnen weten. 'Mijn bronnen, George, waren ongetwijfeld dezelfde als die van jou: mensen binnen de Britse marine. Lord Nelson en lord Abercrombie waren op mijn vaders begrafenis – je moet nooit vergeten dat mijn vader een admiraal van grote reputatie was.' Ze zag onmiddellijk dat hij verbijsterd was, dat hij dit niet had verwacht. 'Ik heb met

Kerstmis een paar marineofficieren op bezoek gehad.'

Er heerste stilte in de schemerige lange blauwe salon terwijl George dit alles verwerkte en zich daarna weer bedwong. Ze zag hoeveel moeite het hem kostte.

'Dat is een vreemd kerstcadeau,' mompelde hij ten slotte.

'Inderdaad,' zei Rose, zonder een verdere toelichting te geven.

Hij bleef nog even bij het raam staan terwijl hij snel nadacht. *Marineofficieren? Hoe wijdverbreid is de kennis omtrent Harry's dood? Publieke bekendheid over Harry's dood is het soort schandaal dat al onze plannen zou kunnen ruïneren. Rose mag die informatie nooit ofte nimmer gebruiken.* Hij liep vastberaden naar de hoge stoel en bleef pal voor haar staan, dichterbij dan plezierig was. Ze kon de snuiftabak ruiken. *Rose moet op zijn minst worden overgehaald mee te gaan naar Parijs.* Hij keek op haar neer. 'Ik zou je een exemplaar van de Griekse vertaling van de Steen van Rosetta kunnen bezorgen, *Rosetta mia*,' zei hij zacht. 'Het ligt in mijn macht om dat te doen.' Hij zag dat er heel even een licht in haar ogen opvlamde, en toen probeerde ze het te verbergen.

'Ik wil niet bij je moeder en jou komen wonen, George.'

'Rose, afgezien van alles wil mijn moeder heel graag naar Parijs, nu de oorlog is afgelopen. Ze is een eenzame oude vrouw. Ze heeft jouw gezelschap nodig.' Dit was een leugen. Douairière burggravin Gawkroger had niet de minste behoefte aan het gezelschap van haar schoondochter, ze wilde alleen maar haar zoon. Maar de machtige oude hertog van Hawksfield nam veel beslissingen voor de familie Torrence. De hertog van Hawksfield had onlangs bepaald dat de veertienjarige Dolly, die eveneens was uitgenodigd, niet met het groepje van de burggraaf naar Parijs mee mocht gaan tenzij de weduwe ook reisde. Dat waren zijn woorden, *tenzij de weduwe reist*. Niemand wist hoe of waarom de hertog tot zijn besluiten kwam, maar hij vond kennelijk dat Rose een fatsoenlijke en intelligente reisgenote zou zijn voor Dolly, die niet over zulke verworvenheden beschikte. Ann was woedend geweest. Zij was er toch zeker bij, met Dolly's eigen broer. Wat dacht die man wel? Maar George wilde dat Dolly naar Parijs ging, ze moest een bredere ontwikkeling hebben. De hertog had gesproken, dus moest Rose worden overgehaald ook mee te gaan.

'Weet je moeder het, van Harry?' vroeg Rose.

'Natuurlijk niet!' Zijn stem klonk weer woest. 'Het zou haar dood zijn, besef dat tenminste!'

Rose staarde hem aan, maar zei niets.

'Maar, zoals ik zeg, mijn moeder heeft je nodig. Ik wil dat je met ons mee naar Parijs gaat.'

Rose stond zichzelf voor één enkel moment toe aan Parijs te denken. *Fanny en ik die over de Pont Neuf hollen en roepen: 'La belle France', de kathedraal van Notre Dame, de knappe Franse vrouwen.* Maar ze zeiden dat daar zoveel was gebeurd, zoveel verhalen over verschrikking en bloedvergieten... het was misschien nog geen plaats om er alleen naartoe te gaan. *O... weer eens naar Parijs gaan, na al deze jaren!*

Het was alsof hij haar gedachten kon lezen. 'Je weet hoe je ervan hebt gedroomd terug te gaan, Rose.' Hij stond nog steeds te dicht bij haar. Ze gaf geen antwoord. Hij slaakte een diepe zucht en ze kon zijn adem nu ruiken: uien misschien, en wijn, en oud vlees. Ze had moeite zich niet af te wenden van zoveel onaangenaamheid. Ten

slotte liep hij terug naar de sofa en liet zich erop neerval-
len. Hij leek even te overwegen wat hij zou gaan zeggen.
Hij friemelde wat, rolde zijn gouden snuifdoos in zijn
hand heen en weer. Hij draaide afwezig de knop van zijn
degenstok, keek in het spiegeltje dat erin bevestigd was,
bijna alsof hij was vergeten dat Rose daar zat. Hij
schroefde de dop er weer op. Ten slotte sprak hij, bijna
nors, want hij was helemaal niet van plan geweest dit
punt hoe dan ook met haar te bespreken. 'Ik maak me feitelijk ongerust over mijn moeder. Ze wordt geobsedeerd
door de gedachte dat ze Napoleon wil zien. Alle vooraanstaande dames van Londen worden geobsedeerd door de
gedachte Napoleon te zien. Maar mijn moeder wil echt
met hem spreken. Ze geeft hem de schuld van Harry's
dood en dat wil ze hem zeggen.'

Rose schoot in de lach. Van alle dingen die ze had verwacht dat hij zou zeggen, was dit wel het laatste. 'Bonaparte zal op zijn benen staan te trillen!' zei ze, nog steeds
lachend. 'Als je moeder hem eenmaal in haar macht heeft,
zal ze hem urenlang overstelpen met haar gepraat.' Ze
zag aan de manier waarop hij verstrakte dat ze te ver was
gegaan. 'Neem me niet kwalijk, George. Maar ik vind de
gedachte dat je moeder Napoleon misschien zal ontmoeten wel een beetje... vergezocht.'

'Toch niet. Het is haar via haar nicht, de hertogin van
Seaforth, ter ore gekomen dat Josephine in de Tuilerieën
Engelse dames van stand ontvangt, en dat Napoleon
soms ook de salon binnenkomt. Het schijnt nu bij alle
Engelse dames in Parijs de grote mode te zijn de Eerste
Consul van Frankrijk te hebben ontmoet.'

Rose hield haar lachen in. 'Echt? Het lijkt me heel
vreemd, van beide kanten, om zo snel de vijand te willen
ontmoeten!'

'Dat zou ik ook hebben gedacht. Maar je kunt nu eenmaal geen peil trekken op de smaak van *les grandes dames Anglaises*, en het schijnt dat die halvegare van een Napoleon van de hele opvoering geniet.' Hij ging verzitten en ze zag dat zijn gezicht rood was, nog steeds van woede, maar ook van iets anders. 'Tja... je weet het, van Harry's dood. Dus je zult begrijpen dat ik niet kan toestaan dat mijn moeder Napoleon persoonlijk de schuld gaat geven.' Rose keek hem aan, een beetje verbaasd. 'Omwille van Harry,' zei hij hees.

'Maar... Napoleon? George, het is toch zeker algemeen bekend dat Napoleon in die tijd in Frankrijk zat!'

'De familie Fallon kan niet voorzichtig genoeg zijn. Helaas waren er nog wat Fransen ter plaatse toen... toen Harry werd gedood. Ze stonden op het punt Alexandrië te verlaten volgens het verdrag.'

Rose kon zich moeilijk voorstellen dat George, zelfs in zijn hartstochtelijke wanhoop om een schandaal te vermijden, kon denken dat Harry zo belangrijk was. Ze was het liefst weer gaan lachen. 'Dit is absurd, George.'

'We kunnen daar niet zeker van zijn. ik weet dat we mijn moeder er natuurlijk niet van kunnen weerhouden naar Parijs te gaan, maar ze mag ons niet bij Bonaparte in verlegenheid brengen. Je kunt me helpen met haar daar van af te houden.' Hij zag dat Rose' mond verstrakte. 'Ze heeft het je niet altijd gemakkelijk gemaakt, dat weet ik. Vooral bij je... miskramen.' Hij zag haar ineenkrimpen, maar hij ging verder. 'Desalniettemin vind ik dat je dit aan Harry's nagedachtenis verplicht bent.'

'Ik vind dat je wel een risico neemt als je mij vertelt wat ik aan Harry's nagedachtenis verplicht ben,' zei ze kortaf.

Hij keek haar even onderzoekend aan. Hij dacht weer

aan de vage geur van sigaren toen hij de kamer was binnengekomen. *Wat voert ze in haar schild?*

'Misschien, George, moet je je moeder de waarheid vertellen.'

Burggraaf Gawkroger sprong op van de sofa en liep naar het raam. Hij draaide zich om en keek haar aan, met een gezicht dat nog steeds rood was. 'Ik wou dat je kon begrijpen wat er hier op het spel staat, Rose. Onze familie kan geen enkel schandaal gebruiken! Ik verzeker je nogmaals dat dat de dood van mijn moeder zou betekenen! We zouden worden uitgelachen! Je begrijpt het niet, maar we staan echt op een keerpunt. Er zijn zekere... diensten... die ik bij machte ben voor de prins van Wales te verrichten, en ik koester veel hoop in andere zaken, maar we maken nog geen deel uit van *le ton*. Ik denk dat we ons met geld hoger op de adellijke ladder kunnen brengen, maar al het geld van de wereld kan ons er niet van weerhouden te vallen wanneer we bij enig schandaal betrokken zouden zijn. Ik herhaal: we kunnen niet voorzichtig genoeg zijn. En ik kan me niet voorstellen dat jij de naam van je man op deze manier bezoedeld zou willen zien. Je hield van hem.'

Ze zei niets.

'Je hield van hem,' herhaalde hij. En toen nog zachter en akeliger: 'Ik weet hoeveel je van hem hield, Rose.' Ze voelde het bloed naar haar wangen stijgen. Maar voor ze iets kon uitbrengen ging hij verder: 'Heel goed dan. Als jij met ons naar Parijs wilt gaan, gedurende de maand mei, zal ik je mijn woord geven dat ik bij onze terugkeer een vertaling van de Griekse tekst op de Steen van Rosetta voor je beschikbaar zal hebben. En we zullen het, voor dit moment, niet meer over Great Smith Street hebben.

Maar je moet begrijpen hoezeer ik jou in Parijs nodig heb.' Hij keek haar heel onderzoekend aan. 'Dus toon ik begrip voor jouw kleine voorliefde voor oudheidkundige zaken.' Hij deed zijn best beleefd te spreken, maar zijn woorden hadden niet minachtender kunnen zijn. Toen schoot hij opeens in de lach. 'Dit is toch wel iets heel uitzonderlijks om een vrouw mee om te kopen, Rose.' Ze hoorde de spot in zijn stem. 'Een Griekse vertaling! De prins van Wales zou zich voor me schamen. Het horen diamanten te zijn.'

Rose lachte niet, maar ze keek hem vreemd aan. 'Ik heb de geschreven taal altijd een van de meest fascinerende dingen op deze wereld gevonden,' zei ze.

'Ik vind dat dames zich bij de gesproken taal dienen te houden,' zei George luchtig. Maar hij wist dat ze nu mee zou komen. 'William en Ann zullen ook meegaan,' ging hij verder. 'Ik heb voorgesteld dat ze in Parijs wat tijd samen zullen doorbrengen, omdat ze zoiets na hun trouwerij vanwege meneer Bonaparte niet hebben gekund.' Hij glimlachte. 'Een tweede huwelijksreis. En Dolly gaat ook mee. Een beetje verandering van omgeving zal goed voor haar zijn, net als jouw aanwezigheid, ze is erg op je gesteld en ik heb haar ervan overtuigd dat jij een gepastere aanwinst voor de groep zal zijn dan haar pauw.' Hij keek haar steels aan. 'Maar jij moet dit vooral doen vanwege je liefde voor mijn broer – en daar weet ik veel van.' Ze keek hem aan, en ze begreep het. Ze kreeg opnieuw een kleur, maar dit keer sloeg ze haar ogen niet neer.

Met een enorme zelfbeheersing ging ze staan. Ze keken elkaar aan, terwijl het onuitgesprokene tussen hen in hing. 'Ik wil de vertaling van de Steen van Rosetta voor het begin van de reis hebben, George,' zei Rose.

Even was het volmaakt stil, en toen boog burggraaf Gawkroger diep, als om te erkennen dat zij, althans voor dit moment, de overwinnaar was. Maar het was een spottende buiging.

Toen hij weg was bleef Rose heel stil zitten, helemaal alleen in het huis in Wimpole Street terwijl de klokken de tijd wegtikten.

Ik weet hoeveel je van hem hebt gehouden, Rose. Ze hoorde weer zijn uitdagende woorden. En ze zag de twee broers, de twee verdorven – ze dwong zich in gedachten het woord te herhalen: *verdorven, verdorven* – broers die over haar praatten, over haar meest intieme momenten met haar man. Ze maakte opeens een geluid dat het midden hield tussen een kreet en een snik, en de tranen rolden over haar wangen, om de betoverende, bedrieglijke, knappe Harry Fallon. Die haar bleef vernederen, zelfs in de dood.

Ten slotte, veel later, pakte ze een lamp en liep langzaam naar boven. Ze liep nog een tijdje rond, deed haar bureau open en weer dicht, pakte wat boeken op en legde ze weer terug. Het was tijd om naar bed te gaan.

Maar dit was altijd het moeilijkste moment. Harry Fallon had haar veel schade berokkend, maar dit was altijd het grootste probleem, een probleem dat samen met haar naar boven ging, en hij had dit kennelijk aan zijn broer verteld. Het geheim. Ze voelde opnieuw haar wangen rood worden bij deze gedachte: *de verdorven broers Fallon.* Want Harry Fallon had in Rose gevoelens en sensaties gewekt waar ze volslagen onvoorbereid op was: haar verrukking vervulde haar nachten en deed haar wensen dat de dagen voorbij waren. Ze wachtte met bijna onfatsoenlijke haast op zijn komst naar haar kamer. Het was dit: dit was wat al het andere onbelangrijk had doen lijken, die dingen die haar in haar nieuwe leven anders misschien van ontzetting hadden vervuld. Dit had ze niet opgestoken uit de gesprekken in het huis van haar ouders. Ze was bedwelmd door wat hij haar had geleerd. En het had haar blind gemaakt.

Toen hij minder vaak kwam, toen hij bijna helemaal niet meer thuiskwam, toen ze besefte dat hij andere vrouwen beminde, begon haar kwelling. Misschien was dat een geluk bij een ongeluk, want toen hij in Egypte was gedood en ze wist dat hij nooit meer zou komen, had ze al zoveel geleden dat het bijna een opluchting was dat ze in elk geval niet meer gespannen lag te luisteren naar rijtuigwielen, naar voetstappen op de trap, naar het moment dat de deur zachtjes openging. Of niet.

Rose zette de lamp op het nachtkastje naast haar romantische roze hemelbed met gordijnen. Ze wilde niet dat Mattie haar hielp wanneer ze naar bed ging: *je moet niet altijd voor me opblijven*. Aanvankelijk omdat ze alleen wilde zijn, wachtend op Harry. Nu omdat ze bang was dat Mattie in haar hart kon kijken. En zo trok ze vanavond, net als op andere avonden, langzaam haar nachthemd aan. En daarna greep ze, zoals ze dat nu altijd deed, naar de opium, want opium verdoofde het hartstochtelijke verlangen dat Harry in haar had gewekt.

En waarover hij daarna aan zijn broer had verteld.

Negen

*H*et werd voorjaar. De wereld was veiliggesteld, zeiden ze, tegen de excessen van Bonaparte. En Rose Fallon knipte opeens haar haar kort.

Kort haar en heel eenvoudige jurken zonder onderrokken waren de grote mode in Frankrijk – sommigen zeiden dat de adel het toonbeeld van eenvoud wilde lijken, gewoon voor alle veiligheid – en de oude mannen met hun verrekijkers op Vow Hill hoefden zich niet langer te verdringen om ruimte boven de badkoetsjes te bemachtigen: er viel genoeg opwinding voor hen te beleven als ze alleen maar door de straten van de stad liepen. Jonge meisjes met kort haar en lang niet genoeg kleren aan (dunne, witte batisten of zijden jurken met hoge taille) wandelden in parken en door lanen en tuinen met oudere dames in korset en wijde rokken, die onder kleine mutsjes de treurige overblijfselen van hun eens bepoederde en bepruikte haar verborgen hielden. Er waren al eerder hoge tailles door jonge meisjes gedragen, maar toen waren de mouwen lang geweest en er werden *beslist* onderrokken gedragen. Nu werd zelfs dit decorum soms overboord gezet. Rose was dol op deze mode, maar ze had het bijna altijd koud.

De Engelse vertaling van de Griekse inscriptie op de Steen van Rosetta werd, zoals door George was beloofd, op een avond in april in Wimpole Street bezorgd. Er zat een briefje bij.

Dit is tot dusver alles wat er beschikbaar is. Het is deze week voorgelezen aan het Oudheidkundig Genootschap en ik geloof niet dat dit grootse literatuur is! Maar je zult in elk geval enig idee krijgen. De geheimen van de wereld zullen hier helaas niet worden ontdekt.
We vertrekken op 2 mei naar Parijs.

Gawkroger

Rose werd zo door emoties overmand dat ze het pakje nauwelijks open kon maken. George Fallon zou geen grote literatuur herkennen ook al hield je het onder zijn neus. Dit was de sleutel tot de geheimen van de wereld en zij hield die in haar handen. Ze liet haar leesbril tot twee keer toe vallen. Ten slotte zat ze op de rechte stoel bij de haard, streek de pagina's van de vertaling, die in een elegant handschrift was geschreven, glad en begon trillend van opwinding te lezen.

Onder de heerschappij van de jongeling die Koning is in de plaats van zijn Vader Heer van Kronen, groot van glorie, die Egypte heeft Gesticht, het welvarend heeft doen zijn, en die vroom is tegenover de goden, zijn vijanden overwinnend, die de beschaving heeft hersteld voor de mensheid, Heer van de Dertig Jaren feesten, zelfs terwijl Hephaestus de Grote, een Koning als de Zon, grote Koning van de Boven en Lage delen, nakomeling van de goden Philopatores, een die door Hephaestus is goedgekeurd, voor wie de zon Victorie heeft gegeven, het levende beeld van Zeus, zoon van de Zon, Koning Ptolemaeus, de eeuwig-levende, de Geliefde van Ptah, de god Epaphus Eucharistus...

Hoewel Rose altijd heel goed had begrepen dat haar steen slechts een sleutel tot het vertalen van de magie was, niet de magie zelf, begon ze na enige tijd het gevoel te krijgen dat ze van teleurstelling het liefst de korte haren uit haar hoofd had getrokken. Ze probeerde enthousiast te worden omdat ze iets las uit een ver, ver verleden. Maar uiteindelijk zat ze te geeuwen bij alle details. Op de Steen van Rosetta scheen KONING PTOLEMAEUS, DE EEUWIG-LEVENDE, DE GELIEFDE VAN PTAH, DE GOD EPAPHUS EUCHARISTUS een jongen te zijn die een hoogdravend en uitermate langdradig eerbetoon kreeg toegezwaaid. Zijn lange naam werd voortdurend herhaald. KONING PTOLEMAEUS, DE EEUWIG-LEVENDE, DE GELIEFDE VAN PTAH, DE GOD EPAPHUS EUCHARISTUS had in een zeker stadium de Nijl ingedamd. Hij scheen ook infanterie en cavalerie te hebben geleverd, en schepen om eropuit te sturen tegen hen die Egypte binnenvielen. Hij had rebellen die tegen zijn vader in opstand waren gekomen gestraft. Maar geen enkel teken van magie. Geen raadselachtige geheimen van het universum. Ze las heldhaftig het hele stuk door en liet de Engelse vertaling van het Grieks toen op de grond vallen, waar de vellen papier verder dwarrelden door de tocht die onder de deur door kwam. Op de laatste pagina las ze:

En dit decreet zal worden gegrift in een stèle van harde steen, in heilig schrift en in inheems schrift en in Grieks schrift en zal worden geplaatst in eerste- en tweede- en derderangstempels naast het beeld van de Koning. En voor eeuwig leven.

Dat heb ik vroeger altijd tegen mama gezegd, dat het geschrevene eeuwig zal leven. Ze was nu niet meer in de rouw, de dagen gingen voorbij zonder dat ze zelfs maar aan Harry dacht, maar de gedachte aan haar eigen naïeve verslag in haar dagboek over hun 'huwelijksgeluk' maakte nog steeds dat ze soms tranen in haar ogen kreeg. *Sommige geschriften horen niet eeuwig te leven,* dacht ze zuur, *maar in het vuur te worden verbrand!* Ze sloeg haar vaders boek over hiërogliefen open. *Maar is dit alles wat de hiëroglifen ooit zullen betekenen? Veldslagen en legers en koningen? Net als altijd? Hoe zit het dan met de geheimen van het heelal?* Ze staarde weer naar de plaatjes in haar vaders boek: naar de uil, de havik, de bij, de elegante krullen. Ten slotte stak ze een sigaar op, keek naar de rook en dacht opnieuw na over het schrijven op zich, de handeling van het plaatsen van tekens, op steen, of op papier, of op wat dan ook, om contact te maken met andere mensen. *Door te schrijven bewaren we onszelf, we kunnen niet weten wie de woorden zal lezen die wij schrijven.* Maar hoe kon zij de Oude Egyptenaren leren kennen door dit saaie document?

Na enige tijd legde ze haar sigaar weg en stond op. Het was één uur in de nacht. Ze deed de luiken open en bleef bij het raam staan. Het was nog niet echt stil; zelfs Wimpole Street lag er nooit verlaten bij. De volkstelling had berekend dat er nu een miljoen mensen in Londen waren. In het donker dacht ze dat ze verderop in de straat verscheidene mensen naar elkaar toe zag bewegen en weer uiteen zag gaan. Een romance? Een vechtpartij? Rose trok haar omslagdoek strakker om zich heen. *De Steen is een sleutel, dat is het belang ervan.* Ze raapte de gevallen papieren op. Geen antwoorden dus, op de mysteries van deze wereld, van koning Ptolemaeus de eeuwig-levende, de Geliefde van Ptah, de God Epaphus Eucharistus. Ze liep door de blauwe salon heen en weer, met de zilveren kaarsendover waarmee ze de kaarsen doofde, op een na, die ze meenam naar boven. *Nog een paar nachtjes slapen,* zoals Fanny en zij vroeger zeiden, en dan vertrokken ze naar Parijs. Het moest bijna vijftien jaar geleden zijn dat ze daar voor het laatst was geweest. Hoe zou Parijs er nu uitzien? George Fallon was de afspraak van zijn kant nagekomen en zij zou hem van haar kant nakomen, maar het was – ze keek naar de papieren in haar hand – een teleurstellende overeenkomst. Ze zou geen afspraken meer maken met George. Ze begreep dat ze in zekere zin verlamd was geweest na de dood van Harry, niet in staat beslissingen te nemen. Maar nu was ze er weer bovenop. Ze wist dat ze binnenkort besluiten zou nemen over het volgende deel van haar leven. Als ze terug was uit Parijs zou ze gaan verhuizen. Ze was ervan overtuigd dat haar wijze vader haar goed beschermd had achtergelaten en dat ze binnenkort voor altijd van de familie Fallon bevrijd zou zijn.

Ze deed de luiken dicht, pakte de lamp op en liep naar boven met in haar hand de papieren met de vertaling, terwijl ze nadacht over de woorden. *Ik wou dat ik meer van talen wist. Als de woorden 'Koning Ptolemaeus, de eeuwig-levende, de Geliefde van Ptah, de God Epaphus Eucharistus' vaak in de Griekse vertaling verschijnen, dan zouden ze diezelfde herhaling*

misschien ook in de hiërogliefen kunnen vinden? En zo een begin
kunnen maken met het zoeken naar de geheimen van de wereld?
Ze besefte dat als zij hieraan had gedacht, alle geleerden
er ook aan hadden gedacht.

Ze pakte bij haar schrijftafel haar pen, doopte deze in
de inkt en schreef snel.

Liefste Fanny,
Ik ga binnenkort met leden van Harry's Familie, op hun Aan-
dringen, naar Parijs. Wie weet hoe ons geliefde belle France
zal zijn Veranderd? Ik zal denken aan jou en aan onze dagen
daar, lang geleden.

Je liefhebbende nicht,
Rose

Hier zou Horatio vast geen moreel subversieve zaken in
kunnen ontdekken.

In het leuke marktplaatsje Wentwater gebruikte mevrouw
Fanny Harbottom, de vrouw van de dominee, het wagen-
tje van de dominee niet zo vaak als de dominee zelf, hoewel de boeren opmerkten dat ze het paard goed wist te
mennen als ze toevallig voorbijreed. De domineesvrouw
hield van wandelen. De domineesvrouw was een raadsel
in het plaatsje en er werd veel door de inwoners over haar
gesproken. Er was niets waar je nou echt de vinger op
kon leggen: ze bezocht de zieken en gebrekkigen zoals
werd verwacht, ze zat uiteraard op zondag altijd in de
kerk, maar er waren, constateerde men, toch wat kleine,
vreemde trekjes. Ze was nogal opvallend door haar kleine, mollige gestalte en haar rode, wilde haar, ook al droeg
ze altijd een hoed. Ook al overdreven de mensen een

beetje, aldus de verstandiger inwoners, toch was er iets vreemds aan bijvoorbeeld de manier waarop ze bleef staan om te luisteren naar de mensen die soms op kistjes op het marktplein stonden te spreken naast de nerveus blatende schapen en de kolen en de kippeneieren. De domineesvrouw stond soms stokstijf te luisteren wanneer ze het over God hadden. Het was bekend dat de dominee de 'charlatans', zoals hij hen noemde, vanaf de kansel verwenste. De mensen praatten onder elkaar. Sommigen zeiden dat ze waarschijnlijk voor de dominee moest spioneren, want hij kon nu eenmaal moeilijk zelf komen luisteren. Op zondag zat ze zoals te doen gebruikelijk in de kerk en bulderde dominee Horatio Harbottom vanaf de kansel, in zijn schitterende gewaad, over zonde en vergelding. Zijn mooie stem weergalmde in de dakspanten en de vage geur van lavendel zweefde door het middenpad.

Een ander verhaal over haar werd door een plaatselijke stroper verteld. Hij was er op een avond opuit gegaan om zijn vallen te zetten, zei hij, op de heide achter de akkers, en toen had hij het geluid van gegil gehoord. Hij was uiteraard op onderzoek uit gegaan en hij zwoer dat hij de domineesvrouw helemaal in haar eentje aan het eind van de akkers had zien staan, waar ze luid had staan gillen. Hij was danig geschokt geweest, verklaarde de stroper. Na een tijdje hield ze op met gillen en liep heel resoluut over de akkers terug. Hij volgde haar en zag dat ze bij de pastorie kwam en toen ze naar binnen wilde gaan, draaide ze zich om naar een passerende buurvrouw. Er werd iets gezegd en ze lachten allebei – hij zag de domineesvrouw lachen vlak nadat ze haar keel schor had staan schreeuwen! Dit verhaal werd met een korreltje zout genomen, net als alle verhalen van de stroper.

In april was er in Wentwater, ook al werden de avonden nu duidelijk lichter, op een late middag plotseling veel sneeuw gevallen en de mensen liepen haastig door omdat ze snel bij de haard wilden zitten. Maar toen zagen sommigen dat de quakervrouw op het plein was. De quakervrouw kwam zelden, ze was niet jong meer, maar wanneer ze er was, stond er altijd veel publiek om haar heen omdat ze de eerste vrouw was die de mensen van Wentwater ooit op een kistje hadden zien staan, en zelfs in de sneeuw kwamen ze, schoorvoetend maar nieuwsgierig, naderbij. De mensen gaven elkaar een por toen ze zagen dat de domineesvrouw er ook was, met de capuchon van haar mantel over haar rode haar geslagen. Fanny stond in de menigte te luisteren. In haar handschoen voelde ze de brief van Rose, over de reis naar Parijs. Ze hield die brief bij zich. De quakervrouw stond zonder zich om het weer te bekommeren in haar grijze quakerjurk en -hoed op het kistje over liefde te praten.

'Jij hoort thuis te zijn om de kool en de piepers voor je gezin te koken,' riep een vrouw, 'en daarna de vloer te schrobben en kleren te naaien.' Ze bewoog zich in haar omslagdoek en trok die nog strakker om zich heen. 'Daar gaat 't om in de liefde!' En de menigte lachte, maar niet onvriendelijk. 'Ben jij d'r nooit achter gekomen wat liefde is?' riep de vrouw met de omslagdoek boos. 'Schipperen, en de eindjes aan elkaar zien te knopen, dát is liefde, en God behoede ons voor de kwellingen ervan.'

De quakervrouw zei dat God Liefde was en dat hij ieder van hen even lief had. En terwijl de sneeuw viel en er witte vlokken op haar luifelhoed dwarrelden, sprak ze over wachten, wachten tot God zou spreken, tot hij zou komen. Op de een of andere manier bleven de mensen ondanks het weer toch staan, om met enige verbazing te luisteren naar het woord van God dat uit zo'n onwaarschijnlijke bron in de sneeuw werd verkondigd.

God zegene u, zei de quakervrouw tegen de vrouw die het over aardappels had gehad.

Slechts een paar dagen voordat de familie Fallon naar Parijs vertrok, werd de Vrede van Amiens ten slotte officieel in Londen afgekondigd en werd het verdrag tussen de Fransen en de Britten getekend. De lange oorlogen die bijna tien jaar hadden gewoed, schenen nu waarlijk afgelopen te zijn.

De oude heren, in hun mooie, donkerblauwe marinejasjes met gouden strepen, kwamen in de avondschemering Rose ophalen.

'Maar,' zei Rose verbaasd, 'we weten al wekenlang dat het vrede wordt. Er zijn al veel mensen naar Frankrijk vertrokken!'

'De Britten doen de dingen altijd op hun best!' riepen ze uit. 'Dit is de officiële proclamatie, de burgemeester van Londen zal haar aan het volk presenteren. Dit is een heel historisch moment, het is vrede, en jij moet erbij zijn!'

De feestelijkheden vonden plaats rond Portman Square, achter Oxford Street, want Portman Square was waar veel huizen van diplomaten stonden, en waar de ambassadeurs zaten die de vrede hadden geregeld. Er waren honderdduizenden mensen in Londen op de been. De oude heren beseften weldra dat ze het rijtuig beter in Wimpole Street achter hadden kunnen laten. Ze lieten de koetsier rechtsaf slaan, weg van de drukte, ze stapten uit en liepen terug door St. James's, voortgestuwd door de opgewonden, zingende menigte, waarbij ze langs de herenclubs kwamen die nog steeds de picknickmanden voor de High Heavens Club verzorgden. Er kwamen jonge dandy's naar buiten die *Boney is opgehoepeld* riepen. In een van de clubs was met kaarsen het woord VREDE gevormd, en er liepen diverse adellijke heren te wankelen. De twee oude marineheren hielden Rose ieder bij een arm en duwden haar verder door de zee van lachende, schreeuwende Londenaren. Er waren straathandelaren die soldaten van peperkoek en vlaggetjes verkochten. Elk huis in de straten die naar Portman Square leidden had kaarsen in de ramen, en het licht scheen stralend op de menigte en op de trompettisten en op de burgemeester.

'O!' riep Rose opeens, toen ze zag dat Portman Square ook in een zee van licht baadde. 'O, wat is Londen toch een heerlijke stad!' Er brandden honderden kaarsen achter alle grote ramen en ergens werd vuurwerk afgestoken en de mensen juichten. De oude heren lachten toen ze zagen hoe de rijtuigen en de paarden allemaal midden op het plein waren vastgelopen en niet in staat waren verder te gaan, en ze wensten zichzelf geluk met hun vooruitziende blik. Rose bleef opeens staan en keek de oude heren verbaasd aan. 'Maar natuurlijk! Natuurlijk weet ik wat ik wil! Als ik terugkom uit Parijs wil ik graag een onderkomen in de buurt van Brook Street, om net zo te wonen als vroeger! Ik wil weer mezelf zijn!'

'Lieve kind.' In het kaarslicht en het lawaai keken de oude heren haar aan met iets wat misschien aan medelijden grensde. 'Lieve kind,' zeiden ze weer, en ze bleven even staan in de opdringende menigte. 'Je kunt nooit meer zo leven als vroeger, en je verandert zelf ook. Daardoor weten we dat de tijd voortschrijdt. Maar' – en hun vriendelijke ogen glimlachten naar haar toen ze opnieuw werden meegevoerd, zodat ze moesten schreeuwen om boven het gejuich uit te komen – 'wanneer jij terug bent in Londen, zullen wij zien wat we voor jou kunnen vinden.' En de menigte joelde en al het vuurwerk en al het licht van de kaarsen leek als een miljoen sterren omdat het eindelijk vrede was geworden.

Tien

'*A*ls ik meneer Bonaparte mocht ontmoeten, en het is heel waarschijnlijk dat dit gebeurt, zal ik hem vertellen dat hij mijn zoon heeft vermoord. Ik zal zeggen wat ik van zijn oorlog en zijn verschrikking en van zijn "democratische" ideeën vind. Wij moeten daar niets van hebben. Hij moet niet denken dat een dame uit Engeland beducht is voor een boerenpummel van Corsica! Hij mag dan een tiran zijn, hij mag de landen rond de Middellandse Zee hebben getiranniseerd, maar hij zal mij niet tiranniseren! Ik heb genoeg van die verwijfde Franse mannen ontmoet, al die met lovertjes behangen figuren die hierheen komen om met hun fatterige gedoe de vastberadenheid van de Engelse mannen te ondermijnen. Het is een wonder dat er nog genoeg Engelse strijders zijn overgebleven.' De douairière burggravin Gawkroger slingerde naar voren toen het rijtuig een scherpe bocht nam en haar wijde rok hen allen bedekte. Maar haar woordenstroom werd niet gestaakt. 'Ik heb uitvoerig met mijn lieve nicht, de hertogin van Seaforth, gesproken over of het wel gepast is Josephine te ontmoeten. Er doen veel verhalen over haar de ronde. Als Dolly hier in dit rijtuig had gezeten, had ik die niet herhaald. De hertogin vertelde me dat het een bekend feit is dat toen deze nieuwe mode' – ze keek heel afkeurend naar Rose, hoewel Rose een decente olijfgroene jurk met lange mouwen droeg en zeker ook onderrokken – 'toen deze nieuwe zogenaamde mode in zwang begon te raken, Josephine zich gekleed in water dompelde, waarna de jurk tijdens het opdrogen op buitengewoon ongepaste wijze aan haar lichaam plakte, zodat Bonaparte dan... nou ja, haar dan zou opmerken.' De douairière had helemaal niet in de gaten dat George Fallon gewoon zat te lachen en dat Rose een beetje bloosde. 'We kunnen door zulke informatie in elk geval op onze hoede zijn en ons uitermate gereserveerd opstellen wanneer we zo iemand ontmoeten, hoewel ik denk dat het Josephine zelf zal zijn die ons aan Bonaparte zal voorstellen, maar we moeten altijd in gedachten houden dat Napoleon een ordinair mannetje is, en klein van stuk, en dat hij verantwoordelijk is voor de dood van mijn zoon. En dat zal ik hem vertellen ook!'

George onderbrak, enigszins vermoeid, de woordenstroom van zijn moeder, zoals hij dat van tijd tot tijd had gedaan. 'Zoals ik al zei, mama, hebben wij de Slag bij Aboukir gewonnen. Wij beheersen de Middellandse Zee, er is een vredesverdrag getekend. We hebben nu vrede.'

'We hebben vrede met het geliefde Frankrijk, *pas Buonaparte, pas du tout*. Met hem hebben we geen vrede. Hij heeft mijn zoon vermoord.'

'Zoals ik al heel vaak heb gezegd, mama, zat Bonaparte alweer in Frankrijk toen Harry in Egypte is gesneuveld.'

Ze leek hem niet te horen en verhief haar stem nog

meer om boven het geratel van de rijtuigwielen uit gehoord te worden terwijl ze de zee naderden. 'Jarenlang
hebben we het nu zonder ons uitstapje naar het vasteland
moeten stellen. Ik ben daar heel ontdaan over geweest. Ik
hoop dat hij in elk geval het Hotel de l'Empire met rust
heeft gelaten, en de *boulevards* en de *opéra*. Josephine geeft
salons voor de dames uit Engeland en Napoleon is diverse keren aanwezig geweest. De hertogin van Seaforth zal
regelen dat ik die mag bijwonen, en ik wil die ook bijwonen, want ik beschouw het als mijn plicht hem te vertellen wat ik van hem vind, maar ik zal niet voor hem buigen.
Hij moet niet denken dat we hém eer zullen bewijzen!'

De avond begon te vallen; ze waren bijna in Dover.
Rose Fallon en haar zwager hadden uren- en urenlang de
douairière moeten aanhoren. Rose kreeg opeens zin haar
schoonmoeder te vertellen dat zij ook, op aanwijzingen
van haar man, gekleed in een dunne katoenen jurk die in
Frankrijk was bemachtigd, in een bad was gestapt dat
voor dit doel naar de slaapkamer was gebracht.

De douairière was voortdurend aan het woord, zoals ze
altijd had gedaan, bijna zonder adem te halen, vanaf het
moment dat iemand bij haar in de buurt kwam. Ze was
begonnen bij het aanbreken van de dag, toen ze uit Londen waren weggerateld. Hoewel het een prachtige vroege voorjaarsmorgen was, had ze meteen geklaagd over de
kou. Haar kamenier wikkelde haar in omslagdoeken en
het duurde niet lang of Rose wenste dat een dappere bediende een van de omslagdoeken over het hoofd van de
oude dame zou slaan. (George wantrouwde Mattie, maar
niet zo hevig als zij hem wantrouwde, en had duidelijk
verklaard dat haar aanwezigheid niet nodig was voor het
comfort van Rose. 'Mooi,' had Mattie gezegd, 'dan kan ik

de oude heren helpen met een ander huis te zoeken.') De hertogin bezat een luide stem die door merg en been ging. Hij klonk onophoudelijk op de lange weg naar Dover, terwijl ze heuvel op heuvel af gingen; als ze stopten om de paarden water te geven; toen ze kort in Sittingbourne stopten om iets te eten en te drinken. Als de douairière haar zin had gekregen waren ze helemaal niet gestopt: haar was onlangs verteld dat iemand in tweeëntwintig uur van Londen naar Parijs was gereden en ze begreep niet waarom andere reizigers daar vele dagen voor nodig hadden, te meer omdat in beide landen de wegen onveilig werden gemaakt – dat was algemeen bekend – door terroristen en struikrovers.

Maar nu, na Bonaparte herhaaldelijk de schuld te hebben gegeven, vaak in het Frans, een taal waarmee ze, evenals veel adellijke lieden, haar conversatie telkens kruidde en daar geen been in zag, ook al was haar land met Frankrijk in oorlog geweest, was de douairière van onderwerp veranderd en begon ze weer over de Koninklijke Familie te praten. Via wijlen haar echtgenoot had ze enkele sociale contacten met koning George III gehad en vond ze dat ze hem kende. Ze was letterlijk verbijsterd over het niveau waarop koninklijke zaken zich met de capriolen van de zonen hadden verlaagd. Ze had vaak verklaard dat het het beste zou zijn als de prins van Wales zou sterven en zijn dochter, prinses Charlotte (zes jaar oud), op de troon zou komen. Ze herhaalde als een litanie de feiten die ze van haar vele contacten en kennissen kende of die ze in de krant had gelezen. Terwijl het rijtuig verder reed, besteedde ze opnieuw een eindeloze tijd aan de verhoudingen van de prins van Wales (terug bij mevrouw Fitzherbert, ook al was hij met prinses Caroline getrouwd); de hertog van Clarence (met mevrouw Jordan en al die onwettige kinderen); om nog maar te zwijgen van de hertog van Cumberland, wiens zonden ze niet wenste te noemen. De bijdrage van George aan het gesprek bestond uit het vermelden dat Napoleon Bonaparte de uitermate corpulente echtgenoot van een van de koninklijke prinsessen had omschreven als 'een experiment om te laten zien hoever de menselijke huid kan rekken zonder te knappen'. Rose moest onwillekeurig lachen; de douairière kromp vol afschuw ineen en bleef langdurig terechtwijzingen uiten. Rose moest zichzelf eraan herinneren dat het slechts voor één maand was, maar op dat moment leek een maand een eeuwigheid en ze benijdde het rijtuig achter hen, waar Dolly bleek en stil tussen haar broer en zijn vrouw in zat.

De wind en het tij stelden hen in staat de volgende morgen de vroege pakketboot over het Kanaal te nemen, hoewel de zee niet echt kalm was. De douairière werd geveld zodra ze de haven uit waren, met Ann naast zich. George en William zaten in de salon, maar Rose en Dolly stonden, gehuld in hun lange mantels en bontmoffen en met Indiase omslagdoeken om zich heen geslagen, aan dek. Ze hielden hun hoed stevig vast en ademden de zoute zeelucht in terwijl de boot door het Kanaal ploegde en zilte spetters in hun gezicht wierp. Rose staarde naar de zee en dacht terug aan andere reizen, lang geleden.

'Wij dragen nu al Franse mode, hè Rose?' vroeg Dolly, terwijl ze staarde naar de wazige horizon die af en toe te zien was. Ze legde haar wang op haar bontmof terwijl ze probeerde Frankrijk te zien. 'Onze mode is Frans, eenvoud van na de revolutie en zo, en Marie-Antoinette, die zich als herderinnetje verkleedde voor ze naar de *guillotine* ging. Maar denk je dat we ook andere mode zullen zien, die nieuw is voor ons?'

Rose was even van haar stuk gebracht toen ze *mode* en *guillotine* in een zin hoorde noemen. Maar Dolly was nog nooit in Frankrijk geweest en nog een baby in de tijd van de guillotines. 'Het is erg lang geleden dat Engelsen daar vrijelijk rond konden reizen,' antwoordde ze. 'Het zal ongetwijfeld veranderd zijn.'

'Zullen de vrouwen nog steeds chic zijn?' vroeg Dolly gespannen. 'Zal Frankrijk erg veranderd zijn?' Rose keek naar Dolly's bleke, intense gezicht dat voor zich uit staarde, en ze moest opnieuw aan een onelegante flamingo denken.

'Ik denk dat het anders is geworden,' antwoordde ze. 'Ik was nog maar een kind, maar ik was dol op Parijs. Er stonden echte straatlantaarns langs de grote *boulevards*, en het licht was afkomstig van brandend dierlijk vet en daarom hing er 's nachts een speciale geur, naast de andere geuren, en dat alles vermengde zich met onze opwinding. En ik ben nooit vergeten – en de elegantie en stijl van de meeste vrouwen was echt geweldig – dat er aan het hof nog dames waren met hoge pruiken en veel poeder en rouge. Deze dingen waren in Frankrijk vóór de revolutie niet echt uit de mode geraakt. Mijn nicht Fanny en ik konden onze ogen er niet van afhouden! We smeekten mijn moeder steeds weer verhalen te vertellen over een oude tante van haar, inmiddels helaas overleden, die veel tijd in Parijs doorbracht en buisjes met water in de stijve krullen van haar pruik liet duwen zodat ze bloemen in haar haar kon dragen die de hele avond vers bleven. Fanny en ik holden dan rond en negen keurig en deden of we water over mama goten!'

Dolly glimlachte even. 'Ik denk dat ik niet veel van die dingen te zien zal krijgen,' zei ze spijtig. 'Dat was vroeger.' Rose besefte opeens dat Dolly haar als oud beschouwde. *Ik denk dat ik nu ook wel oud bén.*

'Er zijn heel veel verhalen over *le temps de terreur* geweest,' zei Rose, 'en zelfs als de helft ervan waar is, zal er toch veel tumult zijn geweest.' Toen Rose weer naar Dolly's spijtige gezicht keek, viel haar iets in om Dolly op te vrolijken. 'Je moet me helpen, Dolly. We zullen je hulp nodig hebben.'

Dolly keerde zich verbaasd naar Rose. 'Natuurlijk zal ik je helpen, Rose,' zei ze beleefd, terwijl haar tanden klapperden van de kou. 'Wat kan ik doen?'

'We moeten ervoor zorgen dat de douairière burggravin Gawkroger Josephine en Napoleon niet kan ontmoeten.'

Dolly zette grote ogen op en keek toen heel verbaasd. 'Maar ik heb begrepen dat dat haar grootste wens is!'

'Inderdaad! Maar... burggraaf Gawkroger denkt niet dat de aanblik en het geluid van zijn moeder, die Napoleon verwijten maakt over de dood van haar zoon, een positief effect zal hebben op de relaties tussen beide landen.'

'Arme douairière. Ze aanbad haar zoon, zeggen ze. Geen wonder dat ze iets wil zeggen tegen de man die... eh...' Dolly zweeg opeens. 'Neem me niet kwalijk, Rose, dit moet voor jou echt vreselijk zijn geweest, dat zou natuurlijk geen pas geven.'

'Inderdaad,' antwoordde Rose droog. 'Dat zou geen pas geven.'

'Wat moeten we doen?'

'De douairière vertelt ons dagelijks dat ze een briefwisseling voert met de hertogin van Seaforth, die op dit moment in Parijs is. Ik denk dat ik moet voorstellen dat we haar post onderscheppen.' Toen Rose Dolly's verbaasde blik opving, trok ze fatsoenshalve een schuldbewust gezicht. 'Nou ja, er zullen vast niet veel *soirees chez Josephine* zijn,' ging ze schouderophalend verder. 'Misschien is het niet al te moeilijk. We moeten ervoor zorgen dat de douairière graag naar opera en theater gaat.'

'O. Jazeker.' Dolly staarde voor zich uit. 'Ik zal natuurlijk ook veel belangstelling voor opera en theater hebben. En de Notre Dame. En de beroemde galerie van het Louvre. Ik weet zeker dat daar veel mooie schilderijen hangen. Ik heb mezelf een beetje ontwikkeld, weet je, ik ben op de hoogte van al deze dingen.' Ze klonk een beetje zelfvoldaan. Rose bedwong een glimlach.

'Ben je naar een school geweest?'

Dolly keek verbaasd. 'Nee. Natuurlijk niet. William is naar een kostschool gestuurd. Mijn zusjes en ik hebben een gouvernante gehad, maar die was ontzettend stom. Ze heeft ervoor gezorgd dat ik kon lezen en schrijven, maar ik was de jongste en toen ik de enige was die nog thuis was, heb ik gevraagd haar weg te sturen.' Rose kreeg een visioen van een arme kleine gouvernante die was ontslagen, en die met haar versleten bagage moeizaam over het plein wegsjokte. 'Ik heb veel opgestoken in de bibliotheek van mijn vader.'

'En heeft hij je geholpen en raad gegeven?'

'Natuurlijk niet. Ik heb gewoon bekeken wat er op de planken stond.' Ze vertelde Rose niet wat ze had gevonden. Maar ze begon genoeg te krijgen van het gepraat over ontwikkeling en ze zei enigszins smekend: 'Dus ik begrijp dat we cultuur moeten zien. Maar, Rose, wat ik echt graag zou willen zien is de nieuwe mode. Maar ik ben natuurlijk zo lang.' Ze keek opnieuw terneergeslagen.

'Lieve Dolly, je bent...' – Rose zocht naar woorden – 'je zult heel elegant zijn omdat je zo lang bent. Je moet niet meer bedroefd zijn. Je hebt voor je mama voor haar dood alles gedaan wat mogelijk is. Maar, Dolly, ze zou willen dat jij gelukkig bent! En we zullen vast wel naar een bal gaan – de douairière heeft zoveel kennissen – en dan zullen we de laatste mode zien.' En impulsief omhelsde Rose het meisje dat inderdaad ver boven haar uitstak.

Dolly was zo verbaasd over deze omhelzing dat er eindelijk wat kleur op haar wangen verscheen. 'O!' zei ze, ademloos. 'O.' En toen begon ze opeens snel te spreken. 'Ik vond het niet erg om lang te zijn in de tijd dat ik mijn moeder verzorgde. Ze leek het niet meer op te merken en we hebben het vaak samen heel gezellig gehad. Ik heb veel met haar gepraat en ze luisterde eindelijk naar me, echt waar. Maar je ziet dat ik veel langer ben dan de meeste meisjes en mijn moeder zei vaak, voor ze ziek werd bedoel ik, dat ik vast geen huwelijksaanzoek zou krijgen, omdat ik zo lang ben. Ze zei dat ik een ouwe vrijster zou worden. Dus nu zit ik maar in dat huis op Berkeley Square. Maar ik zou zo vreselijk graag de nieuwe Franse mode willen zien,' besloot ze een beetje onlogisch, en ze tuurde weer voor zich uit naar de kust van het land dat de mode scheen voor te schrijven.

'Met jouw positie in de society zul je beslist veel aanbidders krijgen,' zei Rose. 'Ann en William zullen daarvoor zorgen. En' – ze probeerde niet te glimlachen – 'het betekent toch zeker niet het einde van de wereld om lang te zijn!'

'Jawel,' zei Dolly heel serieus. 'Het betekent écht het einde van de wereld.'

'Nou, dan zullen we een lange man voor jou moeten zoeken,' zei Rose lachend. 'Hoewel veertien een beetje jong is om al aan trouwen te denken.'

'Ik ben vijftien! Ik ben vijftien geworden op de dag voor we vertrokken!'

'Goed dan. Als jij me helpt de douairière en Napoleon bij elkaar vandaan te houden, zal ik je helpen een lange man te vinden wanneer je wat ouder bent, als dat je grootste wens is.'

'Natuurlijk is het mijn grootste wens!' zei Dolly opgewonden. 'O Rose, dank je wel. Ik zou dit gesprek het liefst in mijn dagboek willen vermelden... en trouwens, ik wil niet wachten tot ik ouder ben. Ik was oud toen ik veertien was, ik ben een heel volwassen vijftienjarige. Ik weet alles wat er gebeurt als je gaat trouwen. Eerlijk gezegd, Rose, zou ik ook graag Josephine en Napoleon willen ontmoeten. Dat zou pas een spannend verhaal zijn, hè? Wat denk je dat Josephine aan zou hebben? Maar nee... Ik zal je helpen, en ik zal over alles schrijven. Weet je, er is iemand die mijn dagboek leest. Ik denk dat het mijn broer is, ik hoop echt dat hij het is, de lieve William, hij is altijd goed voor me geweest. En ik wil dat graag zo interessant mogelijk maken, want ik weet zeker dat mijn bezigheden vaak nogal saai zijn.'

'Leest William je dagboek?' Rose was enigszins onthutst over deze wending in het gesprek. 'Je bedoelt dat je het hem laat zien?'

'Nee. Er wordt gewoon in gelezen.'

'Maar waarom?'

'Ik weet het niet,' zei Dolly, opeens weer somber. 'Maar wie anders zou er belangstelling voor kunnen hebben? Niemand anders is in mij geïnteresseerd. William luisterde altijd heel lief naar mijn verhalen toen ik nog klein was. Dus schrijf ik om zijn belangstelling te houden, ook al is het niet altijd helemaal waar.'

'Zou het ook een van de bedienden kunnen zijn?'

'Bedienden kunnen niet lezen, Rose, dat weet jij toch zeker ook?'

De wind waaide vanaf de kust van Frankrijk en rukte aan hun omslagdoeken en jassen en trok aan hun haar onder hun luifelhoeden. Ze zagen het land dichterbij komen.

'Misschien kun je maar beter niet over onze plannen voor de douairière schrijven,' zei Rose, terwijl ze haar hoed nu helemaal afzette. 'Ik geloof niet dat dat verstandig zou zijn.'

'O, maar, Rose, ik wil mijn dagboek interessant maken voor William!'

'Maar, Dolly, ik denk dat geen enkel eerzaam persoon jouw dagboek zou lezen zonder eerst om jouw toestemming te vragen. Ik weet zeker dat William dat niet zou doen. En opeens herinnerde Rose zich dat George Fallon zelf had gezegd: *Ik weet precies wat er in haar gedachten omgaat.* Maar George kon toch zeker onmogelijk toegang hebben tot Dolly's dagboek? En waarom zou hij dat willen? Hij zou toch zeker niet... Rose verstijfde. Dolly's familie maakte deel uit van *le beau monde.* Iedereen wist dat de hertog van Torrence en zijn vader en zijn grootvader uit een oud geslacht van Engelse grootgrondbezitters stamden, ook al zaten ze krap bij kas. Maar George zou toch zeker niet... Dolly! Die net vijftien was geworden?

'Ik zou dan in mijn dagboek kunnen doen alsof ik een aanbidder heb! Dat zou het interessant maken!'

'Waarom niet?' zei Rose, die nog steeds probeerde de

gedachte aan George Fallon die Dolly's onschuldige dagboek las, uit haar hoofd te zetten. 'Zolang je er absoluut zeker van bent dat William gewend is aan jouw bedenksels. Maar zorg er wel voor dat die bewonderaar een belangrijk iemand is! Het zal op deze lange reis in elk geval wat afleiding bieden voor onze problemen met de douairière!'

'Ik begin vanavond nog!' zei Dolly. 'Ik weet hoe ik dat moet doen, in alle nieuwe romans komen heimelijke aanbidders voor. Ik moet hem een naam geven...' Ze zweeg en keek naar de voorjaarslucht met de witte wolken die voor hen uit naar Frankrijk snelden. 'Ik zal hem monsieur X noemen, om het geheimzinnig te maken!'

'De jonge, heel lange, heel knappe monsieur X,' zei Rose.

'Of misschien *le marquis d'X*,' zei Dolly. 'Een Franse edelman die... die een held van de revolutie is! Dat zou heel opwindend zijn. Ik zal zeggen dat ik hem op deze pakketboot heb ontmoet en dat hij heel diep voor me heeft gebogen en ja, hij is natuurlijk uitermate lang en knap en hij heeft me verteld dat hij in Parijs zou blijven, hoewel hij natuurlijk beducht moet zijn voor de guillotine!' Haar ogen schitterden voor het eerst sinds vele weken terwijl in de verte de haven van Calais in zicht kwam.

Er waren douanebeambten en paspoorten en papieren en allerlei zaken die moesten worden ingeklaard of afgestempeld of van vergunningen worden voorzien. De douairière burggravin Gawkroger produceerde een gestage reeks zinnen in het Frans – dat ze misschien toch niet zo vloeiend sprak als ze zelf dacht – maar ten slotte boog er een man en zei *Bienvenue à la France*, en ze vertrokken voor de lange rit

naar Parijs met twee nachten in twijfelachtige herbergen.
Na enige tijd was zelfs de douairière bijna stil. Misschien kwam dit doordat ze weldra langs verwoeste kerken en vernielde gebouwen kwamen en gedwongen werden de realiteit van de revolutie te aanschouwen. Rose herinnerde zich de exotisch uitziende weelderige *châteaux* die door het land verspreid hadden gestaan toen zij nog klein was. Maar nu waren de ramen ingegooid, de deuren stukgetrapt en wapperden er kapotte gordijnen naar buiten. Op veel plaatsen waren echter keurige rijen bomen geplant, en bij de kleine, welvarende boerderijen stonden soms kinderen te zwaaien. Daarna kwam er weer een grauw, leeg château. Af en toe passeerden ze wat volgens de koetsier *un bois de liberté* was, bomen die ter ere van de revolutie op een dorpsplein waren geplant, achter een wit hekje, die er vaak wat verfomfaaid bij stonden, alsof alles toch een beetje was tegengevallen.

Op de tweede avond rees er een felgele maan op boven Amiens, en vanuit het raam van haar kamer in de herberg zag Rose hoe het maanlicht op de vernielde balken van een kerk zonder dak viel. Overal vielen schaduwen op het lange gras. Ze nam een sigaartje uit een doos die in haar tas zat, stak dat langzaam op, ademde de rook in. Opeens haalde ze haar oude dagboek, dat ze op het laatste moment had ingepakt, tevoorschijn. In deze stad waar de vrede tussen twee landen was gesloten, voelde ze zich geroepen de magische tekens te plaatsen die alles wat zij in gedachten had op papier konden overbrengen, zodat haar beschrijving van Frankrijk op een maanverlichte avond na de revolutie voor altijd bewaard zou blijven.
En de vijftien jaar oude Dolly schreef eveneens in haar

dagboek. Ze schreef over haar plotselinge liefde voor de lange, knappe marquis d'X, die zoveel mensen met adellijk bloed voor de guillotine had helpen vluchten en die zo diep had gebogen en haar hand zo romantisch had gekust. Ze dacht aan de lieve William, die van haar verhalen zou genieten.

In Hotel de l'Empire in Parijs, met zijn zware houten meubilair en uitermate dure suites, was het gezelschap van burggraaf Gawkroger in zeer grote kamers ondergebracht. Dolly keek hongerig om zich heen op zoek naar Franse mode en ontdekte tot haar teleurstelling dat de meeste gasten Engelsen waren. De douairière stuurde onmiddellijk boodschappen naar de hertogin van Seaforth, die onwillig door Rose op instructie van George werden onderschept en door hem werden afgevoerd. Rose vond dit hele gedoe bijzonder melodramatisch, ze werd er op een schuldbewuste manier een beetje lacherig van en ze bracht zich in herinnering dat dit echt haar laatste verwikkeling met de familie Fallon was.

Toen dit punt was afgehandeld, nam het groepje direct een *chariot-fiacre* naar dit nieuwe, andere Parijs. Sommige gebouwen die in die lange jaren van ongeregeldheden waren beschadigd, waren nu al gerestaureerd. Er begonnen ook geheel nieuwe gebouwen te verrijzen. Maar er lagen nog steeds veel delen van de stad in puin. Herkenningspunten waren verdwenen, de namen van gebouwen waren veranderd, zelfs de straten waren af en toe niet meer dan kapotte keien en modder die door de paarden werden omgewoeld. Tot ontzetting van Rose waren veel beelden aan de gevel van de grote Notre Dame vernield: de Heilige Maagd stond nog steeds boven een van de portico's, maar ze hield niet langer een kind in haar armen en de kathedraal leek erg beschadigd. Het Louvre echter was opengegaan voor het publiek. En het publiek, inclusief het gezelschap van burggraaf Gawkroger, dromde vol verbazing het schitterende gebouw binnen. De ruimte en de trappenhuizen en de lange, lange galerie en de beelden en de schilderijen – Italiaans, Vlaams, Hollands, Frans – het was spectaculair.

'Bijna een revolutie waard,' mompelde George.

'Ze hadden Engelse schilderijen moeten hebben,' zei Dolly vaderlandslievend. 'Onze schilderijen zijn echt net zo mooi, er zijn in Londen nu veel kunstgaleries.'

'Ik denk dat je het verkeerd hebt begrepen, Dolly,' zei George droog. 'Veel van deze schilderijen zijn afkomstig uit landen die door Frankrijk zijn verslagen. Maar Engeland is niet door Frankrijk verslagen!'

'O,' zei Dolly. 'Juist ja. Dan ben ik blij om het gebrek aan Engelse kunst.' Ze had van Ann toestemming gekregen in Parijs haar rouwkleding af te leggen en ze droeg nu weer wit. Ze was hevig teleurgesteld in de Franse mode, want de meeste vrouwen droegen net zoiets als zij, alleen wat dunner. Dolly wilde drama.

'Misschien,' zei Rose, 'vinden de mensen het niet zo gepast om opvallend gekleed te gaan. Dit is een nieuwe maatschappij.'

'Onzin,' zei de douairière. 'De oude maatschappij zal weer terugkomen, en dat zal ik nog meemaken. In Engeland heeft er geen revolutie plaatsgevonden en hier zullen ze weer om een koningshuis roepen, wacht maar eens af! Afgezien van al het andere kan ik me niet voorstellen dat iemand in een maatschappij wil leven waar je de mensen onmogelijk aan hun uiterlijk kunt beoordelen!'

Later gingen ze naar de opera, ooit het voorrecht van de rijken. Nu kon iedereen erheen gaan en ze verbaasden zich over het vulgaire gedrag van het publiek dat de beste plaatsen innam die ooit voor de adel waren gereserveerd. De douairière was op luidruchtige wijze verbijsterd.

'O, kijk eens!' riep Dolly enthousiast op de terugweg. Op een van de grote pleinen waren mensen bij het licht van lantaarns aan het dansen. 'Er zit een orkest onder de bomen!'

'Lieve hemel!' zei Ann. 'Er heeft echt een revolutie plaatsgevonden als het gewone volk in de straten van Parijs danst!' En de douairière stak een langdurig en afkeurend betoog af.

'En ik heb altijd gezegd dat ik het niet prettig vind om op dit uur te eten,' zei ze toen ze ten slotte voor het souper aan tafel gingen. 'En dit' – ze gebaarde naar de maaltijd die werd geserveerd in een privé-eetzaal die ze in Hotel de l'Empire hadden gehuurd – 'al dit Franse eten. Jullie zullen echter allemaal blij zijn te horen dat de hertogin van Seaforth een boodschap heeft achtergelaten. Overmorgen wordt er een parade gegeven – Bonaparte en al zijn legers – en wij zullen plaatsen krijgen waar we er een goed zicht op zullen hebben.'

Dolly zag Rose en burggraaf Gawkroger een blik wisselen terwijl de douairière luid bleef praten.

'De hertogin heeft helemaal niet de brieven ontvangen die ik vanmorgen had verstuurd, maar ik heb het Franse personeel natuurlijk niet vertrouwd: ik heb mijn eigen kamenier gestuurd met een persoonlijke boodschap. We weten niet of er nog meer *soirees chez Josephine* zullen zijn en als ik niet in staat ben de hele parade tegen te houden, dan zal ik na afloop onmiddellijk naar het paleis in de Tuilerieën gaan om mijn kaartje achter te laten. Wie weet, misschien herkent hij onze illustere naam en herinnert hij zich Harry als een waardige opponent. En – *par parenthèse* – heeft de hertogin me meegedeeld' – hier liet ze haar stem dalen en keek naar Dolly: 'Liefje, wil je even mijn waaier uit mijn kamer halen?' En toen Dolly had gehoorzaamd, ging ze verder: – 'heeft de hertogin me verteld dat ze – stel je voor! – door een zeer hooggeplaatste kennis is rondgeleid in hun appartementen in de Tuilerieen en dat Bonaparte en Josephine in een tweepersoonsbed in dezelfde kamer slapen! Zelfs de prins van Wales, hoe onguur hij ook is, gedraagt zich waarschijnlijk niet zo weerzinwekkend! Maar er is natuurlijk niets dat me echt verbaast nu Frankrijk in handen is van onnozele Corsicaanse boerenpummels!'

Rose wist ten slotte, uitgeput, te ontsnappen voor George haar kon ophouden met discussies over de schade die de douairière bij een militaire parade kon aanrichten. Haar hoofd was vol van alles wat ze had gezien. Ze schreef onmiddellijk naar haar liefste Fanny om te zeggen dat ze nu in Parijs was, een stad die erg was veranderd en toch nog veel hetzelfde was gebleven, en hoe vaak ze terugdacht aan hun tijd hier samen, toen ze jong waren en over de Pont Neuf hadden gehold en van buitenaf naar paleizen hadden gekeken. *Je zou het Louvre vast prachtig vinden, Fanny*, schreef ze. *Nu kan iedereen door de deuren naar binnen gaan en de Gedecoreerde Plafonds bekijken en over de prachtige trappen naar boven lopen – er is een prachtige lange Galerij met schilderijen die de wanden bedekken, beslist de langste Galerij ter Wereld! Het is absoluut, absoluut Schitterend!* Impulsief ondertekende ze de brief niet met haar naam maar met een roos, haar eigen kinderlijke hiëroglief.

Dolly, in haar kamer, was te opgewonden om te gaan slapen en schreef uitvoerig in haar dagboek over de pracht van deze mooie stad, Parijs. Maar ze wist dat dit voor William niet erg interessant zou zijn, aangezien hij het ook zag. Dus doopte ze haar ganzenveer weer in de inkt en terwijl ze zich alle romans die ze had gelezen voor de geest haalde, bekende ze haar dagboek dat de lange, knappe Franse *marquis* haar zijn liefde had verklaard en haar ten huwelijk had gevraagd. *Ik heb hem gezegd dat hij moet wachten tot ik met papa heb gesproken*, schreef Dolly. *Maar ik heb hem wel hoop gegeven, want ik heb gezegd dat ik ervan overtuigd was dat mijn vader blij zou zijn dat ik een Franse* marquise *werd. Ik heb me laten vertellen dat dit de grote mode is.*

Elf

olly wilde dolgraag de nieuwe Franse mode zien. Ze had haar bewondering geuit voor de dunne, nogal eenvoudige mousselinen jurken voor jonge meisjes als zijzelf, maar ze hoopte wel op iets wat een beetje exotischer was.

Dus toen de volgende morgen de zon scheen vertrokken de jongedames van het gezelschap (William en George waren op zoek gegaan naar een speciale winkel met snuifpoeder) weer naar de Tuilerieën, wandelden in de prachtig verzorgde tuinen langs beelden en fonteinen, waarbij Dolly, enigszins teleurgesteld, commentaar gaf op wat de mensen aan hadden. Ze liepen langs de appartementen in het paleis waar volgens de berichten Napoleon en Josephine nu zouden wonen en over de keurige paden naar het plein waar de koning en de koningin waren onthoofd. Het plein had nu een andere naam gekregen, werd hun verteld, omdat de mensen die verschrikkingen wilden vergeten, de Place de la Concorde.

'Ik wil iemand zien die er spannend uitziet, iemand als madame de Pompadour of madame du Barry,' pruilde Dolly. 'Iets opwindends!'

'Ik denk eerlijk gezegd dat de mensen juist veel moeite zullen doen er niet als madame du Barry uit te zien,' zei Rose droog. 'Want ik geloof dat het hier was' – ze keek om zich heen – 'dat madame du Barry is onthoofd en ze zeggen dat haar gegil, toen ze voor het volk werd gebracht, helemaal tot dáár te horen was.' Ze wees naar de rue St. Honoré die langs de tuinen liep. Dolly en Ann keken Rose verbaasd aan. Rose keek nog steeds onderzoekend om zich heen. 'Mijn vader vertelde me,' zei ze, terwijl ze fronste tegen de zon of om haar verhaal, 'dat er op dit plein zoveel executies en andere moorden hebben plaatsgevonden dat een kudde dieren – ik geloof ossen – die men over het plein wilde drijven, zich niet kon of wilde verroeren, zo sterk vonden ze de geur van bloed en dood die in het plaveisel was getrokken.' Dolly keek haar ontzet aan. Ann slaakte een kreet en weigerde eveneens het plein over te steken. Dus besloten ze dan maar niet over de Champs-Elysées te gaan wandelen, die trouwens uiterst modderig leek, en liepen ze terug naar het park, waar ze in de schaduw van een grote boom op stoeltjes gingen zitten.

'In Engeland zou nooit revolutie kunnen komen, hè?' zei Dolly, en haar stem klonk nerveus. 'Nee toch?'

'Maar, Dolly toch!' Ann keek kwaad, haar tanden deden pijn. 'Zulke dingen zouden bij ons echt niet kunnen gebeuren, en ik wil graag, Rose, dat je zulke gruwelverhalen in het vervolg voor je houdt.' De zon schitterde op de blinkende daken van de paleizen en er zongen vogels in het gebladerte boven hen.

Ze bleven een tijdje zwijgend zitten, dromend in de voorjaarszon.

Eindelijk ben ik weer op reis, dacht Rose, toen ze overal om zich heen Frans hoorde spreken en weer het buitenlandgevoel van vroeger onderging. *Als het zo gemakkelijk is om naar Parijs te gaan, misschien moet ik dan ook eens naar Egypte reizen om de hiërogliefen op te lossen?* Maar opeens moest ze aan de jonge vrouw in Egypte denken, misschien was zij vermoord om Harry's roekeloosheid. Rose Fallon sloot haar ogen.

Anns dromen bleven geheim, maar ze gingen feitelijk, als zo vaak, over haar tanden. Een dokter had haar verteld dat er nu uitstekende valse gebitten van porselein waren. Haar voortanden, had hij gezegd, konden echt niet worden gered. Toch durfde ze ze nog steeds niet te laten trekken en ze leed veel pijn. Maar hier in Parijs, nu George William aanmoedigde, zou ze vast wel eindelijk in verwachting raken.

Dolly keek om zich heen. 'O kijk! Kijk!' Ze wees opgewonden. 'Kijk eens naar die twee oude dames! Ze dragen nog steeds hoge pruiken, zoals jij je herinnerde, Rose! Ze zien er zo grappig uit!' Dolly's stem was luid en doordringend geworden in haar opwinding. 'Ze zullen vast kaal zijn. Is de douairière burggravin Gawkroger ook kaal?'

'De douairière besteedt veel zorg aan haar *toilette*,' antwoordde Rose resoluut.

'O,' zei Dolly. En toen, na een pauze: 'Gaan we misschien ook naar de winkels kijken? Om zijden stoffen en kant en jurken te zien? Ik zou in elk geval graag een mousselinen jurk willen kopen, met van die lange splitten opzij, net als alle Franse meisjes aan hebben.'

'Beslist niet!' zei Ann. 'Mousseline is onfatsoenlijk!'

'Het is de mode,' zei Dolly. 'Iedereen draagt dat.'

'Jij, Dolly, bent niet iedereen,' zei Ann scherp. 'Jij maakt deel uit van de Engelse *beau monde*.'

De zon verdween achter een wolk en de drie jonge vrouwen liepen de steegjes in van het beruchte Palais Royale, waar nogal ordinair uitziende Parijse vrouwen, die veel sieraden droegen, luidruchtig onderhandelden over Sèvresporselein en oude kant.

'Er zijn veel *nouveaux riches*,' huiverde Ann.

Later liepen ze naar de rivier en amuseerden zich met snuffelen tussen alle spullen in de *brocante*-winkeltjes, het betasten van oude boeken en stukken porselein die ooit de afgedankte adel hadden toebehoord en die nu heel goedkoop werden aangeboden. Ann bespotte de barsten en de ouderwetse ontwerpen en verklaarde dat de wereld misschien zou vergaan maar dat er nooit Torrence-familieporselein in een tweederangs varkensstal te koop zou worden aangetroffen.

Tot Dolly's vreugde had de douairière voor hen geregeld dat ze die avond naar een bal konden gaan. Maar tot haar teleurstelling zeiden William en George dat je daar niet voor middernacht hoorde te arriveren.

'Maar,' zei George joviaal, en hij glimlachte naar Dolly, 'William en ik hebben ook niet stilgezeten en we hebben iets gevonden waar jullie misschien graag naartoe willen, waar we een uurtje door kunnen brengen voor we ons moeten verkleden... niet jij, natuurlijk, mama, jij moet je sparen voor het bal.'

'Waar gaan jullie naartoe?' vroeg de douairière klaaglijk. 'Ik word niet graag buitengesloten van iets interessants.' Ze keek haar zoon achterdochtig aan.

'Ik denk niet dat een publieke gelegenheid waar wordt gedanst jou zou amuseren, mama,' zei George. 'Jij wilt je niet inlaten met de minder welgestelden van Parijs.'

'Inderdaad niet,' zei de douairière resoluut. 'En ik heb geen idee waarom jij je wel voor hen zou interesseren: je hebt het gedrag gezien...'

'Deze nieuwe zalen voor het publiek om te dansen,' viel George haar minzaam in de rede, 'maken kennelijk deel uit van de ideeën van het nieuwe regime, en het zou goed zijn voor Dolly om zulke plaatsen te zien.'

'Jij gaat daar natuurlijk niet dansen, Dolly,' voegde William er vriendelijk aan toe, 'maar je kunt er wel rondwandelen.'

'Ik zou dat inderdaad heel interessant vinden!' zei Dolly snel, en ze glimlachte naar haar geliefde broer.

'Ik ook,' zei Rose.

'Ik denk het ook,' zei Ann loom, terwijl ze wat cognac dronk tegen de pijn in haar mond.

Dolly was als eerste de trap op, in de hoop nu eindelijk mode en romantiek aan te treffen. De moed zonk haar in de schoenen. De grote, oninteressante zaal was heel fel verlicht met veel lampen, zonder romantische donkere hoekjes. Bezadigd dansten er mensen in minder elegante kleren dan die van hen.

'Dit is de nieuwste dans,' legde William haar uit. 'Ze noemen hem de *wals*.' Maar Dolly kon haar teleurstelling niet verbergen. De wals leek heel weinig opwindend en de al even weinig opwindende muziek werd geleverd door drie bejaarde violisten in armoedige zwarte jasjes. Zoals altijd rook een zaal vol dansende mensen overweldigend naar lichamen. Dolly zuchtte. Op de een of andere manier hadden burggraaf Gawkroger en William erop gezinspeeld dat hier geheimen te vinden waren, dat de minder welgestelde mensen van Parijs hier kwamen voor een stiekem rendez-vous. Maar ze kon geen geheimen ontwaren, hoe goed ze ook keek.

George begon op gedempte toon tegen Rose te praten. Ze moest zich inspannen om hem boven de violen uit te horen. 'Denk je dat er een mogelijkheid bestaat dat mijn moeder morgen de militaire parade zal verstoren?'

'Volgens mij is zelfs jouw moeder, George,' zei ze behoedzaam terwijl ze probeerde niet te lachen bij de gedachte aan de douairière die met haar waaier naar de verzamelde Franse strijdkrachten zwaaide, 'niet in staat een groot militair spektakel te verstoren. Ze is zich dermate van haar positie bewust dat ze zichzelf zoiets niet toe zou staan.' Ze zag de frons van zijn gezicht verdwijnen.

'Mijn gedachten bewegen zich uiteraard ook in die richting,' zei hij.

Er walsten keurige paren voorbij. 'Zullen we wat rondlopen?' zei Rose tegen Dolly. Ze voelde zich ongemakkelijk zoals ze daar stonden te kijken.

'Ja,' zei Dolly, die popelde om iets te ondernemen.

'Ga niet op uitnodigingen van vreemden in,' zei William.

De twee vrouwen wandelden gearmd langzaam de zaal door. Er waren paren die dansten, sommigen wisselden van partner, de vrouwen zaten op stoelen, de mannen leunden tegen de muren, er speelden drie violen. Opeens gebaarde Rose, heel discreet, naar een vrouw in een felgekleurde jurk met veel poeder en rouge, die zat te praten en te lachen. Dolly keek op en keek toen nog eens goed. Haar mond viel open en ze staarde Rose aan.

'Is dat... Is dat een man?' Van schrik sprak ze luid.

'Sst.' Ze bleven lopen en ze passeerden een vrouw met uitermate kort haar, gekleed in een broek.

'Lieve hemel,' zei Dolly. Haar gezicht was heel rood en toen begon ze te lachen. 'Wat een gedragingen,' zei ze, met veel aplomb in haar kinderlijke stem. Haar gezicht was nog steeds rood toen William naar hen toe kwam om te zeggen dat het tijd werd om zich te gaan kleden voor hun eigen bal. Ze keek nog over haar schouder toen ze schoorvoetend met haar broer meeliep. Het geluid van de walsen spelende violen volgde hen naar beneden en naar buiten, de avond in.

In het rijtuig vroeg Dolly haar broer naar de mannen en vrouwen die zich anders kleedden.

'Ach, dit is Parijs,' zei William, en George en hij, in een uitstekend humeur, lachten en zelfs Ann glimlachte veel-betekenend. George pakte Dolly's hand, tot haar grote verbazing en verlegenheid, en zei dat ze nog veel moest leren en dat hij haar daar graag bij zou helpen.

De douairière vertraagde hun aankomst op het bal door te klagen dat de jonge vrouwen van het gezelschap er ziek uitzagen. Ze had zelf veel rouge op haar wangen gedaan. Ze wilde zich niet laten overtuigen dat een bleke kleur de grote mode was. Maar al het gekibbel en het wachten en het wrijven van wangen was de moeite waard toen Dolly zag dat ze eindelijk Franse mode om zich heen had.

'Ik kon de hele rug van die vrouw zien!' fluisterde ze luid achter haar waaier tegen Rose toen er een aantal half ontklede vrouwen in de armen van mannen in de zaal ronddansten. 'Die man houdt haar vast bij haar blote rug!'

George, die bij hen in de buurt bleef, hoorde haar. 'Dat zijn de *nouveaux riches*,' zei hij luchtig. 'Maar je zult hier ook wat leden van de oude adel zien. Je zult hen direct herkennen, het is niet waarschijnlijk dat je hún blote rug zult zien, kleine Dolly. Ik kan me niet voorstellen hoe deze twee samenlevingen ooit één geheel moeten vormen. In Engeland zou het ook echt ondenkbaar zijn. Rose keek hem verbaasd aan. Hij was toch zeker zelf ook niet veel meer dan een nouveau riche? Maar ze zei niets en hij voegde er resoluut aan toe: 'Deze nieuwe *faux-aristocrates* bezitten totaal geen stijl.'

Plotseling was Rose er bijna zeker van dat ze enkele hiëroglifen op een groot medaillon voorbij zag dansen. Ze knipperde verbaasd met haar ogen en de hiëroglifen waren voorbij getold in de menigte dansende paren. Zelfs enkele jongemannen zagen er uitzonderlijk uit: kleurige hooggesloten jasjes en gestreepte kousen, en veel mannen en vrouwen hadden kort, verward haar. Een groot orkest speelde veel uitbundiger dansen dan er in het openbare danslokaal waren gespeeld en tot Dolly's luidruchtige vreugde was een van de violisten een zwarte man. Zoals George had gezegd waren er leden van het *ancien régime* aanwezig – Dolly en William werden weldra opgeëist door een verre neef – maar de adel danste niet, keek slechts afkeurend toe. Rose zag dat de douairière burggravin Gawkroger ook gretig vanachter haar waaier toekeek, ongetwijfeld om scandaleuze verhalen voor haar vriendinnen te verzamelen: *Naakt! Niets dan een lintje over hun schouders!* En overal diezelfde overweldigende lucht van parfum en lichamen en poeder en gebitten en adem en pepermuntpastilles en zweet en kruidnagelen, en terwijl Rose toekeek schudde een oude aristocratische heer hevig afkeurend zijn hoofd om iets, zodat een grote hoeveelheid poeder uit zijn pruik door de stinkende lucht dwarrelde.

Op een gegeven moment was Dolly verdwenen, tot grote ontsteltenis van Ann, William en George.

'Waar is ze, Rose?' zei George haastig, bijna beschuldigend. 'Je liep met haar te wandelen.'

'Inderdaad. Maar er kwamen een paar familieleden naar haar toe en toen is ze meegegaan.'

'Ze mag nooit alleen worden gelaten, nooit!' Rose zag dat George nu echt gealarmeerd deed. 'Ze moet de hele tijd bij ons blijven!'

'Een bal is geen gevangenis, George,' zei ze verbaasd. 'Misschien had ze wat frisse lucht nodig, het is hier heel benauwd.' Ze keek vol verbazing toe hoe Ann, George en Wiliam gespannen de zaal afzochten. Vooral Ann zag heel bleek. *Wat mankeert hen?*

Dolly bleek ten slotte heel ongemakkelijk aangeklampt te zijn door een dikke oude Franse vriend van haar vader, die William vol enthousiasme begroette en hem begon te vertellen, zoals hij ook Dolly uitvoerig had verteld, over de ontberingen in het leven van de adel onder het nieuwe regime. Hij had een rood gezicht en was erg kwaad. Ann stelde zich vlak naast Dolly op en hield haar stevig bij de arm.

Natuurlijk, het is Ann.

Rose liep een eindje de warme, overvolle balzaal in terwijl ze met tegenzin alle puzzelstukjes in elkaar paste. *Ann heeft Dolly's dagboek gelezen. Ze maken zich belachelijk door in haar dagboek te lezen, en Dolly heeft over haar lange, Franse marquis geschreven. Ze weten toch wel dat alle jonge meisjes hun leven willen dramatiseren. Ze heeft zelf gezegd dat William haar verhalen gewend was!*

Dolly was heel opgewonden over haar geweldige avond en voor ze ging slapen schreef ze uitvoerig in haar dag-

boek over alles wat er was gebeurd, vooral over de openbare danszaal. Het enige onware stukje (maar ze liet zich
echt meeslepen) betrof de Franse marquis, die haar vanavond tegen alle regels in zacht *op de lippen* had gekust,
schreef ze, *onder de bomen van Parijs in het maanlicht*.

Twaalf

*E*r scheen slechts een waterig voorjaarszonnetje in Parijs op de dag van Napoleons parade en er zat regen in de lucht, maar het volk kwam in groten getale opdraven om hun held te zien. De klokken luidden, de kannonen schoten saluutschoten af en George en Rose wisten dat de douairière burggravin Gawkroger hier geen schade kon aanrichten, op vele meters afstand van de man van haar bedoelingen, en met een heleboel Franse soldaten ertussen. Dolly fluisterde enigszins teleurgesteld tegen Rose: 'Het is maar een klein mannetje op een paard.' Hij was te ver weg voor hen om hem duidelijk te kunnen zien. Het was een teleurstelling. 'En de soldaten zien er erg slordig uit!' voegde Dolly eraan toe. Rose dacht aan al Harry's verhalen over de glorieuze Slag aan de Nijl met lord Nelson; aan de zee die in brand stond; aan Napoleon die nergens te vinden was; aan de duizenden Fransen die nooit terugkeerden. Josephine werd aangewezen, bij een raam in de Tuilerieën, gehuld in een schitterende omslagdoek. Er werd om hen heen gefluisterd dat Napoleon en zijn mannen veel van zulke spullen uit Egypte hadden meegebracht. Rose merkte eveneens op dat George, William en Ann dringend met elkaar overlegden terwijl ze naar de soldaten keken, waarna Ann en William Dolly vastberaden vergezelden in een heel ongewoon vertoon van familieliefde, en George voor alle zekerheid zijn moeder goed in het oog hield.

Ze waren nauwelijks terug in het hotel, en nog maar net in de *salon de thé* gaan zitten (Ann had nog geen tijd gehad om cognac tegen de pijn in haar mond in te nemen) toen buiten een rijtuig en veel commotie te horen vielen en de hertogin van Seaforth naar binnen zeilde, terwijl ze het Franse personeel met haar waaier uit de weg veegde alsof het vliegen waren.

'Henrietta!' riep ze, en iedereen besefte met een schok dat dit natuurlijk de naam van de douairière was.

'Hènrietta!' Ze ging zitten en wapperde haar grote lichaam koelte toe, luid hijgend, terwijl ze het personeel nu om thee riep. Net als de douairière droeg ze een muts met krulletjes eraan vastgemaakt, en een ervan was in haar agitatie losgeraakt. 'Henrietta, je hebt slechts een uur om je voor te bereiden... Ik was onjuist geïnformeerd... Josephine ontvangt vandaag en Napoleon vertrekt morgen uit Parijs dus het lijkt me zeer wel mogelijk dat hij de ontvangst bijwoont. Dit zou wel eens je enige kans kunnen zijn om hem te ontmoeten. Ik heb een uitnodiging bemachtigd voor jou en voor burggraaf Gawkroger en natuurlijk voor de lieve Rose. Jullie moeten je meteen verkleden en meegaan.' George had er verbijsterd bij gestaan, net als Dolly.

'O!' zei Ann gepikeerd. Zij stamde tenslotte uit een veel chiquere familie dan de familie Fallon en haar mond deed hevig pijn.

'Ik wil ook mee, ik wil ook mee!' riep Dolly, en ze keek Rose aan.

William wees haar terecht, maar Rose zei resoluut: 'Laat Dolly ook meegaan, misschien wordt zij ook toegelaten. Ze is vijftien jaar oud en het is voor haar een kans op een historische ontmoeting. Ik zal zeggen dat ze mijn nichtje is.' Dolly bloosde van plezier.

'Dan moeten wij die ontvangst ook bijwonen, William,' zei Ann eveneens resoluut. 'Jij kunt heel gemakkelijk kaartjes voor ons krijgen, je hoeft alleen maar de naam Torrence te noemen. En ik vermoed dat het heel chic zal zijn te kunnen zeggen dat je Napoleon hebt ontmoet.'

William trok berustend zijn wenkbrauwen naar George op, maar burggraaf Gawkroger liep heel geagiteerd heen en weer en zag het niet. 'Je bent veel te moe, mama,' zei hij dringend. 'Je hebt in Parijs echt te veel ondernomen. Ik verzoek je dringend niet te gaan!' Maar de douairière was al met een opmerkelijke snelheid op weg naar haar kamer terwijl ze om haar kamenier riep en luidkeels verklaarde: 'Parijs is toch zo'n smerige stad! Ik moet me voorbereiden om eindelijk Bonaparte van aangezicht tot aangezicht te spreken.' Haar muts wiebelde letterlijk van opwinding toen ze haastig de kamer uit liep. De hertogin volgde haar geëmotioneerd.

'We moeten haar tegenhouden,' siste George, en hij nam een enorme dosis snuifpoeder uit zijn gouden doosje en nieste veelvuldig, waarna hij zijn neus afveegde met zijn ongewoon grote witte zakdoek en plotseling weer ging zitten.

'Ze vált niet tegen te houden,' zei Rose met een scheef gezicht, terwijl ze bedacht dat ze veel plezier zou beleven aan een woordenwisseling tussen de beroemde kleine leider van Frankrijk en de douairière burggravin Gawkroger. Ze zag het belachelijk bleke gezicht van George en de snel leegrakende doos snuifpoeder. 'George,' zei ze resoluut, 'het is heel onwaarschijnlijk dat Napoleon iets van je familie zal weten! Ik weet zeker dat je je te veel verbeeldt wanneer je denkt dat hij zal weten wie we zijn. En het lijkt me hoogstonwaarschijnlijk dat je moeder zich uiteindelijk in het openbaar anders zal gedragen dan zoals het een dame betaamt.'

William vertrok met tegenzin om kaartjes te regelen. De vrouwen verkleedden zich haastig en kwamen terug. George bleef geagiteerd door de *salon de thé* ijsberen, hevig bezorgd over de eer van de geweldige familie Fallon. Rose zag Ann af en toe met hem praten, waarna hij bezorgder keek dan ooit.

'Waar is Dolly?' vroeg hij diverse keren ongerust.

'Ik ben hier!' zei Dolly ongeduldig. 'In mijn mooiste witte jurk, klaar om mee te gaan naar de ontmoeting met Napoleon Bonaparte!'

Binnen het uur waren William en Ann al vertrokken en nam de geweldige familie Fallon, ondanks protesten van George, plaats in het grote rijtuig van de hertogin van Seaforth en reed snel naar de Tuilerieën.

'We hebben vrede gesloten met Napoleon,' verklaarde burggraaf Gawkroger, terwijl hij probeerde zich te beheersen.

'Ik heb geen vrede gesloten met Napoleon,' antwoordde de douairière. Haar kamenier had voor deze gelegenheid extra krulletjes op haar hoofd gespeld, zodat haar witte muts een eindje omhoogschoof om alles te herbergen.

Bij de binnendeur slaakte Dolly haar eerste kreet van die middag. Er stond een lange man met tulband en wijde broek, een zwaard in de hand, net als in haar droom, in de houding.

'Dat is de man van... van wie ik heb gedroomd... dat is...'

'Dat is een mammelukse bei, meegebracht uit Egypte,' zei een andere vrouw in het Engels met een zwaar accent. Ze bleek de vrouw van de Italiaanse minister van Buitenlandse Zaken te zijn. Toen ze door de deur de salon binnengingen was Dolly niet de enige die een kreet slaakte. Het was een schitterende zaal, bijna blinkend. Hij was vrolijk geel behangen, met donkere meubelen vol houtsnijwerk en beklede stoelen. De kroonluchters schitterden met duizenden kaarsen. Er waren spiegels die het flakkerende licht van de kaarsen weerkaatsten. De spiegels waren elegant gedrapeerd met lange bruine doeken met franje, een mode die in Engeland volstrekt onbekend was. Op de marmeren tafels stonden ormulu klokken en vazen van Sèvresporselein. Er klonk een hoog, buitenlands gekwebbel en de familie Fallon realiseerde zich dat hoewel ze William en Ann verderop in de rij mensen konden zien, het Engelse contingent niet het enige was. Er waren ook buitenlanders. Rose kon zien dat de douairière enigszins van haar stuk was gebracht door deze ontdekking en ze snoof afkeurend en staarde met haar felle blauwe ogen om zich heen. Het mannelijke contingent was klein: afgezien van een paar Fransen in een wonderlijk soort uniform, misschien officieren van Napoleon, waren George en William twee van de misschien tien mannen in een zaal met zestig of zeventig opgetogen vrouwen uit heel Europa, die kwetterden als opgewonden vogels.

'Wat denk je, zullen we Josephines blote rug, haar hele rug te zien krijgen?' fluisterde Dolly, een en al opwinding.

Maar opeens werd het gekwebbel gestaakt: de dubbele deuren aan het eind van de salon waren opengedaan door twee zwarte jongetjes in blauw livrei met een kraag van zilverwerk. Josephine verscheen. Josephine alleen. Glimlachend, beschaafd, mooi (haar hele rug was bedekt), gekleed in een gewaad van heldere zachtgele zijde, dat kennelijk *niet* van tevoren in enig bad was gelegd, en met een kleine zachtgele hoed. Ze begroette de gasten en sprak op een vriendelijke maar afwezige manier, vermoedelijk omdat ze geen idee had wie het waren. Toen ze in de rij mensen dichter bij de familie Fallon kwam, zag Rose vol opwinding dat het sieraad rond haar hals een schitterend – ze boog zich naar voren om beter te kijken – gouden medaillon was, bedekt met hiërogliefen. *Napoleon moet dit voor haar uit Egypte hebben meegebracht.* Ze voelde hoe George naast haar zich iets ontspande en een voldane grom gaf. Napoleon scheen toch niet te komen.

Maar Napoleon kwam wel.

De deuren werden opnieuw door de ebbenhouten kinderen geopend en Napoleon Bonaparte, Eerste Consul van Frankrijk, verscheen in de deuropening, vergezeld van twee – ongetwijfeld speciaal om hun lengte gekozen – heel kleine *préfets du palais* in gala-uniformen van scharlakenrood met zilver, die Napoleon zelfs bijna lang deden lijken. Heel even viel er een eerbiedige stilte. Josephine hoorde dit, draaide zich om en boog even naar haar man. Toen liep Napoleon naar het begin van de rij. Een van zijn kleine maar indrukwekkende *préfets*, die een verbazingwekkend luide stem had, had een lijst van namen en terwijl hij af en toe met de gasten zelf sprak, kondigde hij iedere persoon aan en het land waartoe diegene behoorde. *Italie*, klonk de bulderende stem van de man in het rood, *l'Allemagne*, en een heel enkele keer *Grande Bretagne*.

Het groepje van Fallon was danig uit het veld geslagen. De douairière had zich erop voorbereid een hooghartige houding aan te nemen maar dit was beslist geen kleine Corsicaanse boerenpummel. Hij leek langer en waardiger dan sommige fraai uitgedoste gasten, met zijn korte haar en zijn eenvoudige kleding van consul en zijn enigszins koninklijke manier van doen. Zijn schouders waren breed en hij gedroeg zich als een man die heel goed besefte wat zijn lot, zijn plaats in de geschiedenis zou zijn. Hij sprak Frans, leek werkelijk geïnteresseerd te zijn in zijn gasten. Hij leek het geen punt te vinden met de dames over ditjes en datjes te praten, terwijl hij hun vroeg of ze naar *l'Opéra* waren geweest, hoe ze Parijs vonden, hoe lang ze van plan waren te blijven. Toen hij bij de hertogin van Seaforth aankwam, glimlachte hij en zei: '*Ah*, milady, *je suis enchanté de vous voir encore*,' waarop de hertogin bloosde van plezier en trots om zich heen keek. Toen hij de vrouw van de Italiaanse minister van Buitenlandse Zaken bereikte, pakte hij haar hand, boog zich eroverheen en zei iets in het Italiaans. Toen liep Napoleon naar de familie Fallon. Rose voelde de douairière beven van spanning of woede of angst. George bleef proberen zijn moeder enigszins in bedwang te houden door haar onopvallend heel stevig bij een elleboog vast te houden. Dolly staarde Napoleon aan, met een vuurrood gezicht.

Juist toen de man met de lijst hen naderde, juist toen hij met zijn bulderende stem *la famille Fallon de Grande Bre-*

tagne aankondigde, viel Dolly flauw, pal aan de voeten van Napoleon.

Later vroeg Rose zich af of ze het soms had gedroomd.

Ze was instinctief bij Dolly neergeknield, terwijl de mensen om hen heen bewogen en mompelden dat ze dat meisje wat lucht moesten geven, en toen ze zich over haar heen boog, deed Dolly één oog open, glimlachte breed, en deed het oog weer dicht. Rose rook iets van parfum en olie, en ze merkte dat er nog iemand naast Dolly was neergeknield, iemand die Dolly's glimlach moest hebben gezien. Ze keek op en realiseerde zich dat het de Eerste Consul van Frankrijk, Napoleon Bonaparte, was. Zijn intelligente grijze ogen keken haar geamuseerd aan, toen ging hij staan en gaf een bevel in het Frans. Er verschenen onmiddellijk bedienden en Dolly werd behoedzaam opgetild en snel weggevoerd. Rose wilde haar volgen maar merkte dat haar weg werd versperd – ze wist niet zeker of het met opzet was – door een van de roodgejaste *préfets*.

'*Tout va bien, madame*,' zei deze heer, 'ze zal goed worden verzorgd. Het is niet de eerste keer dat de aanwezigheid van de Consul een jongedame te veel is geworden.'

Napoleon had zich tot de douairière burggravin Gawkroger gewend, en voor ze iets uit kon brengen had hij hoffelijk haar hand gepakt en zich eroverheen gebogen. '*Tout va bien*, milady,' zei hij en begon toen in rap Frans over de genoegens van Parijs te spreken. De douairière stak weliswaar ver boven Napoleon uit, vooral met het extra haar dat voor deze gelegenheid onder haar muts was gespeld, maar desalniettemin was ze opeens met stomheid geslagen. Ze knikte ten slotte flauwtjes en leek te erkennen dat ze, inderdaad, nog eens naar *l'Opéra* moest gaan. Burggraaf Gawkroger boog, bloosde, maar zei niets. En Napoleon Bonaparte besloot de audiëntie in het Engels, met een zwaar accent: '*Adieu*, milady. Het is een groot genoegen iemand van uw statuur te ontmoeten.' Zijn oog bleef weer op Rose rusten, met dezelfde geamuseerde blik. Toen boog hij naar hen allen en was verdwenen met zijn in rode jasjes gehulde adjudanten en met de lijst namen, en ze hoorden hem beleefd tegen de volgende groep zeggen: '*Vous rendez-vous souvent à l'Opéra, madame?*' De ontmoeting van de familie Fallon met Napoleon Bonaparte, Eerste Consul van Frankrijk, had nog geen anderhalve minuut geduurd.

De douairière burggravin Gawkroger, die geen woord had uitgebracht, werd door haar zoon naar een met tapisserie beklede stoel gebracht en zat zich daar met haar waaier koelte toe te wuiven, volledig van de kaart.

Gedurende enkele momenten bleef Rose met haar ogen de Eerste Consul volgen. Ze dacht opeens aan hoe de Engelse kranten deze man bespotten, hem gek en onwetend noemden, gniffelden wanneer ze ontdekten dat Josephine ontrouw was geweest. Hij bewoog zich heel zelfverzekerd door de zaal, te midden van alle deftige dames van Europa. Dus dit was Napoleon Bonaparte. En zij had hem gezien. Hoe bijzonder! Toen werd haar blik getrokken door het groepje Franse officieren. Ze stonden nu om iets te lachen en ze deden Rose meteen denken aan een zelfverzekerd groepje Engelse officieren dat met elkaar stond te praten, net als Harry en zijn vrienden, lachend op dezelfde kameraadschappelijke manier, knap in hun uniform, een duidelijk omschreven eigen wereld. Ze wendde haar blik snel af, keek weer naar Napoleon Bonaparte. Hij was 'de vijand' en alle dames waren van hem gecharmeerd. Hoe vreemd was dit alles. Er kwam een lange officier, iemand uit het groepje, naar haar toe.

'Vond u het interessant om de Eerste Consul te ontmoeten, madame?'

Het eerste dat haar opviel was de vriendelijke, glimlachende blik in zijn ogen. Ze voelde zich onmiddellijk bij hem op haar gemak, ook al was hij een Fransman, de 'vijand'.

'Het punt is gewoon dat hij in Engeland zo'n lange tijd – neemt u me niet kwalijk, monsieur – als monster is beschouwd! Iets om de kinderen bang mee te maken als ze stout waren. *Kijk maar uit, anders krijgt Napoleon je te pakken!* En ik zie nu dat hij helemaal geen monster is... en... en dat hij gevoel voor humor heeft! We verwachten niet dat monsters gevoel voor humor hebben!'

Hij lachte naar haar. 'Hij is inderdaad een heel interessante en gecompliceerde man. Ik ben heel erg trots dat ik met hem samen mag werken.' Ze keken samen even naar de Eerste Consul terwijl hij verder door de prachtige zaal liep.

'Bent u een van zijn officieren, monsieur?'

'Niet echt, madame. We hadden vanmiddag een bespreking met hem – hij heeft boven een grote studeerkamer, een schitterende, inderdaad vorstelijke kamer.' De Fransman trok zijn wenkbrauwen even op. 'Nou ja, we bevinden ons tenslotte in een paleis! Onze bespreking werd onderbroken voor deze ontvangst. Mijn collega's en ik zijn enkele *savants*, wetenschappers zou u misschien zeggen, die zijn mee geweest met zijn expeditie naar Egypte. We waren de laatsten die terugkeerden; we zijn pas onlangs thuisgekomen.'

Rose voelde een steek van opwinding. 'Egypte! U bent echt met hem mee geweest naar Egypte? Hebt u de hiërogliefen en de schatten gezien, misschien zelfs de Steen van Rosetta?'

Even verdween de glimlach van het vriendelijke gezicht van de Fransman. 'Het is misschien niet verstandig, madame, als u mij vergeeft, om *la pierre de Rosette* ter sprake te brengen bij een Franse wetenschapper die zoveel tijd heeft besteed aan het verzamelen van informatie over de verloren beschaving van Egypte. Het spijt ons zeer dat uw land het nodig vond ons van onze grootste schat te beroven. Want hij is echt van ons, hij is door ons ontdekt en door ons aan de vergetelheid ontrukt. Hij behoort uw land niet toe.' Hij had misschien willen buigen en zich omdraaien om weg te lopen, maar ze stak impulsief een hand uit en legde die op zijn arm.

'O monsieur, vergeeft u mij. Ik heb het verhaal gehoord... het inbeslagnemen van een schat van hen die hem hadden gevonden was misschien... onredelijk... maar... maar de steen zal misschien de geheimen van de oudheid aan ons openbaren, de kennis en de geschiedenis ervan. We moeten er toch zeker niet over kibbelen, maar de kennis delen?'

'Tot dusver, madame, is de kennis ondoordringbaar geweest voor de Fransen, voor de Engelsen, voor iedereen. Het is meer dan twee jaar geleden dat we die steen in het oude fort van Rosetta hebben gevonden, en het Grieks is meteen in het Frans vertaald, maar we hebben geen enkele voortgang geboekt. Het zal beslist een geleerde moeten zijn die het raadsel oplost, want tot dusver hebben de hiërogliefen en de andere tekens hun geheimen weten te bewaren.'

'Het was heel teleurstellend, nietwaar, die Griekse tekst?'

Hij keek verbijsterd. 'Hebt u het Grieks gelezen, madame?'

'O... een Engelse vertaling uiteraard! Ik was... zo gelukkig er een exemplaar van te krijgen. Maar ik hoopte op onthullingen en magie en ik vond alleen maar eerbetoon en loftuitingen aan het adres van een heel jonge man!'

Hij keek haar aan met openlijk enthousiasme, alsof hij zelf een heel jonge man was, wat hij niet was. 'Madame, mag ik mij voorstellen. Mijn naam is Pierre Montand en u bent de eerste vrouw die ik heb ontmoet die de Griekse vertaling van de Steen van Rosetta heeft gelezen.'

Rose viel hem opgewonden in de rede. '*Monsieur... pardonnez-moi...* misschien is het een gedachte dat de frequentie van de naam van de jonge koning Ptolemaeus in het Grieks kan corresponderen met een frequentie in de hiërogliefen, en ons aldus wat informatie kan beginnen te verschaffen?'

'Ik wenste dat het zo gemakkelijk was, *madame*. Die frequentie is uiteraard opgemerkt. Maar de hiërogliefen zijn, althans tot nu toe, altijd als een beeldschrift beschouwd, een mystieke taal die misschien geheimen met zich meevoert, en geen klanken of letters die ons tot een eenvoudige vertaling zouden kunnen leiden.' Rose zag de ster die ze als kind tekende om haar moeder weer te geven, haar eigen beeldschrift. 'Er is veel dat moet worden heroverwogen,' ging hij verder. 'We denken dat de sleutels misschien in de middelste van de drie teksten te vinden zijn, in de tekst die in de taal van de gewone mensen is geschreven maar die ongetwijfeld aan de hiërogliefen gerelateerd moet zijn. We hopen vurig dat een taalweten-schapper uiteindelijk een verband tussen die twee zal we-ten te leggen. Tot die tijd kunnen we slechts veronderstel-lingen uiten en is het een teleurstellend langzame zaak.'

'O,' verzuchtte Rose, terwijl ze aandachtig luisterde.

'En, madame, ik heb deze steen ook zelf gezien. Ik heb deze steen onderzocht en het meest beschadigde deel zit bovenaan, waar de hiërogliefen staan geschreven en er ontbreekt veel. Maar het middelste deel, de gewone taal, is het meest compleet.'

'O,' verzuchtte Rose opnieuw, en hij was opgetogen.

'Wij – de Franse *savants* bedoel ik – werken aan de pu-blicatie van een aantal delen van een werk dat *Description de l'Egypte* zal heten en dat veel prachtige gegevens zal be-vatten over alles wat we daar hebben gezien.'

'Bent u dan geen militair, monsieur?'

'*Non, madame*. Napoleon begreep dat er veel kennis in Egypte te vinden was. Op die expeditie met het leger heeft hij heel veel wetenschappers meegenomen.'

'Wat voor wetenschappers? Bedoelt u geschiedkundi-gen?'

'Praktische wetenschappers, madame: beeldende kun-stenaars, wiskundigen, linguïsten, chemici, schrijvers, ar-chitecten... archeologen zoals ik. We hebben daar een aantal jaren doorgebracht, we hebben de cultuur en de monumenten bestudeerd, maar we hebben ook wegen aangelegd en ziekenhuizen en molens gebouwd.'

'O. Geen wonder dat u zo boos bent over de Steen van Rosetta.'

'Napoleon Bonaparte hield van Egypte. Ik denk niet dat u van de Engelse generaals hetzelfde kunt zeggen, als u het me niet kwalijk neemt dat ik dit zeg. En daarom zijn we erg boos dat *la pierre de Rosette* ons is ontstolen. We hebben echter desalniettemin veel informatie weten te verzamelen.' Hij glimlachte naar haar, opdat ze zou begrijpen dat zijn woorden niet als persoonlijke onbeleefdheid jegens haar waren bedoeld. 'De *Commission de l'Egypte* is hier vlakbij. Misschien, madame, aangezien dit uw speciale belangstelling heeft, zouden u en uw familie geïnteresseerd zijn in het bekijken van enkele schilderijen en tekeningen van Egyptische zaken, inclusief hiërogliefen, die we willen publiceren?'

Het gezicht van Rose klaarde op. 'Monsieur, dat lijkt me echt geweldig. U hebt geen idee hoezeer dit alles mijn belangstelling heeft. Ik ben sinds mijn kinderjaren dol geweest op hiërogliefen, en mijn vader is als heel jonge man in Rosetta geweest, lang voordat ik werd geboren, en hij heeft me naar dat mooie stadje vernoemd.' Ze zag hoe belangstelling en vreugde over zijn gezicht trokken terwijl hij luisterde.

'*Quelle chance extraordinaire!*' zei hij.

Maar toen bedacht ze zich. 'O, neemt u me niet kwalijk, monsieur, mijn naam is Rose Fallon. Ik bezoek Parijs samen met de moeder van mijn overleden man en met zijn broer, de nieuwe burggraaf Gawkroger, en wat andere kennissen, en we logeren in het Hotel de l'Empire. Mijn man was kapitein bij de Britse marine in Egypte.'

Heel even keek hij haar met geschokte verbazing aan. 'Aha,' zei hij, 'de burggravin.' Ze werd opnieuw getroffen door zijn toon, en ze wist niet of hij haar schoonmoeder of haarzelf bedoelde.

'Rose! Rose!'

Rose draaide zich snel om. Dolly kwam terug, met een opgewonden gezicht en helemaal niet bleek.

'O Rose, ik heb hun kamers gezien!'

Rose gebaarde onmiddellijk naar Pierre Montand voor Dolly zich indiscrete informatie kon laten ontvallen. 'Dolly, dit is een van de wetenschappers van monsieur Bonaparte. Hij is naar Egypte geweest en heeft veel hiëroglifen gezien, geen kopieën in boeken, maar echt. Monsieur Montand, dit is lady Dolly Torrence.'

Dolly's gezicht was een studie waard. Heel even had ze, in alle opwinding over haar avonturen, de Franse officier niet gezien. *Een lange Fransman!! Knap!! En hij was een geleerde!!* Als ze niet eerder was bezwijmd, was ze misschien op dit moment flauwgevallen.

'O! O! *Enchantée, monsieur* Montand. Hebt u die prachtige hiëroglifen opgelost?'

'Nog niet, *mademoiselle*. Maar ik ben blij zoveel Engelse dames aan te treffen met grote belangstelling ervoor! Hebt u de Griekse vertaling van de Steen van Rosetta ook gelezen?' Hij glimlachte om haar enthousiasme.

'Nee, monsieur, natuurlijk niet, maar ik heb erover gehoord van William, mijn broer, die de steen heeft gered.'

Omdat ze de gêne van Rose of de uitdrukking op het gezicht van de Fransman niet opmerkte, zou Dolly door zijn gegaan, maar Rose zei resoluut: 'William was in die tijd in Alexandrië, dat is alles.'

'Ja, dat bedoelde ik ook,' zei Dolly en ging toen heel enthousiast verder: 'Monsieur Montand, wat bent u knap, en zo lang! Bent u getrouwd?'

'Dolly!'

Hij lachte, niet in staat hier boos om te worden. 'Ik ben niet getrouwd, mademoiselle. Ik heb wat jaren in Egypte doorgebracht en alle knappe dames waren getrouwd tegen de tijd dat ik terugkwam.'

'O,' zuchtte Dolly, en keek naar hem op.

Er was enige beweging aan het eind van de zaal en toen liep Napoleon, nu met Josephine aan zijn arm, langzaam langs de groepjes mensen terug. Hij knikte heel even naar Pierre Montand, die bij Rose en Dolly stond. Daarna gingen de deuren dicht, de zwarte jongetjes met hun blauwe uniformen verdwenen naar binnen, en de ontvangst was voorbij.

De Franse wetenschapper werd onmiddellijk door zijn collega's weggeroepen.

'O nee!' zei Dolly, diep teleurgesteld.

'*A bientôt*,' zei hij. 'We moeten onze bespreking met de Eerste Consul voortzetten. Ik zal morgenmiddag langskomen in Hotel de l'Empire.' Hij boog nogmaals naar de dames en toen waren de wetenschappers ook achter de deuren verdwenen.

Dolly keek de lange Fransman verlangend na. Haar gezicht straalde.

'Ik geloof... O Rose, ik geloof dat je een lange man voor me hebt gevonden!' zei ze. 'Ik had mijn droom verkeerd begrepen: de lange Turkmeen leidde me naar mijn lange echtgenoot, want een Turkmeen zou natuurlijk niet mijn man kunnen zijn! O Rose! En was het nuttig dat ik flauwviel?'

Rose schoot in de lach. 'Het was uitermate nuttig. Dank je wel, Dolly, voor je... afleidingsmanoeuvre. De douairière heeft geen woord kunnen uitbrengen en nu is alles goed en de beide landen hebben elkaar niet de oorlog verklaard, en dat is volgens mij mede aan jou te danken!' Maar ze hoorde nog steeds de stem van de Fransman: *Aha, de burggravin.*

Dolly bloosde. 'O, ik ben zo blij! Ik heb mijn ogen maar

heel even opengedaan! En, wanneer zullen we monsieur Montand weer ontmoeten? O Rose! Napoleon en Josephine slapen in hetzelfde bed, kun je je dat voorstellen? Ik heb het gezien, het was een hemelbed met gordijnen. Er lag een blauwe zijden sprei op het bed en ik heb het zo ingericht dat ik ernaast kwam te zitten toen ze me wat cognac gaven!' Dolly lachte opgewonden. 'Ik heb goed om me heen gekeken, het was allemaal erg mooi, en ik bedacht dat het misschien wel heel interessant was om de hele nacht met een man in één bed te liggen. Ik had zoiets nooit gedacht. Ik weet zeker dat mama en papa zoiets nooit hebben gedaan, en William en Ann ook niet, maar het lijkt me wel iets voor monsieur Montand! En die Franse bedienden waren allemaal heel aardig en aaiden me over mijn hoofd en zeiden dat ik *très jolie* was, en zelfs de kleine zwarte jongens glimlachten eindelijk toen ik hen plaagde. O Rose, ik heb iets historisch meegemaakt, hè? Dit is mooier dan welke roman ook die ik ooit heb gelezen. Te bedenken dat ik in de kamers van de grote Napoleon Bonaparte ben geweest... en dat ik naast zijn bed heb gezeten! En nu... O Rose' – Dolly staarde naar de dichte deuren die misschien toegang tot het paradijs zouden geven – 'ik had nooit gedacht dat er zoveel dingen op één geweldige dag konden gebeuren. Ik heb mijn lange man gevonden, monsieur Montand, en jij moet me helpen. Nu zal ik in mijn dagboek over een échte bewonderaar kunnen schrijven!' En in de schitterende gele zaal, naast een van de met sjaals versierde spiegels, sloeg Dolly opgewonden haar armen om Rose heen. 'Ik houd echt van je, Rose,' zei Dolly, vlak voor ze door George naar buiten werden gedreven. Zijn moeder, die langzaam naar het rijtuig terugliep, wachtend op de arm van haar zoon, zei helemaal niets.

De douairière zei nog steeds weinig op de terugweg naar het hotel. Ze kon kennelijk niet geloven dat haar moment was gekomen en voorbijgegaan en dat ze het niet over haar geliefde zoon had gehad. Ze begreep zichzelf niet. Ze was bleek onder de rouge die haar kamenier zo zorgvuldig had aangebracht en ze staarde naar buiten, naar Parijs met de kapotte straatkeien en met de pas herstelde kerken. Maar George was uitermate opgewekt nu de crisis voorbij was, hij verklaarde voortdurend hoe onberispelijk het gedrag van zijn moeder was geweest, hij liet Dolly naast zich in het rijtuig zitten, en hij had zijn arm losjes rond haar schouders geslagen, hoewel ze zo opgewonden was dat ze dit niet eens merkte. De hertogin van Seaforth bleef commentaar leveren op de salon, de kleren, de té eenvoudige kleding van Bonaparte... maar zijn charme... oh là là! Hij was een charmante man.

'En u, lady Dolly,' zei ze scherp, 'hoe kon u nu op die manier bezwijmen, op juist dat moment. Wat bezielde u?'

'Ik werd overweldigd,' verklaarde Dolly dramatisch, 'door de aanblik van de geschiedenis, van een man die zo lang een rol heeft gespeeld in ons bewustzijn!' En burggraaf Gawkroger klopte haar vriendelijk op de hand en glimlachte nogmaals.

'Lieve kleine Dolly,' zei hij, 'ik wil je graag een keer voorstellen aan mijn vriend de prins van Wales, die eens, lang nadat Napoleons ster is verbleekt, koning George IV van het grootste land ter wereld zal zijn. En dat zal ik ooit doen ook. En uiteindelijk zul je de koning en de koningin zelf ontmoeten.'

'Die heb ik al ontmoet,' zei Dolly afwezig, met haar gedachten bij andere zaken. 'Papa en mama hebben William en mijn zusjes en mij een paar keer mee naar het paleis genomen. We zijn daar een keer verdwaald in donkere gangen waar we helemaal niet moesten zijn – weet je nog, William? – en die waren vreselijk smerig. Ik ben er uitgegleden over verrot fruit... dat dacht ik tenminste... maar het bleek een drol te zijn.'

'Ach.' George kromp even ineen (om zijn *faux pas* of om Dolly's woorden). Hij herstelde zich en nam de leiding over het gesprek in het opeens stille rijtuig. 'Maar nu zul je niet als kind gaan maar als jongedame die wat van de wereld heeft gezien. En dan moet je je niet laten overweldigen zoals vandaag. Er zijn feitelijk nog veel meer dingen die ik je moet bijbrengen.' Hij glimlachte opnieuw. Dolly was zich nog steeds nergens van bewust, ze was vervuld van haar eigen opwindende gedachten. De hertogin van Seaforth knikte minzaam, maar Rose keek haar zwager scherp aan.

'George, ik geloof niet dat het voorstellen aan de prins van Wales noodzakelijk is voor Dolly's opvoeding,' zei ze, terwijl ze hem aankeek. Maar George bleef alleen maar glimlachen.

'Noch Napoleon noch de prins van Wales is lang,' zei Dolly, en ze keek Rose blij aan. Daarna keek ze uit het raampje van het rijtuig naar buiten, waar overal bewijzen van de macht van Napoleon te zien waren toen ze door de uitgesleten en gevaarlijke straten reden. Buiten de raampjes werden lolly's met zijn hoofd erop te koop aangeboden en de luie Parijzenaars stapten niet meteen eerbiedig opzij, zoals ze dat vroeger hadden gedaan, toen het rijtuig van de hertogin van Seaforth hooghartig voorbijreed.

Dertien

*D*e *salon de thé* van Hotel de l'Empire zat vol bezoekers die Napoleon eerder die dag voor zijn leger uit hadden zien rijden, en ze praatten er nog steeds over. Dolly hoorde hen, keek hen medelijdend aan. Die mensen wisten niets: zíj had zijn bed gezien.

William en Ann waren al terug en zaten te wachten om met hen na te praten over de Franse Eerste Consul. Dolly gaf hun met stralende ogen een uitvoerig verslag van zijn privévertrekken; ze had de douairière kunnen zijn zoals ze niemand anders kans gaf iets uit te brengen. 'En ik heb een baljurk van Josephine gezien met allemaal edelstenen langs de zoom, hij lag zomaar over een stoel. O, en, Rose, ik vergat nog te zeggen dat ik geloof dat er een bad in de kamer erachter stond, ik kon het niet goed zien. Het was vermomd als sofa en er lagen vuurrode kussens op, maar ik geloof dat ik een van de poten zag!'

Anns ogen werden steeds groter. 'Heeft de douairière iets tegen hem gezegd?' onderbrak ze ten slotte gebiedend. 'Ben je uitgenodigd om hem privé te ontmoeten?'

'Nee, nee!' jubelde Dolly. 'Ik ben aan zijn voeten flauw-gevallen!'

'Was jij dat? Ik zag dat er iemand was die zich bela-chelijk gedroeg!' Ann werd weer boos. 'Nou, dan ben ik blij dat ik aan de andere kant van de zaal was. Torrence-vrouwen vallen niet flauw.'

George dook achter hen op, ontspannen, minzaam. 'Fallon-vrouwen ook niet,' zei hij opgewekt. 'Mama ligt te rusten. Ze was heel gecharmeerd van Napoleon en ze heeft zich heel waardig gedragen, zoals ik van haar had verwacht. En ik heb tegen de kleine Dolly hier' (alsof Dolly niet langer was dan hij) 'gezegd dat ze moet leren niet overweldigd te raken bij dit soort gelegenheden omdat ik haar aan de prins van Wales wil voorstellen. Ik zal je lessen moeten gaan geven, Dolly.' En tot Dolly's verbijstering pakte George, burggraaf Gawkroger, haar hand en kuste die zomaar. Ze voelde de stoppels op zijn kin. 'En wie,' ging hij verder tegen Rose, die zich thee liet inschenken, 'was de Fransman met wie jij op de ont-vangst stond te flirten?'

Dolly keek woest. 'Ze stond helemaal niet te flirten!' protesteerde ze luid, zodat iedereen in de buurt haar goed kon verstaan. 'Ze was bezig een man voor me te vinden.' Daarna, toen ze zag dat ze ieders aandacht had, zei ze luid en dramatisch met haar meisjesstem: 'Ik denk dat ik de man heb gevonden met wie ik wil trouwen!' Ze keek Rose aan om steun te zoeken. George en Ann wisselden een geschokte blik en toen keken ze allebei naar William.

Ann was de eerste die iets zei. 'Het is aan jouw familie om een man voor je te vinden, Dolly, niet aan Rose,' zei ze, en haar stem was ijskoud. William keek eerst naar George, toen naar zijn vrouw en stond wat spijtig op (want hij had nog geen thee gedronken) en zei tegen Dolly: 'Kom, Dolly, ik moet met je praten.'

Dolly was opgetogen en pakte de arm van haar geliefde broer. 'Lieve William,' zei ze, en ze glimlachte naar hem terwijl ze gearmd de grote deur uit liepen – Dolly als langste.

'Dan denk ik dat ik nu,' – George Fallon keek even naar Ann – 'naar mijn moeder moet gaan.' Rose zag dat hij ook vertrok zonder thee te hebben gedronken. Ann en Rose bleven alleen achter. Geen van beiden zei iets.

Toen begon Rose. 'Ik vind,' zei ze heel voorzichtig, niet in staat te geloven wat hier gebeurde, 'dat Dolly te jong is om aan een huwelijk met iemand te denken.'

De lange oorbellen van Ann schitterden in het late middaglicht dat door de grote ramen in de salon viel. 'Het is nooit te vroeg om aan de toekomst te denken van een jong meisje dat in de sociale positie van Dolly verkeert,' zei ze. 'Ze is van heel goede familie, maar ze is een uitermate gemakkelijk te beïnvloeden meisje. We kunnen het niet gebruiken dat ze zich aan ongeschikte mannen vergooit.' Ze had een glas cognac weten te bemachtigen en dronk dit snel leeg tegen de pijn in haar mond. Ze keek Rose onderzoekend aan. 'Ach, ik denk dat er geen reden is waarom je het nu niet zou mogen weten. We beseffen dat Dolly eraan toe is om te trouwen. Als George haar de eer zou bewijzen om haar hand te vragen, zou dit veel bijdragen aan de hechte band tussen onze twee families.'

Rose ging rechtop zitten. 'George is meer dan twee keer zo oud als zij. Hij is niet van plan binnenkort te trouwen, dat heeft hij me zelf verteld. Het zou belachelijk zijn en ik weet zeker dat het niet Dolly's wens is.'

'Toevallig weten wij heel veel over de wensen van Dolly.'

'Ann!' Rose werd zich opeens bewust, en ze gebaarde naar Ann, van de mensen om hen heen die veel plezier beleefden aan het gesprek van de Engelse familie.

Ann had niets te verbergen en net als de douairière liet ze haar stem zelden dalen. Andere mensen bestonden niet. 'Ze wil getrouwd zijn, ze is kennelijk zo indiscreet geweest om met een Franse *marquis* over een huwelijk te praten, waar natuurlijk geen sprake van kan zijn, maar de Fransman heeft zich ongelooflijk indiscreet gedragen. George en William hebben dit reeds lang geleden afgesproken, ze hebben alleen maar gewacht tot ze oud genoeg is en ze hebben nu besloten verder te gaan teneinde verdere... problemen... te vermijden. Jij hebt tenslotte de familie Fallon geen erfgenaam verschaft en die is hard nodig.'

Rose zag opnieuw de belangstellende toeschouwers. Ze ging staan, pakte Ann krachtdadig bij de arm en sleepte haar zo ongeveer mee naar de binnenplaats, waar de *fiacres* stonden en de paarden op de keien stampten, en Rose voelde druppels regen in haar korte haar. 'Die Franse *marquis*... dat is maar een verzinsel!'

'*Vous désirez un fiacre, mesdames?*' Er boog een bediende naar hen.

'*Non, non*, ga weg!' Rose trok Ann opzij. 'Je hebt haar dagboek gelezen en informatie aan George doorgespeeld. Dat is walgelijk!'

Ann keek maar een beetje verschrikt en schudde de arm van Rose kalm van zich af. 'George en ik zijn oude vrienden. We begrijpen elkaar. Dit huwelijk is al jaren geleden gearrangeerd. En dagboeken zijn echt geen privébezit, hoe kom je erbij? Dagboeken zijn openbare gegevens. Vooral de dagboeken van meisjes van vijftien!'

'Ann, we moeten hier meteen mee ophouden. Dolly is

nog een kind. Ze heeft deze verhalen in haar dagboek geschreven omdat ze dacht dat William erin las en ze wilde zijn belangstelling vasthouden.'

'Onzin!' zei Ann afwerend. 'Waar denk je dat ze gisteravond op het bal naartoe is geweest? Ze heeft net aangekondigd dat ze de man heeft ontmoet met wie ze wil trouwen. Het is zeer wel mogelijk dat deze Fransman op ditzelfde moment in de buurt van het hotel rondhangt, wetend uit wat voor illustere familie ze afkomstig is, met de bedoeling haar te... te ontvoeren.'

'Dit is belachelijk, ze is...' Rose zocht naar woorden. 'Ze is nog niet eens volwassen. Ze moet zich nog over de dood van haar moeder heen zetten. Ze is nog maar net vijftien... Ik kan me niet voorstellen dat William hiermee in zou stemmen, ze is zijn zusje, ze aanbidt hem, en hij is lief voor haar. Hij zal er vast niet mee instemmen!'

'William laat zich sterk leiden door George.'

'Dan zal haar vader het er vast niet mee eens zijn. Jullie kunnen haar dit niet aandoen, alleen maar omdat jullie dit willen! Dat kun je niet doen!' Rose verhief onwillekeurig haar stem.

'Dat kunnen we wel,' zei Ann, 'en dat zullen we doen ook.' Ze glimlachte. 'Je was zelf nog een kind toen je met Harry Fallon trouwde, en hij was ook een stuk ouder dan jij.'

'Ik was zeventien! En vreselijk verliefd!'

Ann had zich omgedraaid om weer naar binnen te gaan, maar nu keerde ze zich weer tot Rose en glimlachte. 'Je bent heel dwaas, Rose, als je denkt dat liefde iets met dit soort dingen te maken heeft. Waarom denk je dat de prins van Wales met prinses Caroline is getrouwd? Het was niet uit liefde, dat kan ik je wel verzekeren. Hij had een glas cognac nodig toen hij haar voor het eerst zag! Jij komt niet uit dezelfde maatschappelijke kring, je begrijpt deze dingen niet. Dolly maakt al deel uit van *le ton* en George zal er ook meer in komen, en dat is alles wat we willen. Vijftien is niet jong voor meisjes van onze stand om zich te verloven.'

'Waarom stemt de familie Torrence ermee in?' vroeg Rose opeens scherp. 'De hertog van Hawksfield heeft hier vast geen deel aan – want Dolly zou in de ogen van jouw wereld beneden haar stand trouwen.'

Ann toonde niet de minste gêne. 'We hebben het geld van de familie Fallon hard nodig,' zei ze slechts. Rose staarde haar aan. 'O Rose, je bent niet van onze stand. Als Dolly eenmaal een zoon heeft gebaard kan ze haar eigen leven leiden, liefhebben wie ze wil. Zo gaat dat bij ons. Dolly zal een volstrekt aangenaam leven hebben en ik hoop dat jij niet van plan bent het geluk en goede fortuin van een jong meisje te dwarsbomen.'

Even kon Rose niets uitbrengen. Arme, arme Dolly. Een pion om in te ruilen. Het was al lang geleden geregeld. De hertog van Hawksfield moest op de hoogte zijn van dit plan, anders zouden ze het niet durven. Ze dacht aan hoe gretig Dolly de arm van haar broer had gepakt, nog geen kwartier geleden.

Toen ze langzaam weer naar binnen liep zag ze Ann bij George en zijn moeder zitten. De douairière was kennelijk uitermate tevreden over iets. Ze had nog wat rouge op haar gezicht gedaan.

Midden in de *salon de thé* riep de oude dame luid: 'Waar is de lieve Dolly? Ik wil met haar spreken. We gaan aan het eind van de week naar Rome, ik heb gedaan waarvoor ik was gekomen en het is niet nodig nog langer in

Parijs rond te hangen. Ik weet dat Bonaparte wist dat Harry een held was en dat hij op de hoogte was van mijn ongenoegen, daarom heeft hij zo... vriendelijk... tegen me gesproken en heeft hij deze kwestie heel charmant aange- pakt – hoewel ik natuurlijk niet van hem gecharmeerd was.' George stond meesmuilend bij het raam. 'De herto- gin heeft me verteld dat de paus ook dames uit de Engel- se society ontvangt, zelfs degenen die niet van zijn kerk zijn. En in een beschaafde omgeving zie ik niet wat ge- loofsopvattingen ermee te maken hebben, dus heb ik George gevraagd de noodzakelijke voorbereidingen voor ons allen te treffen. Ik vind niet dat er in Parijs nog de- zelfde... sfeer hangt die we gewend waren... O, het gróve gedrag van al die Parijzenaars die met hun smerige kleren op de beste plaatsen in het theater zitten terwijl wij ver- der achterin moesten zitten, en zij deden alsof ze het voor het zeggen hadden. Ik vond dat heel onsmakelijk... Zeg, waar blijft Dolly toch? Ik wil heel graag even met haar praten, en Rose, wie was die Franse officier aan wie jij vanmiddag veel te veel aandacht hebt besteed? Ik geloof dat ik jou zijn arm zag vasthouden, zulk gedrag verwach- ten we niet van de vrouwen in onze familie. Je gedrag be- viel me niets.' Rose keek haar schoonmoeder, nu zo vol van haar ontmoeting met Napoleon, vol ongeloof aan.

'Hij was geen officier,' zei ze koud. 'En ik heb zeker niet zijn arm vastgehouden.' *Wat een dwingelanden zijn de mensen in deze familie toch allemaal – ja, ja, Harry ook. En ze herinnerde zich weer hoe haar man haar gezicht vasthield, haar dwong in de spiegel naar hun lichamen te kijken, haar dwong te zien hoe hij haar aanraakte: zijn wij niet mooi?*

'Wie was hij dan wel... als ik dit aan de weduwe van mijn zoon mag vragen?'

'Hij was een van Napoleons *savants*, een van de Franse geleerden die met Napoleon mee zijn geweest naar Egypte. Hij weet alles over de Steen van Rosetta en veel andere oudheidkundige vondsten.'

Het gezicht van George klaarde op en hij tastte in zijn jasje naar zijn doos met snuiftabak. 'O ja? Allemachtig... dan moet je nog wat vaker voor ons flirten!' En hij lachte. 'Misschien kun jij toch nog enige waarde hebben voor de familie Fallon! Ik moet hem ontmoeten. Hoe heet hij?'

'Monsieur Pierre Montand.'

'Meer. Ik wil meer weten.'

Rose beet op haar lip. Ze hoorde opnieuw de stem van de Fransman: *Aha, de burggravin.* 'Ze werken aan een boek in veel delen over hun studies en ontdekkingen in Egypte.'

'In dat geval moet ik hem beslist ontmoeten voor we Parijs verlaten. Iets over de hiërogliefen?'

'Volgens mij weten zij niets meer dan jouw collega's.'

George nam een flinke pluk snuiftabak. 'Dat wordt dan een wedstrijd,' zei hij opgewonden, 'die de Engelsen uiteraard zullen winnen.'

Op dat moment kwamen Dolly en William terug. Ze hadden allebei een verhit gezicht en het was duidelijk dat Dolly had gehuild. Rose zag dat hoewel Dolly zo gretig Williams arm had gepakt toen ze vertrokken, hij haar arm nu stevig vasthield, als om haar ervan te weerhouden weg te hollen.

Niemand gaf enig commentaar op hun verschijnen. 'Nu gaan we naar de Opéra, zoals monsieur Bonaparte heeft voorgesteld,' kondigde de douairière aan. 'Dolly, liefje, kom eens gauw naast me zitten.'

Die avond laat – na de opera, na alweer een enorm souper, waarbij niemand iets over de plannen voor Dolly had gezegd en Dolly, die tussen de douairière en George was geplaatst, steeds verdrietiger was gaan kijken – liep Rose snel naar Dolly's kamer. Dolly lag verkrampt van ellende op haar grote hemelbed.

'William zegt dat ik op mijn zestiende verjaardag met burggraaf Gawkroger moet trouwen. Hij zegt dat papa ermee zal instemmen. Maar wat nog erger is, hij zegt dat de hertog van Hawksfield ermee zal instemmen en hij is degene die de beslissingen voor ons neemt. Hij zegt dat ze weten dat ik met iemand wil trouwen, omdat ze in mijn dagboek hebben gelezen! Ik heb geprobeerd hem te vertellen dat het een verhaaltje was om hem te amuseren, maar ik denk niet dat hij me geloofde. Hij zegt dat ik het erover had dat jij vanmiddag een man voor me had gevonden, en dat dat de reden is waarom ze besloten het me nu te vertellen. William zei dat ik me geweldig gelukkig moest prijzen omdat niet iedereen met een lang meisje wil trouwen – o Rose! Burggraaf Gawkroger is véél kleiner dan ik en ik mag hem niet en hij wil steeds mijn hand kussen.' Ze kon haar snikken niet langer bedwingen. 'Hij maakt dat mijn hand steeds naar snuiftabak stinkt!'

'Liefste Dolly.' Rose sloeg haar armen om het meisje heen. Daardoor moest Dolly nog harder huilen.

'Het was mijn dagboek. Ze hebben allemaal, allemaal, mijn dagboek gelezen! Ik heb het alleen maar voor William geschreven, om hem te amuseren!'

'Ja,' zei Rose. 'Ik weet het. Ik heb Ann gezegd dat het niet waar is.'

Dolly bleef nog een tijdje huilen. Rose streek haar wanhopig over haar haar. Toen hield het huilen opeens op en ging Dolly rechtop zitten. 'Ik wil met monsieur Montand trouwen. Hij is lang en hij is vriendelijk. Burggraaf Gawkroger is klein en hij is volgens mij heel onvriendelijk, anders zou hij me niet dwingen dit te doen. Rose, je moet met hem praten, met monsieur Montand, om hem te vertellen dat ik wanhopig verliefd op hem ben.' Ze zei dit op een vreemde, hijgende toon.

'Dolly, volgens mij heb je last van een overspannen fantasie. We weten niets van monsieur Montand, helemaal niets. We hebben hem maar vijf minuten ontmoet.'

'Maar we zullen hem weer ontmoeten. Dat heeft hij zelf gezegd! Zijn ogen zijn heel vriendelijk.' Haar stem klonk bijna hysterisch en Rose voelde zich uiterst ongemakkelijk.

Ze zei met tegenzin: 'Hij werkt aan een reeks boeken over Egypte en hij weet dat wij daar belangstelling voor hebben en hij heeft ons uitgenodigd in de *Commission de l'Egypte*.'

Dolly's gezicht veranderde totaal. Ze streek snel haar haar naar achteren, veegde haar ogen af, de tranen waren verdwenen. 'Dan moeten we het hem vertellen.'

'Maar, Dolly... Ik denk... We kunnen echt niet zomaar veronderstellen dat hij zin heeft te trouwen met een Engels meisje van vijftien dat hij nauwelijks kent.'

'Ik zal hem weten over te halen. Als ik hem kan ontmoeten, zal ik hem overhalen. Ik zal alles voor hem zijn, alles wat hij maar wil. Ik weet wat er in een huwelijk gebeurt, dat kan ik doen. Ik zal zoveel van hem houden dat hij wel van mij moet houden.'

'En dit alles alleen maar omdat hij *lang* is?' Rose moest onwillekeurig even glimlachen.

Dolly keek haar kwaad aan. 'Jij bent nooit lang geweest, jij weet niet wat lange meisjes overkomt. Mannen dansen niet met hen. Ze praten alleen maar met hen wanneer dat moet, of wanneer ze geweldig rijk zijn. Onze familie is niet geweldig rijk, mijn vader en mijn grootvader hebben ons kapitaal en onze bezittingen verbrast aan de speeltafel en aan hun maîtresses zoals iedereen weet en niemand zegt. We moeten onze schilderijen verkopen, we hebben overal schulden. De hertog van Hawksfield betaalt zelfs ons rijtuig! Liefde is iets wat ik nog niet heb gekend, en ik weet dat ik het bij monsieur Montand kan vinden. Mijn moeder heeft niet van me gehouden tot' – Dolly's stem brak weer – 'tot ze gestoord werd. Burggraaf Gawkroger houdt niet van me. Hij wil dat ik een zoon voor hem baar. Dat heeft William gezegd.'

'Erfgenamen zijn erg belangrijk, Dolly, in de kringen waar jij je in beweegt.'

'Laat hem iemand van zijn eigen leeftijd zoeken! In mijn ogen lijkt hij wel honderd! Wil je voor mij met monsieur Montand praten?'

Rose zweeg. *Hoe kan ik hierover praten met een man die ik nauwelijks ken?*

'Alsjeblieft, Rose,' drong Dolly aan. 'Alsjeblieft, alsjeblieft, Rose, ik smeek het je.' Toen Rose geen antwoord gaf zei Dolly opeens: 'Wil je hem soms voor jezelf houden?'

Rose keek naar Dolly's wanhopige jonge gezichtje, en ze herinnerde zich hoe ze zelf op die leeftijd was geweest, veilig en beschut in haar onschuld, vastberaden haar zin door te drijven.

'Ik zal doen wat ik kan,' zei ze, kuste het meisje en draaide zich om om weg te gaan. 'Wat er ook gebeurt,' zei ze, 'ik zal proberen je te helpen om niet met George Fallon te trouwen!'

Veertien

$\mathcal{D}$e volgende middag verscheen monsieur Pierre Montand bij Hotel de l'Empire, hij begroette de familie Fallon en informeerde of ze belangstelling hadden voor de voorbereidingen voor de publikatie van de verschillende delen van *Description de l'Egypte*.

George was uitermate verheugd, drukte de Fransman heel hartelijk de hand. Dolly werd overmand door opwinding, vreugde en hysterie en stemde, heel luid, met George in.

'Heel goed,' zei de douairière groots, 'ik zie dat mijn zoon en de lieve Dolly een gezamenlijke interesse hebben.'

Geen van hen, zelfs niet George, die een verzamelaar was, was voorbereid op wat ze te zien kregen. Toen ze eenmaal door de hoofdingang waren, was het alsof een fel licht opeens alles in een heldere gloed had gezet. Toch was het geen licht. Het waren de kleuren die schitterden. In kamer na kamer, aan alle muren, op tafels, op stoelen, op de vloer, op sokkels waren beelden van leeuwen met mensengezichten, weelderige sieraden, gekleurde kistjes, een oude houten harp, een prachtig gebeeldhouwd hoofd met slechts één oog, een enorme granieten voet. Er waren stukken steen en stukken papier vol met handschrift. Er waren delen van gebeeldhouwde muren die uit graftomben en tempels waren verwijderd, met afbeeldingen van het leven in het oude Egypte in rood, blauw, goud, wit, groen en bruin: prachtig geschilderde musici die instrumenten bespeelden als kleine harpen; schrijvers die zaten te schrijven, goden die geschenken ontvingen; boten; prachtig gekleurde eenden. En katten, overal katten: beelden van katten, houtsnijwerk met katten, geschilderde katten en – werd hun verteld – gemummificeerde katten. En nog veel meer. Schilderijen van Napoleons Franse waarnemers van wat ze hadden gezien; enorme, felgekleurde schilderijen van tempels en graftombes en hoge obelisken en grote figuren van mensen of misschien goden. Een moeder en kind, alsof het christenen waren, duizenden jaren voor het begin van het christendom. Vogels, schorpioenen, vissen en wezens die half dier half mens waren. Schilderijen van de Nijl, weelderige palmbomen, kleine zeilboten, boeren, geblinddoekte buffels, vissers. Schilderij na schilderij van de piramiden, en een geheimzinnige figuur die een sfinx werd genoemd. En overal het prachtige schrift, de verlokkelijke Egyptische teksten, uitgehakt in alle soorten aardewerk en steen, geschreven op afgescheurde stukjes van iets wat half papier en half textiel leek, of nauwkeurig gekopieerd in de schilderijen.

'O,' zei Dolly ademloos, zo dicht naast Pierre Montand dat hij haar adem kon voelen en haar pastilles kon ruiken. Er liepen geruisloos Fransen door de hal, hun blik gericht op de stapels papieren, dossiers, schilderijen en voorwerpen die ze van de ene plaats naar de andere droegen.

'Dit is papyrus,' zei Pierre tegen Rose, toen hij haar aandachtig naar een rol tekst zag kijken. 'Dat is hun papier, gemaakt van riet.'

'Ik neem aan dat u alles hebt overgeschilderd,' zei de douairière. Pierre keek geschokt.

'Natuurlijk niet, madame. We hebben het zo aangetroffen.'

'Dan veronderstel ik dat uw tekenaars de schoonheid en de kleur bij het schilderen hebben overdreven,' zei de douairière, enigszins onzeker omdat ze domweg verbijsterd was over alles wat ze zag.

'Ik verzeker u, madame,' zei Pierre, 'dat onze illustratoren heel nauwgezet zijn geweest, ze hebben veel schetsen en tekeningen gemaakt voor ze begonnen te schilderen, en ze hebben de kleuren telkens weer gecontroleerd. U kunt deze dingen met eigen ogen zien. Ik heb ze gezien, ik ben stroomopwaarts de Nijl op gegaan met vermoeide, onontwikkelde soldaten die desalniettemin vol bewondering waren bij alles wat ze zagen. Ondanks alle veldslagen en alle gevaren leek het of hun... hun hart of hun geest, iets in hun binnenste, plotseling reageerde op dat wat ze vonden.'

'Deze schatten waren niet in Alexandrië te vinden,' zei William verongelijkt. 'Want dan had ik er natuurlijk wat van mee teruggebracht.'

George was buiten zichzelf. 'En, hebt u zelf de piramiden gezien, monsieur?'

'Ik heb de piramiden gezien. We naderden ze bij het aanbreken van de dag en ze leken net zware vormen die in het ochtendlicht zweefden. Ik ben archeoloog en ik heb veel resten van oude beschavingen gezien, maar ik reken de dag dat ik de piramiden zag tot een van de' – hij merkte niet dat hij in zijn enthousiasme weer in het Frans overging – *'des jours les plus extraordinaires de ma vie!'*

'Er moet een manier zijn om die piramiden naar Engeland te vervoeren!' zei George.

Pierre glimlachte even.

'Misschien kunnen ze maar het beste in de woestijn blijven, monsieur, waar ze horen.'

'In Egypte was de lucht net zo blauw als dit,' zei William langzaam, terwijl hij terugdacht. 'Ik was het vergeten.' En hij staarde opnieuw verbaasd naar de schilderijen.

Ze zwegen allemaal even, bijna alsof ze in een kerk waren. Dolly stond de hele tijd naast Pierre, ging waar hij ook ging. Ann beefde van verlangen naar een glas cognac voor de pijn in haar mond, maar ze kon zich toch niet losrukken van alle sieraden: veel goud, amethist, de meest ongewone stenen in felblauw, hangers, kettingen, kronen, en een uitzonderlijk fraai versierde blauwe ring, gezet in goud. Rose werd bijna gebiologeerd door het schrift dat ze zo goed had leren kennen: dezelfde vogels, vormen, dieren en figuren. Ze kon zich niet bedwingen, knielde neer om de tekens op een stuk steen van dichtbij te bekijken en streek met haar vingers over de tekst. Haastig maakte ze haar reticule open om haar bril te pakken. Ze schoof een beetje dichterbij, zag de havik, zag de kever duidelijk, vol concentratie (ze wist niet dat ze nu een beetje op de oude dame, juffrouw Constantia Proud leek, die altijd boeken leek te verslinden). Pierre Montand keek geboeid toe, hoorde haar in zichzelf zeggen: *Ze hebben hun leven opgeschreven. Ze proberen ons erover te vertellen.*

Hij knielde naast haar neer, toonde haar de hiërogliefen die in de steen waren gekerfd, en daarna het schijnbaar andere schrift dat met een soort ganzenveer en inkt op papyrus was gezet.

'Toen men met iets als een ganzenveer begon te schrijven, met iets als inkt, is het schrift waarschijnlijk veranderd,' zei hij, 'en is het uiteindelijk misschien het inheemse schrift geworden. Dan heet het *demotisch* en het staat op het middelste deel van de Steen van Rosetta.'

'Als een soort verbonden schrift?' zei ze, en hij keek haar aan en glimlachte. 'Zoiets,' zei hij, 'verbonden hiërogliefen misschien, vereenvoudigde hiërogliefen. Maar er zijn duizenden jaren voorbijgegaan sinds de hiërogliefen werden gebruikt en het verband van het gewone schrift met de hiërogliefen is absoluut niet duidelijk. Bekijkt u dit eens.' Hij hield een stenen beeldje omhoog van een zittende schrijver met een tablet op zijn knie.

'Monsieur Montand?' zei Dolly, en hij ging hoffelijk staan om haar vraag over de dieren te beantwoorden.

Rose draaide het beeldje steeds weer om, *de oude tijd die tegen ons spreekt*; het was haar wonderlijk te moede, alsof ze het wilde kussen. Ten slotte zette ze het met tegenzin weer op een tafel. Haar hoofd deed pijn. Ze zette haar bril langzaam af, sloot haar ogen. *Als ik toch eens naar Egypte kon gaan om de ontbrekende delen van de Steen van Rosetta te vinden...* Toen ze haar ogen weer opendeed viel haar blik op een afgebroken stenen gezicht in een kast. Een ondoorgrondelijk oog leek haar recht aan te kijken vanuit een wonderlijk eivormig hoofd. Het andere oog en een deel van de neus ontbraken, maar toch leek het beeld haar met een vreemde blik aan te kijken. Ze liep er langzaam naartoe, alsof ze erdoor werd aangetrokken. Ze bracht haar gezicht tot heel dicht bij het kapotte beeld, boog zich eroverheen en leek, zag Pierre, te zuchten. Later zou deze aanblik van haar Pierre altijd bijblijven.

George begon de Franse geleerde te ondervragen, hij wilde van alles weten en vroeg voortdurend naar alle plaatsen waar Pierre was geweest. 'Wilt u me zeggen dat ze er nog steeds zijn, ergens in Egypte, al deze vondsten die u of hebt meegenomen' – hij stond nu heel gretig met Ann naar de sieraden te kijken – 'of op deze prachtige schilderijen hebt laten afbeelden?'

'U zou ze zelf ook op kunnen halen, monsieur,' zei Pierre droog. 'Maar we hebben maanden- en jarenlang vele mijlen moeten reizen, met veel problemen, om zulke dingen te vinden. En u kunt geen hele tempels verplaatsen. Maar de dingen die we hebben gezien... Het was *incroyable! Magnifique!*' We hebben beelden gezien die vele, vele malen groter waren dan wijzelf. En graftomben van de oude farao's, diep onder de grond waar onze tekenaars en schilders dagen- en nachtenlang hebben gezeten. Veel van hun werk moest direct worden gedaan, in het zand en in de vreselijke hitte van de zon en soms tijdens zandstormen en gedurende de voortdurende strijd tegen de Arabieren en de Turken en de mammelukse beis, want we zijn met het leger meegetrokken.'

'Ik weet wat een mammelukse bei is,' riep Dolly opgewonden. 'Er was er een in het paleis van Napoleon!'

Pierre glimlachte naar haar, maar George zei: 'Sst, lieve Dolly,' en hij gebaarde Pierre verder te gaan.

'We moesten snel werken, onder afgrijselijke omstandigheden, maar toch heel zorgvuldig, zoals u kunt zien. Het is een langdurige en nauwgezette exercitie geweest,' benadrukte hij nogmaals, 'we zijn er bijna drie jaar geweest. Bijna alles wat we hebben kunnen vervoeren is of nu hier opgeslagen of door onze illustratoren gekopieerd. Of het bevindt zich thans in Engeland,' voegde hij eraan toe, met een somber gezicht. 'Zoals u weet, monsieur. In het bijzonder *la pierre de Rosette*.' Hij zweeg even, zo pijnlijk was dit voor hem, maar toen won zijn enthousiasme het weer. 'Wij, de *savants* van Napoleon, zijn wetenschappers, we leven en eten en slapen Egyptische oudheden, zoveel moois hebben we gezien en geleerd. We zijn – hoe is het Engelse woord ervoor? – behekst! Maar er resteren nog heel veel dingen en er zijn naar mijn mening nog heel veel schatten onontdekt gebleven.'

'Ik moet naar Egypte,' mompelde George, half tegen zichzelf.

'Maar om te begrijpen wat we hebben ontdekt, moeten we de sleutel tot de hiërogliefen zien te vinden,' ging Pierre verder, 'tot het schrift van het Oude Egypte. En het feit dat *wij* nu *la pierre de Rosette*' (hij sprak heel nadrukkelijk) 'hebben gevonden, betekent dat we voor de eerste keer hoop hebben. Ik was er erg van onder de indruk' – en Dolly zag hoe hij op een prachtige, buitenlandse manier naar Rose boog – 'dat uw schoonzuster de Griekse vertaling heeft gelezen. Ik denk dat het aantal Franse vrouwen dat dit heeft gedaan op de vingers van een hand te tellen is.'

'Monsieur, monsieur, ík zou het ook willen lezen! Ik zou het geweldig vinden om het te lezen, ik zou alles aanbidden wat u me liet zien!' Dolly was schaamteloos, maar wanhopig. Ze stond heel dicht naast Pierre Montand en het tweetal stak ver uit boven burggraaf Gawkroger uit Great Smith Street. George was zich hiervan bewust.

'Dolly!' zei hij scherp. Maar Dolly kon of wilde niet luisteren.

'Gaat u nog weer terug naar Egypte, monsieur Montand?' vroeg ze. 'Want dat moet toch wel het mooiste land ter wereld zijn, vindt u niet?'

Pierre schoot in de lach. 'Er zijn delen die zo mooi zijn dat je het nauwelijks kunt bevatten, mademoiselle Dolly. Als ik u eens kon vertellen van de sinaasappelplantages en de schitterende tuinen en de tarwevelden en de prachtige moskeeën!' Rose luisterde ademloos, ze herinnerde zich de verhalen van haar vader, zag zich in gedachten door de sinaasappelplantages lopen, verse dadels eten. 'Maar de steden zijn overbevolkt en er heerst veel *malaise*: de pest – de Nijl voert in sommige delen de dood met zich mee; rivierblindheid – in de tijd dat ik daar was zijn er veel Franse soldaten en ook Egyptenaren zelf aan dit soort dingen bezweken. En... ik denk dat de mensen niet blij zijn ons daar te hebben, ik geloof niet dat ze ons als vrienden beschouwen, hoewel dat wel Napoleons bedoeling was. Op de Middellandse Zee, onderweg naar Egypte, aan boord van *l'Orient* – hij wierp een snelle blik op George en William: iedereen wist van het laten zinken van Napoleons vlaggenschip *l'Orient* door Nelson bij de Slag aan de Nijl – 'las Napoleon de koran. Dat is zoiets als de Arabische bijbel,' verklaarde hij aan Dolly. 'Hij bewonderde de koran geweldig en 's avonds zaten we aan dek onder de sterren over godsdienst te discussiëren.' Pierre staarde naar een van de schilderijen, in gedachten verzonken. Toen vermande hij zich weer. 'Hij wist zelfs met enig geweld een drukpers met Arabische letters uit het Vaticaan te bemachtigen, zodat hij een Arabische krant kon drukken! In Caïro konden ze hun ogen niet geloven!' Hij eindigde kortaf: 'Maar ze zijn desalniettemin niet op ons gesteld. Ze zijn heel godsdienstig en hun godsdienst is heel verschillend van de onze.'

William onderbrak hem. 'Dat kunt u wel zeggen, monsieur! Ik ben ook in Egypte geweest. Al dat spookachtige geluid vanuit de moskeeën en dat belachelijke knielen en bidden, wel honderd keer per dag, net als wij die luie kerels weer aan het werk wilden krijgen!'

'Zoals ik zeg, monsieur,' herhaalde Pierre, en Rose hoorde iets kouds in zijn stem, 'zijn de mensen niet blij ons daar te hebben. En misschien hebben ze daar wel alle reden toe. Sommige soldaten – uit diverse landen – hebben zich in Egypte niet goed gedragen. Zeer tegen de Egyptische manieren in, feitelijk.'

Rose zag George een kleur krijgen. Hij ving haar blik op en ze keek snel de andere kant uit. *Het is natuurlijk alleen maar een samenloop van omstandigheden.* Maar ze dacht opnieuw aan Pierres stem in de Tuilerieën, de wonderlijke manier waarop hij haar had aangekeken: *Aha, de burggravin...*

'Om kort te gaan, mademoiselle Dolly, het is in veel opzichten een prachtige plek. Maar we hebben verschrikkelijke veldslagen moeten leveren op onze tocht door de woestijn naar Caïro, en het spijt me te moeten zeggen dat er veel beenderen van mijn landgenoten in het zand van die grote en vreselijke uitgestrektheid begraven liggen.' Hij wilde eraan toevoegen: *en in de wateren rond Alexandrië,* want Nelson had daar bijna de volledige Franse vloot vernietigd, niet alleen *l'Orient*, met het verlies van zoveel jonge Franse levens. Het gezicht van Pierre stond ernstig en niemand zei iets. Ze keken nu opeens wat ongemakkelijk naar de schatten waarvoor zo'n hoge prijs was betaald.

'Kom, Dolly,' zei de douairière plotseling op luide toon, waarmee ze de wonderlijke atmosfeer te midden van deze onschatbare antieke voorwerpen verbrak. 'Nu moeten we gaan. Ik wil graag dat jij me bij de arm neemt.' Rose zou hebben gezworen dat ze een glimp van iets blauws en flonkerends in de hand van de douairière opving. *Ik moet me vast vergissen.*

Dolly keek de douairière verbijsterd aan, bijna alsof ze in trance verkeerde. 'Gaan?' zei ze ongelovig.

De douairière richtte zich tot de Fransman. 'Dank u, meneer Montand, dat u me uw kleine schatten hebt willen tonen, en ook al worden ze wat overdreven opgehemeld, toch zijn ze heel interessant. Kom, Dolly,' zei ze, meer resoluut. Er trokken allerlei uitdrukkingen snel na elkaar over Dolly's gezicht.

William zei: 'Kom mee, Dolly.' En toen zakten Dolly's schouders en liep ze langzaam bij monsieur Montand vandaan, terwijl ze hem bleef aankijken.

Toen het groepje door de straat naar het wachtende rijtuig liep, met veel lawaai over de kapotte straatstenen, waarbij ze nog steeds hun bewondering uitten voor alles wat ze hadden gezien, wist Pierre Rose even apart te nemen. 'Madame, vergeeft u me mijn haast. Het is mijn grote wens u nog eens te ontmoeten. Er zijn... Er zijn dingen die ik u moet vertellen. Blijft u nog in Parijs?'

'We gaan naar Rome,' zei Rose zuur. 'Mijn schoonmoeder wil aan de paus worden voorgesteld, hoewel we natuurlijk allemaal in de anglicaanse kerk zijn gedoopt. Volgens mij heeft het niet zoveel met geloof te maken als wel met stand.'

'Juist ja,' zei hij bedenkelijk, misschien zonder het helemaal te begrijpen. 'Maar u komt hier terug?' Rose kon

Dolly in het rijtuig zien zitten tussen de douairière en George in, waarvandaan ze gespannen naar hen omkeek, Rose met haar blikken bijna dwong ook te vertrekken.

Rose draaide zich weer om naar Pierre Montand, en keek op naar zijn vriendelijke gezicht.

'Monsieur, ik heb het bijzonder plezierig gevonden u te ontmoeten. Ik zal nooit de aanblik van deze prachtige schatten kunnen vergeten en van de schitterende hiëro-gliefen die – u hebt geen idee hoe vaak ik daar in mijn leven aan heb gedacht – ik zo graag zou willen begrijpen. Maar we vertrekken morgen en ik... ik denk dat het beter is als wij elkaar niet meer ontmoeten.'

Hij was zo onthutst dat hij in het Frans overging. *'Mais pourquoi, madame? Je désire de vous voir encore une fois!'*

Ze keek weer naar het rijtuig, zag het bleke gezicht van Dolly, dat gekweld naar buiten staarde. Rose haalde diep adem. 'De situatie is, monsieur, dat mademoiselle Dolly erg... erg veel vreugde heeft beleefd aan het feit dat ze u heeft ontmoet.'

Hij keek verbaasd, wierp een snelle blik op het rijtuig waar hij Dolly zag staren, keek toen weer terug naar Rose. 'Ze is natuurlijk nog maar een kind.'

'Natuurlijk. Maar dat maakt geen verschil. Ze... ze wil dat u haar redt van een huwelijk dat haar niet welkom is.'

'Maar... *mon Dieu*... het is u, madame, die ik weer wil ontmoeten, het was natuurlijk om u dat ik uw familie heb ontvangen. U bent degene met wie ik wil spreken. U hebt zo'n bedroefd gezicht – tenzij u glimlacht. Ik denk dat u veel verdriet hebt gekend.'

Tot haar ontzetting (ze had in geen maanden gehuild) kreeg Rose tranen in haar ogen. Ze wendde snel haar blik af. 'Met mij gaat het heel goed, monsieur, dank u.'

'Rose!' riep George. 'We wachten op je!'

Ze draaide zich om en wilde gaan, maar Pierre greep haar bij de arm. Ze besefte dat het hele rijtuig toekeek: ten aanschouwen van iedereen pakte hij haar hand en drukte die tegen zijn lippen. Ze was ontzet. Dit was onvoorstelbaar. Ze wist hoe intens Dolly zat te kijken en te wachten, om nog maar te zwijgen van de douairière. Ze probeerde haar hand weg te trekken, maar dit lukte niet.

'Mademoiselle Dolly moet voor haar eigen bestwil begrijpen naar wie mijn belangstelling uitgaat,' zei hij, en hij kuste haar hand opnieuw heel uitvoerig. 'U kunt me hier vinden. Ik woon hier zo ongeveer. Ik moet met u praten, want ik denk dat ik iets van uw droefheid begrijp.' Hij hield haar hand nog steeds teder vast. *'Ecoutez-moi,'* zei hij tegen haar. 'We zijn met een paar mensen nog wat langer in Alexandrië gebleven – we zijn nog maar net terug, zoals ik u heb verteld. Ik... ik was zodoende aanwezig toen uw man werd... toen uw man stierf.' Ze begreep nu eindelijk dat *Aha, de burggravin.*

'Het geeft niet, monsieur Montand, u hoeft uw woorden niet te kiezen. Ik ben ervan op de hoogte dat hij niet als held is gestorven.'

Hij zuchtte even, en ze begreep dat hij opgelucht was. *'Bon.* U had natuurlijk niet verwacht dat wij het zouden weten, maar in een garnizoensstad blijft weinig geheim. Ik zou uiteraard niet zo onbeleefd zijn geweest dit aan u te vertellen, beslist niet, ware het niet dat...'

'Rose! Rose!' riep George, ditmaal heel boos. Hij keek alsof hij uit het rijtuig wilde stappen.

'Ware het niet, dat...?' zei Rose. Ze haastte zich niet. *George mag dit komen beluisteren als hij wil.* 'U zou dit misschien met mijn zwager moeten bespreken, niet met mij.

Hij weet het ook, maar heeft niettemin een portret met medailles van zijn broer in huis om aan het bezoek te tonen.' Ze veroorloofde zich een lachje. 'Zijn moeder, begrijpt u, is níét op de hoogte. Maar George zal ongetwijfeld uitermate belangstellend zijn om details te vernemen.'

'U mág uw zwager niet?'

'Inderdaad niet.'

'Daar ben ik blij om. Ik mag hem ook niet. Maar madame... Ik ben zeer onlangs daar vertrokken. Het kind was geboren.'

'Welk kind?' Ze keek hem niet-begrijpend aan.

Hij besefte onmiddellijk dat ze het niet wist, probeerde terug te krabbelen. Ze zag zijn gezicht. Ze staarde hem aan. 'Wat bedoelt u? Welk kind?'

'Ach... Vergeef me, madame... Om de een of andere reden verkeerde ik in de veronderstelling...'

'Welk kind?' Ze voelde zo'n hevige steek in haar hart dat ze nauwelijks adem kon halen. Ze moest zich opeens aan hem vastklampen, aan zijn arm, zijn schouder. Hij zag dat ze zou vallen, hield haar vast, sloeg zijn armen om haar heen.

'Welk kind?' huilde Rose. *Ze zag de handjes en de voetjes van haar eigen dode baby*. Ze probeerde met haar vuisten op zijn schouders te timmeren, alsof het zijn schuld was, terwijl de tranen over haar gezicht stroomden. 'Welk kind?' fluisterde ze.

Pierre hoorde eerder dan dat hij het zag dat George uit het rijtuig stapte. Hij haalde diep adem en sprak snel en zacht. 'Het spijt me heel erg. Ik veronderstelde gewoon dat u van het kind zou weten, als u op de hoogte was van de situatie rond de dood van uw man. Het was een meisje, als ze nu niet reeds ook dood is. Een Engelse koopman was erin geslaagd de moeder verborgen te houden tot de baby was geboren, maar... ach, *mon Dieu*, het was vreselijk... Er geldt geen enkele wet in Alexandrië nu de militairen daar zijn vertrokken. We konden het niet tegenhouden, ze waren vastbesloten... zowel de Turkse als de Egyptische families haalden de moeder uit het huis van de Engelsman en we zagen hoe ze voorbij werd gesleept, ze schreeuwde om hulp... We denken dat ze het op dat moment niet wisten... van *l'enfant*. Ach... *pardonnez-moi* – u zou dit niet van mij hebben moeten horen. Het was vreselijk... de arme vrouw... de steniging en het gegil en de gruwel van dit alles... en wij konden niets doen.' George liep kwaad naar hen toe. Voor hij iets kon zeggen verhief Pierre Montand zijn stem. 'En daarom vond ik dat u moest weten dat ik in Alexandrië was op de dag dat uw man stierf.'

George bleef pardoes staan, met stomheid geslagen. Zijn gezicht liep rood aan. Hij kon niets uitbrengen. Heel voorzichtig liet Pierre de armen van Rose los, hield één hand onder haar elleboog voor het geval ze zou vallen. Hij zei verder niets en Rose zei ook niets. Het drietal keek elkaar niet aan, maar kwam ook niet in beweging. De tranen droogden op het verbijsterde gezicht van Rose. De stilte duurde voort tot het heel pijnlijk werd: drie mensen die als standbeelden buiten voor de *Commission de l'Egypte* stonden en niets zeiden terwijl ze door vier mensen in een wachtend rijtuig nauwlettend werden gadegeslagen.

Ze werden gered door een dolle hond. (Veel later, weken later, kreeg Rose bijna de slappe lach als ze hieraan terugdacht.) De hond kwam grommend om de hoek van een klein gebouw. Hij rende naar de paarden van het rijtuig. De paarden steigerden, het rijtuig dreigde te kantelen. Ze hoorden gegil en Dolly tuimelde uit het rijtuig en toen William. Er begonnen mensen te hollen: George en Pierre renden naar het wankelende rijtuig. Opeens verscheen er vanuit een deuropening een soldaat met een oorlogswapen: een musketgeweer met bovenaan een bajonet voor man-tegen-mangevechten. Hij stortte zich op het rijtuig en stak naar de hond. Het woedende dier sprong op, gromde naar het gezicht van de soldaat en naar het musketgeweer. De held van dit alles was William. Op de een of andere manier wist hij de hond van achteren beet te grijpen en de nek woest rond te draaien, waarbij hij de bek van zich af hield. De mensen schreeuwden. *Schieten! Niet schieten! Schieten!* De soldaat slaagde er ten slotte in, ondanks de waarschuwende kreten van Ann, de punt van de bajonet in het hart van de hond te steken, zo ver mogelijk bij Williams handen vandaan. Toch kreeg William resten van de hond over zich heen en werd door Pierre Montand meegenomen naar een *pissoir* aan de achterzijde van de *Commission de l'Egypte*.

Deze gebeurtenis zorgde voor veel gepraat in het Gawkroger-rijtuig op de terugweg naar het hotel, waardoor het lijkbleke gezicht van Rose onopgemerkt bleef. Toen de douairière zich had hersteld van dit levensgevaarlijke incident en ze Rose verwijten wilde maken, kwam uitgerekend George haar te hulp. 'Monsieur Montand heeft Harry in Egypte gekend,' zei hij. 'Hij wilde daar met Rose over praten en haar condoleren. Dit was heel verdrietig voor haar.' Ze keerden terug naar het onderwerp van de dolle hond. Later, toen ze de binnenplaats van het hotel naderden, zei de douairière opeens heel verbitterd: 'Hij had míj moeten condoleren.'

Dolly bleef de hele rit naar haar handen in haar schoot kijken en zei niets.

Tijdens het diner in hun eigen eetzaal werden de plannen voor de reis naar Italië definitief gemaakt: de details werden besproken, de bedienden en kamermeisjes pakten alle spullen in. Tot grote afschuw en gêne van Rose droeg de douairière, heel schaamteloos, aan een van haar gerimpelde vingers de prachtige blauw met gouden Egyptische ring. Dolly was stil, weigerde Rose aan te kijken. George daarentegen probeerde voortdurend de blik van Rose te vangen. Het was duidelijk dat hij haar wilde spreken. En Rose probeerde alle gedachten die door haar hoofd tuimelden in bedwang te houden door terug te denken aan de felgekleurde schilderijen, aan de schatten en hiërogliefen die ze nu eindelijk met eigen ogen had kunnen zien. Maar de kreten in haar hoofd duurden voort: *EEN EGYPTISCHE DIE EEN KIND VAN HARRY HEEFT, EN IK NIET.* Ze wilde niet denken aan die steniging van de moeder in donkere steegjes, het gegil en de dood. Ze probeerde op te staan om van tafel te gaan, maar ze kon zich niet verroeren.

Ten slotte ging de douairière naar haar kamer. Ann volgde haar, terwijl ze omkeek naar haar man. Dolly ging ook meteen van tafel en verdween snel en stil door de lange, met kaarsen verlichte gang. George maakte een gebaar naar William toen die ook de eetzaal verliet en kwam toen snel naast Rose zitten voor zij ook kon vertrekken. Hij greep haar pols stevig vast, over de tafel heen. De harde, pijnlijke greep van zijn hand bracht haar weer bij haar positieven, alsof iemand haar een klap had gegeven. Ze keek hem koud aan, trok haar arm onmiddellijk weg en zei: 'Je moet je moeder beter in de gaten houden, George. Monsieur Montand zal die kostbare ring uiteraard missen.'

George veegde deze kwestie gewoon terzijde. 'Mijn moeder bezit heel veel sieraden, Rose. En, wat had die kerel te vertellen?'

'Hoe bedoel je?'

'Waarom was jij zo overstuur? Klampte je je zo ongepast aan hem vast, als een verlepte bloem? Je wist 't toch al?'

'Wat bedoel je?' vroeg ze weer, heel onnozel.

'Je weet hoe hij is gestorven. Dat was je verteld.' *Hij weet het niet.* Ze wist niet waarom dit belangrijk was, maar ze hield deze informatie instinctief voor zich. George keek haar onderzoekend aan. 'Er is geen... ander schandaal?'

Opnieuw zei ze: 'Hoe bedoel je?'

'Hij heeft niet iemand anders vermoord?'

'Monsieur Montand heeft daar niets over gezegd.'

'Dit... verhaal... moet de wereld uit. Er mag niets – niets – anders zijn dan een herinnering aan Harry als held.'

'Ik... ik wist dat Harry door een Arabier was gedood, maar... maar ik had het niet uit de eerste hand gehoord. Monsieur Montand was die dag in Alexandrië.'

Zelfs George keek ontzet. 'Heeft hij gezien hoe Harry werd vermoord?'

Er kwamen woorden uit haar mond. 'Dat heeft hij gezien... Ja, ja, hij heeft de Arabier gezien.' *Ze zag de dolle hond, die omhoogsprong.* 'En... en het mes. Het had een zilveren lemmet en het stak in zijn hart.'

George ging abrupt staan, riep meteen een bediende.

Er werd snel nog een fles wijn gebracht. George dronk zijn glas leeg, hield het op om het opnieuw te laten vullen, pakte toen de fles. *'Va t'en!'* zei hij scherp tegen de bediende. 'Ga weg!' Hij schonk het glas weer vol, dronk ervan. Hij kon nog steeds niets uitbrengen. Ze zag dat hij beefde. Hij kon dit niet verdragen. Ten slotte leunde hij achterover in zijn stoel en ze zag dat hij zich met veel inspanning moest vermannen. Hij deed zijn ogen even dicht. Toen deed hij ze weer open. Hij sprak kalm. 'Die oude vondsten waren verbijsterend, echt verbijsterend. William en ik vinden dat we naar Egypte moeten gaan. William heeft besloten dat er in dat land meer te zien valt dan hij had gedacht. Het leven was interessanter, zegt hij, toen we met Napoleon in oorlog waren en het is nogal tam om hem aan de arm van zijn vrouw te ontmoeten! Hij wil ontslag nemen uit de marine en dan maken we een reis naar Egypte. Ach... wat zou ik graag wat van die schatten in handen willen krijgen.'

Rose zei niets.

George schonk zich nog eens in en schoof de fles over de tafel naar Rose. Ze zag zijn afwezige verbazing toen ze wat in haar glas schonk en dit snel opdronk. 'Het maakt niets uit,' zei George. 'Het maakt niets uit dat een Franse avonturier het weet.' Hij had zichzelf weer volledig onder controle. Hij hief het glas naar Rose. 'Ik vind je korte haar leuk, Rose. Bij Dolly moet het er ook af. Drink op mijn gezondheid, *Rosetta mia*! Ik zal binnenkort naar het huwelijksaltaar worden geleid. Als een lam naar de slachtbank. Ach... als wij toch eens vrienden konden worden, jij en ik, als je mijn goede punten toch eens wilde zien. En' – hij was haar voor – 'begin me nou niet de les te lezen over Dolly... Je hebt altijd gewild dat ik ging trouwen.' Rose begreep dat hij niks van het gesprek met Pierre had verstaan. Net als hij deed ze haar uiterste best zichzelf onder controle te krijgen. Ze probeerde langzaam te spreken.

'George... als je nog enig gevoel bezit, kun je dit Dolly niet aandoen. Je zult haar hart breken... Zelfs jij kunt nu toch zien hoe ongelukkig ze is nu ze de plannen voor haar toekomst heeft gehoord.'

'Dolly is een toneelspeelster, Rose, zoals je zelf ook moet hebben gezien. Als het haar uitkomt er ongelukkig uit te zien, dan zal ze er ongelukkig uitzien.'

Rose negeerde zijn woorden. 'Ik kan me niet voorstellen wat William bezielt om zoiets zelfs maar te overwegen. Haar familie zal vast geen toestemming geven.'

George keek geamuseerd. Hij had zich volledig hersteld. Hij leegde zijn glas, kiepte de stoel waarop hij zat een eindje achterover en keek haar aan terwijl hij naar zijn snuiftabak tastte. 'Het is van immens belang dat ik in zo'n familie trouw. De familie Fallon heeft hier generaties lang naartoe gewerkt. Pas dan zal eindelijk – met dit huwelijk – onze naam worden geëerd, zal ons gedrag onze eigen zaak zijn. We zullen dan, geloof ik stellig, door de achterdeur naar binnen zijn geglipt en deel uitmaken van de *beau monde* waar mijn vader naar streefde. Mijn moeder was zijn stapsteen, Dolly zal de mijne zijn. Monsieur Montand is niet van belang. Harry zal worden herdacht als de charmeur die hij was – en daar kun jij in elk geval van getuigen! Wat de hertog van Torrence betreft, hij zal doen wat William voorstelt. William zal doen wat ik voorstel. Je zou kunnen zeggen dat ik de hertog van Torrence ben! Deel van *le beau monde*, de *crème de la crème* van de Engelse society!' Hij lachte. Rose zweeg. Hij schudde zijn hoofd terwijl hij haar aankeek. 'Wat begrijp jij toch weinig van deze tijd, *Rosetta mia*. Wat jij niet begrijpt is dat de tijden zijn veranderd. De hertog van Hawksfield mag dan neerbuigend tegen me doen, hij weet heel goed dat de familie Torrence me nodig heeft. Neem nou de hertog van Torrence: lui, alleen maar geïnteresseerd in vrouwen en kaarten, het grootste deel van het oude familiekapitaal heeft hij erdoorheen gejaagd, en zijn vader deed hetzelfde. Kijk nu eens naar de familie Fallon: mijn vader en mijn grootvader waren ijverige mannen, vol energie, en met geld, net als ik. De familie Torrence heeft behoefte aan nieuw bloed, ze hebben behoefte aan mijn ervaring en zakelijk inzicht, anders zullen ze binnen een generatie voorgoed ten onder gaan. De hertog van Hawksfield weet dit en William weet dit. Ze hebben me nodig, of misschien moet ik nog preciezer zeggen, want ik ben een realistisch mens zoals je weet, Rose, ze hebben mijn geld nodig, en de bank waarvan ik deel uitmaak.

Kijk eens naar die arme onnozele Dolly, die haar hoofd vult met belachelijke romannetjes die in elke uitleenbibliotheek of boekwinkel zijn te verkrijgen. Ze heeft een volstrekt onrealistische kijk op de wereld, schijnt in haar dagboek een beetje romantisch te fantaseren, als het inderdaad fantasie was, wat ik me afvraag. Zij heeft me ook nodig, om haar voor te bereiden op de wereld zoals die werkelijk is.' Hij werd ongeduldig door haar zwijgen. 'Keur jij het af dat Dolly op deze leeftijd gaat trouwen, of dat ze met mij gaat trouwen?' Ze zal maar een jaar jonger zijn dan jij toen je met Harry trouwde, en jij was een erg gelukkig bruidje, als ik het me goed herinner.'

'Dit is niet vroeger, George, dit is de nieuwe eeuw. Als Dolly het soort opvoeding had kunnen genieten dat mijn ouders mij hebben gegeven, was ze een heel ander meisje geweest. Dus doe niet zo minachtend over haar. Ze is nog steeds een kind en ze houdt niet van je en jij niet van haar. Het is wreed.'

'Doe niet zo belachelijk, Rose. Je ouders waren heel excentriek, als ik zo vrij mag zijn dit te zeggen, want vertel me eens eerlijk, wat voor nut heb jij nou van je zogenaamde opvoeding gehad toen je Harry eenmaal had?' Hij grijnsde. Ze keek naar haar glas. En schonk zich toen nog eens in. 'En liefde heeft heel weinig met trouwen te maken, in de kringen waarin ik me wil begeven. Dolly kan alle liefde krijgen die ze hebben wil, als ze de familie Fallon eenmaal een erfgenaam heeft bezorgd. Ze zal heel rijk zijn, dankzij mij, ze zal veel respect krijgen en ik zal een uitermate inschikkelijke echtgenoot zijn, dat verzeker ik je.' En toen glipte zijn glimlachende masker heel even weg. Hij boog zich naar haar toe en ze zag de onverholen, woeste ambitie die ze kende. 'Je weet er helemaal niets van, Rose. Je moet begrijpen dat ik uiteindelijk deel zal uitmaken van *le beau monde*, wat de prijs ook mag zijn. Jij stamt uit een totaal andere klasse en de morele opvattingen van jouw klasse zijn niet de morele opvattingen van Dolly's familie of van mijn familie. Dit is hoe de zaken worden geregeld in de wereld waarvan ik vastbesloten ben er deel van uit te maken, en binnenkort deel van zal uitmaken. Niets zal me tegen kunnen houden, zeker jij niet, met je gepraat over opvoeding of liefde.'

'Ik geloof... dat Harry uit liefde met me is getrouwd.' Haar stem trilde even. *Een Egyptische vrouw met een kind, en niet ik.* George gromde. Hij dronk uit de fles.

'Rose, voor eens en voor al: Harry was een charmeur. Harry kreeg altijd zijn zin. We waren dol op Harry... ja, zelfs ik. Hij kon me om zijn pink winden en hij wist het. Maar Harry wilde helemaal niet serieus doen over society en dergelijke, hij had het veel te druk met plezier maken. Ik, de jongere zoon, was altijd degene die de energie en het begrip had voor wat er nodig was. Je moet uiteindelijk toch hebben ingezien dat jouw antecedenten niets aan de familie Fallon konden bijdragen, en dat moet Harry natuurlijk ook hebben ingezien. Maar Harry kreeg zijn zin, en ik heb al heel lang beseft dat als Harry met jou trouwde, ik met Dolly zou moeten trouwen zodra ze oud genoeg was. Het was alsof onze posities binnen de familie per ongeluk werden omgekeerd. Natuurlijk keurde mijn moeder jou niet goed, maar ze kon Harry nooit iets weigeren. Harry trouwde met jou omdat hij altijd zijn zin wist te krijgen en als jij dat liefde wilt noemen, dan moet je dat maar doen. Je intrigeerde Harry: je vader was een marineheld en jij was zeventien en er was iets aan jou wat hij wilde, je... onschuld, en je *joie de vivre*, denk ik. Het is jammer dat je die hebt verloren.' George maakte de wijnfles leeg. 'Dus kreeg Harry jou, en kreeg jij ons, en ik... wij... krijgen Dolly. Je zou hier een beetje realistisch in moeten zijn. Wie zou er nu met Dolly willen trouwen als het niet om haar positie in de maatschappij was? Wie zou er willen dat zijn vrouw ver boven hem uitstak, tenzij ze veel geld bezit, wat bij Dolly niet het geval is. En ze heeft neiging tot hysterie, zoals we allemaal weten. Maar... ze is jong, en ze maakt deel uit van de familie Torrence. En ze weet dat ik haar niet zal slaan – tenzij ze me erom vraagt! – of haar onbemiddeld achter zal laten. Ze mag in haar handjes knijpen!'

Rose stond abrupt van de eettafel op. 'Ik zal met je mee naar Rome gaan, George, alleen omdat ik dat heb beloofd en ik als kind heb geleerd dat je een belofte nooit mag breken. Maar verder doe ik niet meer mee met de plannen van de familie Fallon.' Ze liep meteen de eetzaal uit en haastte zich door de brede, schemerige gang waar ze slechts Engelse mensen tegenkwam, maar ze spraken elkaar toch in het Frans aan: *bonsoir, bonsoir*. De woorden weergalmden in de verte. Ze ging snel haar kamer binnen en deed de deur achter zich dicht.

Bij het raam stond een elegante, blauw beklede stoel die paste bij het bed met de blauwe sprei en de blauwe hemel. Ze ging daar zitten, deed haar ogen dicht, toen weer open, en staarde naar beneden, naar de fakkels die de binnenplaats verlichtten. De geüniformeerde *portiers* en de *fiacres* en de koetsiers werden onrustig beschenen door het flakkerende licht. Iedereen zag er koud uit. De gasten in hun dure bontjassen riepen in het Engels naar elkaar. De paarden draafden over de keien naar buiten. Ze dacht dat ze regen langs de fakkels zag vallen. *Ik moet gewoon niet denken aan wat monsieur Montand me heeft verteld*. Maar nu ze alleen was tuimelden de gedachten door haar hoofd en lieten haar niet met rust. De mensen liepen langs haar deur, in de verte klonken lachsalvo's en ze zag zand, tulbanden en moskeeën en woede en felle kleuren in het zonlicht en een kind en stenen die steeds weer werden gegooid naar iets wat roerloos in het stof lag. *O lieve god*. Rose pakte snel haar Indiase omslagdoek en de kandelaar van naast haar bed en ze glipte terug door de schemerige gang. Er was nog een flakkerende lamp die een andere kamer binnenging, ze hoorde de zachte stem van een vrouw en gelach. Dolly's kamer was vlakbij. Ze wist dat Dolly pas over een klein jaar zestien zou worden. Ze moesten voor die tijd iets bedenken. Ze kon niet worden gedwongen met George Fallon te trouwen, met al zijn akelige ambities en plannen. Rose duwde de deur open en ging snel naar binnen. Het was donker in de kamer.

'Dolly?' Maar Dolly sliep.

Rose draaide zich opgelucht om, wilde gaan, maar er was in het flakkerende licht iets aan het bed dat haar aandacht trok. Het bed was opengeslagen en er stak een kussen onder het beddengoed uit.

'Dolly?' Het licht van de lamp viel op de grote rozenhouten kleerkast, de zware gordijnen, de wastafel met kan. Maar Dolly was er niet.

Heel even bleef Rose doodstil staan. Ze zag opnieuw Dolly's gezicht voor zich: in het rijtuig, tijdens het diner. *Ik heb niet genoeg aandacht aan haar besteed – natuurlijk heeft ze me met Pierre gezien, ze zal denken dat ik een rivale ben, ik had meteen naar haar toe moeten gaan!* Ze draaide zich snel om met de lamp in haar hand en haastte zich hijgend door de brede schemerige gang naar de kamer van George. Ze bleef niet staan om te kloppen, deed de deur open en liep haastig naar binnen, met de lamp voor zich uit, terwijl ze dringend om George riep. En toen bleef ze opeens stokstijf staan.

Het eerste moment dacht Rose dat Dolly bij George in het brede hemelbed lag – er lagen daar in elk geval twee mensen in het donker.

Maar toen ze haar lamp omhooghield, zag ze dat de andere persoon in het bed van George William was.

De twee mannen waren op een dusdanige manier verstrengeld dat ze, toen ze werden gestoord, elkaar moeilijk meteen los konden laten. En toen werd het heel stil in de kamer, op de hijgende ademhaling van drie mensen na, en een admiraalsdochter die begreep dat dit was wat koning

George III 'de schandelijke daad' noemde, die met ophanging werd bestraft.

George verbrak de stilte. 'En, Rose?' Hij hijgde nog steeds.

Ten slotte maakte ze een geluid. 'Dolly.'

'Wat?'

'Dolly,' herhaalde Rose onnozel.

'Wat is er met Dolly?'

Maar Rose kon niets uitbrengen. Ze draaide zich snel om en wilde de kamer uit gaan, terwijl het beeld van die twee mannen nog steeds voor haar ogen tolde. Daarna draaide ze zich met uiterste krachtsinspanning weer terug. 'Dolly is weg,' zei ze. Toen holde ze weg, waarbij de kaars in haar lamp flakkerde en ten slotte doofde, en haar omslagdoek afzakte, zodat een toevallige voorbijganger kon hebben geconcludeerd dat er een krankzinnige vrouw door de uitgestrekte schemerige gangen van Hotel de l'Empire in Parijs rende. In haar kamer trok ze wild de blauwe sprei van haar bed en sloeg deze over haar hoofd, alsof ze zo de wereld kon verlaten en ergens anders heen kon gaan.

Al snel liepen er meer mensen door de brede gangen. Er werd op deuren gebonsd, er klonken luide stemmen: *la jeune Anglaise* was verdwenen. Rose stak ten slotte een nieuwe kaars aan en liep heel langzaam naar de *salon de thé*, waar George en William – inmiddels aangekleed – en Ann en de douairière aanwezig waren. Ze voerden allen een luid en geagiteerd gesprek met de bedrijfsleider. De straten in Parijs waren 's nachts geen plaats waar Engelse jongedames veilig waren, net zomin als in Londen.

'Zorg dat je haar vindt!' riep de douairière gebiedend.

'De verloofde van mijn zoon zou nooit uit eigen beweging het hotel hebben verlaten. Er is ons voortdurend verteld hoe onveilig de straten van deze verwenste stad zijn geworden.' De bedrijfsleider keek heel verschrikt. 'Verwenst, zei ik. Verwenst. We geloven dat ze door een Fransman is ontvoerd. Ik zal de koning van Engeland hiervan op de hoogte stellen!'

'Moeder!' siste George. Maar hij keek Ann aan. 'Dus het verhaal in haar dagboek was wél waar?' Maar Ann zat letterlijk met haar gezicht in de handen, zoveel pijn had ze opeens aan haar tanden. Ze riep wanhopig om cognac, maar de bedrijfsleider hoorde het niet. Hij zwaaide met zijn armen om zich heen en gaf breedsprakig antwoord op alle beschuldigingen tegen zijn land.

George probeerde rustig te spreken. 'Er is een Franse *marquis* die achter haar aan zit,' fluisterde hij hees. 'Ze moet worden gevonden voordat...' Zijn gezicht gaf uitdrukking aan het onuitsprekelijke.

In alle consternatie zag niemand Rose weggaan. Buiten regende het nu hevig en de fakkels op de binnenplaats flakkerden en sisten, wierpen snel bewegende schaduwen. Er stond nog steeds een rommelige rij *fiacres* te wachten en Rose riep er een aan, dacht nauwelijks na bij wat ze deed, zei alleen maar: *'La Commission de l'Egypte'* tegen de koetsier, die geen antwoord gaf maar het paard met zijn zweep de duisternis in joeg. *Als hij een terrorist is en mij regelrecht naar de guillotine brengt, het zij zo.* Maar ze reden naar de rivier, waarbij het paard door de modder draafde, de regen op het dak van het koetsje kletterde en op de bank drupte. Rose merkte het niet. Er bewogen vage lichten in de regen, er waren Franse stemmen die in het donker lachten en schreeuwden, en bij de ingang van de Commission de l'Egypte brandde een vuurkorf wild terwijl de donkere regen omlaag kletterde op de keien waar Pierre haar had verteld over de baby, het meisje van wie de moeder was gestenigd. Haar hart bonsde hevig.

'Wacht hier!' riep Rose tegen de koetsier. '*Attendez-moi ici!*', toen ze uit de *fiacre* klauterde. Ze haalde diep adem en rende toen door de regen naar de deur van de Commission. Ze zag tot haar grote opluchting dat er nog licht brandde binnen en ze bonsde op de deur. Een Franse portier deed de deur van het slot, verbaasd alweer een hysterische Engelse vrouw te zien die naar monsieur Montand vroeg.

'Is Dolly hier?' vroeg Rose pardoes, terwijl de regen neerplensde, maar de portier verstond geen Engels.

'*Etes-vous une amie de la jeuneAnglaise?*'

'Ja,' zei Rose opgelucht. '*Oui!* Waar is ze? *Est-ce-qu'elle est toujours là?*'

'*Oui, oui, madame*', en alsof hij dit iedere avond deed, liet hij haar binnen, schoof de grendel zorgvuldig voor de deur en vergezelde de volgende ontredderde dame door de zaal vol archeologische vondsten, langs de schemerige beelden van Egypte, inclusief veel Egyptische katten die Rose aanstaarden met antieke ogen.

Ze hoorde Dolly's stem uit een dichte kamer komen. Ze huilde, smeekte. 'Alsjeblieft, Pierre, je moet naar me luisteren en me helpen. Ze zullen me dwingen met hem te trouwen, mijn leven zal geruïneerd zijn. Ik houd van je, ik zal alles doen, alles wat je maar wilt, mijn familie behoort tot de beste families van Engeland.' Rose kon het antwoord van Pierre niet verstaan, ze hoorde alleen maar het geluid van zijn stem, laag en brommend.

'Houd je soms van Rose?' huilde Dolly, en haar stem

steeg, werd hysterisch. 'Ik zag dat je haar hand kuste, ik zag dat je haar openlijk omhelsde! Je kunt niet met haar willen trouwen, ze is een oude weduwe! Ze heeft me beloofd een goed woordje voor mij bij jou te doen. Ze heeft me beloofd het aan je te vragen. Heeft ze het je gevraagd?'

Rose deed de deur open en liep naar binnen. De kaarsen in de kamer bewogen in de plotselinge tocht en beschenen schilderijen en papyrus. Er waren schildersezels, kleine obelisken, en een grote, afgebroken arm van een standbeeld. En overal kleuren en stenen, en de hiërogliefen, de verborgen taal.

Pierre Montand stond bij het raam, hij zag er gegeneerd en treurig uit. Dolly, die met roodbehuilde ogen vlak bij hem stond, was langer dan de kleine obelisken, zag Rose meteen.

'Waarom ben jíj hierheen gekomen?' riep ze verwilderd.

'Lieve Dolly,' – Rose leunde tegen de deur nadat ze hem had dichtgedaan, trok haar natte omslagdoek recht en probeerde haar bonzende hart te kalmeren. 'Lieve Dolly, je moet snel mee teruggaan naar Hotel de l'Empire. Iedereen zoekt je, ze zijn wanhopig, ze maken zich zorgen dat je door een Franse *marquis* bent ontvoerd. Er zijn soldaten op uitgestuurd om je te zoeken. Je moet meteen terugkomen.'

Maar Dolly ging zitten aan een van de tafeltjes die met antieke voorwerpen waren bedekt en barstte weer in tranen uit, luid huilend met haar hoofd achterover geworpen, als een toneelspeelster. Pierre zag dat ze op een stuk papyrus was gaan zitten en hij liep naar haar toe. Zij dacht dat hij was gekomen om haar te troosten en ze begon nog harder te huilen. Rose was opeens het liefst ook gaan zitten om een potje te huilen, maar ze zette alle gebeurtenissen van die dag die haar dreigden te overweldigen van zich af toen Dolly's kreten de kamer vulden. Ze zei onsamenhangend tegen Pierre: 'Ik heb te veel dingen aan mijn hoofd', liep toen snel door de kamer naar waar Dolly zat en sloeg haar in het gezicht. Dolly hield onmiddellijk op met huilen en keek Rose verbijsterd aan.

'We moeten terug, Dolly, iedereen zoekt je! Je moet meteen met me meegaan. We moeten op de een of andere manier dat huwelijk met George tegenhouden, maar we mogen monsieur Montand, die we nauwelijks kennen, niet bij onze problemen betrekken. Dat hoor je niet te doen. Ik bied u mijn excuses aan, monsieur, ik verzeker u dat we niet terug zullen komen.'

Hij begon te spreken maar ze duwde hem opzij. Ze pakte Dolly bij de arm en Dolly stond op, nog steeds met stomheid geslagen. 'Ik schaam me vreselijk voor alles wat er is gebeurd,' zei Rose over haar schouder terwijl ze Dolly door de kamer leidde en daarbij langs zuilen en papyrusrollen stapte, 'en ik zou u zeer erkentelijk zijn wanneer u deze hele dag – alles – volledig uit uw hoofd zou willen zetten.'

Pierre keek Rose aan, maar ze beantwoordde zijn blik niet. Toen de dames naar de deur liepen, zei hij: 'Mademoiselle Dolly.' Dolly draaide zich in de deuropening snel om. 'Het spijt me heel erg, mademoiselle, dat u zo... *triste*, zo ongelukkig bent gemaakt. Madame Rose heeft me verteld van uw... aanbod aan mij. U bent een erg mooi en intelligent meisje, en ook heel dapper, en eens zal een man zich heel gelukkig mogen prijzen u als zijn vrouw te hebben. Maar het is waar dat mijn hart ergens anders ligt.

Als er echter iets is waarmee ik u kan helpen...' Maar de vrouwen liepen al weg, met veel geritsel. Rose loodste Dolly door de lange gang, langs de schatten en de katten, naar buiten, de regen in en naar de wachtende *fiacre*.

Toen die ratelend wegreed, draaide de portier zich naar Pierre om en grinnikte: '*Quelle chance pour vous, monsieur Montand – elles sont belles!*' Maar Pierre liep met grote stappen terug naar zijn kantoor waar hij vaak tot laat zat te werken en deed de deur achter zich dicht.

Bij Hotel de l'Empire stonden soldaten in de regen, slechts half beschut door de zuilengang, te mopperen over het weer en het late uur, terwijl ze in het Frans schuine grappen maakten over *la jeune Anglaise*. Toen ze uitstapte, zei Rose resoluut: '*La jeune Anglaise est ici.*' Haastig dreef ze Dolly de stoep op, de hal in, waar de eerste die ze zagen een ontredderde William was die juist terug was van een zoektocht naar Dolly in de straten van Parijs. Hij wendde snel, gegeneerd, zijn blik van Rose af en nam Dolly meteen bij de arm, juist toen George naar hen toe kwam. George pakte Dolly's andere arm. 'Waar heb je gezeten?' siste hij toen ze haar naar binnen marcheerden. Rose keek hen na: William en George, met hun plannen en hun listen, en Dolly, langer dan een van hen, stevig tussen hen in. Rose draaide zich snel om, liep naar buiten, en in de anonimiteit van de donkere straatkeien deed ze iets wat ze nooit eerder in haar leven had gedaan: ze pakte in het openbaar een sigaartje uit haar tas. Voor ze ook maar had kunnen overwegen het aan te steken stond er een soldaat met een vuurtje naast haar. Ze merkte, maar trok zich er niets van aan, dat hij in zijn eigen taal over allerlei onuitsprekelijke zaken fluisterde.

Om diverse redenen was het Fallon- en Torrence-gezel-
schap dusdanig van de kaart dat ze meteen naar Londen
terugkeerden; de tocht naar Rome werd afgeblazen. Helaas moesten ze allemaal tezamen in één grote, publieke
chaise naar Calais reizen, er was in dit nieuwe Frankrijk
op zo'n korte termijn niets anders beschikbaar. Maar de
douairière wilde geen seconde langer blijven. Gedurende
de ongemakkelijke, overvolle tocht helemaal terug naar
de kust, dag en nacht, langs de kerken zonder dak en de
geplunderde villa's, de keurige boerderijen en de starende
kinderen, sprak de douairière burggravin Gawkroger
slechts eenmaal. Op onheilspellende toon (voor het gemak vergetend dat Dolly ooit in een donkere hoek van
Windsor Castle op een drol had getrapt) verklaarde ze
tegenover het gehele gezelschap reizigers: 'Geen lid van
een familie aan wie een smet van schandaal en onfatsoen
kleeft, wordt aan het hof van Zijne Majesteit Koning
George de Derde ontvangen.' Verder zei de douairière
helemaal niets tegen Dolly of Rose, zei Rose niets tegen
George en William, zei Dolly helemaal niets tegen wie
dan ook. Ann probeerde voortdurend manieren te vinden
om in het openbaar cognac te drinken tegen de pijn in
haar tanden. Rose, die zich moest beheersen om niet op
een vreselijke manier de slappe lach te krijgen toen de
douairière het over 'schande' had – zal ik dit moment
aangrijpen om haar over haar Egyptische kleinkind te
vertellen? – staarde naar buiten, naar het Franse platte-
land terwijl het rijtuig misselijkmakend naar Calais stuiterde en slingerde. Haar gedachten waren ondraaglijk
onrustig. Ze verlangde hevig naar een sigaar om op te steken. Ze zag in gedachten de Egyptische schilderijen, en
die gingen over in George en William, een blauw met

gouden ring, een kind, Pierre Montand, Dolly, een dode vrouw in het zand, terwijl de koets verder ratelde en slingerde. En toen, eindelijk, lachte ze echt hardop en hoorde ze zichzelf, bij wijze van verklaring omdat iedereen in de postkoets haar aanstaarde, spreken.

'Parijs is in het voorjaar echt betoverend,' zei Rose Fallon.

Vijftien

ose stichtte brand in haar roze hemelbed in Wimpole Street.

Ze was met een schok wakker geworden. Ze had van een kind gedroomd, of was het Dolly? Of waren het de met elkaar verstrengelde lichamen van haar zwager en George? Haar hart bonsde zo hevig dat ze uit bed sprong, terwijl de opium door haar hoofd kringelde. Langzaam stak ze een sigaar op, langzaam wachtte ze tot die vreemde hartkloppingen weer ophielden, langzaam klom ze weer tussen de roze gordijnen. Naast haar bed lag een van de oude atlassen van haar vader. Ze sloeg het boek open en bekeek de reis over het land en over de zee. Ze deed dit uitsluitend in de privacy van haar slaapkamer, waar niemand, zelfs niet de alwetende Mattie, haar kon zien. De sigarenrook kringelde omhoog. Ze besefte haar eigen dwaasheid. Ze had zo graag een kind gewild en de informatie van de Fransman had haar hoofd vervuld van dromen en verlangens, en van de romantiek van haar vaders verhalen. Ze droomde van palmbomen en rozen en een kind en de Nijl. Ze droomde van Rosetta.

Toen was Mattie bezig haar uit bed te trekken, terwijl ze met natte handdoeken tegen de rook sloeg. De gordijnen van het bed waren danig verschroeid, roze was bruin geworden. Mattie wapperde nog meer met de handdoeken, goot water.

'We zouden natuurlijk gewoon kunnen gaan,' zei ze. 'Cornelius Brown is daar ergens.'

'Waarheen?'

'Naar Egypte,' zei Mattie. 'Ik weet wat je denkt.'

'Dat is belachelijk,' zei Rose.

'Bekijk het maar,' zei Mattie, terwijl ze de atlas oppakte. 'Steek jezelf gerust in brand, als je daar behoefte aan hebt, maar laat het huis van de burggraaf alsjeblieft niet in vlammen opgaan als ik erin lig te slapen.'

Rose kreeg een brief uit Frankrijk.

Madame de burggravin,

Het spijt me bijzonder dat ik u in Parijs zo'n schok heb bezorgd en ik wil u hierbij mijn verontschuldigingen aanbieden, zowel voor mijn domheid als voor mijn onbegrip ten aanzien van mijn kennis van de situatie.

Ik kan het slechts aldus verklaren. Zoals ik u heb verteld waren we nog maar net uit Alexandrië teruggekeerd. Ik heb op mijn reizen veel mannen gedood zien worden, madame, iets wat alle soldaten zo goed mogelijk moeten zien te verwerken. Maar om een jonge vrouw voor mijn ogen ter dood gebracht zien worden als gevolg van steniging door haar eigen volk – en zonder daar iets tegen te kunnen doen – dat vond ik heel moeilijk te verwerken. Dit was echter niet voldoende reden om u met dit hele verhaal lastig te vallen, madame.

Ik hoop dat we elkaar nog eens zullen ontmoeten en dat ik mag weten dat u het hebt begrepen.

Ik hoop tevens dat de problemen met mademoiselle Dolly zijn opgelost.

A bientôt, burggravin.

Pierre Montand

Rose antwoordde:

Geachte monsieur Montand,

De gebeurtenissen waarover u me vertelde waren uiteindelijk niet uw schuld. Ik begrijp dat men de brenger van het nieuws niets kwalijk kan nemen. Dank voor uw brief, monsieur.

Rose Fallon

De familie Torrence, burggraaf Gawkroger – feitelijk de hele Londense society – was uit Londen weg geweest, want niemand van enig niveau (dit was algemeen bekend) bleef gedurende de zomer in Londen. Rose Fallon was desalniettemin de hele zomer in Londen gebleven, want ze verhuisde, ging weg uit Wimpole Street. Mattie en de oude marineheren hadden de bovenverdieping te huur gevonden van een huis in South Molton Street, vlak bij Brook Street waar ze was opgegroeid. De oude heren van de marine waren tevreden omdat juffrouw Constantia Proud, de eigenares van het huis, bij hen beiden bekend was (ze was de zuster van enkele marinekapiteins) en omdat zij heel blij was de helft van haar huis te kunnen verhuren aan de dochter – die ze meende te kennen – van wijlen admiraal Hall.

'Juffrouw Proud? Juffrouw Constantia Proud? Maar

natuurlijk ken ik haar, ze is ooit in de bibliotheek op Hanover Square opgesloten omdat ze zat te lezen en de tijd was vergeten!'

'Dat is dan geregeld,' zeiden de oude heren tevreden. 'Ze is een geweldige vrouw. En heel dapper. Ze heeft haar verloofde verloren toen ze jong was. Heel droevig.' Maar verder vertelden ze niets.

Rose ging op bezoek bij juffrouw Constantia Proud. Ze stak Oxford Street over, liep door haar geliefde Hanover Square, waar de bladeren aan de bomen begonnen te verkleuren – daar had je de oude bakkerij, daar was de bibliotheek waar Fanny Horatio Harbottom had ontmoet, daar was het huis waar Händel had gewoond. Rose hoorde de straatgeluiden uit haar jeugd, nog net zo'n kakofonie als vroeger, met het geschreeuw van straatventers en scharensliepen, het geratel van koetsen en de kreten van de koetsiers. Ze voelde een steek in haar hart toen ze langs het oude huis van haar ouders kwam. Ze liep resoluut verder. Van een kar in de straat ving ze de frisse, warme geur van sinaasappels op voor ze werd belaagd door de stank van rotte vis, vermengd met paardenmest. Ergens stond een man vreselijk vals te zingen. Ergens anders klonk het geluid van een klavecimbel. Rose hoorde en bezag alles vol vreugde.

Juffrouw Proud serveerde thee, praatte met Rose over haar ouders en sprak haar vreugde uit over het feit dat Rose haar huurster zou worden. Juffrouw Proud droeg de witte muts van oude of ongehuwde dames, maar ze leek net zo oud als jaren geleden, en al haar kamers puilden uit van de boeken, kranten en tijdschriften, alsof ze zelf een bibliotheek was geworden. In haar zitkamer lagen vier verschillende brillen. In het bovenste deel van het huis viel de najaarszon door de ramen naar binnen, en de geur van vers brood die uit South Molton Street opsteeg vormde meer dan voldoende compensatie voor de stank van afval en andere zaken die zich in de goten bevonden.

In South Molton Street was ruimte voor de vijftien jaar oude Dolly. Rose dacht terug aan Dolly's gezicht in Parijs, toen ze haar lot had vernomen. Ze schreef haar enkele onschuldig ogende brieven, waarin stond dat ze elkaar gauw weer eens moesten ontmoeten. Er kwam geen antwoord, maar Rose maakte toch plannen. South Molton Street kon een toevluchtsoord voor Dolly worden. Er gingen allerlei nerveuze gedachten door haar hoofd: *Zou ik George zo kunnen chanteren dat hij haar laat gaan?*

's Avonds liep ze door haar slaapkamer te ijsberen en probeerde zelfs (ze was liever doodgegaan dan dit aan iemand te bekennen) een toespraak te oefenen: *George, ik moet je iets zeggen... George, ik wil een onderwerp ter sprake brengen dat ik heel moeilijk vind om aan te snijden... Het is niet aan mij om te oordelen, George...* Vaak waren haar wangen rood van schaamte, zelfs in de beslotenheid van haar eigen kamer, zo'n afkeer voelde ze jegens deze rol. Ze kon het proberen met: *George, Harry heeft in Egypte een kind...* Maar misschien kon hem dat helemaal niets schelen. Er moest echter iets worden gedaan voor Dolly.

Rose en Mattie waren bezig de laatste kleren in te pakken toen de huisknecht aankondigde dat burggraaf Gawkroger in de blauwe salon wachtte (waar het meubilair al met witte lakens was afgedekt in verband met de verhuizing van de volgende dag). Ze vond het vreemd dat George altijd zo onverwacht kwam, ongenood, 's avonds, alsof hij het soort mens was dat in duisternis wandelde.

Er was niets dat Mattie niet wist. 'Wees voorzichtig, juffrouw Rose,' zei Mattie, met strakke lippen.

Rose liep langzaam naar beneden, bestelde koffie. Toen ze George zag, voelde ze een onaangename steek in haar maag. Hoewel er vele weken waren verstreken sinds hun overhaaste vertrek uit Parijs, was hij toch vaak in haar gedachten geweest.

'Goedenavond, George.'

'Goedenavond, Rose.'

'Maakt je moeder het goed?'

'Heel goed, dank je. Een uiterst interessante zomer op het land.' Ze keek hem zwijgend aan. Hij keek in de kamer om zich heen. 'Zo, Rose, dus jij verlaat Wimpole Street ten slotte.'

'Zoals je ziet. Ik ben je erkentelijk voor de tijd die je me hebt gegeven om mijn plannen te maken. Wil je even gaan zitten?' Ze verwijderde de witte lakens van de sofa en de stoel met de hoge rug.

'Waar ga je naartoe?'

'Vlak bij mijn ouderlijk huis in Brook Street.'

'Dus wel iets mindere stand.' Hij snoof even, net zoals de douairière dat deed als ze iets afkeurde. 'Dit heeft geen positieve uitstraling op de familie Fallon. Men zal denken dat wij ons niet genoeg om jou bekommeren. Je draagt nog steeds onze naam.'

'Ik hoop dat je nooit redenen zult hebben te vinden dat ik de familienaam te schande maak,' zei ze, en als hij de ironie in haar stem al had gehoord, gaf hij er geen commentaar op. Geen van beiden ging zitten en geen van beiden zei even iets. *Ik zal het nu moeten doen!* Rose voelde haar hart bonzen. Voor ze tijd had om erover na te denken haalde ze diep adem. 'George, ik maak me los van zowel de steun als de invloed van de familie Fallon. Ik wens geen enkele financiële regeling, hoe dan ook. Ik wens niets te maken te hebben met of me te bemoeien met of een oordeel uit te spreken over jullie leven in de toekomst, en ik hoop dat jullie er ten aanzien van mij net zo over zullen denken. Harry's dood heeft alle banden die ons verenigden doorgesneden.' Ze hoorde haar eigen ademhaling, zag het ondoorgrondelijke gezicht van George. 'Echter.' Ze haalde opnieuw diep adem, alsof ze onder water was geweest. 'Ik heb nog één ding te zeggen voor wij uit elkaar gaan. Als jij doorgaat met dat monsterlijke plan om een meisje van vijftien, dat niet van je houdt, te dwingen met jou te trouwen, dan zal ik dat proberen te voorkomen' – er verschenen twee vurige blossen op haar wangen – 'op alle manieren waartoe ik in staat ben.' Ze stond hem met geheven hoofd aan te kijken, in het besef dat ze bloosde.

'Is dat zo, *Rosetta mia*?' Ze zag dat hij glimlachte. 'En hoe zou jij me daar dan wel van willen weerhouden?'

De koffie werd binnengebracht. Rose zag dat Mattie, heel ongebruikelijk, deze taak zelf op zich had genomen en dat ze George woest aankeek. George slenterde naar het raam, keek naar buiten, de duisternis in. Geen van hen zei iets tot Maggie was verdwenen, en toen draaide hij zich om.

'En, *Rosetta mia*?'

Ze schonk de koffie in de vergulde kopjes. Hij pakte een kopje van haar aan en ging ten slotte op de sofa zitten, vergetend dat deze zachter was dan hij eruitzag. De koffie klotste over de rand. Hij zette zijn kopje neer, veegde nijdig zijn kleren af. 'Werkelijk, mijn beste! Je hoort de koffie aan de mannen over te laten. Op de een of andere manier geeft koffie geen pas in de salon van een dame.'

Ze keek hem nog steeds strak aan. Omwille van Dolly moest ze de overhand zien te houden. Ze slikte moeizaam en begon opnieuw, waarbij ze meteen in het diepe sprong. 'Deze kwestie zou heel moeilijk kunnen zijn voor William,' ging ze koppig verder. 'Ik ben de dochter van een admiraal. Het is mij bekend dat in het bijzonder bij Zijne Majesteits Marine deze... kwestie... als een grote... schanddaad wordt beschouwd.'

George wilde kalm en indrukwekkend overeind komen. De zachte bank maakte echter dat dit enigszins stuntelig leek en dat besefte hij. Hij liep zwijgend langs de rij voorouders aan de muur. Met zijn rug naar haar toe zei hij: 'Denk nimmer, maar dan ook nimmer, dat je je met mij kunt bemoeien, Rose, want ik bezit meer macht dan jij en dit zal altijd zo blijven.' Daarna draaide hij zich om. 'Je bent helaas te laat. Je had haar meteen mee moeten nemen zodra we in Londen terug waren, als dat je grootste wens was. Dolly en ik zijn in een besloten plechtigheid getrouwd, twee dagen na onze terugkeer uit Parijs. William, Ann, mijn moeder en de hertog van Hawksfield waren erbij aanwezig. Mijn moeder en ik zijn al naar Berkeley Square verhuisd. Het huis op Berkeley Square was in het bezit van wijlen lady Torrence, en met steun van de hertog van Hawksfield maakte het deel uit van Dolly's bruidsschat, dus nu is het van mij. De anderen mogen er natuurlijk blijven wonen, maar het is van mij!' Hij grijnsde, hij kon zijn triomf niet verbergen. 'Je moet eens langskomen, mijn waarde! Ik laat het volledig renoveren! En we zijn al bezig een landhuis te laten bouwen op grond die ik uit het Torrence-bezit heb verworven en dat zal Gawkroger Hall worden, niet een koopmanshuis in Great Smith Street.' Ze hoorde duidelijk de onverholen voldoening in zijn stem. 'Heb je daar iets op te zeggen?'

Toen liep hij heel dicht naar haar toe. Hij glimlachte nu niet, helemaal niet. Hij straalde slechts dreiging uit. 'Luister Rose, luister heel goed naar me,' zei hij zacht. 'Aangezien jij vastbesloten lijkt je ongevraagd met mijn leven te bemoeien, zijn er toch een paar dingen die je moet weten, want ik heb je al vaak verteld dat ik absoluut niet zal toestaan dat er ook maar iets tussen mij en mijn plannen komt. Om te beginnen geloof ik dat jij tot de ontdekking zult komen dat dit soort kleinigheden van geen enkel belang is in Frankrijk, dat een veel wereldser land is dan het onze en waar de wetten als gevolg van de revolutie enige tijd geleden zijn veranderd. Verder zijn er veel te veel kapiteins en niet genoeg schepen. William heeft ontslag genomen bij de marine. Hij en ik maken plannen om naar Egypte te reizen – dat wil zeggen zodra Dolly en Ann' – hij zweeg even delicaat – '*enceinte* zijn, een punt dat op dit moment mijn volledige aandacht krijgt, dat kan ik je verzekeren, aangezien we moeilijk kunnen vertrekken zonder ons van een stel erfgenamen te hebben verzekerd!' En al die tijd sprak hij op dezelfde onheilspellende toon, alsof er nog iets ging komen. 'En op dit moment, *Rosetta mia*, weten we onze tijd gezelliger te besteden dan ik me ooit had voorgesteld, want ik heb William heel duidelijk gemaakt dat hij tijd aan dezelfde activiteit moet spenderen, iets waar Ann heel dankbaar voor is. We zullen hen voor de duur van hun zwangerschap en het ter wereld brengen van erfgenamen voor de familie Fallon en Torrence achterlaten onder de hoede van mijn moeder, zodat William en ik met onze avonturen op zoek naar oudheden kunnen beginnen. Voor dit doel heb ik contact opgenomen met jouw bewonderaar, monsieur Montand, die ons ongetwijfeld verdere informatie kan verschaffen.

In de derde plaats...' Hij zweeg even en keek haar strak aan. Ze zette zich schrap voor wat er ging komen. 'In de derde plaats heeft jouw uitzonderlijke gesprek met mij, deze middag, mij ervan overtuigd, *Rosetta mia*, dat je ziek bent. Vrouwen die weduwe zijn geworden, zijn vaak ziek wanneer hun' – hij zweeg subtiel – 'huiselijk geluk, zullen we het zo noemen? hun op zo'n droevige wijze wordt ontnomen. Ze kunnen het huiselijke geluk van anderen niet verdragen, en ik heb veel huiselijk geluk, Rose, wat je misschien zal verbazen, maar wat je ongetwijfeld zal interesseren.' Hij bracht zijn gezicht tot vlak bij het hare, bijna alsof hij haar wilde kussen. Ze rook zijn adem, bedwong zich om zich niet af te wenden. 'Ja, dit zal je beslist interesseren. Die onschuldige kleine Dolly van jou heeft verbazingwekkend veel tijd doorgebracht tussen de boeken van lord Torrence, waarvan er veel, om zo te zeggen, een ongewone inhoud hebben. En ze wist veel meer van "huiselijk geluk" dan ik verwachtte. Heel veel meer.' Hij gleed opeens met zijn tong langs zijn lippen. 'Ik zal hier vast niet over hoeven uit te weiden, jij weet natuurlijk wat je mist. Mijn broer heeft me verslag uitgebracht van de vele zaken die hij je heeft geleerd, de verrukkingen die jullie hebben gedeeld. En het is natuurlijk het gemis daaraan dat jou ziek maakt. De "ouwevrijstershysterie" wordt dit genoemd, want jij bent nu eigenlijk ook een oude vrijster – een oude vrijster echter met herinneringen die haar ongetwijfeld kwellen. Dus mocht dit verhaal van jou ooit ergens worden vernomen, dan zal ik mijn arts opdracht geven jou zorgvuldig te onderzoeken, als lid van mijn gezin. Ik zal hem zeggen dat jij last hebt van koortsige dromen. Ik zal hem eveneens zeggen dat je altijd al over... hoe moet ik het noemen?... een sterke fantasie hebt beschikt. En ik zal hem in het bijzonder vertellen... waarbij ik opnieuw moet benadrukken dat ik altijd de vertrouweling van mijn broer ben geweest... dat jij voor een vrouw over een morbide belangstelling beschikt voor' – eindelijk glimlachte hij weer – 'zaken van... fysieke aard. En naar nu blijkt zowel van die van andere mensen als van die van jezelf!'

Als Rose eerder al had gebloosd, dan was ze nu vuurrood.

'Ik geloof dat er een aantal vrouwen zoals jij wordt vastgehouden in' – hij zweeg betekenisvol – 'geschikte instellingen. Het is een ziekte, weet je. Ik heb toevallig van een van de opzichters in Bedlam gehoord dat hartstocht bij een vrouw gevaarlijk kan zijn, en dat onbevredigde hartstocht tot een betreurenswaardige toestand van krankzinnigheid kan leiden. Ben jij ooit in Bedlam geweest? Nee, misschien niet. Nou, je moet er eens gaan kijken, Rose. Je zult het heel informatief vinden. Er zijn veel vrouwen zoals jij, ze slaan wanhopig op hun lichaam en op hun geslachtsdelen, die voor het bezoek te zien zijn.'

George Fallon, burggraaf Gawkroger, boog naar zijn schoonzuster en verliet de lange blauwe kamer waar zijn voorouders, net als Rose, hem met ongeloof en ontzetting hadden aangehoord. Of misschien, wat de portretten betrof, aangezien ze voorouders van George Fallon waren, met ranzige belangstelling. Wie zal het zeggen?

Nog geen kwartier later galmde de bel van de buitendeur opnieuw door het huis in Wimpole Street. De gesmoorde stem van Rose klonk door de afgesloten deur van haar kamer naar waar Mattie in de hal stond.

'Ik ben niet thuis. Zeg tegen het personeel dat ik voor niemand thuis ben, helemaal niemand.' Even later klopte Mattie op haar deur.

'Ga weg.'

'Er zit iemand op u te wachten, juffrouw Rose.'

'Het is al laat. Ik ben er niet, dat heb ik je toch gezegd.'

'Ik denk dat u voor dit bezoek wel thuis bent,' riep Mattie resoluut, en Rose hoorde haar voetstappen teruggaan door de hal.

Het is vast Dolly! Natuurlijk, het moest Dolly zijn. Rose waste snel haar gezicht, borstelde haar haar, probeerde George en zijn schokkende woorden van zich af te zetten. Ze liep langzaam naar beneden, *arme, arme Dolly, al met George getrouwd*, en deed de deur naar de blauwe kamer open. Ze zag het haar het eerste: een roodharige vrouw die de portretten aan de muur stond te bekijken.

Ze bleef stokstijf staan, kon haar ogen niet geloven. 'Fanny?' fluisterde ze.

Haar nicht hoorde haar en draaide zich om.

'Fanny!' riep Rose, en ze stortte zich pardoes in Fanny's armen. Zo bleven ze een poosje staan, elkaar omhelzend. Rose kon het nog steeds niet geloven, ze lachte en huilde tegelijk. Ten slotte maakte ze zich los, maar ze bleef Fanny's armen vasthouden, keek haar in het gezicht.

'O Fanny!' was alles wat ze kon uitbrengen.

Pas toen hoorde ze nog een geluid. Er werd iets wakker. 'Mama,' klonk het slaperig, 'is mijn tante al gekomen?'

Op de sofa die George Fallon veel te zacht vond, ging

een klein meisje langzaam rechtop zitten, terwijl ze aan haar rode haar trok. Ze zag Rose. Ze fronste even haar wenkbrauwen, maar herinnerde zich toen de woorden die ze had geoefend en zei keurig: 'Ik vind het heel leuk u te ontmoeten, tante Rose.'

Rose keek het roodharige meisje aan. 'O,' zei ze. Toen liep ze langzaam naar de sofa terwijl ze bleef kijken, en ging in de stoel met de hoge rugleuning zitten. 'Ik dacht even dat je mama weer kind was geworden.' Ze bleef nog even staren, zich heel erg bewust van haar lege armen. 'Hoe heet je?' vroeg ze ten slotte vriendelijk.

'Jane,' zei het meisje verlegen.

'Ik ben heel blij je te ontmoeten, Jane,' zei Rose. 'Hoe oud ben je?'

Het meisje gaf geen antwoord. Ze keek naar haar schoenen.

'Je hoort tegen tante Rose te zeggen dat je bijna vijf jaar bent, en dat je een broertje hebt, Janey,' zei Fanny vanaf de andere kant van de kamer, 'die vijf en driekwart is.'

'Bijna vijf, en ik heb een broertje,' mompelde Jane, zonder Rose aan te kijken.

'Hoe heet hij?'

'Horatio.'

'Net als je papa ?'

'Ja.' Ze bekeek een strikje op haar schoen.

'O Fanny!' zei Rose, en ze keek haar nichtje weer aan. 'Ik kan niet bedenken wie ter wereld ik liever had gezien dan jij. En dan ook nog eens deze kleine versie van jou!'

'Je gaat verhuizen, zei Mattie – ze heeft me heel veel nieuws verteld. We besloten je nog even... wat rust te gunnen.'

Rose maakte even een geluid – van boosheid of van schaamte? Fanny kon het niet zeggen. 'Het spijt me, lieve Fanny. Ik heb zojuist een... een uiterst onaangenaam gesprek met mijn vreselijke zwager gevoerd.'

'Mattie heeft me zolang beziggehouden. We hadden veel herinneringen op te halen: we hebben het over Brook Street en over *la belle France* en over Hanover Square gehad, en over van alles en nog wat – inclusief haar man, die ze nog steeds wil gaan zoeken!' En beide vrouwen zeiden tegelijk: 'Cornelius Brown!' Jane staarde hen aan.

'Ze heeft gehoord dat hij misschien naar Egypte is gegaan!' zei Rose. 'Maar ze schijnt hem niet terug te willen hebben. Ze wil hem alleen maar op zijn gezicht timmeren omdat hij zich zo slecht heeft gedragen!' De beide nichtjes schoten in de lach alsof ze nooit bij elkaar vandaan waren geweest. 'En ze heeft je vast verteld dat we een prachtig nieuw onderkomen hebben gevonden in South Molton Street, vlak bij Brook Street!' De schok over het bezoek van George begon te verbleken, het begon op een nachtmerrie te lijken.

'Ik moest naar Londen om wat dringende zaken voor papa te regelen,' zei Fanny. 'We zijn zojuist gearriveerd. Zelfs Horatio moest ermee instemmen dat ik naar deze poel des verderfs die Londen is moest reizen, omdat het financiën betreft. Papa heeft aan Horatio laten doorschemeren dat er wellicht wat profijt voor hem uit kan voortvloeien! Dus ben ik hier nu! Ik had geen tijd om te schrijven, maar zouden we een paar dagen met jou mee naar South Molton Street kunnen?'

'Natuurlijk!' zei Rose, glimlachend naar Fanny en Jane.

De nichtjes bleven de hele nacht praten, letterlijk de hele

nacht, ze gingen niet naar bed. Ze probeerden Jane in het geblakerde bed van Rose te slapen te leggen. 'Het staat in brand!' riep Jane, en ze vluchtte naar haar moeder.

'Ik heb een klein ongelukje gehad,' zei Rose bedremmeld. 'Het staat nu niet meer in brand.' En Fanny wiegde haar dochter en vertelde Rose over haar familie in India. Ten slotte viel Jane Harbottom, bijna vijf jaar oud, in slaap tussen de geschroeide roze bedgordijnen, bij het geluid van zacht gelach toen haar moeder en haar tante het over hun kinderjaren hadden. Rose keek naar het meisje, Fanny's dochter. Haar hart bonsde wonderlijk.

'Ze zal nu wel de hele nacht slapen,' zei Fanny zacht, terwijl ze het haar uit het gezicht van haar dochter streek. Fanny zuchtte. 'Ze is een nerveus kind. Ze is doodsbang voor haar vader, zodat ze denkt dat de wereld vol mannen en jongens is die schreeuwen, en ik denk dat ze zich alleen maar veilig voelt als ze slaapt.'

'Schreeuwt de kleine Horatio ook?'

Fanny keek nog steeds naar haar dochter. 'De kleine Horatio, die natuurlijk Janeys held is, is het evenbeeld van zijn vader. Hij loopt net als hij, praat als hij, en hij behandelt andere mensen op dezelfde manier als hij. Ik houd heel veel van de kleine Horatio, en het is niet zijn schuld, maar' – Fanny veegde even met haar hand over haar ogen – 'af en toe heb ik net zo'n hekel aan hem.' De twee nichtjes liepen zwijgend naar beneden. Mattie stookte het vuur in de haard op, bracht hun warme chocola, net als vroeger.

Ze bleven de hele nacht zitten praten, vermengd met gelach en met tranen. Ze praatten alsof ze in geen jaren met iemand hadden kunnen praten. Fanny sprak over Horatio's ontzetting over de inhoud van de ongecensureerde brieven van Rose, van lang geleden, en over zijn halsstarrige weigering Fanny voor een bezoek naar Londen te laten gaan. *De vrouw van een dominee hoort aan zijn zijde te zijn*, schreef hij Fanny's familie tot hun verbijstering. *We hebben haar te allen tijde nodig. Het is een offer dat voor de Heer wordt gebracht.* De hele familie reisde naar Wentwater voordat ze naar India vertrokken, ongerust over Horatio's vreemde onbuigzaamheid. Fanny's moeder wilde eigenlijk in Engeland blijven voor de geboorte van haar eerste kleinkind, ze wilde de reis uitstellen, maar alles was al geregeld. In tranen namen ze afscheid van Fanny bij het hek van de pastorie van Wentwater, waar de kamperfoelietakken zich verstrengelden. Ze keken achterom en zagen Fanny zwaaien, tot de pastorie uit het zicht was verdwenen. Ze moest haar eerste zwangerschap alleen verwerken, en ze was extreem snel daarna weer in verwachting. Toen Rose het over haar eigen mislukte zwangerschappen had (en over haar heimelijke wetenschap dat er geen meer zou volgen) nam Fanny haar in haar armen en zei niet dat het Gods wil was.

Ik heb haar gezien, huilde Rose, alsof haar hart nog steeds zou breken. *Ik heb haar handjes gezien.* Fanny's tranen vielen zacht op het haar van Rose.

Het vuur begon lager te branden, ze stookten het weer op. Ten slotte lieten ze het uitgaan, trokken hun omslagdoek dichter om zich heen, nestelden zich op de sofa. De kaarsen brandden lager, ze staken nieuwe aan. Ten slotte bleven ze in het donker praten, hun stemmen vormden een zacht, voortdurend geluid in een hoek van de grote kamer. Overal in het huis sloegen de klokken onregelmatig, inclusief de oude Italiaanse klok uit Genua, die Fanny zich nog herinnerde.

Het grijze licht van de nieuwe dag glipte langs de randen van de luiken naar binnen de kamer in, en nog bleven ze zitten praten. Rose vertelde Fanny hoe ze in het theater over haar man had horen praten, over de rode pluchen gordijnen en het gelach van de vrouwen. Daarna vertelde ze de waarheid over Harry's dood in Egypte en ze hoorde Fanny een gesmoorde kreet slaken. En ten slotte vertelde Rose over de vrouw in Alexandrië die ter dood was gebracht door steniging en over een Fransman die haar over een kind had verteld. Fanny luisterde geschokt, maar ze liet niet een keer, door woord of gebaar, merken dat ze ooit achter haar waaier had moeten lachen om de mooipratende, handenkussende kapitein Harry Fallon. Rose vertelde over het overhaaste huwelijk van George, en over George en William samen in Parijs, en over haar lachwekkende pogingen tot chantage. Fanny zei dat er zich in Wentwater een soortgelijke kwestie had voorgedaan en dat Horatio zo luid had gebulderd dat de gemeenteleden nerveus naar het dak van de kerk omhoog hadden gekeken. Rose vertelde over de reis met de postkoets vanuit Parijs, toen niemand elkaar had aangekeken en over het bed in brand steken. Fanny vertelde over Horatio's oom, de bisschop, die van haar verwachtte dat ze zijn teennagels knipte. De nichtjes lachten, maar op een vermoeide manier, alsof de verhalen van die nacht ten slotte alle vrolijkheid hadden weggenomen. Ze zwegen lange tijd. Ze leunden in de hoeken van de zachte sofa. Alle klokken tikten luid. Het was bijna alsof ze sliepen toen de morgen aanbrak, maar hun ogen waren open.

'Lieve Rose,' zei Fanny ten slotte weer. 'Toen ik jouw brief uit Parijs kreeg, ondertekend met je eigen lieve hiëroglief, net als vroeger, voelde ik me opeens overweldigd door de verandering in mijn leven. We waren er zo heel zeker van dat het huwelijk iets positiefs zou zijn! Ik had gedacht dat Horatio mijn wereld verder zou vergroten en mijn kennis zou uitbreiden. Maar hij moest niets van mijn kennis hebben, Rose, en uiteindelijk moest ik zelfs doen alsof ik niets wist, om de vrede te bewaren. Dat het huwelijk dát nou met ons moest doen, ons kleiner moest maken, hoewel het waar is dat hij de Griekse taal kent.' En in het grijze ochtendgloren barstten de nichtjes opeens weer in lachen uit, alsof de afgelopen jaren hun hadden duidelijk gemaakt dat de Griekse taal hen niet kon helpen.

'Maar misschien helpt die wel ons de geheimen van de wereld te laten ontdekken,' zei Rose, en ze vertelde Fanny over de Steen van Rosetta met de drie talen, en het wonderbaarlijke toeval van de naam ervan, en over alle schatten die ze in Parijs te zien hadden gekregen. In in het eerste ochtendlicht bekeek Fanny de papieren die Rose haar liet zien, met de lofzangen op KONING PTOLEMAEUS, DE EEUWIG-LEVENDE, DE GELIEFDE VAN PTAH, DE GOD EPIPHANES EUCHARISTUS.

Ten slotte deed Rose de luiken open om het ochtendlicht binnen te laten. In Wimpole Street zong een merel uit Marylebone Gardens, er rammelde een wagen voorbij naar de akkers achter Portland Place, een vroege postkoets ratelde langs de ramen.

'O Rose!' zuchtte Fanny, die nog steeds de vertaling van de hiëroglifen in de hand hield terwijl ze naar de postkoets luisterde. 'Wat zijn we veranderd! Schrijf je nog steeds in je dagboek?'

'Jawel,' zei Rose. 'Soms.'

'Over je leven?'

'Ik heb gemerkt dat ik niet over de pijnlijke dingen kan schrijven,' zei Rose.

'Ik gil,' zei Fanny.

'Wat?' Rose dacht dat ze het verkeerd had verstaan.

En Fanny vertelde Rose dat ze altijd naar de verste akker liep om daar te gillen, omdat dit haar opluchtte. Rose kreeg een visioen van haar geliefde nichtje met haar rode haar en haar sproeten, zoals ze in haar eentje stond te gillen, en ze kreeg een prop in haar keel.

'Helpt gillen echt?' vroeg ze ten slotte.

'Ik heb ooit gehoord dat Maria Rienzi iedere morgen een hoop lawaai maakt ter voorbereiding op haar operarollen, dus als iemand me er ooit naar had gevraagd, had ik besloten te zeggen dat ik mijn stem oefende!' Fanny lachte, maar haar lach vervloog. 'Ik stond uit alle macht te schreeuwen.' Ze zag het verbijsterde gezicht van Rose. 'Rose, Horatio heeft het altijd over "plicht". Maar zijn idee van plicht is iets wat toevallig samenvalt met zijn eigen verlangens. Hij doet zijn plicht niet goed in de armere buurten van zijn gemeente. Hij is vaker in zijn studeerkamer bezig met "zaken". Soms, als hij bezig is en ik hoor dat iemand ziek of stervende is, en ik maak me vrij om diegene te bezoeken, dan ontdek ik vaak – kun je je voorstellen hoe intens droevig dit is? – dat ze hun laatste adem in een akelig krot moeten uitblazen terwijl ze zich zorgen maken over hellevuur en verdoemenis en zwaveldampen! Is dat alles wat ze van de kerk hebben gekregen? Dus' – Fanny schudde uitdagend haar rode haar – 'vertel ik hun dat er geen hel is. Ik zeg dat er alleen een rustige plek is en dat God liefde is, geen hellevuur. Ik verzeker hun dat ik het zeker weet!' En Rose zag hoe Fanny in een donkere, vieze kamer iemands hand vasthield als een soort roodharige engel.

Toen sprong Fanny opeens op, begon geagiteerd door de kamer heen en weer te lopen. 'Weet je wat ik ben gaan geloven? Ik ben gaan inzien dat veel geestelijken helemaal niet echt gelovig zijn!'

'Fanny!'

'Ze zijn het echt niet! Ik hoor al die dominees en vicarissen en bisschoppen die in de pastorie op bezoek komen en zich met Horatio in zijn studeerkamer opsluiten om zich aan kerkroddels en whisky tegoed te doen. Ik hoor hen wel! En zelfs die nieuwe mensen, die evangelischen, die het in de kranten over "een nieuwe moraliteit" hebben... Ik heb gelezen wat ze heel voorzichtig willen zeggen, maar ik constateer dat het niet een nieuwe moraliteit is die op kerkmensen van toepassing zal zijn! Wat ik maar al te vaak aantref is een soort angst. Bijna niemand, behalve misschien de quakervrouw op het marktplein en een enkele oprechte nieuwlichter, schijnt zich om het leven van de mensen te bekommeren, vraagt zich af op welke manier dat verbeterd zou kunnen worden. Ik geloof dat het enige wat de kerkmensen echt interesseert de veiligheid van de kerk is, dat hij zal voortbestaan.'

'Waar heb je het over?' zei Rose verbaasd, half lachend. 'Natuurlijk zal de kerk voortbestaan, Fan, hij maakt deel uit van ons leven! Voor doop en begrafenissen en voor de zondag en kerkklokken – de kerk maakt deel uit van Engeland, net als de koning!'

'Precies!' Fanny ging met haar handen door haar wilde rode haar. 'En ik verzeker je dat ze het zo willen houden, ik heb ze horen praten! Besef je niet dat de Franse Revolutie de Koninklijke Familie doodsbang heeft gemaakt? Ze zeggen dat die dikke, luie prins van Wales nu zo impopulair is dat hij zich in zijn rijtuig verschuilt wanneer hij de stad door moet! Hij met al zijn maîtresses en zijn verkwistingen. Nou, de anglicaanse kerk is ook doodsbang! Je hebt me geschreven hoe in Frankrijk de kerken zijn ontheiligd en hoe gewone mensen door de gangen van het Louvre lopen om die lang verborgen schilderijen te bekijken... Nou, ik denk dat de anglicaanse kerk bang is dat zoiets ook hier zou kunnen gebeuren. Stel je voor dat iemand vrijelijk door Windsor Castle zou kunnen lopen en kritiek kan leveren op alles wat er aan de muur hangt, of dat bij Westminster Abbey alle ruiten worden ingegooid – de hemel verhoede!' Rose schoot onwillekeurig in de lach, maar Fanny ging verder. 'Als er hier een opstand tegen het koningshuis zou komen, zal de kerk ook worden weggevaagd in een revolutie! En daar zijn ze heel bang voor, al die hoge bisschoppen en jonge vicarissen en evangelischen en missionarissen en dominees, allemaal. Dat ze hun macht zullen verliezen! En om de armen binnen hun gemeente – de mensen die het echt nodig hebben – bekommeren ze zich totaal niet.' Ze liet zich weer naast Rose op de sofa vallen.

'Hemeltjelief!' zei Rose, en ze keek haar nichtje aan met een mengeling van ontsteltenis en bewondering. 'Je bent zelf een wilde revolutionair geworden!' Er viel haar een vreselijke gedachte in. 'Dit alles... heeft je geloof in God niet geschaad?'

Fanny keek haar niet aan. 'Weet je nog dat ik als kind altijd dacht dat ik gesprekken voerde met God? Dat maakte deel uit van mijn leven. Maar Horatio zei dat ik kinderlijk was en dat Hij helemaal niet tegen me gesproken had.' Ze zuchtte even. 'Ik besefte natuurlijk dat Horatio in zekere zin gelijk had, mijn gesprekken met God waren inderdaad kinderlijk, ze waren waarschijnlijk gesprekken met mezelf.' Ze staarde naar het vloerkleed. 'De quakervrouw op het plein zegt dat je rustig moet wachten en moet luisteren en dat God er dan zal zijn. Nou, ik heb gewacht en gewacht, en er kwam niemand.' Ze klonk zo verslagen dat Rose haar armen om haar heen wilde slaan, maar iets in Fanny's gezicht weerhield haar. 'Wat ik wil zeggen, lieve nicht, is dat na zes jaar met dienaren van God te hebben verkeerd, en daarnaast arme mensen te hebben gezien wier laatste gedachte op deze aarde aan het hellevuur is... ik er geen woord meer van geloof!'

'Fanny!' Rose had niet geschokter kunnen zijn. Fanny's geloof had deel van haar uitgemaakt.

'Echter!' Rose zag dat haar nichtje er niet langer over kon praten. 'Echter,' en Fanny's stem beefde even, 'als Hij echt bestaat, dan zou ik blij zijn met Zijn advies in mijn huidige leven!'

Ze hoorden het personeel beneden komen en aan de slag gaan. 'Fanny, lieverd,' zei Rose, 'je hebt je kinderen, en Horatio steunt je, en ik weet zeker dat hij van je houdt, ook al heeft hij zijn tekortkomingen. We waren krankzinnig te denken dat mannen volmaakte wezens waren!' Ze liet noch met woorden noch door intonatie doorschemeren dat ze ooit achter haar handschoen had moeten lachen om die knappe, verwaande geestelijke met zijn mooie stem. 'Is er dan niets goed aan hem? Hij is in elk geval heel knap om te zien!'

Fanny zweeg. Buiten op het hek zong een merel.

'Ik ben erg op hem gesteld wanneer hij bezig is met tuinieren,' zei Fanny, en opeens schaterden de nichtjes het weer uit. Om de spanning te verbreken of uit treurigheid, of gewoon uit opluchting omdat ze na zo'n lange tijd weer met elkaar konden praten. 'Echt waar!' riep Fanny uit.

'Hij zou een geweldige tuinman zijn geweest, een veel betere tuinman dan dominee. Hij kan buiten urenlang bezig zijn en ik heb hem tegen bloemen horen praten op een zachte, vriendelijke manier zoals hij dat nooit tegen mensen doet. En hij is inderdaad knap om te zien.' Ze glimlachte somber. 'Zijn oom de bisschop met de teennagels is een dictator, en Horatio heeft hem geïmiteerd, net zoals de kleine Horatio zijn vader imiteert.' Fanny zuchtte. 'Misschien is menselijke liefde een illusie, net als de liefde van God. Misschien lezen we er alleen maar over in die nieuwe romans. Ik kan me niet herinneren dat mijn ouders het ooit over liefde hebben gehad – hoewel ik zeker weet dat ze van elkaar houden, en van hun kinderen natuurlijk. Maar er werd niet over gesproken. Ik geloof niet dat ik zelfs maar weet wat het betekent. Jij, Rose?'

Rose probeerde de juiste woorden te vinden. 'Ik had in elk geval wel sterke gevoelens voor Harry,' zei ze langzaam. Ze haalde diep adem. 'Fysieke gevoelens,' zei ze resoluut, en ze zag Fanny's verschrikte blik en voelde haar eigen wangen kleuren. Maar ze was vastbesloten verder te gaan. 'Ik heb die gevoelens toen "liefde" genoemd... Ik dacht dat dat het woord was dat van toepassing was.' Ze schudde haar hoofd. 'Weet je nog dat Mattie ons vertelde dat we onze man ook aardig moesten vinden, niet alleen maar verliefd moesten zijn?'

'Ze was een verstandige vrouw,' zei Fanny droog.

Opeens kwam het bezoek van George, met zijn vreselijke woorden, weer bij Rose boven, en ze voelde haar gezicht nog roder worden. 'O, hoe moet ik weten wat liefde is!' zei ze kwaad. 'Mijn zwager' – ze liet een bitter lachje horen – 'zegt dat mijn... wilde gevoelens... liefde?... voor Harry een ziekte in een vrouw waren, en hij heeft misschien wel gelijk, want jij schijnt ook geschokt te zijn door mijn woorden!' Opnieuw hoorde ze die akelige woorden van George weer in haar oren. 'Laten we zeggen dat de liefde me ziek heeft gemaakt! Ik ben ziek!' En net als Fanny eerder, sprong ze op en begon door de kamer te lopen.

'Rose,' zei Fanny zacht, 'hou op.' En Rose hield op, leunde tegen het raam en keek naar buiten. 'Ik weet hoeveel verdriet Harry je heeft gedaan, en wat voor mispunt je zwager is... je noemde hem vroeger een valse slang. Maar... ik denk dat je de dingen misschien op een andere manier moet bekijken.' Fanny zweeg even en beet op haar lip. Ze sprak nu nog zachter, zodat Rose zich moest omdraaien en terug moest lopen om haar te verstaan. 'Rose, als ik goed begrijp wat jij bedoelt met je gevoelens voor Harry, dan heeft Harry je iets geleerd wat... wat misschien wel heel belangrijk is in een huwelijk. Iets wat Horatio me nooit heeft geleerd.'

Ze spraken als het ware in geheimtaal, maar ze begrepen allebei wat ze bedoelden. Rose ging weer op de sofa zitten.

'Nooit?' fluisterde Rose.

'Nooit,' zei Fanny.

Een dienstmeisje deed geeuwend de deur open en liet de asemmer bijna vallen toen ze de twee vrouwen in de kamer zag. 'Neemt u me niet kwalijk, mevrouw,' zei ze.

De hele dag reden er wagens en karren van Wimpole Street naar South Molton Street. De mannen scholden op het meubilair, er vielen vazen stuk. Jane Harbottom, vier jaar oud, die meestal mijlenver bij schreeuwende mannen uit de buurt bleef, zag dat ze niet echt kwaad waren, dat ze

zowel lachten als schreeuwden. Ze had nog nooit zo'n opwindende dag gehad, vooral toen er op de hoek van South
Molton Street een kar bleef steken en het paard losbrak
en midden in de kolen van een straatventer ging staan,
die het paard sloeg, waarop het paard een vrouw beet.

Alle bedienden, behalve natuurlijk Mattie, werden met
een zekere opluchting weggestuurd – een deel van de familie Fallon dat ze achter zich liet. Rose, Fanny, Mattie
en Jane namen voorzichtig de oude, piepende klok uit
Genua met zich mee in een rijtuig dat voor de laatste keer
door de familie Fallon ter beschikking werd gesteld. Mattie zei niet hardop wat ze dacht (en dat was: *opgeruimd
staat netjes*). Rose keek niet om, maar dacht met genoegen
aan de verbrande roze gordijnen. Ze had haar merkteken
achtergelaten. De klok sloeg op zijn Italiaanse manier
vier uur toen ze Oxford Street overstaken.

Juffrouw Constantia Proud zette vele koppen thee en
gaf hun versgebakken brood en koude lamskoteletjes en
Rose en Fanny wierpen afgunstige blikken op alle kasten
vol boeken.

'Volgens mij is ze een blauwkous!' fluisterde Fanny
verrukt.

'Natúúrlijk is ze een blauwkous!' zei Rose.

Fanny en Jane zouden in de zolderkamer slapen, met
ramen die hoog over de straat uitkeken. Fanny en Rose,
die allebei bleek waren van vermoeidheid, stopten Jane
daar in bed. Ze hielden hun omslagdoeken om zich heen
geslagen en spraken zacht terwijl Jane in slaap viel,
mompelend over kolen. Toen er een maansikkeltje op-
kwam, staarden ze over de toppen van de daken in het
donker en zagen de vorm van de torenspits van St. George's Church op Hanover Square.

'Nooit?' vroeg Rose ten slotte weer, alsof hun gesprek niet was gestopt.

'Nooit,' antwoordde Fanny.

De nachtegalen waren al lang in de bomen op het plein neergestreken, maar er kwamen nog steeds rijtuigen voorbij en de mensen riepen en de stad leefde en ademde onder hen, en de lucht uit de straatgoten was nog net zoals zij het zich van lang geleden herinnerden. 'Als ik het niet uit jouw verhaal over Harry had begrepen,' ging Fanny verder, 'en ik geloof ook dat er in *Aristoteles' Meesterwerk* een hint werd gegeven' – de beide vrouwen glimlachten even in de schemering – 'zou ik niet hebben geweten waar je het over had.'

Rose zei aarzelend: 'Hij heeft me dat deel van de liefde leren kennen, ja. En het leek natuurlijk geweldig en het maakte ons leven opwindend. Maar...' – ze haperde – 'maar Harry heeft zulke liefde ook elders gevonden.'

'Rose,' zei Fanny. 'Horatio heeft me... iedere nacht van ons gezamenlijke leven... genomen. Iedere nacht, met uitzondering van een paar nachten na de geboorte van de kinderen. Ik ben nooit bij hem vandaan. Aanvankelijk was ik er blij om... me te verenigen met deze man die mijn leven heeft veranderd en die zoveel prijs leek te stellen op dit... op dat wat liefde scheen te zijn. Maar nu...' Ze zweeg even. 'Wanneer Horatio nu die bekende, gevreesde woorden zegt: *"Kom, Fanny"*, voel ik mijn hart dichtgaan. Ik ben de nachten van mijn leven gaan háten.'

Rose was sprakeloos. Ze keek haar nichtje ontzet aan. Het was moeilijk voorstelbaar dat Fanny zo kortgeleden zo welsprekend over kerk en revolutie had uitgeweid. Ze leek opeens heel klein en kwetsbaar.

'Dus wees Harry daar dankbaar voor,' zei Fanny.

'Want zo'n zorgzaamheid is volgens mij op zijn minst een soort liefde.' En ze staarde naar buiten, naar de maan.

Er viel een lange, lange stilte.

'Dank je, liefste Fanny,' zei Rose ten slotte. Ze kuste haar nichtje welterusten en ging naar beneden, naar haar eigen, nieuwe kamer. Daar stond haar geliefde mahoniehouten bureau dat een kaarttafel kon worden, bij het raam: continuïteit. En daar lag Rose Fallon, ondanks haar vermoeidheid, vele uren wakker.

'Alles is veilig!' riepen de nachtwachten die in het donker de tijd omriepen.

Zestien

$\mathcal{D}$e volgende morgen vroeg werd er in South Molton Street een boodschap afgegeven, met het verzoek aan Rose die middag een dineetje bij te wonen op Berkeley Square. De families Fallon en Torrence verwachtten een gast die om de aanwezigheid van Rose had gevraagd, verklaarde het briefje van Ann geheimzinnig.

Rose was woedend. 'Nee! Absoluut niet! Ik ben uit Wimpole Street verhuisd, ik ben pas een dag weg, en dan zitten ze al achter me aan. Waarom? Ze hebben net zo weinig behoefte mij te zien als ik hen.' (Daarin had ze volledig gelijk: George Fallon was opnieuw genoodzaakt iets aan Rose te vragen om in een heel andere zaak zijn zin te kunnen krijgen.) 'Nee! Ik wil hem nooit meer spreken, na alle vreselijke, onvergeeflijke dingen die hij tegen mij heeft gezegd. Ik zou het niet kunnen verdragen!' Er verschenen twee rode vlekken op haar wangen toen ze zich zijn beledigende, weerzinwekkende woorden herinnerde. 'Ik zal nu tenminste geen getuige hoeven te zijn van het verdriet van die arme Dolly. Want ik ga niet!'

'Maar het is toch zeker belangrijk om Dolly te zien,'

merkte Fanny vriendelijk op. 'Al is het maar om te onderzoeken of er iets moet gebeuren. En misschien is ze nu
wel minder ongelukkig.'

'Misschien.' Rose dacht aan de woorden van George...
*die onschuldige kleine Dolly van jou heeft een verbazingwekkende
hoeveelheid tijd doorgebracht te midden van de boeken van lord
Torrence, en veel van die boeken zijn – laten we zeggen – van een
ongebruikelijk soort.* 'Ik moet er niet aan denken wat hij
Dolly heeft aangedaan.' Haar ogen schoten vuur. 'Soms
denk ik wel eens dat die man een incarnatie van de duivel
is! Zijn gedrag tegenover mij was schandalig. De dingen
die hij tegen me heeft gezegd waren afgrijselijk!'

'Rose!' Rose keek verbaasd op bij de klank van de stem
van haar nichtje, en van haar lachende ogen. 'Je moet begrijpen, lieve Rose, dat dit alles heel ver verwijderd is van
de pastorie van Wentwater! Ik mag dan welsprekend zijn
over de geheimen van de anglicaanse kerk, maar mijn leven is absoluut niet vervuld van het soort uitzonderlijke
gebeurtenissen zoals jij die meemaakt. Ik zou zoiets
graag, al is het maar voor een keer, als buitenstaander
willen meebeleven!'

Rose zweeg. Ze dacht opnieuw aan het gesprek met
George. Ze voelde dat ze weer een kleur kreeg, en ze zei
min of meer tegen zichzelf: 'Hij moet niet denken dat ik
bang voor hem ben. Ik zal me niet door zo'n valse kerel
in een hoek laten drijven!' Ze keerde zich naar Fanny.
'Weet je wel dat hij me met *Bedlam* heeft gedreigd? Maar'
– ze schudde even haar hoofd – 'ik ken George: hij moest
zich natuurlijk revancheren voor wat ik in Parijs heb ontdekt. Misschien staan we nu quitte.' Fanny wachtte. Ten
slotte vertoonde Rose een wonderlijke grimas. 'Nou, dan
gaan we er samen heen, als jij dat wilt,' zei ze, en ze zag

de blijdschap op het gezicht van Fanny. En opeens zei Rose heftig: 'Ik ben erg blij dat je hier bent, Fanny.'

Terwijl ze discussieerden over wat ze zouden aantrekken – 'Als we dit gaan doen, doen we het in stijl!' verklaarde Rose – praatten ze over juffrouw Constantia Proud. Rose zei: 'Ik herinner me haar uit mijn kinderjaren. Ze was schrijfster en ze leek boeken te eten, zo heftig sprak ze erover!'

'Ze ziet er heel eerbiedwaardig uit, met haar zwarte jurk en haar witte muts, maar heb je al haar boeken gezien?' zei Fanny. 'Daar zitten heel veel onfatsoenlijke bij! Ze heeft Thomas Paine, en alle nieuwe dichters... ze heeft twee exemplaren van de *Lyrische Ballades* van Coleridge en Wordsworth, en alle nieuwe romans, en filosofie en politiek en Mary Wollstonecraft, boeken die veel mensen – ik denk aan Horatio! – heel schokkend zouden vinden.'

'Hij heeft misschien reden om nog geschokter te zijn, want ik geloof dat juffrouw Proud Coleridge en Paine persoonlijk kent, en ze heeft verder gereisd dan wij kunnen dromen!'

'Misschien heeft ze een exotisch verleden!'

'De oude marineheren vertelden me dat haar verloofde was gestorven – misschien op zee, ik weet het niet. "Een droevige zaak," zeiden ze. Laten we haar hier op de thee vragen voor we gaan, om haar te bedanken voor haar goedheid jegens ons.' En juffrouw Proud, met haar gesteven witte oudedamesmuts, kwam de trap op en bracht bonbons mee en amuseerde de twee jonge vrouwen en het meisje met verhalen over haar broers die bij de marine waren, en over haar reizen en de zee.

'En u hebt boeken geschreven?'

'Eerder artikelen, over reizen.'

'Wat bent u gelukkig geweest,' zei Fanny bewonderend. 'En dapper! Wat een verbazingwekkend leven moet u hebben gehad.'

'Ik hoop dat het nog niet helemaal voorbij is!' zei juffrouw Proud lachend. 'Maar het is waar dat ik veel geluk heb gehad – in allerlei opzichten.' Er viel een soort stilte, hoewel er geluiden vanaf de straat naar boven klonken. Geen van de jonge vrouwen durfde naar haar verloofde te vragen. En hoewel haar stem niet in het minst haperde toen ze verderging met praten, staarde juffrouw Proud naar de blaadjes in haar thee en schoof ze met haar lepeltje heen en weer. Weldra bedankte ze hen allerhartelijkst, nam afscheid en vertrok.

'Hoe oud denk jij dat ze is?' vroeg Rose zich bedachtzaam af, maar ze hadden geen flauw idee.

Er bestond niet zoiets als een 'dineetje' nu George Fallon het huis op Berkeley Square bezat. Vanbinnen had het huis op enigszins bizarre wijze de kenmerken van een paleis aangenomen: de sobere architectuur was verdwenen en het was al ingericht alsof George zich de prins van Wales in Carlton House waande. Kamers in rood met goud; lappen stof die waren opgehangen om andere kamers er als Romeinse tenten uit te laten zien; oosterse ornamenten; en Griekse zuilen waarnaast douairière Gawkroger in vol ornaat prijkte. En in het midden van de grote hal, op een opvallende plaats, een uitermate groot schilderij van wijlen burggraaf Gawkroger, Harry Fallon. Rose staarde ernaar en besefte onmiddellijk dat dit een vergrote en verfraaide kopie was van het schilderij waarop zij haar sigaar had uitgedrukt. Het was inderdaad Harry, maar Harry als een soort god. In de verte verschenen gevleugelde strijdwagens (om hem naar een betere plek te vervoeren?) en het blauw van zijn marine-uniform en het goud van zijn kapiteinstressen schitterden. Harry's gezicht schitterde ook: hij keek met zoveel enthousiasme uit naar zijn Nobele Doel, dat het wellicht de High Heavens Club of de kaarttafels van St. James waren waar hij naar staarde. Onder het schilderij waren Harry's medailles van de Slag aan de Nijl uitgestald (toen Rose goed keek, zag ze dat er een paar extra aan waren vastgehecht).

Er ging een golf van belangstelling door een aantal mannelijke bezoekers toen de twee jongedames uit South Molton Street, beiden in het wit gekleed, werden aangekondigd. Ze zagen er heel fris uit. (Naast witte kleding hadden ze, indachtig de oude tante in Frankrijk met de vazen in haar pruik, beiden bloemen in hun haar gedaan.) Dit viel slecht bij de douairière en George, die vonden dat het enige element dat aan de stemming van Harry's portret ontbrak een onopvallende, liefhebbende weduwe, nog steeds in de rouw, was. Ze keken vol afkeuring naar de vrouwen in het wit, die bloemen in hun haar hadden en glimlachten.

Rose boog eenmaal naar de burggraaf in zijn nieuwe rol van gastheer en liet hem verder links liggen. Het was heel druk in het huis. Er waren kaarttafeltjes neergezet, de bedienden zweefden rond, de gasten mengden zich tussen de draperieën waar leden van de High Heavens Club jongedames lieten ronddraaien en waar mensen soms ongepast in verstrikt raakten te midden van veel opgewonden gelach. Opeens verscheen lady Dolly, burggravin Gawkroger, vijftien jaar oud, door de gordijnen. Rose keek naar haar met open mond. Dolly's rood met witte jurk had splitten opzij (zoals ze in het park van de Tuillerieën had gezien), een diep uitgesneden rug (zoals ze in Parijs op het bal had gezien) en een diep décolleté (omdat ze dat zelf beslist wilde). De nieuwe burggravin Gawkroger was inderdaad gekleed naar de laatste Franse mode. Ze boog vanachter haar waaier naar Rose en Fanny, wendde zich daarna af en verdween en verscheen tussen de draperieën en de gasten. Fanny, die haar voor het eerst zag, bedacht dat ze niemand kende die minder leek op een lam dat naar de slachtbank was geleid. Rose moest een paar keer met haar ogen knipperen om deze gedaanteverwisseling te verwerken.

Ann begroette Rose en Fanny koeltjes, net als de douairière burggravin Gawkroger, hoewel zij er gelijktijdig in slaagde uitvoerig tegen hen te kwebbelen. Rose zag direct dat ze de blauw met gouden Egyptische ring uit de Franse verzameling droeg. *Hoe kan ze zo brutaal zijn?* Als Dolly's vader al aanwezig was, dan liet hij zich niet zien, maar de hertog van Hawksfield kwam naar voren om naar de nichtjes te buigen. Wat hij van de nieuwe inrichting vond werd niet onthuld, maar toen bleek dat Fanny's vader bij de East India Company betrokken was, sprak de hertog over het belang van de handel (hoewel de douairière zo'n grof woord niet over haar lippen kon krijgen). Terwijl de stemmen en het gelach luider klonken en de champagne rondging, ondervroeg hij Rose ook uitgebreid over haar reis naar Frankrijk en over haar huidige onderkomen. Rose kon opnieuw het gevoel niet onderdrukken dat de hertog van Hawksfield zijn naam eer aandeed en haar als een roofvogel in de gaten hield. Maar ze kon niet langer respect voor hem hebben. Hij was misschien machtig, maar hij had Dolly gewoon verkocht alsof ze een stuk bezit was en Rose keek hem koud aan en beantwoordde zijn vragen kortaf; ze onderging opnieuw een gevoel dat op walging leek. Er kwam een herinnering aan de hiërogliefen bij haar boven... *andere dieren bewegen niet in een verticale lijn, maar dalen geleidelijk af; de havik echter stort zich rechtstreeks op iets wat zich onder hem bevindt.* In de benauwde hitte van de zomerse salon huiverde Rose Fallon even terwijl ze beleefd met de hertog sprak. Vlakbij huiverde Ann, putatief hertogin van Torrence, eveneens, en ze wenste dat ze aan cognac kon komen voor de pijn in haar mond.

William meed de blikken van Rose voortdurend. Rose vermoedde dat ze elkaar nooit meer aan zouden kijken. George begroette zijn gasten, hield de hertog van Hawksfield in de gaten, gedroeg zich tegenover Dolly alsof hij de rol van De Echtgenoot speelde, vond Rose. Dolly gedroeg zich uitzonderlijk, schijnbaar alsof ze alles onder controle had. Ze stond kaarsrecht, waardoor ze ver boven haar nieuwbakken echtgenoot uitstak. Ze had haar haar opgestoken en haar ogen glinsterden terwijl ze de dure sieraden op haar boezem betastte en minzaam met iedereen praatte. Rose constateerde dat de glinsterende ogen voortdurend naar de ingang gingen. Dolly lachte veel, flirtte schandalig met oude mannen, bukte zich zo ver dat haar kleine boezem tot vlak bij hun ogen was. George keek naar Rose, die naar Dolly keek.

En toen werd monsieur Pierre Montand aangekondigd.

Rose zag de lange Fransman vol ongeloof in de deuropening verschijnen en ze voelde dat ze een kleur kreeg toen ze terugdacht aan de gebeurtenissen in Parijs. Maar daarna, toen Dolly met een kreetje van vreugde naar voren holde om de Fransman te begroeten, dacht Rose aan zijn brief, en kwam haar hart tot bedaren: *het nieuws dat hij bracht kwam niet door zijn toedoen.*

Dolly stak haar hand uit om die te laten kussen en verwelkomde monsieur Montand als een oude vriend, alsof de middernachtelijke scène in de Commission de l'Egypte nimmer had plaatsgevonden. Ze liep met hem mee, stelde hem in de volle kamer aan iedereen voor, lachte, leunde als toevallig tegen zijn arm en probeerde Rose en Fanny ongemerkt te passeren. Maar Pierre zag hen en bleef direct staan. 'Burggravin,' zei hij.

'Rose is niet langer de burggravin!' zei Dolly lachend. 'Dat ben ik nu!' Maar hij pakte de hand van Rose en keek haar aan. Rose glimlachte kalm naar hem terug.

'Ik ben blij u weer te zien,' zei ze, en ze zag dat zijn gezicht zich ontspande.

Dolly pakte de Fransman bij de arm om te proberen hem weg te leiden. Maar heel even, te kort om onbeleefd te zijn, ging hij niet mee. 'Ik heb gezegd dat ik deze avond alleen zou bijwonen als u er ook was, madame Rose,' zei hij zacht, 'toen de burggraaf me vroeg te komen.' Hij glimlachte naar Fanny toen Rose hen aan elkaar voorstelde. Pas daarna, al die tijd met onberispelijke beleefdheid, liet hij zich weer meetronen door de lange jongedame aan zijn zijde.

'Lieve hemel,' zei Fanny, heel zacht.

Onder de aanwezigen bevond zich een groep antiekverzamelaars en zij verdrongen zich rond Pierre Montand en vuurden vragen op hem af. Dolly bleef aan zijn zijde.

Toen ze aan tafel zaten verbleekte Fanny letterlijk bij de aanblik van de hoeveelheden eten. In de handen van bedienden met pruik verscheen de ene zilveren schaal na de andere, de mensen leunden naar voren, schepten enorme porties op, hielden op met praten, aten uitermate luidruchtig, hoestten, spuwden en rochelden, pakten nog meer eten, stapelden het op. Fanny probeerde niet onbeleefd te lijken door weinig op te scheppen vergeleken bij veel van de mensen om haar heen, terwijl ze de gasten observeerde en zag dat de Franse *savant* heel aandachtig naar haar nicht keek terwijl hij luisterde naar Dolly, die naast hem was geplaatst.

En Ann Torrence, die snel wijn dronk, zag hoe de hertog van Hawksfield naar Rose Fallon keek, en de angst stak als ijs in haar hart. Want ondanks de nu regelmatige bezoeken van William aan haar slaapkamer, soms laveloos en stinkend, zodat ze haar hoofd moest afwenden en om vruchtbaarheid moest bidden, werd ze niet zwanger. Tot haar ontzetting hoorde ze de hertog Rose en Fanny uitnodigen voor een bezoek aan Hawksfield Castle, op het land. Wat waren zijn plannen met Rose? Waarom had hij zoveel belangstelling voor haar? Waarom keek William helemaal niet naar Rose? Zou zij, Ann, worden vervangen? Hoe kon zij, nu de dingen zo ongewis waren, haar pijnlijke voortanden laten vervangen?

Ten slotte ging het diner over in het dessertstadium en kon er weer worden gepraat. Pierre Montand werd opnieuw met vragen bestookt.

'Egyptische oudheden zullen de nieuwste mode worden,' zei George, en sommige heren om hem heen vielen hem joelend bij. 'Daar ben ik van overtuigd. We moeten ze nu echt te pakken zien te krijgen. Wat is de snelste route nu de oorlog voorbij is?'

'Ik denk, monsieur, dat de Middellandse Zee misschien

zelfs minder veilig zal zijn nu de marine eruit is verdwenen. Ik heb veel verhalen gehoord over piraten en zeerovers. Sommige missionarissen en handelaren hebben de laatste tijd besloten dat het sneller zou zijn om via Egypte naar India te gaan, maar ik heb me laten vertellen dat veel van hen nooit op hun bestemming zijn aangekomen. Ik denk dat iedereen die zich op dit moment in de chaos die Egypte is begeeft, zijn leven in de waagschaal stelt. Persoonlijk zou ik nooit weer proberen door de woestijn te trekken, daar hebben we te veel mannen bij verloren.'
Fanny zag dat Rose als gehypnotiseerd luisterde, en ze vroeg zich af of haar nichtje een nieuwe aanbidder had gevonden.

Opeens klonk Dolly's nog steeds kinderlijke stem, en ze legde haar hand op de arm van de lange man die naast haar zat. 'Maar dat zou toch wel kunnen, monsieur Montand, als men de beste gidsen, de beste voorzieningen regelde?'

'Ik kan alleen maar zeggen, lady Dolly, dat de beste gidsen ook weleens de gevaarlijkste bleken te zijn, voor zover ons bekend is.'

'De hiëroglieven, monsieur Montand,' zei de hertog van Hawksfield zonder enige inleiding. 'Is er aan uw kant van Het Kanaal enige voortgang mee geboekt? Want hier schijnt men in een impasse te zijn beland.'

'Er is veel belangstelling, monsieur,' zei Pierre, 'maar geen voortgang.' Hij spreidde zijn handen en haalde zijn schouders op. Het was duidelijk dat zijn korte antwoord de luisteraars, die nagenoeg allen de sluwe Fransen ervan verdachten geheimen achter te houden, teleurstelde.

'En zegt u mij eens, monsieur Montand,' klonk de stem van de douairière nu luid over de tafel, 'komen die mooie

Egyptische sieraden binnenkort ook te koop? Daar zaten heel aardige stukken bij. We hebben alles in Parijs gezien, weet u,' vertelde ze haar belangstellende gasten, 'heel primitieve stenen en rommel, zult u begrijpen, maar ook wat leuke schilderijtjes en sieraden waar ik interesse voor had.' Terwijl ze sprak fonkelde de prachtige blauw-met-gouden Egyptische ring schaamteloos onder de kroonluchters vol kaarsen op Berkeley Square. Opeens verstijfden George, William, Dolly en Rose. Zelfs Ann, die naar de cognac reikte, verstarde, met uitgestoken arm. Want ze zagen dat de Fransman de ring had gezien.

Pierre Montand maakte een gesmoord geluid, keek naar de douairière en de ring, zijn lichaam en gezicht volmaakt roerloos, alsof hij zelf in een van zijn stenen was veranderd. Rose hield haar adem in. Was Pierre Montand op de hoogte van Engelse duels? George keek diep geschokt naar de blik van de Fransman. Zijn gezicht was rood toen hij naar zijn moeders hand staarde. Onbeschaamd vervolgde ze: 'Komt er een verkoping?'

Toen Pierre ten slotte sprak, waren zijn stem en zijn ogen heel kalm en heel koud. 'U mag zich zeer gelukkig prijzen, madame,' zei hij ernstig, 'reeds zo'n schat te hebben verworven als die Egyptische ring die u draagt en die ik uiteraard maar al te goed herken.' Hij stond abrupt op en wilde duidelijk verder niets zeggen. Rose deed uit ondraaglijke schaamte haar ogen dicht (en toen een oog een heel klein eindje open). George ging ook staan, net als de hertog van Hawksfield.

'U geniet onze gastvrijheid, monsieur,' zei de hertog rustig, met zijn lage, gebiedende stem. 'We zullen deze kwestie later bespreken, als u zo vriendelijk wilt zijn.' Pierre bleef even heel stil staan, toen boog hij kil naar de hertog en ging weer zitten. Het moment ging voorbij zonder dat de meeste gasten goed begrepen wat er was gebeurd.

Maar de douairière liet zich niet van haar stuk brengen. 'Ik prijs me inderdaad gelukkig!' zei ze, toen ze anderen naar haar hand zag staren. 'U weet natuurlijk dat mijn zoon dit soort antiek verzamelt, hij weet heel veel van antiek, ongetwijfeld veel meer dan u, monsieur.' Maar de hertog van Hawksfield keek haar zwijgend aan en ze zag zijn woede, zodat haar stem wat begon te haperen en ze haar servet naar haar mond bracht om daarna aan Ann voor te stellen zich met de dames naar de nieuwe serre te begeven.

Rose, die nu veilig was voor die belachelijke familie Fallon, had de grootste moeite om niet in de lach te schieten. En daarna, in die kamer vol kwebbelende society-vrouwen, toen ze Dolly's glinsterende ogen en zwoegende boezem zag, zoals ze nu opeens verveeld leek en zich in een hoek van de serre koelte toewaaierde, wachtend op de heren, kon Rose ook bijna huilen, want ze zag dat Dolly voor haar verloren was. *Ik kan haar niet helpen.* Het meisje dat zo verlangend tegen haar moeder had gepraat en dat zelfbedachte verhalen in haar dagboek schreef om haar broer een plezier te doen, leek niet langer te bestaan.

Toen de rijtuigen werden geroepen en de twee dames in het wit zich opmaakten om te vertrekken, maakte monsieur Montand ook aanstalten om te gaan, liet zich niet overhalen te blijven. De hertog maakte rustig met hem en George een afspraak voor de volgende morgen. Dolly wendde zich demonstratief af toen Pierre afscheid nam van Rose en Fanny.

'U kunt ons rijtuig gebruiken,' zei Rose beleefd.

In het rijtuig verschuldigde ze zich voor haar schoonmoeder.

'Het zal *bien sûr* worden opgelost,' zei Pierre heel galant, zodat beide vrouwen glimlachten om zijn heerlijke Franse *politesse*, want zijn ontzetting en woede waren aan de eettafel heel tastbaar geweest en de Egyptische ring was van onschatbare waarde. 'We wisten dat hij was verdwenen, maar ik had niet gedacht hem in Londen terug te vinden!'

'Monsieur Montand,' zei Rose opeens, toen de beide vrouwen uitstapten in de avondschemering, 'komt u morgenmiddag bij ons op de thee? U zou ons kunnen berichten over een gelukkig einde van deze vervelende zaak en' – de woorden kwamen er haastig uit – 'u zou ons iets meer over Egypte kunnen vertellen.' Hij zei dat hij dit graag zou doen en kuste hun handen.

In de zitkamer liet Fanny zich met een verbijsterd lachje op de zachte sofa vallen. 'Wat een uitzonderlijk huis, Rose! Als zo jouw leven was, lieve nicht, hoe heb je dat dan kunnen verdragen? Iedereen zat heimelijk naar alle anderen te kijken, raakte verward in die wapperende tenten, en dan al dat eten en spuwen en schreeuwen en liegen en die achterbakse activiteiten – die douairière is niets meer dan een ordinaire dievegge! Hierbij vergeleken hebben wij vroeger in Brook Street en Baker Street een heel braaf leven geleid!'

Rose moest ook lachen. Fanny zag dat de ogen van haar nichtje straalden. 'Dat is nu allemaal verleden tijd!'

'En jouw *protégée* Dolly leek niet ongelukkig te zijn op de manier waar jij bang voor was.'

Het gezicht van Rose veranderde. 'Ze schijnt een manier te hebben gevonden om... om te gaan met de situatie waarin ze werd gedwongen. Kun je je voorstellen dat ze pas vijftien is? Misschien zal ze zich er toch doorheen weten te slaan.' Maar haar stem klonk bedenkelijk.

'Zich erdoorheen slaan? Volgens mij zal ze iedereen de baas zijn,' zei Fanny. 'Maar wat een drama! Ik zou die grote baas, de hertog, niet graag tegen me willen hebben.' Ze schudde haar hoofd hoewel ze nog steeds glimlachte. 'Weet je, Rose, ik kreeg ook het gevoel dat... dat jij misschien voorzichtig moet zijn.'

'Hoe bedoel je?'

'Dolly lijkt niet het beste met je voor te hebben. En George en jij waren net twee slangen, klaar om toe te slaan, dwars door de kamer heen. Jullie hebben de hele avond niet een woord tegen elkaar gezegd. Volgens mij háten jullie elkaar gewoon.'

'Ik hoef me niet meer met hem in te laten! Dat leven is voorbij!'

'De kerk heeft gelijk met bang te zijn, weet je – misschien moet er hier ook wel een revolutie komen. Wat voor wereld is Berkeley Square? Ik had het gevoel alsof ik in een gekkenhuis was beland! Als een geschokte domineesvrouw uit de provincie. Wat ik natuurlijk ook ben.' Fanny zuchtte opeens en begon de bloemen uit haar haar te halen. Ze maakte ze stuk voor stuk los: een roos, een pioen, en ging toen verder. 'Maar ik vond meneer Montand heel aardig. Hij scheen geïnteresseerd te zijn in jou, Rose. Denk je dat jij hem ook aardig zou kunnen vinden? Heb je hem daarom op de thee gevraagd?' Ze zag dat de ogen van Rose opeens weer begonnen te stralen.

'Ik heb hem op de thee gevraagd omdat ik – snap je dat niet? – meer over Egypte wil horen! George heeft het steeds over erheen gaan. Waarom zou ik niet gaan?'

'Naar Egypte?'

'Ja!'

'Waarom?'

'Misschien wel om Harry's kind te zoeken.'

'*Rose!*'

'Fanny, laat me dit in elk geval hardop zeggen! Ik zal nooit zelf kinderen kunnen krijgen. En dit... verlangen... Ik wil dat niet de rest van mijn leven moeten voelen!' Ze lachte even, als om haar eigen dramatische toon. 'Als ik dat kind zou kunnen vinden, zou ik haar op zijn minst een deel van haar geschiedenis kunnen geven, zou ik haar kunnen helpen te weten wie ze is. Je zei dat ik uiteindelijk toch iets had om Harry dankbaar voor te zijn, dus misschien zal ik hem op deze manier bedanken.' Ze sprak bijna luchthartig.

Fanny's gezicht drukte een en al ongeloof uit. Maakte haar nichtje soms grapjes?

'Liefste Rose, je weet hoe graag ik wil dat je gelukkig wordt. Je bent voor mij het liefste wezen dat er bestaat. Maar denk toch eens na! Hoe zou je het in 's hemelsnaam moeten aanpakken in een vreemd land? En je weet hoe de wet is, je zou helemaal geen rechten over het kind hebben. George zou degene zijn bij wie dit kind hoort, mocht je haar ooit, als door een wonder, vinden. Rose, luister, ik zal je helpen een kind te vinden. In heel Engeland zijn er duizenden kinderen die heel gelukkig zouden zijn als ze door jou werden gekozen.'

'Nee,' zei Rose.

'Maar, Rose... *Egypte!* We weten niets!'

'Pierre weet iets. En Mattie denkt dat Cornelius Brown daar misschien is. George zal hier nooit iets over hoeven te weten, onze paden zullen elkaar nooit meer kruisen. En, Fanny, Egypte is altijd mijn hartenwens, mijn droom geweest, dat weet jij beter dan wie ook!' Ten slotte knikte Fanny aarzelend. Zij was ook vaak in de ban geraakt van het verhaal over de oude Arabier die in de zon zat te zingen en de arm van het jongetje en de koffiebonen op de oever van de Nijl. 'Dus luister in elk geval wat monsieur Montand heeft te zeggen. Niets meer dan dat.'

'Heel goed,' zei Fanny langzaam. Ze wilde opeens heel erg graag haar dochtertje zien, om weer zeker te weten dat ze er was, haar eigen kleine meisje voor wie ze bereid was alles op te geven. Ze wilde opeens naar Wentwater terug om haar zoon te zien, te weten hoe gelukkig ze was, en ze voelde plotseling een eindeloos medelijden met haar nichtje met al haar dromen. 'Liefste nicht, natuurlijk zullen we samen naar monsieur Montand luisteren.' Ze stond op met de bloemen in haar hand. 'Maar je weet dat ik morgen eerst naar papa's notaris toe moet en daarna zijn we genoodzaakt plannen te maken voor onze terugkeer naar Wentwater. Maar' – ze bukte zich om haar nichtje goedenacht te kussen – 'ik ben erg blij hier te zijn.' Ze draaide zich om om naar boven te gaan.

'Fanny,' zei Rose, en Fanny keerde zich om en zag Rose' liefdevolle blik. 'Ik heb veel nagedacht over alles wat jij hebt gezegd, over je leven met Horatio, over mijn leven met Harry.'

Fanny bleef staan met de verlepte bloemen in haar handen. Haar rode haar omlijstte haar gezicht in de schaduw, als een halo.

'Ik ben erg boos geweest en... en misschien zal ik daar altijd iets van blijven voelen. Maar er is... er is iets van me afgevallen sinds we hebben gepraat. Harry en ik zijn, denk ik, een tijdje heel gelukkig geweest, en ik hield echt van hem, wat houden van ook mag betekenen! Maar ik had dat alles uit mijn hart weggeduwd en ik herinnerde me alleen de slechte dingen.' De pioenen gleden gemakkelijk uit het korte haar van Rose. De bloemblaadjes lagen in haar handen. 'Wat ik niet begreep toen ik zo ongelukkig werd, was dat ik ook iets had om Harry dankbaar voor te zijn, wat er verder ook mocht zijn gebeurd. Fanny, het is zo'n opluchting om niet langer zo'n woede jegens hem te voelen. En het is te danken aan jouw eerlijkheid dat ik dit nu inzie.'

Fanny glimlachte naar Rose, en Rose zag echte droefheid in haar glimlach. 'Daar ben ik blij om. Maar ik had het je ook kunnen vertellen zonder mijn eigen leven erbij te betrekken. Ik ben de tel kwijtgeraakt van het aantal vrouwen in Wentwater dat naar me toe is gekomen om me te vragen of er een manier was om te weigeren aan hun... plicht... jegens hun man te voldoen.'

'Wat zeg je dan tegen hen?'

'Wat kan ik zeggen? Ik ben de vrouw van de dominee. Ik zeg tegen hen' – ze lachte even – 'dat ze moeten bidden. Net als ik. Maar... ze hebben me toch iets geleerd, deze vrouwen. Heb je je nooit afgevraagd waarom ik maar twee kinderen heb?'

Rose begon te stotteren. 'Tot je hier kwam dacht ik... dacht ik dat Horatio en jij dat misschien... samen hadden besloten. Maar je zei zelf...'

'Precies,' zei Fanny droog. 'Maar je kunt sommige vrouwen van Wentwater niet zo goed kennen als ik hen heb gekend, zonder over het sponsje met azijn te praten. En Horatio zou eerlijk gezegd het verschil niet weten.' Rose keek haar nichtje met grote ogen aan. 'Rose, je hebt geen idee hoe het is om... om er altijd tegenop te zien dat je naar bed moet. Daar mag je Harry op zijn minst dankbaar voor zijn.' En Fanny pakte een kaars en ging naar boven, naar de zolderkamer waar haar geliefde dochter van vier droomde van paard-en-wagens in de hemel, waar God schreeuwde en naar lavendel geurde.

De volgende dag, toen Fanny helemaal buiten zichzelf door het ongelooflijke nieuws van de notaris terugkwam, trof ze Rose en Jane in een snikhete keuken met Mattie aan waar ze, niet helemaal met succes, probeerden een taart voor monsieur Montand te bakken. Niemand merkte Fanny's verhitte wangen op, want ze waren zelf ook verhit en de in het souterrein gelegen keuken stond vol rook.

'Kijk, mama, kijk!' riep Jane met meel op haar hele gezicht. 'We gaan hem opeten zodra hij klaar is. Kijk, hij staat te bakken!'

'Kijk, Fanny, kijk!' riep Rose. 'Ik heb in zo'n lange tijd geen meel aan mijn handen gehad!' Bij Mattie stroomde het zweet over haar gezicht. Ze kon nog steeds niet goed met het fornuis omgaan. Fanny begreep dat haar nieuws zou moeten wachten. Ze bleef in de keuken, om te proberen te helpen. Toen Pierre Montand aanbelde en door de huiseigenares naar beneden werd gebracht, langs onuitgepakte kisten en meubels, trof hij vier vrouwspersonen, onder wie een klein meisje, in een uitermate rokerige en branderig ruikende keuken aan, die met enige verbazing een verbrande pruimentaart bekeken. Toen juffrouw Proud – met bril en boeken onder haar arm, zonder zich iets van de chaos aan te trekken – zich er terloops van had vergewist dat haar huis niet in brand stond, liet ze hen heel minzaam achter, alsof zulke dingen dagelijks gebeurden. Mattie joeg hen weg met de mededeling dat ze op het plein wat frisse lucht moesten gaan halen.

'Het is een beetje winderig, maar het is gezond weer.

Kom niet binnen een uur terug!' beval Mattie. 'Jullie krijgen straks thee, maar pas over een uur.'

'Neemt u ons niet kwalijk, monsieur Montand,' zei Rose, toen ze hun hoed pakten en naar buiten, South Molton Street, in liepen. 'Het is ons niet gelukt!' En ze stak lachend met Pierre, Fanny en Jane Bond Street over naar Hanover Square, waar ze wandelden over het keurige grindpad onder de bomen. De vrouwen hoopten dat de wind de brandlucht uit hun kleren en haar zou verjagen. Er dwarrelden droge bladeren over de paden. Er wandelden ook veel anderen. Ze passeerden enkele groepjes zedig uitziende jonge vrouwen en de nichtjes vingen elkaars blik op en glimlachten, ze dachten beiden terug aan de dagen dat ook zij elegant over dit plein liepen te wandelen terwijl ze naar de heren keken. Toen monsieur Montand een Franse lolly in de zak van zijn jasje vond, keek Jane hem verbaasd aan en glimlachte ze verlegen.

'Mogen we vragen,' zei Rose, 'hoe het vanmorgen op Berkeley Square is gegaan? Ik heb geprobeerd me een scène voor te stellen waarin George en de hertog van Hawksfield de douairière ertoe brachten haar excuses aan te bieden, maar dat lukte me niet!'

Pierre lachte. 'Ik denk dat de hertog van Hawksfield geen man is om excuses aan te bieden. De Egyptische ring is... hoe zal ik het zeggen?... weer terecht, *Dieu merci!* Hij ligt bij de Franse ambassadeur op Portman Square tot ik weer naar Parijs terugga. Het was een uiterst interessante morgen omdat ik heb gezien hoe de douairière burggravin Gawkroger onder druk werd gezet. Want volgens mij is dat ook haar eigen stijl. De hertog van Hawksfield had met gevoel voor internationale diplomatie, erop aangedrongen dat ze tegenover mij bekende dat ze 'zonder erbij na te denken de ring had opgepakt' en ik kon zien dat ze bijna stikte in die woorden. En daarna, toen zij haar verontschuldigingen had aangeboden en we beleefd Engelse thee dronken alsof er niets was gebeurd, kreeg madame Dolly opeens een geweldige hysterische aanval, want ze heeft haar zinnen gezet op een reis naar Egypte en haar man is het daar, geloof ik, niet mee eens. Hij heeft daarin gelijk, want ik vind ook dat een vrouw niet zulke ontberingen zou moeten lijden.

'Ik zou die ontberingen met alle liefde willen ondergaan,' zei Rose, 'als ik erheen zou kunnen.'

'Maar, madame Rose... of misschien' – zijn ogen glimlachten – 'moet ik u *Rosette* noemen, want dat is de Franse naam voor dat stadje. De wangen van Rose kleurden een beetje, maar ze knikte. Hij ging verder: 'Ik heb het gisteren, een beetje, over de gevaren gehad. We kunnen hier op dit elegante Engelse plein over zo'n reis praten als over een droom. Het zou voor burggraaf Gawkroger en zijn zwager al moeilijk genoeg zijn om daar te reizen. Maar Egypte is echt geen plek voor buitenlandse vrouwen; het zou voor lady Dolly een uitermate gevaarlijke reis zijn om te ondernemen.'

'Ze gaan... nog niet meteen?'

'Misschien dromen ze er alleen maar van. Dat valt moeilijk te zeggen bij de burggraaf.'

'Gaan er ooit wel eens buitenlandse vrouwen naar Egypte?'

'Vrouwen van reizigers, vrouwen van kooplieden, excentriekelingen.'

'Kunnen we alstublieft gaan zitten?' vroeg Jane, toen ze een ijzeren bank zag, en dat deden de drie volwassenen, zonder echter hun gesprek te staken, want Rose vroeg gretig naar de voortgang bij het vertalen van de hiërogliefen. Jane slingerde met haar benen en schopte tegen de poten van de ijzeren bank, maar ze merkten niets.

Pierre zuchtte moeizaam. 'We lijken vast te zitten. We hebben nog meer sleutels nodig dan *la pierre de Rosette*, want die sleutel is danig gehavend, met zoveel hiërogliefen die er aan de bovenkant vanaf zijn gebroken. We zouden heel blij zijn als we de rest van de steen konden vinden. Onze linguïsten hebben de indruk dat de Koptische taal, die de enige schijnt te zijn die misschien nog enig verband houdt met de oude taal van Egypte, ons beste houvast is, hoewel ook het Koptisch wellicht uiteindelijk te ver verwijderd is van de originele hiërogliefen.'

'Zijn de Kopten niet de afstammelingen van de oorspronkelijke Egyptische christenen?' vroeg Fanny.

'*Oui*, madame Fanny. Ik geloof dat de Griekse indringers ooit alle Egyptenaren Kopten hebben genoemd. Maar de Koptische taal, die ooit in heel Egypte moet zijn gesproken, is niet langer een levende taal, afgezien van het officiële gebruik in de Koptische kerken. Iedereen in Egypte spreekt nu Arabisch. En onze frustratie wordt nog versterkt doordat de Koptische taal, toen deze werd geschreven, voornamelijk Griekse letters gebruikte!'

'En mijn idee over de herhaling van de naam van koning Ptolemaeus?' vroeg Rose schuchter.

'Ja natuurlijk, ik denk dat men het erover eens is dat bekende namen ons uiteindelijk zouden moeten helpen. De linguïsten denken dat er rond de koningsnamen in de hiërogliefen een *cartouche*, een ovale ring, is aangebracht. We hebben natuurlijk andere hiërogliefen van andere vondsten om te bestuderen, maar tot dusver heeft geen ervan een Griekse vertaling.'

'Ik denk,' zei Rose, 'want dit gaat natuurlijk voortdurend door mijn gedachten, dat als je iemand voor een bal wilt uitnodigen, of wilt zeggen dat je komt logeren, het veel te omslachtig zou zijn om dit in een steen te kerven.' Ze lachten. 'Dus moet er een snellere, simpeler manier zijn geweest, met iets als een ganzenveer en een soort inkt of zo. Je zou in een soort stenoversie van de hiërogliefen kunnen schrijven. En wellicht is dat, zoals u al in Parijs hebt gezegd, wat de middelste taal op de steen is.'

'Er móét een verband zijn, maar dat is geenszins duidelijk.' Pierre fronste zijn wenkbrauwen.

'En misschien,' peinsde Rose, 'als we de Griekse vertaling van de steen van Rosetta kunnen gebruiken, we meer interessante dingen van de middelste taal te weten kunnen komen.' Ze slaakte een verlangende zucht. 'U begrijpt wat ik bedoel... Al die teksten die u me op de papyrus hebt laten zien, staan misschien vol roddels, en romantische ontmoetingen, en hoe de gevoelens van hun hart waren.'

'Inderdaad,' zei Pierre. 'Maar nog voor die roddels, *s'il vous plaît*, zou ik er veel voor over hebben om dat te begrijpen wat we hebben gevonden, wat onze schatten ons over het oude Egypte kunnen vertellen! In *le Commission* speculeren we natuurlijk eindeloos, maar we weten het gewoon niet, en over de hele wereld zijn er mensen met de wildste theorieën. Ik heb onlangs de ideeën van een Zweedse wetenschapper gelezen. Hij beweerde dat we alleen maar de psalmen van David in het Chinees hoeven te vertalen en ze in de oude karakters van die taal moeten opschrijven om te ontdekken dat ze exact overeenkomen!

Ach... Het zou zo mooi zijn geweest om *Description de l'Egypte* te kunnen publiceren met een volledige verklaring van al onze schatten!'

'Wanneer zal uw eerste boek verschijnen?'

'We hadden gehoopt dat dit alles snel zou verlopen. Maar er moet nog heel veel gebeuren, alles moet zorgvuldig worden gekopieerd en van noten worden voorzien, en zonder de geschreven kennis waar we zo naar verlangen kunnen we nog steeds heel weinig begrijpen. We werken zo snel als we kunnen, maar het is een langlopend project.' Hij schudde zijn hoofd en voegde er, min of meer tegen zichzelf aan toe: 'Ik vraag me af of de latere Egyptenaren de hiërogliefen zelf hebben ontcijferd, voor de komst van de mohammedanen. Ze bezaten heel veel kennis en ze zaten er veel dichter bij, zowel in de tijd als met de taal. Stel dat hun sleutel zelfs nu nog ergens in Egypte ligt, onbereikbaar voor ons, westerse wetenschappers?'

'Wilt u alstublieft een eindje met me gaan wandelen?' zei Jane tegen de Franse bezoeker, nu ze haar lolly op had.

'Jane!' riep Fanny met enige verbazing haar dochter tot de orde. 'Monsieur Montand is aan het woord. Je hoort niet te spreken wanneer anderen aan het woord zijn.' Ze keek het kind verbaasd aan. 'Neemt u me niet kwalijk, monsieur Montand. Mijn dochter is meestal uitermate verlegen.' Maar Fanny moest onwillekeurig ook glimlachen. 'Ik denk,' zei ze, 'dat dit de eerste keer is dat ze zo'n gunst van een heer heeft gevraagd!'

'Dan ga ik daar met groot genoegen op in,' zei Pierre, en hij ging staan, boog naar Jane en nam haar bij de hand, waarna het tweetal vertrok over het pad dat rond het plein liep. Ze zagen dat hij Jane iets vertelde. Ze bleef vol belangstelling naast hem staan toen hij naar de wolken boven hen wees. Fanny richtte zich meteen tot Rose.

'Luister, Rose, luister! Ik kreeg steeds maar niet de kans het jou te vertellen. Ik heb Horatio al geschreven vanuit het kantoor van de notaris, die brief is al onderweg, maar ik moet hem zo snel mogelijk spreken. Ik moet morgen naar Wentwater terug.'

'O nee!' De ontzetting in Rose' stem was komisch en Fanny schoot in de lach.

'Nou, ik popelde om het jou te vertellen! Je zou me kunnen vragen wat voor dringende zaak dit was, waarom ik voor het eerst sinds ik getrouwd ben uit Wentwater naar Londen moest komen.'

'O Fanny, natuurlijk... O, maar de brand in de keuken, de ring, de hiërogliefen... Vertel op! Wat is er?'

'Mijn vader heeft me een heel groot bedrag aan geld ter beschikking gesteld, gedeponeerd bij de notaris. Papa wil dat ik met mijn gezin naar India kom!'

'Wát? Jullie allemaal? De kinderen? En Horatio ook?'

'Wij met zijn allen. Mama en hij kunnen niet terug naar huis. Hij zegt dat de zaken uitstekend gaan. Hij zegt dat ze ons vreselijk missen... O Rose, we hebben elkaar bijna zes jaar niet meer gezien! Ze willen natuurlijk heel graag hun kleinkinderen zien. En hij stelt voor dat we allemaal voor een jaar daarheen gaan. Dan kunnen de kinderen hun nichtjes en neefjes ontmoeten: Richards kinderen. Richard heeft het nu zo druk met lord Wellesley en het Britse leger in India, dat zijn vrouw en kinderen bij papa en mama wonen. Papa zegt dat het goed voor onze kinderen zal zijn om iets van de wereld te zien, dat ze veilig zullen zijn, en dat er goed voor hen zal worden gezorgd. En dat er voor Horatio veel heidenen zijn om te bekeren!'

'Wat zal Horatio ervan vinden?'

Fanny trok haar omslagdoek wat dichter om zich heen en staarde naar de grote Londense huizen in de buurt van het plein, en naar de torenspits van de kerk waar Rose was getrouwd. 'Ik weet het niet zeker. Horatio heeft niet zoveel belangstelling voor de rest van de wereld, maar... maar ik denk toch...' Rose zag hoe Fanny probeerde zichzelf te overtuigen. 'Ik denk toch dat zelfs hij enthousiast zal zijn over zo'n avontuur.'

'Wil je zelf graag?'

Fanny boog zich naar voren en greep het gezicht van Rose met beide handen vast. 'Rose! Natuurlijk wil ik graag! Maar kijk me eens aan, lieverd, ik ben nog niet klaar. Papa is nu een heel rijk man, veel rijker dan ik had begrepen. Hij weet dat jij alleen bent, en hij heeft geregeld – hij stáát erop – dat jij ook meekomt!'

'Wat?!'

Pierre Montand en Jane verschenen achter hen op een holletje. Pierre ging zitten en veegde zijn vriendelijke gezicht met een zakdoek af. Jane liet zich hijgend en giechelend op haar moeders schoot vallen. Fanny lachte toen ze haar sombere dochtertje zo blij zag. Ze bedankte de Fransman en stelde voor nu thee te gaan drinken. En niemand zag dat Rose' ogen heel even glinsterden zoals de ogen van de antieke katten in Egypte.

Fanny en Rose slaagden er ongeveer elf minuten in de informatie voor zich te houden. Ze dronken thee. Jane was direct op de zachte sofa in slaap gevallen, Fanny en Rose zaten aan weerszijden van haar en Pierre zat op de rechte stoel van Rose, zodat hij langer leek dan ooit. Buiten schreeuwden straatventers, er draafden paarden voorbij en de scharensliep riep, want het was nooit stil in South Molton Street. Pierre kon zien dat de vrouwen opeens bijna buiten adem waren van opwinding. Ze deden hem denken aan zijn jongere zusjes wanneer die in hun huis in Nantes een nieuwtje geheim wilden houden. Meestal betrof zulke opwinding een man. Dus hoewel hij Rose Fallon het liefst in de armen had genomen om haar mee te voeren naar een plek waar ze eindelijk alleen konden zijn, wachtte hij, heel ongewoon voor zijn doen, stoïcijns af of zijn lot soms door een ander was besloten. Hij hield nu al van die kleine frons op haar voorhoofd. Het mooie voorhoofd dat ze tegen een beschadigd Egyptisch beeld had gelegd.

Vooral Rose zag eruit alsof ze elk moment kon ontploffen. Ten slotte zei ze tegen Fanny, terwijl de woorden zo ongeveer uit haar mond barstten: 'Mogen we dit punt alsjeblieft met monsieur Montand bespreken? Hij zal vast veel informatie hebben over allerlei dingen die we moeten weten.'

'Ja!' zei Fanny. 'Ik zat al te wachten tot je erover zou beginnen!' En beide vrouwen barstten los in opgewonden gelach.

'Wat dit nieuws ook mag zijn, het straalt van uw gezichten af. Ik zou *enchanté* zijn als ik voortaan met Pierre werd aangesproken.'

'Vertel alles aan Pierre, Fanny.' De ogen van Rose twinkelden. En Fanny Harbottom, vrouw van de dominee van Wentwater, keek naar haar dochter die met haar mond open lag te slapen, en vertelde toen wat de notaris had gezegd. Toen ze klaar was zagen de vrouwen tot hun schrik dat Pierre hun opwinding niet deelde. Hij keek hen ernstig aan.

'Dat zou een heel lange en gevaarlijke reis zijn,' zei hij ten slotte. 'India is heel ver weg en er zijn veel gevaren op die lange zeereis. Denk je dat je man zal instemmen met zo'n plan?'

Hij zag hun onzekere gezichten. Fanny had dit punt in gedachten al tien keer doorgenomen op de terugweg van de notaris naar South Molton Street. Zou de rest van de wereld voor Horatio bestaan, wanneer hij zo'n kans kreeg om alles zelf te zien? Zou hij denken dat het hem in zijn carrière zou belemmeren of dat het hem zou helpen? Ze wist het niet.

'Ik weet het niet,' zei ze.

'Toe,' zei Rose. 'Luister naar mij. Allebei.' Haar mond werd opeens heel droog. Ze slikte en likte nerveus langs haar lippen. Ze dronk haar thee op. Ze stond op van de zachte sofa en ging toen weer zitten. *Had Pierre niet gisteren nog gezegd dat India te bereiken was via Egypte?* Ten slotte kwamen de woorden er haastig uit. 'Als ik toch naar India ga, waarom zou ik dan niet via Egypte gaan om Harry's dochter te zoeken? Als dat mogelijk is. Als ze in leven is,' voegde ze eraan toe met een nerveuze blik op Pierre. 'Ik besef dat dat misschien niet het geval is.'

Even zei niemand iets. Ze konden de ademhaling van Rose horen.

'En dan?' zei Fanny zacht. 'Lieve Rose, wat dan?'

Rose fronste haar wenkbrauwen in concentratie. 'Ze verschijnt steeds weer in mijn dromen, wat ik ook doe om dat te voorkomen. Ik heb er steeds weer over nagedacht.' Ze keek Pierre ongemakkelijk aan. 'Ik besef dat als ik haar al zal vinden, ik haar misschien niet help door daar te verschijnen. Misschien maak ik het zelfs wel moeilijker voor haar. Maar ik zou in elk geval kunnen onderzoeken of ze... of ze behoefte heeft aan mijn hulp.' Ze wist hoe zwak deze woorden klonken nu ze hardop werden uitgesproken, maar in haar hoofd leken ze sterk. 'O god... Ik heb dit ongetwijfeld zelfbedachte gevoel dat ik haar moet vinden.'

Als bij het geluid van de naam van haar vaders werkgever deed Jane haar ogen open. Ze merkten niets.

'Rose,' zei Fanny zacht, 'zoals ik gisteravond al tegen je heb gezegd weet je hoe de wet in elkaar zit. Als het kind in leven is en jij vindt haar, dan zou ze George toebehoren, niet jou.'

'Maar George weet niets van het kind. Ik wel.'

'Je hebt geen enkel recht op haar. Geen enkel.'

'Hij hoeft het helemaal niet te weten! Mijn leven is vanaf dit moment volledig van de familie Fallon afgesneden. Ik hoef hen nooit meer te zien. En wat zou George met een Egyptisch kind willen? En dan nog wel een meisje? Hij heeft het heel druk met zelf een kind te verwekken.'

'Ik heb erge honger,' zei Jane. 'Wat is verwekken?'

Die avond laat, terwijl Jane boven lag te slapen, zat het drietal nog steeds bij de kleine tafel in het lamplicht te praten. Mattie was bedrijvig bezig, bracht eten binnen, ruimde de borden af, luisterde, stookte het vuur op, maakte het mengsel van rode wijn en warm water waarvan ze wist dat Rose en Fanny er zo dol op waren. Pierre gaf geen mening, hij verschafte hun slechts informatie, vertelde hun de routes naar India, hoe de meeste mensen de erg lange route via Kaap de Goede Hoop namen. Het was korter in tijd, maar wel veel gevaarlijker om door Europa te trekken en dan met de boot, waarschijnlijk vanuit

Italië, door de Middellandse Zee naar Alexandrië te varen. Daarna zouden ze door Egypte moeten trekken, óf door de woestijn óf met een bootje de Nijl af naar Caïro. Daarna weer door de woestijn naar de Rode Zee en dan naar India. 'Ik weet zeker,' zei hij tegen Fanny, 'dat uw man de gevaren en de moeilijkheden ervan zal inzien.' En toen kon hij zich niet langer inhouden. 'Het zou belachelijk zijn om dit te doen, te overwegen door Egypte te trekken! De kinderen zouden het niet overleven en jullie zouden het niet overleven. Het is een belachelijk idee!' Hij hoorde zelf hoe boos hij klonk. 'Maar dit zijn natuurlijk niet mijn zaken, *pardonnez-moi*.' Maar toen hij het daarna over Egypte had, raakte hij onwillekeurig weer overmand door zijn herinneringen, vertelde hij over het woestijnzand en de deinende kamelen en de ruïnes en de zeilboten op de Nijl, en de Arabische handelaren die al begonnen in te zien dat er met oude spullen geld te verdienen viel en die alles wat ze in het puin hadden gevonden te koop aanboden aan iedere buitenlander die voorbijkwam: hiërogliefen, schedels of sieraden. En over bedoeïenenruiters die hen óf vermoordden of hen in de woestijn ontvingen met dadels en hardgekookte eieren.

De vrouwen keken hem verbaasd aan. 'Hardgekookte eieren?'

'Ik neem aan dat die in de hitte langer goed blijven als ze gekookt zijn.' En de vrouwen zagen mannen met tulbanden en wapperende mantels te paard, die het gele woestijnzand deden opstuiven als ze weggaloppeerden. 'Het waren natuurlijk schurken, veel van de mensen met wie we te maken hadden, maar ik heb er ook enkele wetenschappers ontmoet, vooral in Caïro, waar we het eerste *Institute de l'Egypte* hebben geopend. Ik weet niet zeker of ze veel belangstelling hadden voor de oude voorwerpen die we hadden gevonden, maar het waren heel wijze mannen en heel interessant om mee te praten.'

'En vrouwen?'

'Een vreemde man ontmoet geen buitenlandse vrouwen, Rose,' – hij zag haar gezicht – 'anders dan vrouwen van een bepaalde klasse, vergeef me. Ik ben een keer uitgenodigd in het huis van een geleerde, maar het eten werd door mannelijke bedienden geserveerd. Ik geloof dat de vrouwen boven waren, in wat ze de *haramlek* noemen. Er zijn erg veel regels met betrekking tot vrouwen. Je mag een man zelfs niet vragen of zijn vrouw in goede gezondheid verkeert. Ik heb geleerd dat je hoogstens bijvoorbeeld mag zeggen: "Ik hoop dat de moeder van uw kinderen het goed maakt." Die keer bij die geleerde thuis had ik steeds het gevoel dat ik vanachter tralies boven steeds door ogen werd bekeken. Maar ik kan me vergissen.' Ze staarden hem aan.

'Tralies? Is het een *gevangenis*?'

'Ik ben ervan overtuigd dat het dat niet helemaal is.'

Hij had nog steeds niets gezegd over het kind in Alexandrië. Rose liet hem de oude kaarten van haar vader zien. Ze zagen zijn oude zeeroutes die erop waren aangegeven. Bij de monding van de Nijl, bij Rosetta, was een verbleekte bloem getekend. 'Dat heb ik gedaan toen ik ongeveer acht jaar was,' zei Rose, 'toen papa me vertelde waar mijn naam vandaan kwam. Het was mijn hiëroglief.'

Pierre bekeek de kinderlijke tekening. 'Je hebt een beeldtaal geschapen, een beeld om ons jou te herinneren en dat zou alles bevatten van wat wij van jou wisten, Fanny en ik, wanneer we dat zagen... je ogen bijvoorbeeld' *(ik moet hen alleen laten*, dacht Fanny) 'en je gezicht en je haar en...'

De vrouwen zagen dat hij zich vermande en terugkeerde naar het onderwerp dat hem bezighield. 'Wat ik eigenlijk probeer te zeggen is: honderden jaren lang hebben mensen het over hiërogliefen gehad als tekeningen zoals jouw tekening, en over dromen en mysterie. En ik vermoed dat dat wel eens gedeeltelijk waar zou kunnen zijn. Ik weet zeker dat de hiërogliefen als beeldtaal zijn begónnen. Maar hoewel ik *un archéologue* ben, geen linguïst, denk ik dat het toch honderd keer ingewikkelder is dan dat. Ik zie dat er te veel informatie is om in beelden te kunnen worden uitgedrukt. Maar we kunnen natuurlijk alleen maar wachten op de echte geleerden, en soms word ik daar, wanneer ik met die schatten en die merktekens aan het werk ben en in het duister tast, bijna gek van!' Ze zagen hoe obsessief hij sprak, hoe het onderwerp hem bezighield, hoe hij in zijn ogen wreef en zijn voorhoofd in rimpels samentrok.

Fanny pakte haar omslagdoek. 'Willen jullie me excuseren?' zei ze. 'Ik vertrek morgenochtend vroeg naar huis... om uit te zoeken wat ons lot zal zijn! Maar je moet beloven ons niet te vergeten, Pierre,' voegde ze eraan toe toen ze welterusten zei. 'Want wat we ook mogen besluiten, we zullen je nodig hebben om ons raad te geven.'

'Ik sta uiteraard geheel tot jullie dienst,' zei Pierre ernstig en hij kuste haar hand. 'Ik ben heel belangstellend naar het besluit van je man, die ongetwijfeld een heel wijs iemand is.'

Toen Fanny weg was, sloeg hij de kaarten langzaam dicht. Ze bleven even zwijgend zitten, en het was alsof de wilde kreet van Rose, in Parijs: *welk kind?*, weer door de kamer klonk, waar de kaarsen flakkerden (en het stille huis misschien luisterde). De scharensliep liet zijn kreten nog steeds door South Molton Street schallen, alsof het donker een goed moment was om messen en scharen te slijpen. Er draafden twee paarden over de straatkeien voorbij. Ergens hoorden ze een vrouw lachen.

'*Ecoute-moi*,' zei Pierre ten slotte. 'Luister.'

Rose was opeens bang dat ze zijn vriendschap zou verliezen omdat hij haar zo dwaas vond. 'Alsjeblieft, Pierre,' zei ze snel, 'beloof me dat je onze vriend zult blijven, wat er ook gebeurt. We zullen jouw advies nodig hebben, jij zult degene zijn die ons het beste kan helpen bij dit geweldige avontuur. Alsjeblieft, Pierre.' Ze zag zijn gezicht.

'Ik zal je vriend zijn wat er ook gebeurt,' zei Pierre ernstig. 'Maar, Rosette, het zal geen geweldig avontuur zijn. Neem me niet kwalijk dat ik het zeg, maar je hebt absoluut geen idee wat je plannen inhouden. Je zou heel gemakkelijk – en ik overdrijf absoluut niet – het leven kunnen laten, en ik vervloek de dag dat ik tegen jou ooit iets over het kind heb gezegd. Hoe had ik ook maar een ogenblik kunnen weten dat dat zo'n effect op jou zou hebben?'

'Voordat ik ga zal ik ieder boek lezen dat er over Egypte is geschreven,' zei ze halsstarrig.

'Er is geen enkel boek dat je kan vertellen hoe het daar is.' Hij ging weer rechtop in zijn stoel zitten, en zijn schaduw was lang en vreemd op de muur achter hem. 'Beschouw jij het als je plicht voor dat kind te zorgen omwille van je man?'

'Nee,' zei Rose, ze beet op haar lip. 'Niet als mijn plicht.' De schaduw bleef roerloos. 'Die Egyptische vrouw was een van de vele vrouwen, en ik had dat allang ontdekt voordat mijn man overleed. Hij heeft met veel vriendinnen van mij de liefde bedreven, hij maakte geen onderscheid' – ze lachte kort – 'omwille van mij. Ik verzeker je dat er geen liefde meer in mijn hart heerst!'

Hij zei kalm: 'Waarom is dit dan echt zo belangrijk voor je?'

Ze keek hem over de tafel heen aan, maar ze kon hem niet vertellen over het kleine dode baby'tje, over de volmaakt gevormde vingertjes en teentjes. Ze kon hem niet vertellen dat ze misschien geen andere kans zou krijgen. 'Je hebt me over haar verteld, nu moet ik haar gaan zoeken.'

Langzaam leunde hij over de tafel en pakte heel voorzichtig haar hand, zoals hij die in een straat van Parijs had gepakt. 'Ik was dwaas,' zei hij. Hij keek haar zo teder aan dat ze een steek in haar hart voelde. *Ma chérie*, het is voor mij op dit moment onmogelijk de *Commission* te verlaten, we zijn heel hard bezig de publicaties voor te bereiden en ik ben hard nodig en heb het heel druk. Maar misschien zou ik er eens met jou naartoe kunnen gaan, naar Egypte, als dit zo belangrijk voor je is. Ik zou op zijn minst de gevaren kunnen inschatten, wat jij niet kunt. En ik zou je in sommige opzichten kunnen beschermen.' Hij hield nog steeds haar hand in de zijne. 'Zou jij, *Rosette*,' – zijn vriendelijke gezicht glimlachte naar haar – 'ik had nooit gedacht deze woorden in het Engels te zullen zeggen – willen overwegen mijn vrouw te worden?' Hoewel hij haar hand heel teder vasthield, kon ze die toch niet terugtrekken. Ze was geheel uit het veld geslagen. Ze zag opeens Harry voor zich, op zijn knieën. Hij wenste geen nee te horen te krijgen en had haar toen in zijn armen genomen. Ze dacht aan alle hartstocht en vrolijkheid. Ze keek naar deze volstrekt andere man, naar zijn vriendelijke en liefdevolle gezicht. 'Ik mag je heel graag,' zei ze. 'Maar...'

'Maar?'

Ze kon niets uitbrengen.

'Maar?' zei hij weer.

'Pierre, we weten niets van elkaar, we hebben elkaar nog maar zo zelden ontmoet.'

'Ik begrijp dat we nog veel moeten leren over elkaar. En toch ziet het ernaar uit dat het lot heeft beslist dat ik al veel over jouw leven weet, meer dan de meesten.'

'Dat is in zekere zin waar, maar...'

'En het ziet er eveneens naar uit' – hij glimlachte – 'dat ik ben geraakt door een pijl uit de boog van Cupido. Die oude kapotte steen schijnt ons samen te hebben gebracht... en ik denk dat we veel meer over elkaar te weten zouden kunnen komen als we dat wensten.'

'Maar... maar we leven in twee verschillende landen!'

Hij zei niets, hield slechts haar hand vast en wachtte.

'Ik denk dat ik... dat ik dit niet kan,' zei Rose ten slotte en ze wendde haar blik van hem af.

Fanny en juffrouw Proud en Mattie hoorden de voordeur dichtgaan.

Fanny kwam in haar nachthemd naar beneden; haar rode haar stond recht overeind. Als Rose haar op een ander moment zo had gezien, had ze misschien moeten lachen. Maar Rose zat op de sofa met haar armen om zich heen geslagen, alsof ze het koud had, en naast haar lag een sigaartje te smeulen.

'Lieve Rose.' Fanny ging naast haar nichtje zitten. 'Is er... is er iets tussen jullie afgesproken? Wat zegt hij over Egypte?'

Het duurde lang voor Rose antwoord gaf. 'Hij is – ik weet het – een uitermate vriendelijke man. Ik mag hem heel graag – ik zal nooit vergeten hoe hoffelijk hij zich tegenover Dolly gedroeg toen ze midden in de nacht naar hem toe ging, zoals ik je heb verteld. Ik mag hem heel graag. Maar... maar hij heeft me ten huwelijk gevraagd.'

'O Rose! O lieverd, dat is geweldig!'

'Maar...'

'Maar?'

Rose zweeg.

'Is hij bereid ons te helpen bij onze tocht door Egypte?'

'Hij vindt het een krankzinnig plan.'

'Maar hij wil met je trouwen... ondanks die krankzinnigheid?' Rose zei niets, Fanny wachtte.

'O Fanny, ik weet niet wat ik moet denken of voelen! Ik was er totaal niet op voorbereid. Maar ik... ik voel geen... O Fanny, ik weet het niet! Je weet dat George zegt dat ik ziek ben en naar Bedlam zou moeten worden gestuurd! Misschien ben ik bang. Hoe dan ook... de waarheid is dat... dat hij mijn hart niet sneller doet slaan. Dat is het!' Rose bloosde even en stond op, met de sigaar in haar hand. 'Ik moet naar bed.'

'Maar...' Fanny keek verbaasd, staarde even naar haar nichtje omhoog. 'Ik hoop... ik hoop dat je, na dit alles, niet op zoek bent naar een nieuwe Harry?'

'Hoe bedoel je?' Rose voelde zich wat ongemakkelijk. 'Hoe bedoel je?' zei ze weer.

Er verscheen iets bitters in Fanny's blik. 'Ik dacht dat we er inmiddels wel achter waren dat er andere criteria zijn om een man op uit te kiezen dan we op ons zeventiende meenden. En dan zou je hart ook sneller kloppen. Op een andere... diepere manier.'

292

Rose staarde haar aan. 'Wat bedoel je?' zei ze weer.

Fanny keek even naar haar nichtje en sloeg toen haar ogen verlegen neer. Ze ging ook staan. 'Laat maar,' zei ze. 'Ik heb waarschijnlijk niet genoeg ervaring om over zulke dingen te praten. Welterusten, lieve Rose.' Ze kuste haar nichtje en Rose hoorde haar voetstappen de trap op gaan naar de zolderkamer.

Die nacht ging Rose opeens rechtop in bed zitten. Haar hart bonsde hevig. Ze had van Pierre gedroomd, hij had met zijn mooie, wijze, vriendelijke ogen naar haar geglimlacht. Waarom zou ze hem niet vertellen over haar angsten, over dat ze een kind had gewild, dat kind, omdat ze haar eigen kind had verloren, haar eigen kind dat voor de helft haar genen had? Iemand als Pierre zou dat vast begrijpen, hij was niet als Harry, met wie ze niet kon praten over wat er in haar hart leefde. Ze moest meteen weer aan Fanny's verbaasde, raadselachtige woorden denken: *ik hoop dat je niet op zoek bent naar een nieuwe Harry.* En ze besefte – eindelijk – dat ze dat niet wilde. *Want ik zou het leven met een nieuwe Harry niet kunnen verdragen!* Ze sloeg haar hand voor haar mond om het niet uit te gillen van spijt over haar dwaasheid. *Wat heb ik een vreselijke fout gemaakt! Mattie probeerde het ons al die jaren geleden al te vertellen: we moesten onze man ook áárdig vinden. Pierre is zo'n man, het tegendeel van hoe Harry was.* Ze kreeg een nieuwe, andere kans, een kans op geluk, en haar hart, waarvan ze had gezegd dat het niet sneller ging kloppen voor hem, bonsde nu wild en hevig. *Hoe heb ik zo dom kunnen zijn? Heb ik dan geen enkele les uit het verleden getrokken?*

De volgende morgen, bij het aanbreken van de dag, zodra ze Fanny en Jane had uitgezwaaid met de woorden dat ze elke dag op de brief zou wachten en dat ze daarna meteen plannen zouden maken, holde Rose weg. Ze holde naar het huis van de Franse ambassadeur op Portman Square. Het kon haar niet schelen wat de mensen van de modder, het stof en de paardenmest op haar jurk en van het vroege uur zouden denken. *Laat me niet te laat zijn.* Ze vroeg naar monsieur Montand.

Een huisknecht met een enorme poederpruik boog en vertelde haar dat monsieur Montand de vorige avond was vertrokken naar Frankrijk.

De wolken hingen lager, werden grijzer, en de dagen werden koud. De vrouwen deden meer omslagdoeken en capes over hun dunne jurken en vatten kou en leden vreselijk aan reuma, omdat de huizen nooit warm werden. Weldra werd het winter, straks was het december en dan Kerstmis en dan begon er een nieuw jaar. *Waar blijft Fanny's brief? Pierre kan toch zeker niet nu al niet meer om me geven?* Ze schreef hem minstens tien brieven, maar ze verscheurde ze allemaal, want ze leken zo zwak: *Lieve Pierre, ik heb me vergist.* Zodra ze van Fanny had gehoord zou ze plannen gaan maken om te reizen en zou ze naar Parijs gaan. Op een van die koude, grijze dagen liep Rose langzaam de trap op naar de bovenverdieping van het huis in South Molton Street. Ze had vergeefs gehoopt op een brief van Fanny of van Pierre. Mattie was bezig de zitkamer schoon te maken. Rose begon naar haar kamer te gaan, draaide zich toen weer om.

'Mattie,' zei Rose.

'Ja, juffrouw Rose?' Mattie haalde de boenwas tevoorschijn.

'Mattie,' zei Rose weer. Ze sprak als terloops, maar

haar wangen werden een beetje rood. 'Toen wij jong waren, zei je dat we ervoor moesten zorgen dat we onze mannen aardig vonden. Papa vond Harry niet aardig, ondanks al zijn charmes.'

'Hmmm,' zei Mattie, terwijl ze afstandelijk stond te boenen.

'Vond jij Harry aardig?'

'Lieve hemel,' zei Mattie. Ze boog zich over de grote tafel, begon plotseling harder te boenen. 'Wat heeft dat met mij te maken?'

'Maar... ik dacht dat iedereen hem aardig vond. Hij was echt heel charmant!'

Mattie boende zo hard dat haar ademhaling zwaar werd. 'Als u 't echt wilt weten, dan moet ik zeggen dat we in Ludgate Hill net zulke jongens hadden. Ik gaf ze lik op stuk, maar ik had ze met geen vinger willen aanraken.' Het gezicht van Rose werd roder. Mattie zweeg even en keek haar aan. 'Ik wist dat er een probleem was toen hij u dwong al uw boeken in uw kamer op te bergen en u niet eens protesteerde, zo verkikkerd was u op hem.' Ze duwde het haar uit haar ogen. 'U wilde niet zien wat voor man hij werkelijk was!' Rose kon niets aan haar rode wangen doen. *Hoe heb ik Pierre kunnen laten gaan?* 'Luister, juffrouw Rose, toen Cornelius Brown wist dat uw ouders me hielpen om te leren lezen, weet u, toen wilde hij me ook helpen op zijn vrije dag, ook al had hij misschien liever iets heel anders gedaan! Hij begreep dat het belangrijk voor me was.'

De tafel was nu zo glimmend gewreven dat Rose haar eigen vuurrode gezicht er duidelijk in kon zien.

'O, waar blijven die brieven toch?' riep ze hartstochtelijk uit.

Eindelijk stuurde Fanny een heel kort briefje naar Rose in Londen.

Hij zegt dat we niet mogen gaan, luidde het.

Pierre Montand schreef ook een kort briefje uit Parijs. Hij richtte zich zowel tot Rose als tot Fanny en vertelde hun dat de kostbare blauw-met-gouden Egyptische ring weer op zijn plaats lag, in de *Commission de l'Egypte*, en dat alle *savants* een zucht van verlichting hadden geslaakt. Hij had het niet over trouwen, of over wat voor persoonlijks dan ook. Hij had het niet over reizen. Hij deed hun de hartelijke groeten.

Rose zat in haar kleine zitkamer, met de twee korte brieven in haar hand.

Ze stak een sigaartje op. De rook kringelde omhoog.

Het zou niet voor Harry zijn geweest. Het was voor mezelf. Ik heb nog nooit iets zo graag gewild als dat ik dit kind wil, dit kind dat in elk geval voor een deel zou zijn als het kind dat ik heb verloren. Het kind dat ik heb gezien.

Toen ontplofte er een gedachte in haar hoofd, als vuurwerk, met een regen van vonken.

WAAROM WACHT IK TOT IEMAND ANDERS HET BESLUIT NEEMT?

Zeventien

'Nee!' zei Fanny. 'Nee, Horatio, alsjeblieft niet!' Horatio had haar opnieuw onverhoeds overvallen. Het dienstmeisje was zout gaan kopen, het was midden op de dag, Fanny stond in haar keuken te koken, ze had haar sponsje met azijn niet binnen handbereik. Sinds ze naar Wentwater was teruggekeerd, was dit al vaak gebeurd.

'Zeg jij nee tegen je man?'

'Horatio, de kinderen zijn in de hal aan het spelen, wacht alsjeblieft tot later.' De pannen stonden te koken, het zweet stroomde over haar wangen vol sproeten, haar rode haar wapperde om haar heen.

'Zeg jij nee tegen je man?' Hij begon zijn knopen los te maken, hijgend en duwend. 'We moeten meer kinderen hebben. Je zult je echtelijke plichten nakomen. De apostel Paulus heeft gezegd: *de vrouw is geschapen omwille van de man*. Je mag nooit meer naar Londen gaan. Je nicht' – hij trok haar jurk omhoog – 'brengt jou altijd' – hij stootte – 'op immorele gedachten.' Ze probeerde hem weg te duwen. Hij sloeg haar in zijn frustratie met zijn elleboog tegen de zijkant van haar gezicht, maar hij merkte het niet eens. 'Zeg jij nee tegen je man die Gods vertegenwoordiger op aarde is?' Hij was buiten zichzelf, de warme keuken was vervuld van de geur van schapenvlees, lavendel, niervet, zweet en opeens seks, toen zijn aandrang hem overweldigde. Hij ademde even zwaar en leunde tegen haar aan. Er verscheen een vlek op de rok van haar jurk.

'Mama?' Het stemmetje van Jane klonk van ergens dichtbij.

'Maak dat je wegkomt!' brulde haar vader en hij knoopte haastig zijn broek dicht. Jane schoot als een verschrikt konijntje de hal weer in, juist toen er aan de bel bij de voordeur van de pastorie werd getrokken.

Fanny keek, met haar hand tegen haar gezicht, haar man een keer aan, draaide zich toen om en liep naar boven. De pannen sisten en kookten over, zonder dat iemand erop lette.

Dus was Horatio nog een beetje buiten adem en enigszins verfomfaaid toen het bezoek de pastorie werd binnengelaten door een dienstmeisje met zout, dat onmiddellijk naar de kokende pannen in de keuken holde. Zijn humeur werd er niet beter op toen het bezoek bleek te bestaan uit de nicht van zijn vrouw, Rose, en haar dienstmeisje.

'Goedemiddag, Horatio,' zei Rose, en ze bood hem haar hand. 'Wat hebben we elkaar lang niet gezien.'

Hij boog, maar zijn woorden waren niet erg gastvrij. 'Ik geloof niet dat we jullie verwachtten,' zei hij.

'Dat weet ik,' antwoordde ze. 'Maar ik heb wat familievrienden in Birmingham bezocht en we kwamen bijna langs jullie huis, en aangezien ik het grote genoegen heb gehad kennis te mogen maken met je dochter, beschouw ik het als mijn plicht ook je zoon te ontmoeten, over wie ik zoveel heb gehoord. Maar ik zal maar heel kort blijven, alleen vannacht als dat schikt, want ik moet heel dringend naar Londen terugkeren.'

Zijn gezicht vertoonde tegenstrijdige emoties. Hij wilde niet dat deze immorele vrouw ook maar de geringste invloed op zijn zoon zou hebben, maar anderzijds was zijn zoon een spectaculair succes dat aan iedereen getoond kon worden.

Jane, die zonder het te durven geloven de stem van haar tante had gehoord, stond angstig een eindje verderop in de hal. 'Tante Rose?' zei ze met een klein stemmetje.

'Janey!' Jane schoof zijdelings naar haar toe, terwijl haar ogen angstig opkeken naar haar vader. Haar broer was verdwenen.

Rose omhelsde haar. Ze zag het angstige gezichtje vol sproeten, voelde hoe koud haar armen en handen waren. 'Ik heb je zo erg gemist dat ik hier gekomen ben om je te zien,' zei ze tegen het meisje. 'En ik hoop' – ze keek Horatio aan – 'ook eindelijk je broer te ontmoeten.' Jane had haar tante willen vertellen dat haar broer haar altijd kneep, elke keer als de volwassenen niet keken, maar dat kon ze niet in het bijzijn van haar vader.

'Ga je broer halen,' zei Horatio, en Jane liep onmiddellijk, gehoorzaam en behoedzaam, door de gang naar de kamers aan de achterkant.

'Nu moet je eens goed naar me luisteren, Rose,' zei Horatio, en op dat moment snelde zijn vrouw de kamer binnen. 'Rose! Ik wíst dat ik je stem hoorde!' was alles wat ze zei. Ze omhelsde haar niet stevig en keek haar toen bezorgd aan. 'Is alles goed met je?'

'Natuurlijk!' zei Rose. 'Ik wilde je niet laten schrikken. Ik kwam toevallig langs, alleen maar voor vanavond. Ik ben naar Birmingham geweest en ik was zo dichtbij dat ik jullie zoon wilde ontmoeten.' Ze glimlachte naar Horatio. 'Ik heb al zoveel over hem gehoord.'

Fanny keek naar haar nicht, glimlachend van blijdschap maar met honderd vragen in haar intelligente ogen. 'Naar Birmingham?' zei ze. 'Met dit koude weer?'

'Het is voorjaar!' zei Rose. 'De dagen beginnen te lengen. De wegen zijn hard en goed, nu het is opgehouden met regenen.'

'Nu moet je eens goed luisteren, Rose,' zei Horatio weer. Hij werd uit zijn evenwicht gebracht door deze zelfverzekerde, wereldse vrouw die in zijn keuken stond. Dit was niet het wispelturige meisje dat hij zich herinnerde. Ze was anders. 'Wat kom je doen?'

'Ik had gehoopt dat ik met jou en je gezin naar India had kunnen gaan,' zei Rose zedig. 'Het had zo'n geweldig avontuur kunnen worden. Maar... het heeft niet zo mogen zijn.'

'Het was een belachelijk idee dat een dominee zich een jaar aan zijn gemeente zou kunnen onttrekken om aan de grillen van een oude man tegemoet te komen.'

'Ik begrijp het,' zei Rose. 'Misschien zal ik eens de moed opbrengen om alleen te gaan.'

'Hemel!' riep Fanny uit terwijl ze haar nicht aanstaarde. 'Het eten!' Ze ging bedrijvig bij het fornuis aan de gang.

'Dit is belachelijk, Rose!' zei Horatio, en zijn stem dreunde.

De jonge Horatio verscheen in de deuropening met Jane op zijn hielen.

'Goedemiddag, tante,' zei hij beleefd maar met weinig enthousiasme. (Hij had van zijn vader over zijn tante gehoord.) Hij boog even en ging direct naast zijn vader staan. Hij was zes jaar oud en leek sprekend op de man naast hem. Rose hoopte dat hij nog niet naar lavendel rook.

'Zeg de Tien Geboden eens voor je tante op.'

De jongen begon onmiddellijk. 'Gij zult geen andere goden voor mijn aangezicht hebben. Gij zult u geen gesneden beeld maken. Gij zult de naam van de Heere uw God niet ijdel gebruiken. De zevende dag is de sabbat, dan zult gij geen werk doen. Eert uw vader en uw moeder.' Toen hij bij het woord echtbreuk kwam, struikelde hij over het woord, kennelijk in twijfel over de betekenis, maar zich bewust van het zondige karakter ervan. 'Vader, ik heb een hert op het achterste veld gezien. Kunnen we het gaan schieten?' Horatio had weinig zin de twee vrouwen alleen te laten, maar hij wilde zijn zoon heel graag leren schieten.

'Ik verwacht je vanavond in de kerk,' zei hij tegen Rose terwijl hij zijn laarzen aantrok.

'Vanavond?' Ze keek verbaasd. 'Natuurlijk, als je dat wilt... Maar het is dinsdag.'

'Het is de avond dat Fanny er behoefte aan heeft mijn preek te horen.'

'O natuurlijk. Heel graag.' Ze liet op geen enkele wijze blijken dat dit haar geen grote vreugde verschafte.

Toen ze ten slotte alleen waren – Mattie hield Fanny's dienstmeisje in de keuken bezig, Jane lag op de bank te slapen, veilig tussen de vrouwen in – greep Rose Fanny bij beide armen. 'Fanny! Natuurlijk ben ik niet naar Birmingham geweest! Ik wilde je spreken, want ik kon niet alles schrijven! Fanny, ik vertrek deze week nog naar Egypte. Ik heb alles geregeld. Ik ga uiteraard via Parijs, om Pierre om nader advies te vragen. Hij zal het misschien niet goedkeuren, maar ik weet zeker dat hij me zal helpen wanneer hij begrijpt dat ik echt moet gaan. Maar ik wilde niet weggaan zonder jou te hebben gezien.'

Fanny keek ongelovig. 'Je overweegt toch zeker niet om alleen te gaan? Is het Pierre? Neemt hij je mee?'

'Ik kan alleen gaan, Fanny. Sinds het najaar heb ik alle boeken over Egypte gelezen die er bestaan. Ik ben niet bang.'

'Wil Pierre je niet vergezellen? Zijn jullie vrienden?'

'Ik... ik weet zeker dat we vrienden zullen zijn als we elkaar ontmoeten. Maar ik zou hem... dat... natuurlijk niet kunnen vragen.' Ze stotterde even, zoals de kleine Horatio bij het woord 'echtbreuk' had gestotterd.

'Je kunt zo'n reis echt niet in je eentje maken. Ik weet zeker dat Pierre hetzelfde zal zeggen. Het is onmogelijk, hij heeft ons verteld dat het veel te gevaarlijk is!'

'En toch ga ik, Fanny! Er zijn meer vrouwen die dit hebben gedaan. Pierre heeft dat in Londen tegenover ons toegegeven, ook al waren dit excentrieke vrouwen die hun man vergezelden. Er zullen andere reizigers zijn. Er zijn altijd meer reizigers. Ik geloof niet dat vreemden me door wilde dieren zouden laten opeten of door het zwaard van een ongelovige zouden laten afslachten! En ik ga niet helemaal alleen, natuurlijk niet. Mattie gaat maar al te graag met me mee. Ze is er zelfs opgetogen over! Ze zal het je zelf wel vertellen, ze is ervan overtuigd dat ze haar lang verloren echtgenoot terug zal vinden.' Maar Fanny keek haar afkeurend aan. 'Fanny, lieverd, luister goed. Ik ben van Harry genezen. Ik mis hem absoluut niet meer. Maar jij was degene die me erop wees dat ik ook iets had om Harry dankbaar voor te zijn. Als ik dit doe, zal ik het gevoel hebben dat ik eervol heb gehandeld omwille van hem.'

'Waarom zou je in 's hemelsnaam iets doen omwille van hem?'

'Ach, Fanny, voor mijn part is dat een excuus. Gewoon om niet volslagen gestoord te klinken! Ik wil dit kind zo wanhopig graag vinden, en je weet heel goed dat ik gewoon pópel om naar Egypte te gaan. Ik heb er altijd al naartoe gewild. Ik heb echt al maandenlang plannen zitten maken, zoals papa dat ook zou hebben gedaan. Ik wilde niet op reis gaan voordat ik zeker wist dat ik alles kon overzien. Ik heb heel hard gewerkt. Ik heb alles gelezen wat er maar beschikbaar was. Ik heb geleerd hoe ik de mensen in Arabië moet begroeten. Ik ben opgehouden met opium te gebruiken want ik wilde over een heldere geest beschikken. Ik besef dat we niet eens weten of het kind in leven is, maar ik zal mijn best doen haar te vinden, en ik weet zeker dat Pierre me zal helpen. Er is niets dat me in Engeland houdt! Ik ben weduwe! Ik ben vrij!'

Ze hoorden een schot in de verte.

'Alweer een dood hert,' zei Fanny vol afkeer toen het schot weerklonk.

Rose wist niet van ophouden. 'Mattie en ik vertrekken over een paar dagen naar Parijs. We gaan vandaar naar Italië of Griekenland en gaan dan per schip verder.' Haar nicht staarde haar ongelovig aan. 'Fanny, lieverd, het is niet alsof ik nog nooit ergens ben geweest. Ik heb veel gereisd, zoals je weet. Ik zal andere reizigers om raad vragen en met hen samen reizen waar dat mogelijk is.'

'Denk je nou echt dat je dat kind kunt vinden... zomaar?'

'Ik kan het in elk geval proberen. De Engelse handelaar die de moeder onderdak heeft geboden zal het misschien weten.'

Fanny keek niet-begrijpend. 'Volgens mij meen je het echt.'

'Ik meen het inderdaad. Ik ben al bijna op weg!'

'O Rose!' Fanny begon te lachen, of te huilen, en sloeg haar armen om haar nichtje. 'Laat me in elk geval thee voor je zetten.'

Rose hoorde het amper. 'Pierre had die avond veel informatie en ik heb veel dingen opgeschreven toen hij was vertrokken. Ik... ga hem in Parijs opzoeken. Ik weet zeker dat hij me alle hulp zal geven die ik nodig heb.'

'Weet hij het nog niet, van je reis?'

'Nee... Niet dat ik zonder Horatio en jou zal reizen, nee.'

'Weet hij wel dat je naar Parijs komt?' Maar Rose meed Fanny's blik, ze keek naar haar handen in haar schoot.

'Ik... ik heb vaak geprobeerd te schrijven, maar... ik bedoel... het is beter als ik contact met hem opneem wanneer ik in Parijs ben, want ik zal zijn goede raad hard nodig hebben.' En toen was haar stem bijna onhoorbaar. 'Ik wil het kind vinden, Fanny. Niet omwille van Harry, maar voor mezelf. Ik wil het zo graag, dat het pijn doet.'

Toen begreep Fanny het. 'Ja,' zei ze.

Horatio sprak een lang gebed uit en de maaltijd begon in stilte in de koude middag. Er vielen kille stralen van iets dat voor zonlicht moest doorgaan in de kamer en op de tafel. Rose begreep een beetje waarom Fanny zo'n moeite had hartelijk te doen over haar eigen zoon. Het was een knap kind maar hij deed in alles zijn vader na. Hij deed gewichtig – als het voor een kind van zes mogelijk is om gewichtig te doen. Hij deed grof tegen zijn lieve zusje, op een manier die haar veel verdriet deed. En hij wierp voorzichtig nieuwsgierige blikken op zijn tante terwijl de maaltijd in bijna volledige stilte verliep, met slechts het geluid van vaatwerk. En Rose merkte ook op dat er iets kils tussen Fanny en haar man was gekomen. Fanny zag dat de ogen van Rose straalden nu haar besluit vaststond.

De keukenklok sloeg vier uur. Rose richtte zich tot Jane. 'Herinner je je mijn klok nog, Janey? De speciale Italiaanse klok die ik je heb laten zien?'

'Ja,' zei Fanny glimlachend, 'de beroemde klok die je vader lang geleden uit Genua heeft meegebracht.'

'Hij loopt nog steeds precies op tijd. Het maakt niet uit dat hij zo oud is.'

'Ik heb hem gezien, ik heb de Illitiaanse klok gezien,' riep Jane uit.

'Stil, Jane,' zei haar vader, en haar broer schopte haar onder de tafel, maar niet erg hard, want hij was er verbaasd over dat er zomaar werd gepraat. In zijn hele leven had niemand het aan tafel over zoiets interessants als klokken gehad. Als je aan tafel zat, hoorde je te eten en aan de Heer te denken, of naar je vader te luisteren.

'Kun jij ook klok kijken, Horatio?'

'Natuurlijk kan ik dat.'

'Uit Griekse geschriften hebben we vernomen,' zei Rose tegen hem, 'dat het de oude Egyptenaren waren die de dag voor het eerst in uren hebben verdeeld, en zij hebben duizenden jaren geleden de eerste apparaten ontwikkeld om de tijd te meten. Ik geloof zelfs dat er zoiets als een waterklok bestaat. Dat is een bak met een gat erin... de bak werd iedere morgen met water gevuld en liep dan in twaalf uur langzaam leeg. De laatste druppel gaf aan dat er precies twaalf uren waren verstreken.'

Horatio's gezicht glansde van belangstelling.

'Weet je nog, Rose, dat je papa ons vertelde,' begon Fanny lachend, 'dat kort nadat er in Montague House een tentoonstelling was geopend, er binnen een van de gewichten uit een oude klok viel, dwars door de vloer schoot en een rijtuig van een heer op de binnenplaats raakte?'

'Het was een stenen vaas!'

'Nee, het was een stuk van een klok!' En de kinderen zagen tot hun verbazing hoe hun moeder en tante in lachen uitbarstten.

'Misschien raakte die heer wel gewond,' zei dominee Horatio Harbottom streng.

'Mijn vader heeft ons altijd verzekerd,' zei Rose, terwijl ze engelachtig naar hem glimlachte, 'want wij maakten ons natuurlijk ook zorgen over de schade, dat er op dat moment geen heer in het rijtuig zat.'

'Het was natuurlijk een Franse klok,' zei Fanny zedig.

De kleine Horatio raakte helemaal buiten zichzelf. 'Wilt u daarmee zeggen,' zei hij, alsof hij heel precies aantekeningen maakte over dit onderwerp, 'dat Italiaanse klokken en Engelse klokken en Franse klokken verschillend zijn? Slaan ze in verschillende talen, wilt u dat zeggen?'

Zijn tante lachte stralend naar hem en hij zag haar haar dansen toen ze haar hoofd achterover wierp. 'Dat heb ik ook altijd gedacht, Horatio,' zei ze. 'En het is waar dat het geluid van de slagen heel verschillend is. Als je ooit eens bij mij op bezoek komt in Londen...'

'... In Londen?'

'... In Londen, dan zal ik je het verschil tussen de Italiaanse klok en de Engelse klokken laten horen.'

'Wij hebben eenvoudige Engelse klokken die perfect de tijd aangeven,' zei de man van haar nichtje. 'Stop het hoofd van die jongen niet vol met allerlei vrouwenpraatjes. Als we aan tafel zitten, hoort er te worden gegeten.' Maar hij kon zich niet bedwingen eraan toe te voegen: 'Ik zal hem in elk geval zo lang mogelijk uit Londen weg zien te houden.'

'De aartsbisschop van Canterbury zetelt ook in Londen, is het niet?' vroeg Rose heel nuchter.

'Mijn bestaan hier is een wereld die groot genoeg is voor mijn zoon... en voor de zonen die ik bid dat we hierna' – een veelbetekenende blik in de richting van Fanny – 'nog zullen krijgen.' Toen was de maaltijd afgelopen. Het paard werd gevoederd, de duisternis begon in te vallen en de kinderen werden naar bed gestuurd.

Op weg naar de kerk hield Horatio zijn lantaarn hoog om hun het dode hert met de donkere, glazige ogen te laten zien, zoals het ondersteboven aan een haak in de schuur hing. Het bloed stroomde eruit, begon nu te stollen langs de poten en op de lemen vloer. Rose wendde haar blik af, ze moest opeens aan een ander dood hert denken, en hoe George het kalf met zijn handen had gedood.

In de kerk staken ze drie kaarsen aan. Er vielen schaduwen op de preekstoel, de duisternis strekte zich achter hen uit. Rose en Fanny gingen in een bank zitten. Het was nu nog kouder geworden en ze hadden hun mantels en omslagdoeken stijf om zich heen geslagen. Er hing een geur van stof en gezangenboeken en lelies die waren verlept en – Rose bespeurde het in de lucht – lavendel. Ze kon de gedachte niet van zich afzetten dat Horatio, daarboven in die bak, door kaarslicht beschenen, net een van de acteurs was van wie haar vriendinnen en zij zo hadden genoten bij hun bezoeken aan het Drury Lane Theatre.

Horatio begon uit de bijbel voor te lezen:

'*Zo er iemand onder u is – hetzij man of vrouw of familie of stam – die zich van de Here onze God afwendt, de Here zal hem niet sparen.*' Hij boog zich naar voren. Er trok een vage lavendelgeur door de kerk. 'Ik wil vandaag spreken,' zei hij, 'over hen die kritiek hebben op de kerk, over hen die Gods wil en Gods historie teniet willen doen. Hoe onterecht zijn zij!' Zijn stem bulderde tot in de dakspanten van de lege kerk. 'Hoe slecht zijn zij, want hij die kritiek heeft op de kerk, heeft kritiek op God. Hij die kritiek heeft op mij, bekritiseert God, want ik ben Gods vertegenwoordiger op aarde! De bijbel zegt' – hier hief hij een groot exemplaar van de bijbel naar de dakspanten omhoog en schudde ermee – '*de Here zal hem niet sparen! De toorn des Heren en zijn afgunst zullen die mens treffen, en alle vervloekingen die in dit boek beschreven staan zullen hem ten deel vallen, en de Here zal zijn naam uitwissen van onder de hemelen en het hele land zal zijn zwavel en zout en vuur... Uw voeten zullen stoten op donkere bergen. En wanneer gij zoekt naar licht, zal Hij dit tot de schaduw des doods maken en u in een diepe duisternis hullen.*'

Zo bulderde hij voort, terwijl hij waarschuwde dat God in de harten van de mensen kon kijken, en Rose zag Fanny's gezicht in het kaarslicht terwijl ze onbewogen zat te luisteren. Rose herinnerde zich de woorden van haar nichtje in Wimpole Street: *alle kerkmensen bekommeren zich in werkelijkheid alleen maar om het voortbestaan van de kerk.*

Na afloop liepen ze gedrieën door de duisternis van Wentwater in de kille avond de korte afstand naar de pastorie terug. Horatio had het over zijn preek, de twee vrouwen luisterden zwijgend, ergens blafte een hond. Het was acht uur. Wentwater sliep.

'Kom, Fanny,' zei Horatio, zodra ze het huis binnen waren.

Rose lag te slapen toen ze iemand zachtjes aan haar schouder voelde trekken. Ze ging snel rechtop zitten en zag haar nichtje met een kaars ineengedoken bij het bed staan. 'Fanny?' zei ze luid – verschrikt en gedesoriënteerd.

'Sst.' En bij het licht van de kaars zag Rose tranen over het gezicht van Fanny lopen.

'Lieverd, wat is er?' fluisterde Rose geschokt.

'Het is niets... Niets. Maar, Rose, ik ga met je mee.'

'Ga je met me mee? Terug naar Londen?'

'Ik ga met je mee. Naar Egypte. Naar India.'

'Fanny! Bedoel je dat hij het toch goedvindt?' Rose vergat te fluisteren. 'O Fanny, wat geweldig!'

'Sst! Hij vindt het niet goed. Ik heb zelf besloten.'

'Fanny!' fluisterde Rose nu ook. 'Je kunt Horatio niet verlaten, hij is je man!'

'Dat kan ik wel. Hij heeft me vannacht afschuwelijk gebruikt.'

'Maar...'

'Rose, mijn besluit staat vast.' En daar was het koppige, betraande en uitdagende gezichtje van haar nicht. 'We zullen morgenochtend onze plannen maken, voordat jij vertrekt, en dan zullen we elkaar in Parijs ontmoeten. Je mag op geen enkele manier aan Horatio of aan de kinderen laten merken wat wij van plan zijn. Ik wilde het je alleen vertellen.'

Het kaarslicht bewoog van het bed naar de deur en Fanny was weg.

Maar Rose had het koud en lag wakker. Ze hoorde het paard stampen en hinniken toen de dag aanbrak. Ze wilde dolgraag dat Fanny met haar meeging. Maar de wet was uitermate duidelijk. Fanny kon dit niet doen. Een vrouw kon haar man niet verlaten. Een vrouw die dat deed, verspeelde onmiddellijk alle rechten op de kinderen. Fanny kon zo wreed niet zijn.

De volgende morgen vroeg Rose zich af of alles soms een droom was geweest. Ze zaten aan het ontbijt, Fanny schonk thee in en sprak met het dienstmeisje over het eten. Buiten kakelden de kippen omdat ze gevoerd wilden worden. Horatio sprak weer over al het werk in de gemeente. De kleine Horatio werd heen en weer geslingerd tussen het imiteren van zijn vader en het heimelijk naar deze interessante tante staren. Jane zei: 'Tante Rose?' Maar haar vader legde haar het zwijgen op. Horatio verdween naar zijn studeerkamer om de kranten te lezen. Fanny vroeg Rose de kinderen met lezen en schrijven te helpen: zij had andere dingen te doen. Bij de deur van de pastorie was het een komen en gaan van mensen. Er kwam een vrouw boter brengen. Horatio en Jane zwoegden op het alfabet. Ze schreven allebei woorden in een klein schrift. Later kwam er een andere vrouw huilend naar de dominee vragen; haar man was door een paard gedood. Buiten zoemden de vliegen op het geronnen bloed van het hertenkarkas en onder het huis renden ratten heen en weer. Maar in de tuin stonden massa's kleine gele en paarse krokussen te bloeien tussen de narcissen en de kamperfoeliestruiken. Goed gesnoeide rozenstruiken wachtten op de zomer, er stonden al kleine viooltjes. Rose zag dat hier iemand met liefde aan het werk was geweest en ze dacht aan Fanny's beschrijving van Horatio die in de tuin bezig was en met de bloemen praatte.

Toen Horatio weg was en de kinderen bezig waren de kippen te voeren, ging Fanny brood bakken alsof dit een heel gewone dag was. Mattie had haar mouwen opgestroopt en hielp haar – Fanny's dienstmeisje had haar halve dag vrij. Rose en Fanny spraken altijd volmaakt open in het bijzijn van Mattie. Toch dacht Rose dat ze misschien had gedroomd. Ten slotte zei Fanny heel heftig, terwijl ze op het brood timmerde: 'We zullen elkaar op de Pont Neuf ontmoeten.'

'Fanny! Dan zul je je kinderen verliezen. Er is geen wet ter wereld die jou toestaat ze te houden als jij eenmaal bent vertrokken.'

'Ik zal ze alleen kwijtraken wanneer Horatio me weet te vinden. Zodra ik mijn vader kan bereiken ben ik veilig.'

'Maar dan zul je ze nooit meer zien!'

Fanny keek haar nicht met open mond aan. 'Hoe bedoel je? Ik neem ze mee!'

'Vertrek jij met de kinderen?'

'Natuurlijk! Wat dacht jij dan?' Ze zette het brood in de oven. Mattie werkte onverstoorbaar door, alsof het gesprek over het eten ging.

'Je bedoelt dat je de kinderen zonder hun vader mee naar India wilt nemen? Je bedoelt dat je met hen door Egypte wilt gaan? Dat kun je niet menen! Je hebt gehoord wat Pierre zei!'

Fanny ging naar buiten, pompte water, kwam terug,

ging weer naar buiten om aardappels te halen. De geur van vers brood trok door de keuken. Rose liep achter haar nicht aan, overal waar ze ging, om zo het gesprek voort te kunnen zetten. 'Maar natuurlijk neem ik de kinderen mee. Dat is steeds het plan geweest, dat weet je toch? Ik peins er niet over ergens zonder de kinderen heen te gaan. Ik zal eerst tegen hen zeggen dat we bij jou op bezoek gaan... want ik zie dat je mijn zoon hebt betoverd met je gepraat over klokken... Je zult goed voor hem zijn, Rose, en hij zal geen andere invloeden hebben... O, het zal voor de kinderen geweldig zijn. Ze hebben het over de gevaren van reizen, maar er zijn ook gevaren in het niet reizen. En ik wil jou natuurlijk bijstaan in je zoektocht. Ik begrijp heel goed wat dit voor jou betekent. Ik heb alles gepland. Ik weet dat je popelt om uit Londen te vertrekken, maar ik moet een gunst van je vragen. Ik heb vanmorgen een brief naar de notaris van mijn vader gestuurd dat hij me kan verwachten, dat hij alles moet hebben geregeld en de financiën klaar moet hebben. Hij moet onmiddellijk een brief naar mijn vader sturen om hem van mijn plannen op de hoogte te brengen. Maar ik zal niet in South Molton Street blijven, of waar dan ook in Londen, ik vertrek onmiddellijk naar Parijs en zal daar op je wachten. Maar Horatio zal ongetwijfeld meteen naar jou toe komen omdat ik natuurlijk een brief voor hem zal achterlaten waarin ik hem vertel dat ik naar India ben gegaan.'

'Nu is het mijn beurt om tegen jou te zeggen dat je niet zo dwaas moet doen, Fanny. Horatio zal je natuurlijk meteen komen halen. Hij zal de kinderen nooit zo'n reis laten maken. En ik denk dat ik het voor deze ene keer met hem eens ben, lieve nicht. Je kunt dat niet doen!' Maar het was alsof Fanny haar niet hoorde.

'Hij zal naar Londen komen, maar dan ben ik al weg. Hij zal naar jou zoeken, maar ik ben er niet. Maar, Rose... er is een gunst die ik je moet vragen: ik wil graag dat jij in Londen blijft tot hij is geweest, om mij te vertellen wat... wat hij verder zal doen. Ik zal op het ergste voorbereid zijn. Ik betwijfel dat hij Het Kanaal zal oversteken, hij gelooft niet in de rest van de wereld, zoals ik je al heb verteld. Maar misschien zal hij ons verrassen... en ik heb jou daar nodig om mij te vertellen wat hij gaat doen. Hij mag zich van me laten scheiden, hij kan met een andere vrouw trouwen als hij dat wil, de kinderen zullen bij mij zijn.'

'Fanny!'

Fanny greep Rose opeens bij de arm, trok haar de grote hal van de pastorie binnen. 'Kijk, Rose.' Fanny lichtte ongegeneerd haar jurk en haar onderrok op. Rond haar billen en op de achterkant van haar benen zat geronnen bloed, en gedurende een onderdeel van een seconde zag Rose het dode hert voor zich.

'O god in de hemel, Fanny,' fluisterde ze.

'Zeg dat wel.' Fanny liet haar rokken weer zakken. Even bleven de vrouwen zwijgend staan en keken elkaar aan.

'Zul je me helpen?' vroeg Fanny. 'Zullen we elkaar in Parijs ontmoeten? En daarna verder reizen? Pierre zal ons raad geven, zoals je zegt.' Ze keek haar nichtje streng aan. 'Of moet ik alleen reizen?'

'Ik zal je ontmoeten op de Pont Neuf,' zei Rose.

Aan het begin van de middag werd het rijtuig met Rose en Mattie door de hele familie uitgezwaaid. Het ratelde weg en verdween over de uitgesleten weg naar Londen.

Op een avond niet lang daarna reed een andere koets over dezelfde uitgesleten weg naar Londen, met twee verbaasde kinderen die ten slotte aan weerszijden van hun moeder in slaap vielen. Hun lijfjes hobbelden op de harde bekleding van de bank, hun mondjes hingen open in halfgevormde vragen die uiteindelijk op de een of andere manier zouden moeten worden beantwoord.

Achttien

*R*ose en Mattie waren helemaal klaar om te vertrekken en wachtten vol ongeduld. Maar ze hadden
hun bagage weggestopt, want ze hadden het bericht gekregen dat Fanny naar Frankrijk was vertrokken. Ze
wachtten op het verschijnen van dominee Horatio Harbottom voordat ze zelf op weg konden gaan. Alle boeken
over Egypte die Rose tot diep in de nacht had bestudeerd
waren eveneens zorgvuldig opgeborgen. Ze zocht haar
borduurwerk – Mattie vond dat dit te ver ging, maar
Rose lachte en zei: 'Dit zal Horatio een veilig gevoel geven, vrouwenwerk.' Toen hoorden ze opeens de oude
heren van de marine beneden met juffrouw Proud praten.
Rose kreeg een schuldig gevoel toen ze hen de trap op
hoorde komen: ze had niemand in Londen van haar plannen verteld, behalve juffrouw Proud, die neutraal had ge-
knikt en verder niets had gezegd. Ze had herhaaldelijk
geprobeerd Pierre Montand te schrijven maar besefte uiteindelijk dat ze het hem alleen maar persoonlijk kon vertellen. Hij was vaak in haar dromen, keek haar vol liefde
aan.

Buiten schreeuwden en vloekten koetsiers en vrachtrijders tegen het oude rijtuig van de marineheren omdat dit gedeeltelijk de straat blokkeerde. Er waren kleine, koude kinderen die de paarden plaagden. Een jongen trok een paard aan de staart, de koetsier haalde met zijn zweep naar de schuldige uit en de kinderen renden lachend weg, door de paardenvijgen en de vissenkoppen en de natte kranten vol met de drollen van South Molton Street.

De oude heren zagen dat Rose er goed uitzag, dat haar wangen kleur hadden, en ze begrepen dat ze eindelijk weer zichzelf was geworden. 'We hebben in de *Gentleman's Magazine* gelezen dat de Egyptische schatten eindelijk in het museum zijn aangekomen. Heb je zin om ze te bekijken? We hebben enkele kaartjes bemachtigd, voor juffrouw Proud en jou.' Rose' ogen begonnen te stralen. Ze keek naar Mattie, en Mattie knikte.

'Ik verwacht de man van mijn nichtje,' zei Rose. 'Maar een uurtje... O, ik wil heel graag!' Ze greep haar hoed en haar met bont gevoerde cape en mof, en het rijtuig vertrok door de modder en het afval. Toen ze wegreden werd er een rotte sinaasappel naar hen gegooid en de oude heren gebaarden verontschuldigend en wierpen wat munten de grijze middag in. Ze keken naar de laaghangende wolken en klakten met hun tong. 'We hadden eigenlijk op een mooiere dag moeten wachten,' zeiden ze.

'Nee!' zei Rose, met stralende ogen. Terwijl het rijtuig zich een weg door het verkeer van Oxford Street baande, begon het te regenen, eerst licht en toen heviger. Toen de wind de regen over hun pad blies, konden ze de koetsier horen vloeken.

'We kunnen maar beter teruggaan,' zeiden de oude heren.

'Nee!' zei Rose, met nog steeds stralende ogen. Juffrouw Proud keek haar aan. *Je zult het hun moeten vertellen, liefje*, zei haar blik, en Rose keek naar de lieve, bezorgde gezichten. Ze hadden haar behandeld als hun eigen dochter. Natuurlijk zou ze het hun moeten vertellen, ze had het eigenlijk al eerder moeten doen maar ze wist dat ze bezwaar zouden maken. Ze knikte onmerkbaar naar juffrouw Proud.

In Great Russell Street liepen de rijtuigen vast doordat er een bijzonder fraaie koets vanaf de andere kant kwam. Ruiters in uniform probeerden het verkeer te regelen en ruimte te maken. Alles was geblokkeerd en verward en bewoog heel langzaam, de koetsiers schreeuwden. Uit de raampjes van de rijtuigen werden hoofden naar buiten gestoken, ook al regende het nu zwaar. *Het Koninklijk Huis*, dacht iedereen. Was het de koning of de dikke prins van Wales? Zouden ze misschien een glimp kunnen opvangen van de arme kleine prinses Charlotte? De paarden zwiepten met hun staart en er vielen dampende paardenvijgen op de straatkeien. Smerige straatkinderen schoten toe om hun voeten even te warmen. Eindelijk reed de koninklijke koets voorbij, het was niet te zien wie erin zat en het volk joelde en iemand riep *Vive la République!* Juffrouw Proud keek nieuwsgierig achterom om te zien waar de stem vandaan was gekomen. De oude heren hadden het over Napoleon en schudden hun hoofd. 'We denken dat de vrede heel wankel is,' zeiden ze.

'Betekent dit dat Parijs misschien weer voor ons gesloten zal zijn?' vroeg Rose ongerust.

'Dat niet alleen, misschien gaat hij nu toch ons land aanvallen. Iedereen weet dat hij bezig is met hergroeperen en zijn legers op orde brengen. Hij is krankzinnig, hij is tot alles in staat. Er is zelfs hier' – ze gebaarden naar de menigte die had geroepen en gejoeld – 'steun voor hem onder sommige bevolkingsgroepen.' *Rose Fallon zag de grijze, intelligente ogen die geamuseerd naar de vloer gingen toen Dolly bezwijmde.*

Bij het museum kregen ze te horen dat de oude Egyptische vondsten achter het gebouw op de binnenplaats stonden.

'Misschien kunnen we dan beter een andere dag komen,' zeiden de heren opnieuw. 'U wordt anders zo nat.' Ze keken bedenkelijk naar de oude juffrouw Proud. Maar zij trok zich er niets van aan en Rose hoorde hen niet eens. De vrouwen tuurden door de regen, lieten zich niet van hun voornemen afbrengen. Dus haastte het groepje zich naar een houten bouwsel waarin de schatten tijdelijk waren opgeslagen.

Even was Rose onder de indruk van een enorme gebalde vuist, groter dan zijzelf. Afgebroken grijze steen en toch – een vreemd effect – spottend. Ernaast stond een kleine obelisk zoals ze die bij Pierre in Parijs had gezien, overdekt met antiek schrift. Juffrouw Proud bekeek een urn, een sarcofaag die was gevormd als een grote badkuip. Een gedeelte ervan stak onder het dak uit en de regen viel erop, maakte een roffelend geluid.

En toen zag Rose hem. Ze herkende hem direct, zoals hij daar stond: zwart, met inkt bevlekt, overdekt met vreemde letters, de *Pierre de Rosette*, de Steen van Rosetta. Ze zag waar de hiërogliefen er aan de bovenkant waren afgebroken, om zo het pad naar de oudheid af te snijden. De Londense regen viel, ze merkte het niet. Eronder stonden heel andere merktekens, bijna volledig intact. Dat moest het gewone schrift zijn. Daar weer onder herkende ze regels met Griekse letters, die onderaan waren afgebroken.

'O,' zei ze, en de tranen sprongen haar werkelijk in de ogen. 'De sleutel.'

Ze liep naar voren en gleed met haar vingers over de steen, zodat ze de geheimzinnige inkepingen kon voelen. Ze boog zich nog dichterbij, op zoek naar de *cartouches* die volgens Pierre koningsnamen schenen te omcirkelen. In het gedeelte met hiërogliefen kon ze ze met eigen ogen zien. Ze liep om de steen heen en zag de geschilderde woorden die William had genoemd: GEVONDEN IN EGYPTE DOOR HET BRITSE LEGER IN 1801. Er waren nog meer woorden op de andere kant geschilderd: GESCHONKEN DOOR KONING GEORGE III. Ze was blij dat Pierre Montand niet hier was om deze woorden te lezen, maar ze wenste wel dat hij wist dat zij hier was, dat ze in de regen naast de Steen van Rosetta stond.

Opnieuw raakte ze de tekst aan, betastte de tekens met een wonderlijke concentratie, en toen draaide ze zich om naar de oude heren, met haar vingers nog op de steen. 'Ik ga naar Egypte,' zei ze kalm, in de natte, grijze middag, en ze glimlachten, denkend dat ze 'ooit' bedoelde. Maar toen ze haar haastig naar binnen probeerden te krijgen, uit de regen, bleef ze staan. 'Ik ga echt,' zei ze.

'Ze gaat morgen,' zei juffrouw Proud.

De vriendelijke oude heren konden het niet geloven. Toen ze zagen dat ze het meende, waren ze verbijsterd. Ze stonden met zijn vieren op de binnenplaats in de regen, naast de Steen van Rosetta. Niemand dacht er ook maar aan in beweging te komen.

'Dat kun je echt niet doen,' zeiden de oude marineheren.

'Er zijn wel eerder vrouwen naar Egypte gereisd,' zei Rose koppig.

'Met het leger, of met de marine. Als vrouwen van kooplieden. Nooit alleen!' De regen viel op hun marinepetten, op de luifelhoeden van de vrouwen. 'Wij zijn er geweest, we kennen de gevaren! Vrouwen kunnen daar echt niet in hun eentje naartoe gaan, daar kan geen sprake van zijn!'

'Maar ik zal niet alleen zijn. Mattie is natuurlijk bij me, en met haar zal ik me een stuk veiliger voelen dan met veel mannen die ik ken.' Ze slikte een beetje nerveus voor ze het volgende gedeelte eraan toevoegde, want daar wist juffrouw Proud ook niets van. 'En mijn nichtje Fanny en haar twee kinderen reizen naar India om haar vader te bezoeken, mijn oom – ik ben ook door hem uitgenodigd – en zij zullen eveneens mijn reisgenoten zijn.'

Juffrouw Proud keek haar behoedzaam aan. Als de oude heren al eerst verbijsterd waren geweest, dan waren ze nu echt van ontzetting vervuld. 'Reizen ze via Egypte naar India? Willen ze van Caïro door de woestijn naar de Rode Zee? Kinderen? Wil je echt kinderen meenemen? Je nicht kan echt niet zo roekeloos zijn.' De regen kletterde op de sarcofaag. De oude heren overlegden op gedempte toon, en toen begonnen ze weer heftig te spreken. 'Snel,' zeiden ze, en ze dwongen de twee vrouwen resoluut naar het rijtuig terug te keren, waarna ze direct naar South Molton Street vertrokken. En toen zeiden ze: 'Rose, we begrijpen dat we je alles moeten vertellen. We denken dat er oorlog zal komen. De regering wil de mensen niet bang maken of hun vertellen dat deze plezierige vrede met Frankrijk binnenkort misschien voorbij is. Maar alle tekenen wijzen op een verdere oorlog met Napoleon. Hij is bezig in Italië, hij heeft troepen in Holland. Hij is krankzinnig, hij betekent problemen, we moeten hem kwijt om de wereld veilig te maken.'

'Wanneer? Wanneer komt er oorlog?' De modder spatte op het rijtuig, op de paarden en op de raampjes.

'We kunnen niet zeggen wanneer.'

'Maar misschien moeten we maanden wachten en komt er helemaal geen oorlog!' (Zo gauw kon er geen oorlog komen! Het was tenslotte slechts enkele maanden geleden dat Napoleon door Josephines salon had gewandeld en de Britse societydames had gevraagd of ze genoten van *l'opéra*.)

Juffrouw Proud had haar luifelhoed afgezet. Haar keurige maar drijfnatte oudedamesmuts drupte terwijl ze zich omdraaide om iedere spreker te volgen. Met een klein, ongeduldig geluid trok ze de muts ook af, schudde haar witte haar los. De oude heren bleven ongerust praten, maar Rose staarde naar de manier waarop het haar over het gezicht van juffrouw Proud viel. Opeens zag ze haar niet als een oude dame maar als een vrouw die Constantia heette. Het was opeens duidelijk dat ze ooit heel knap moest zijn geweest – een meisje dat haar geliefde had verloren. Met een snel gebaar werd het haar bijeengenomen en naar achteren gespeld: ze zag er weer uit als juffrouw Proud.

'Ik vind dat Rose moet gaan,' zei juffrouw Proud kalm, 'als ze dat zo graag wil. Ik denk dat ik ook zou gaan als ik in haar plaats was. Liever eerder dan later, als uw vermoedens over een ophanden zijnde oorlog juist zijn.' De oude marineheren keken haar aan alsof ze water zagen branden, maar juffrouw Proud ging onverstoorbaar verder. 'Ze is niet dwaas. Ik weet heel goed dat ze maandenlang over niets anders heeft gelezen dan over Egypte. Ze reist met Mattie, aan wie ik ook mijn leven zou toevertrouwen. Er zullen altijd andere reizigers zijn, net als toen ik mijn reizen maakte.'

Rose staarde haar aan. 'Bent u naar Egypte geweest, juffrouw Proud?'

'Nee, liefje, maar ik ben wel in Griekenland geweest. En ik ben ervan overtuigd dat in een volgende generatie de vrouwen in hun eentje naar het einde der aarde zullen reizen.' Ze keek de oude heren aan. 'Waarom zou Rose niet de voorhoede zijn en op zijn minst naar Egypte gaan? Ze zou een boek kunnen schrijven, om andere vrouwen aan te moedigen! En waarom zou ze in 's hemelsnaam in angst moeten reizen? Ik kan gewoon niet geloven dat waar ze ook wonen, als onze tegenvoeters of op de maan, en wat hun godsdienst ook mag zijn, dat de meeste mensen geen hart hebben.'

De oude marineheren in het rijtuig wisselden een onthutste blik: *Vrouwen begrijpen helemaal niets van de wereld.*

Rose en juffrouw Proud wisselden een rustiger blik: *Wij kunnen dingen doen waar mannen ons niet toe in staat achten. We bezitten meer gezond verstand dan zij.* En opnieuw ving Rose de verrassende glimp op van een andere, jongere vrouw.

'Maar,' vervolgde juffrouw Proud resoluut, terwijl ze naar de heren knikte, want ze begreep hun gedachtegang heel goed, 'ik vind dat u gelijk hebt als u zegt dat Fanny en de kinderen dit niet moeten doen. We hebben niet het recht het leven van onze kinderen in de waagschaal te stellen, zelfs als wijzelf bereid zijn het gevaar te trotseren. Je moet je nichtje overhalen, Rose, dit niet te doen.'

'Ze zijn al vertrokken,' zei Rose met een benepen stemmetje, juist toen ze weer terug waren in South Molton Street. Mattie deed alsof ze niets van de ontreddering van de bezoekers merkte en ze zette Indiase thee, voor de zenuwen.

De oude heren waren nog maar net vertrokken, nog steeds danig geschokt, hoestend op de trap, toen Horatio uit Wentwater arriveerde. Hij was regelrecht naar South Molton Street gekomen, hij brulde en schreeuwde in de zitkamer van Rose, volledig buiten zichzelf, terwijl hij met Fanny's brief wapperde en het over de wet had.

Rose vroeg hem te gaan zitten, ze bleef zelf keurig borduren. Maar hij beende schreeuwend heen en weer, keek zelfs in andere kamers, alsof hij dacht dat zijn gezin ergens verstopt zat. Rose en Mattie wisselden een snelle blik, hoopten dat hij niet in de kasten zou kijken en daar hun koffers zou ontdekken. Juffrouw Proud kwam naar boven, gealarmeerd door de geluiden van zijn wilde gedrag, en ging discreet naast Rose zitten voor het geval er bescherming nodig was.

'Dit is jouw schuld! Jij hebt dit gearrangeerd,' zei Horatio tegen Rose. 'Fanny zou nooit zijn vertrokken, compleet zijn verdwenen, zonder jouw invloed! Eerst kom jij, en dan gaat zij ervandoor!'

'Ze is niet "ervandoor" of "compleet verdwenen", zoals jij het stelt, Horatio,' zei Rose kalm. 'Ze is met de kinderen naar India gegaan om haar ouders te bezoeken, zoals jij moet weten. Je was zelf ook uitgenodigd.'

'Dat was een belachelijk idee. Ik kan mijn kudde niet in de steek laten. Ik heb mijn plicht jegens hen, zoals zij haar plicht jegens mij heeft.' Dit herinnerde Rose aan de woorden van Fanny: *zijn idee van plicht is iets wat gebeurt om aan zijn eigen verlangens te voldoen.* 'Ze kan niet gaan zonder mijn toestemming,' bulderde Horatio, 'en die heb ik niet gegeven. Dit is jouw invloed,' riep hij, min of meer op dezelfde toon als hij op de kansel had gebruikt om kritiek op de kerk aan de kaak te stellen, 'de immorele nicht!'

Juffrouw Proud ging staan, op en top een oude dame. Haar schone, witte mutsje schudde. 'Het spijt me, meneer, maar ik kan niet toestaan dat u op een dergelijke wijze tegen mijn gewaardeerde en gerespecteerde huisgenote spreekt. Als u hiermee doorgaat, zal ik u moeten verzoeken mijn huis te verlaten!'

Ze klonk indrukwekkend streng. Horatio bond enigszins in, voornamelijk doordat het heel lang geleden was sinds iemand op die manier tegen hem had gesproken. Hij was tenslotte predikant en werd voortdurend met gepaste eerbied bejegend. 'Neemt u mij niet kwalijk, mevrouw,' zei hij, enigszins opgelaten, en hij had het fatsoen een kleine buiging te maken. 'U beseft misschien niet wat voor vreselijks mij is overkomen. Mijn vrouw is verdwenen en heeft me mijn geliefde kinderen ontnomen, en ik geloof dat deze jongedame daar invloed op heeft uitgeoefend.'

'De waarheid is, Horatio,' zei Rose, terwijl haar naald in en uit de lichtroze pioenen ging, 'dat het eerder andersom is geweest. Fanny heeft mij beïnvloed. Ze heeft me heel goed geholpen de dood van mijn echtgenoot te verwerken, en ik ben haar daar bijzonder dankbaar voor.'

'Ja, ja, dat is het werk van een domineesvrouw, dat had ik zelf ook heel goed voor je kunnen doen.' Hij sprak ongeduldig. 'Ik ga naar de notaris. Ze kan dit niet doen. Daar zal ik op toezien.'

'Ik weet zeker dat de notaris alle gegevens zal hebben. Maar ze is niet verdwenen, Horatio, dat kun je niet zeggen. Je hebt haar vaders brief gezien, en je hebt een brief van haar om jou van haar plannen op de hoogte te stellen.'

'Zonder mijn toestemming,' schreeuwde Horatio, en Mattie bracht nog meer thee om hem te kalmeren. Hij vertrok naar zijn oom, de bisschop.

Rose vond dat ze niet uit Londen weg kon gaan voordat Horatio een besluit had genomen. Ze verkeerde in een kramp van ongeduld en ergernis.

De volgende dag kwam hij vroeg terug. 'Ze is echt naar India vertrokken,' riep hij dramatisch.

'Maar je weet toch dat ze naar India is gegaan, Horatio. Ze heeft een brief achtergelaten waarin ze je dit schrijft.'

'De notaris heeft me verteld dat het waar is. Ze heeft me zonder vrouw en kinderen laten zitten tegen mijn wil. Ik zal haar de kinderen ontnemen. Ik heb geweldige plannen voor Horatio, hij zal in de anglicaanse kerk oprijzen als een nieuwe messias! Ik wil dat hij volgend jaar naar een nieuwe school van de kerk gaat, ik beschik over connecties.'

'Misschien moet jij ook naar India gaan,' opperde Rose. Hij negeerde dit, maar bleef zo lang plakken dat ze hem wel voor de maaltijd moest uitnodigen.

'Wat moet ik tegen mijn gemeenteleden zeggen? Waar is mijn vrouw om alles te regelen? Wat moet ik zeggen?'

'De waarheid natuurlijk. Dat ze haar kinderen heeft meegenomen om hun grootouders te bezoeken.'

'Mijn gemeenteleden zullen medelijden met me hebben,' zei hij.

'Je gemeenteleden zijn erg op Fanny gesteld. Ze zullen je een heel edelmoedige man vinden om haar te laten gaan.'

'Geen enkele man zou zoiets doen!'

Waarom gaat hij niet naar huis? zeiden juffrouw Proud, Rose en Mattie ongerust tegen elkaar, denkend aan Fanny die op de Pont Neuf stond te wachten. *Of waarom gaat hij niet ook op reis om er het beste van te maken?*

Op de derde dag bleek, toen hij weer vroeg terugkwam en weer bleef eten, dat Horatio de inval had gekregen (misschien gesuggereerd door zijn oom de bisschop) dat het de plicht van Rose was om met hem mee naar Wentwater terug te gaan om in elk geval zijn maaltijden te koken en hem te verzorgen. Want ze had toch niets anders te doen.

En precies op dat punt in het gesprek, voor Rose van haar verbazing was bekomen, werd lady Dolly, burggravin Gawkroger, door Mattie de kamer binnengelaten. Met haar diep uitgesneden jurk, bontgevoerde cape en bloemen in het haar, zag ze er uitzonderlijk uit, deels vanwege haar kleren, deels omdat ze zo lang was, deels door de blik in haar ogen. Ze leek veel ouder dan ze was. De verbaasde blik van Horatio verrichtte wonderen bij Rose.

'Dolly, dit is de man van mijn nichtje Fanny, dominee Horatio Harbottom. Horatio, dit is burggravin Gawkroger.'

'O!' zei Horatio. *Een titel!* Zijn gezicht was een en al glimlach. 'Het is me een genoegen u te ontmoeten,' zei hij en hij boog heel erg diep.

'Ach, een vicaris met de naam van een held, wat schattig,' zei Dolly, en ze glimlachte automatisch naar de knappe Horatio Harbottom, die nog langer was dan zij.

'Ik ben geen vicaris, mevrouw, ik ben predikant.' Maar hoe knap hij ook was, Dolly veegde hem opzij.

'Ik moet heel dringend met je praten, Rose,' zei ze. En ze voegde er veelbetekenend aan toe: 'Onder vier ogen.'

'Ach... misschien is het iets waar een dominee mee kan helpen,' zei Horatio hoopvol.

'Beslist niet!' Toen herstelde Dolly zich en richtte haar societymanieren op Horatio. 'Wilt u ons misschien even excuseren? Ik beloof dat het niet lang duurt – ik geloof dat mijn rijtuig heel South Molton Street blokkeert en dat er rellen zullen ontstaan als ik te lang blijf!'

'Ik zal in de kamer hiernaast wachten, mevrouw. Ik heb geen enkele haast en ik heb het gesprek met de nicht van mijn vrouw nog niet beëindigd. U kunt mij uiteraard raadplegen wanneer ik u ergens mee van dienst kan zijn.' Te midden van dit soort beleefdheden vond er een soort stoelendans plaats. Iedereen kreeg thee aangeboden maar Dolly en Horatio hadden liever een beetje wijn.

Dolly leunde achterover op de zachte sofa en Rose zat op haar stoel met hoge rug.

'Hoe gaat het met jou, Dolly?' vroeg Rose beleefd.

'Ik ben ziek,' zei Dolly meteen. 'Nou ja... ik denk dat ik in verwachting ben, wat voor mij op hetzelfde neerkomt. En ik kan dat echt niet hebben, want ik ga volgende week met William en George naar Egypte.'

'Egypte? Wanneer? Wanneer gaan jullie?'

'Volgende week.'

'Volgende week?' Rose hapte naar lucht. 'Volgende week?'

'Dat zei ik toch? Volgende week!'

'Waarom gaan jullie volgende week naar Egypte?'

'Je weet toch dat ze schatten willen vinden! Dus kan

ik echt niet *enceinte* zijn, want ik laat hen niet zonder mij vertrekken. Laat Ann een erfgenaam ter wereld brengen, maar niet ik!'

Grote hemel! Rose probeerde zich te herstellen. 'Is Ann in verwachting?'

'Je zou denken dat ze van hier naar Schotland is gewandeld, als je haar hoort. Maar de hertog van Hawksfield is niet zo blij als werd verwacht. Ann denkt dat de hertog had gehoopt dat William haar zou verlaten omdat ze hem geen erfgenaam schonk, en dat hij dan met jou zou trouwen.'

'Wat?'

'Dat heb ik begrepen. En hij schijnt echt veel belangstelling voor jou te hebben.'

'Wie?'

'De hertog van Hawksfield.' Dolly ging hier verder niet op in. 'Mijn vorige zwangerschap eindigde heel geriefelijk in een miskraam, zonder dat George er zelfs maar iets van wist, maar deze schijnt voort te willen duren. Je moet me helpen.'

'Hoe bedoel je?'

'Me helpen ervan af te komen. Jij hebt nooit kinderen gehad en je bent minstens vijf jaar getrouwd geweest. Jij weet toch vast wel een manier?'

Rose voelde de pijn in haar hart, oude pijn en nieuwe pijn. Maar ze dwong zich op dit moment alleen aan Dolly te denken. 'Dolly, lieve Dolly,' zei ze langzaam. 'Kom terug. Ik weet dat je daar ergens moet zijn.'

'Ik begrijp je niet.' Dolly stond op en liep door de kamer heen en weer om dingen te inspecteren. 'Je leeft hier wel heel anders dan in Wimpole Street,' zei ze kritisch. Daarna vroeg ze met een zachte, bijna onverstaanbare stem: 'Heb je Pierre Montand nog gesproken?'

'Niet meer sinds hij naar Parijs is teruggekeerd toen... toen hij zijn zaken had afgehandeld.'

'Je bedoelt dat gedoe met mijn schoonmoeders ring?'

'Met die Egyptische ring, ja.'

Dolly ging opeens weer zitten en giechelde. En heel even leek ze weer de oude Dolly, leek ze een meisje dat de kleren van iemand anders had aangetrokken. 'Je zou de oude douairière eens moeten zien, Rose! Als ik nog steeds een dagboek bijhield, had ik daar veel in moeten schrijven! De hertog van Hawksfield is erg kwaad op haar, en hij komt nog heel vaak bij ons, want George en hij plegen elke week overleg met de bankiers. Dus komen de douairière en hij elkaar voortdurend tegen. Ze staan allebei stijf van de spanning! Ik denk dat hij het huwelijk had tegengehouden als hij van de ring had geweten, hoe hard we het Fallon-kapitaal ook nodig hebben. Ik heb hem nog nooit zo kwaad gezien.'

'Je zou je dagboek moeten blijven bijhouden, Dolly, om alle interessante dingen die je meemaakt vast te leggen.'

Dolly keek haar aan. 'Ik zou niet over mijn ervaringen kunnen schrijven,' zei ze heel simpel, met haar meisjesstem. 'Ik denk dat de pagina's dan in brand zouden vliegen.' Na een korte pauze vroeg ze: 'Wil je me helpen?'

Rose keek omlaag naar haar handen. 'Ik heb mijn baby's verloren, Dolly. Ik wilde ze niet kwijt. Ik wilde heel graag kinderen. En toen is mijn man... omgekomen.'

'O,' zei Dolly ontdaan. 'Dat wist ik niet.'

'George kan het je vertellen.'

'Ik ga dit niet met George bespreken!'

Even bleven ze zwijgen, maar Dolly kon niet lang stil

zijn. 'Nou, ik wil deze baby niet. Ik heb voorzorgsmaatregelen genomen, daar weet ik alles van. Ik kan gewoon niet geloven dat ik weer de klos ben. Ik moet het kwijt. Ik wil naar Egypte en ik wil de schatten zien en op kamelen rijden, zoals Pierre ons heeft verteld. Ik weet uiteraard allerlei mensen die me zouden kunnen helpen, maar dat zijn allemaal vrienden van George, en zij zouden het hem vast vertellen.'

'Dolly... Ik heb gehoord dat je soms... als je deze dingen doet... later geen kind meer kunt krijgen wanneer je dat wel wilt.'

'Dat kan me niets schelen,' zei Dolly. Ze stond op. 'Als je me niet kunt helpen kun je beter teruggaan naar die kapelaan van je en zal ik mijn toevlucht moeten nemen tot gin! Ik vertrouw erop dat je dit gesprek niet aan George overbrieft.' Ze wendde zich half naar de deur. 'Ga je met Pierre Montand trouwen?'

'Nee,' zei Rose. 'Ik ga niet met hem trouwen.' Ze stond ook op. Haar hart deed pijn en ze wist niet waarom ze loog. Ze zag Dolly's vroegwijze gezicht en ze voelde zich hopeloos. 'Wees heel voorzichtig, lieve Doly,' zei ze ten slotte. 'Ik hoop dat je niets gevaarlijks zult doen of iets waarvan je later spijt zult hebben.'

Dolly begon aan een scherp, venijnig antwoord. Maar toen hield ze zich in, alsof ze, heel even maar, besefte dat Rose om haar gaf. 'Tot ziens, Rose,' zei ze neerslachtig, nog steeds geen zestien. 'Dank je wel.' En tot grote spijt van Horatio, die haastig uit de andere kamer kwam zodra hij stemmen hoorde, was ze al weg.

Horatio liep terug naar de zachte sofa. De wijn had hem stoutmoedig gemaakt. Hij leunde achterover. Hij stelde zich Rose daar voor, in Wentwater. Het was uiteindelijk niet zo'n onplezierig beeld: er was iets aan haar wat maakte dat hij op de bank heen en weer schoof. 'Zoals ik al zei, Rose, lijkt het me het beste dat jij met mij meegaat naar Wentwater. Ik kan het zo echt niet aan en jij hebt niets te doen.' Het bleke gezicht van Rose viel hem niet op. Ze raakte in paniek: *George is op weg naar Egypte*. Ze belde om Mattie. 'Ga terug naar Wentwater, of ga naar India, maar alsjeblieft, Horatio, houd me buiten jouw plannen. Ik heb mijn eigen leven te leven.'

Hij keek haar stomverbaasd aan, ging staan. 'Wat bedoel je daarmee, je "eigen leven te leven", wat bedoel je daarmee? Je bent een vrouw.' Hij greep haar bij de arm. Maar hij keek nog verbaasder toen hij Mattie naast zich vond met zijn jas. Hij was nog helemaal niet klaar om weg te gaan.

'Ga weg, Horatio,' zei Rose. 'Ga naar huis.'

Toen Rose Fanny met de kinderen in de voorjaarsschemering als een verloren groepje aan het eind van de Pont Neuf op de rechteroever zag staan, holde ze naar hen toe. Ze rende over de brug, waarbij ze haar lange jurk een eindje optilde. Er reden karren voorbij, er waren Fransen die riepen en de stank van de Seine drong haar neusgaten binnen, maar ze lette er niet op. Ze holde verder, over de Pont Neuf naar haar nichtje, zoals ze dat zo lang geleden ook had gedaan.

'Hier ben ik!' riep ze. 'Hier ben ik!' Ze wilde er aan toevoegen: *En George zit vlak achter me!*

Ze omhelsden elkaar en lachten, ze pakte kleine handjes vast, iedereen praatte door elkaar. Weldra waren ze in haar kamers in een excentriek hotelletje in de rue Mazarine op de linkeroever, waar ze warme chocola met room

dronken. Matties vuur in de haard verjoeg de kilte van de
avond, de kinderen kwamen weer tot leven en stonden
naar de lichten in de straat te kijken toen het donker
werd. Ze wezen Mattie hoe de straatlantaarns werden
aangestoken door een man met een fakkel, ze roken de
olie. Ze gluurden over de vensterbank naar die grappige
Franse mensen en zeiden steeds weer *bonjour* en *bonsoir*
tegen Mattie, als kleine, luidruchtige papegaaien.

'Wat is er gebeurd?' vroeg Fanny ten slotte, met een
gezicht vol zorgelijke rimpels. 'Ik raakte bijna het geloof
in ons plan kwijt. Wat heeft hij gezegd?'

'Het spijt me heel erg. We zijn vanmiddag pas gearriveerd.' Rose liet haar stem dalen. 'We werden na de
komst van Horatio een paar dagen opgehouden.'

Maar ze had niet zacht genoeg gesproken. De kleine
Horatio draaide zich onmiddellijk om bij het raam. 'Komt
mijn papa?' vroeg hij gretig, en hij kwam samen met zijn
zusje met stralende ogen bij zijn tante zitten. 'Komt mijn
papa?' vroeg hij weer, nu dringender, en Janey keek naar
haar tante op met grote ogen die wellicht dezelfde vraag
wilden stellen.

Rose keek naar het stralende gezichtje van Horatio.
Natuurlijk hield hij van zijn vader.

'Hij kan niet komen,' zei ze tegen hen allen. 'Niet op dit
moment.' Ze zag het gezicht van het jongetje betrekken.
'Jullie weten allemaal hoe hard hij werkt. Maar hij wil
heel graag dat jullie verdergaan met zoveel te leren als jullie kunnen, Horatio, dat zal maken dat jij een zoon zult
zijn om trots op te zijn.'

'En ik? En ik?' riep Jane.

'Jij ook, natuurlijk,' antwoordde hun tante, die besefte
dat Horatio het niet een keer over zijn dochter had gehad

en dat hij het niet over zijn zoon als over een geliefd kind had gehad, maar over zijn belang voor de ambities van zijn vader.

'En ik?' zei Fanny. Ze glimlachte flauw, nog steeds ongerust.

'Hij is teruggegaan naar Wentwater,' zei Rose, en ze zag de opluchting over Fanny's gezicht trekken.

'Hij hoort hier bij ons te zijn,' zei de kleine Horatio, en hij schopte Jane gemeen. Hij begon te huilen en Jane begon te krijsen en hun moeder berispte hen allebei.

'En het andere dat je vader me vroeg te zeggen,' zei Rose, met stemverheffing om boven het lawaai uit te komen, 'was voor jou, Horatio, dat jij moest bedenken dat jij nu de man van ons groepje bent en dat we veel hulp van jou nodig zullen hebben.'

'Ik wil naar huis!' huilde Horatio.

'Hij heeft me geschopt!' huilde Jane.

Binnen vijf minuten lagen ze allebei op een sofa bij de haard te slapen, met opgedroogde tranen op hun wangen, en was het stil in de kamer, op het geknetter van het haardvuur na. Jane sabbelde op de linten van haar jurk en Horatio omklemde een kussen.

'Zo gaat het nou de hele tijd sinds we hier zijn,' zei Fanny grimmig. 'Ik was er zo zeker van dat het goed voor hen zou zijn, maar ze zijn gewoon onhandelbaar geworden, vooral Horatio. Misschien had ik hem in Wentwater moeten laten. Ik heb hen nooit eerder zo gezien... Ik denk dat mijn zoon erg boos op me is.' En ze lachte even, maar het leek meer op een snik. 'Dus Horatio heeft ons laten gaan?'

'Ik... ik denk het.'

'Hij gaat de kinderen niet van me afnemen?'

Rose wist niet goed wat ze hierop moest zeggen. 'Ik...
ik denk dat hij wel tot bedaren zal komen. Ik weet niet
wat hij zal doen.'

'Juist ja.' Rose keek naar het ongeruste gezicht van
haar nichtje en vroeg zich af of ze soms allemaal gek waren geworden, zijzelf incluis. 'We zijn nog maar in Frankrijk,' zei Fanny. 'Denk je dat we ooit in India zullen komen?'

'Fanny, Fanny, luister! George, William en Dolly zijn
ook onderweg!'

'Wat?'

Rose vertelde haar over het bezoek van Dolly. 'Toen
we dat wisten, zijn we meteen vertrokken, dezelfde avond
nog. Maar ze kunnen niet ver achter ons zitten.'

'Maar... hij weet het niet, van Harry's kind?'

'Natuurlijk niet.'

'Dan geeft het niet, Rose. Je kunt gewoon doen alsof je
in hiërogliefen geïnteresseerd bent.'

'Het geeft altijd wanneer George in de buurt is! Het is
onvoorstelbaar dat ze net nu op reis moesten gaan!'

'Dan moeten we direct uit Parijs vertrekken.'

'Maar we moeten eerst Pierre Montand spreken. *Ik
moet hem spreken.*'

Fanny bespeurde opnieuw de wonderlijke toon in de
stem van haar nichtje als ze het over de Fransman had.
'Ik bedoelde natuurlijk meteen daarna. Ik weet zeker dat
hij ons zal helpen.'

'Ik heb hem een briefje gestuurd zodra we hier waren,'
zei Rose. 'Ik heb gezegd dat we morgenochtend naar de
Commission zouden komen, ik heb ook gezegd dat we zo
snel mogelijk verder wilden. Ik heb hem laten weten dat
Horatio had besloten ons niet te vergezellen. Ik weet niet

wat hij daarover te zeggen zal hebben – van alles over vrouwen die in hun eentje willen reizen, denk ik.'

Rose haalde diep adem. Fanny zag dit maar gaf er geen commentaar op. Ze zei alleen: 'Ik denk dat we de kinderen beter bij Mattie achter kunnen laten als we met hem gaan praten. Ze zullen alleen maar lastig zijn.'

'O Fanny... Laat ze meegaan naar de Commission. Zelfs kleine kinderen zullen volgens mij verbijsterd zijn.'

'We hebben het Louvre al gezien. Ze waren niet verbaasd. Ik wilde die prachtige lange galerij bekijken, maar Horatio zat aldoor achter Janey aan en ze botsten tegen beelden op en schreeuwden... Het was een nachtmerrie, we zijn er zo ongeveer uitgezet!' Ze schoten allebei in de lach. 'Horatio is nooit eerder bij zijn vader vandaan geweest,' zei Fanny. 'En ik denk dat Hotel de l'Empire een beetje een schok voor hem was!'

'Hemeltjelief, logeren jullie daar?'

'Je zei dat het een veilig hotel was. Ik had niet gedacht dat ik me ooit om veiligheid zou bekommeren, maar met mijn kinderen vind ik dat opeens wel belangrijk. En het is een groot appartement. Maar toch slapen we allemaal in hetzelfde bed. En ik trek me er zelfs niets van aan dat het vol akelige Engelse reizigers zit!'

'Maar het is zo duur!'

'Ik heb heel veel geld.'

Nu was het de beurt van Rose om ongerust te doen. 'George zal uiteraard ook in Hotel de l'Empire logeren. Ik ben naar de linkeroever gegaan opdat ik hem niet zo gemakkelijk tegen het lijf zou lopen. We moeten meteen vertrekken. Zodra we met Pierre hebben gesproken.'

Mattie bracht rode wijn en water. 'Ik zou er morgen graag op uit willen gaan als u bij monsieur Montand op bezoek gaat, juffrouw Rose. Ik ga naar die boten op de rivier. Ik wed dat ik daar wel iemand kan vinden die Cornelius Brown kent.' En ze ging neuriënd aan de slag.

Rose en Fanny dronken rode wijn met warm water in de rue Mazarine in Parijs. Het haardvuur gloeide en hun wangen gloeiden en ze vergaten hun angsten en schilderden elkaar beelden voor van alles wat er zou kunnen gebeuren nu hun avontuur was begonnen. Hun gezichten ontspanden zich. Op straat liepen Fransen te roepen: *allons* of *au revoir, mon ami*, en vrouwen riepen *que voulez vous, monsieur?* En onder hun raam zong een stem, en gaandeweg klonken de woorden zachter en zachter door de nacht. Het leek erop dat hun onverschrokken reis nu werkelijk was begonnen.

Die nacht droomde Rose het soort droom dat de heldinnen in de nieuwe romans droomden. Ze droomde dat Pierre Montand haar nog steeds liefhad en dat ze het kind zouden vinden en dat ze daarna allemaal nog lang en gelukkig zouden leven.

Negentien

*H*et hart van Rose hart bonsde zo hevig dat ze dacht dat het duidelijk hoorbaar was, als om de achteloze woorden tegen Fanny: *mijn hart gaat niet sneller voor hem kloppen*, te logenstraffen. Ze wist dat ze een beetje beefde. Ze hield haar handen gevouwen, zodat het niet te zien zou zijn. Ze zou het hem vertellen. Hij zou het begrijpen.

De *fiacre* zette hen af voor de Commission de l'Egypte, waar de zon scheen en de mensen op straat liepen te fluiten. Jane zag hem en probeerde naar hem toe te hollen met haar kleine beentjes in de kleine schoentjes en een lange rok, en ze liep struikelend omhoog naar de deur waar hij hen opwachtte.

Er was iets in de manier waarop hij zich bukte om Jane te begroeten, iets in zijn gemakkelijke en open manier, daar op die voorjaarsmorgen in Parijs. Toen riep iemand een groet naar hem en hij riep lachend terug: *Attendez, mon ami!* En Rose voelde dat ze bloosde. Dit leek geen man die vol liefde en met een angstig kloppend hart afwachtte. Hij keek niet eens naar haar. Haar gezicht was niet charmant roze maar paniekerig rood. *Ben ik te laat? Heb ik hem verloren?* Ze draaide zich snel, instinctief, om naar Fanny, maar Fanny keek naar het blije gezicht van haar dochter toen Pierre luisterde naar haar opgewonden verhaal over de reis. Daarna begroette Pierre Montand de dames heel vriendelijk, kuste hun hand. Maar er lag iets geslotens in zijn gezicht en dit trof haar als een klap: *ik ben hem kwijt.* Ze voelde iets kils rond haar hart toen hij zich onpersoonlijk over haar hand boog.

Horatio hield zich verlegen op een afstand. 'Goedemorgen, jongeman,' zei Pierre toen hij de jongen zag. 'Jij bent zeker Horatio.'

'Hoe weet u wie ik ben?' zei hij stijfjes.

'Dat heb ik hem verteld,' zei Jane. Horatio had haar het liefst geknepen, maar dit was er geen goed moment voor.

'Knijp jij je zus wel eens?' zei Pierre Montand.

Horatio bloosde tot achter zijn oren, hij richtte zich op in zijn volle zesjarige lengte en bleef met zijn handen op zijn rug staan. Hij leek knap, verlegen en verwaand, Fanny moest zich omdraaien om niet in de lach te schieten of hem te knuffelen.

Maar toen deze kleine kinderen beelden van leeuwen met een mensenhoofd zagen, toen ze met hun vingers over de glimmende kop van kleine katten streken, toen ze felgekleurde schilderijen zagen die een hele muur in beslag namen, toen ze een cementen voet zagen die honderd keer groter was dan die van hen, waren ze zo verbijsterd dat ze, in elk geval voor het moment, al het andere vergaten en van verbazing niets konden uitbrengen. Ze liepen door de galerijen vol schatten, langs zoveel vreemde schilderijen en kunstvoorwerpen dat ze niet meer wisten waar ze waren. Wentwater werd een droom, hun leven werd een droom. Ten slotte begonnen ze te huilen. Maar Pierre Montand gaf hun een Franse lolly en ze leefden weer op, liepen weer verder te midden van verbazingwekkende dingen. Fanny was sprakeloos. Rose had haar veel verteld, maar ze was niet voorbereid geweest op de uitzonderlijke schilderijen of het verfijnde, ingewikkelde schrift op de kapotte beelden of de kleuren, of de wonderlijke situatie dat de blauwe Egyptische ring die ze voor het eerst op Berkeley Square aan de rimpelige vinger van de douairière burggravin had gezien, nu hier lag. Het daglicht viel door de ramen naar binnen, overal brandden lampen, toch waren voor Fanny de schatten donker, donker van ouderdom en geheimzinnige betekenissen, want dit waren beslist goden waar ze naar keek, kalm en mooi.

'Wat zijn die goden betoverend,' zei Rose toen ze even achter haar nichtje kwam staan. 'Mooi en knap, en het lijkt wel of ze glimlachen.' Geen van beiden begon over hun eigen God. Opeens zag Rose dezelfde kleine stenen man die zat te schrijven. Ze liep naar het beeldje toe, nam het in haar handen en zag weer het aandachtige gezicht. Het kwam het dichtste bij de woorden die haar vader ooit had gesproken: *de tijden van vroeger die tot ons spreken.* Pierre zag hoe geboeid en betoverd ze keek, en hij wendde snel zijn blik af.

Fanny staarde verbijsterd om zich heen. 'Er is niets dat me hierop had kunnen voorbereiden,' zei ze tegen Pierre. 'Als ik nooit meer iets anders zal zien, heb ik in elk geval dit gezien.'

'Als jullie naar Egypte gaan,' zei hij tegen haar en tegen de kinderen die nu naast haar stonden, 'is dit het wat daar verborgen ligt, tussen de ruïnes en de lijken en de ratten.'

De kinderen wisselden een nerveuze blik. Fanny keek naar hen, en toen naar hem, met iets van ontzetting. Ze vermoedde dat hij zo streng deed omdat Rose zijn huwelijksaanzoek had afgewezen.

Rose was even helemaal onbereikbaar. Ze had zich gebukt om de tekst op een stuk steen te bekijken. 'Ik zie de *cartouche!*' riep ze opeens uit, alsof ze een zieneres was die in de toekomst had gekeken. 'Ik zie de *cartouche*, net zoals ik die op de Steen van Rosetta heb gezien' – ze kwam overeind – 'ik heb de Steen van Rosetta in Londen gezien, Pierre!' En Pierre Montand wendde weer snel zijn blik af van de stralende ogen die zo dol waren op de hiërogliefen.

Ten slotte gingen ze allemaal in Pierres kantoor zitten, waar Dolly ooit zo vreselijk had gehuild. Jane zat op haar moeders schoot en keek Pierre met grote ogen aan. Horatio zat op de grond naast zijn tante. Ze aaide hem over het haar, maar één keer.

'Goed,' zei Pierre. Hij staarde even naar een stuk helderblauw gesteente, lapis lazuli, dat hij als presse-papier gebruikte. Toen keek hij hen aan over zijn rommelige bureau heen. *'Ecoutez-moi,'* zei hij resoluut. 'Luister. Ik was heel geschokt toen ik gisteren hoorde dat jullie al in Frankrijk waren, zonder dominee Harbottom, en van plan waren naar Egypte te gaan. Egypte is geen plaats voor vrouwen, en het is al helemaal geen plek voor kinderen.' Toen Rose hem wilde onderbreken zei hij meteen: 'Ik kan jullie er niet fysiek van weerhouden aan deze dwaze tocht te beginnen, maar luister in elk geval naar me, *s'il vous plaît*. Egypte, zoals ik al in Londen heb verteld, is absoluut geen plek voor vreemdelingen. Jullie zullen voortdurend in levensgevaar verkeren. Jullie kunnen je zelfs in jullie wildste fantasieën geen beeld vormen van hoe het daar zal zijn, hoe wreed het leven er kan zijn. Laat me iets vertellen over wat ik me ervan herinner. Ik zal beginnen met de gemakkelijke dingen. Egypte is een vies land, een onvoorstelbaar smerig land. De rivier de Nijl voert met zijn overstromingen naast water ook ziektes met zich mee. In Egypte worden veel mensen blind door de rivier, de zon, het zand en de vliegen. Jullie zullen niet door vriendelijke Arabieren worden begroet maar door vijandige mensen met zieke ogen, of geen ogen, of blinde. Ik heb de ziekte zelf gehad in de tijd dat ik er was, oftalmie, en het is zo pijnlijk dat ik het mijn ergste vijand niet toe zou wensen.'

Zijn gehoor begon onrustig te worden.

'*Ecoutez-moi*,' zei hij weer. 'De steden worden getroffen door golven van de pest. In de zomer zijn er in Caïro zoveel vliegen dat ze bij honderden op armen en gezichten neerstrijken, op alles wat niet bedekt is, zodat de mensen wel zwart lijken. Ik heb gezien dat een man iets op straat probeerde te drinken. Hij dekte de beker af met zijn hand, die zwart zag. Hij bracht de beker, die zwart zag, naar zijn mond, die zwart zag, en hij probeerde vloeistof in zijn mond te gieten. Ik kan me niet voorstellen hoeveel vliegen hij heeft opgedronken. In Alexandrië wemelt het van de ratten die vanaf de schepen in de haven de stad in komen, en van de kakkerlakken die zich in de balken en dakspanten schuilhouden, grote, roodbruine kakkerlakken met lange, wapperende voelsprieten.'

Jane begon te krijsen. Fanny stond kwaad op. 'Hoe durft u de kinderen zo bang te maken!'

'Vindt u niet dat de kinderen iets moeten weten van de havens die ze aan zullen doen?'

Rose stond eveneens op, terwijl ze Horatio bij de hand

hield, maar Pierre vervolgde: 'Ik heb een bespreking waar ik naar toe moet. Ik zal over een paar uur naar jullie hotel komen om dit verder te bespreken. Denk intussen alsjeblieft na over wat ik heb verteld.' Ze werden snel het gebouw uitgewerkt, waarbij Jane bijna net zo vreselijk huilde als Dolly eens, met achterlaten van de schilderijen, standbeelden en katten die zo begrijpend toekeken.

Toen ze terugkwamen verkeerde Mattie in een staat van hevige opwinding. Ze had een zeeman ontmoet die haar man, Cornelius Brown, kende en haar had verteld dat hij, jawel, onlangs nog, op koopvaardijschepen op de Middellandse Zee werkte en plannen had gehad om naar Egypte te gaan. 'Ik denk dat het is voorbeschikt dat ik hem zal vinden om hem eens flink de waarheid te vertellen.'

'Door God?' vroeg Rose afwezig.

'Door het lot,' zei Mattie duister. 'Het is zijn lot dat ik de voldoening zal smaken hem mijn misnoegen te tonen! De zeelieden hebben het over oorlog, juffrouw Rose, we moeten op weg gaan.' Mattie voegde dit er terloops aan toe, alsof het het zoveelste praktische punt was. 'En, zal ik de kinderen mee naar beneden nemen om een *glace* te gaan eten? Want die twee zijn er vreselijk aan toe als ik zo vrij mag zijn. Daarna zal ik proberen ze een paar uur te laten slapen, ook al is het pas drie uur in de middag.'

'Alsjeblieft, Mattie,' zei Fanny, en op de een of andere manier wist Mattie, met een beschrijving van Franse ijsjes, de bleke en angstige kinderen mee te tronen.

'Wat moeten we doen?' zei Fanny, die zelf ook bleek zag. 'Ik had beter moeten nadenken over wat ik ging doen. Het enige waar ik aan kon denken was weggaan uit Wentwater.'

'Hij probeerde alleen maar ons bang te maken,' zei Rose. 'Hij gebruikte de kinderen om ons bang te maken. Er zijn eerder vrouwen naar Egypte geweest, dat heeft hij ons in Londen verteld.' *Ik heb er te lang over gedaan. Ik ben hem kwijt.*

'Maar niet met hun kinderen, en niet zonder hun man.'

'Dat weet ik. Maar... hij is een avonturier, hij moet op zijn minst begrip hebben voor wat ons beweegt, ook al zijn we dan vrouwen.'

'Misschien ben ik geen echte avonturier. Ik kan het leven van mijn kinderen niet willens en wetens in gevaar brengen, Rose.'

'Dat weet ik, lieve Fanny.'

'Papa heeft natuurlijk verondersteld dat we via de lange weg naar India zouden gaan, per boot.'

'Dat weet ik.'

'Ik weet niet wat ik moet doen.'

Zo trof de Fransman hen aan. Hij sloeg de thee af: '*Pardon*, ik heb een afspraak met iemand.' *En Rose zag in gedachten een mooie, jonge vrouw die bloemen in haar haar vlocht, voor haar afspraak met Pierre Montand.* 'Ik werd zojuist voor de Commission aangesproken door burggraaf Gawkroger en zijn vrouw en zwager.'

'Zijn ze hier? Nu al?' Hij hoorde de ontzetting in haar stem.

'Ze wilden de Egyptische schatten nogmaals bekijken. Ik heb hun gezegd dat deze dingen helaas niet langer voor het publiek waren opengesteld. Ze hadden het fatsoen berouwvol te kijken.' Hij zweeg even. 'Ze leken niet van jouw reis op de hoogte te zijn, Rose. Ze hebben het er niet over gehad.'

'Natuurlijk niet. En jij hebt hun niets verteld?' Hij keek

haar aan. Ze wist niet zeker of ze de uitdrukking op zijn gezicht kon doorgronden.

'Ik neem het mezelf uiteraard kwalijk,' zei hij, 'dat ik jullie over de glories van Egypte heb verteld, ze jullie heb laten zien. Wij waren met een leger, met Bonaparte zelf, we hadden voorraden bij ons en we bouwden fatsoenlijke onderkomens en we hadden de macht van Frankrijk achter ons. En – *excusez-moi* – wij waren mannen. En toch hebben we tienduizenden mannen daar verloren. Het is geen romantische maatschappij met een taal die de wereld zal schokken met alle kennis en schoonheid en geheimen – de Egyptenaren hebben eeuwen geleden alle belangstelling voor hun eigen beschaving verloren. De Egyptische maatschappij is een *mélange* van Turken, mammelukken, Arabieren, Grieken en Joden. Vreemdelingen als wij moeten wonen in speciale gebieden voor *franks*, zoals ze ons noemen, waar de poorten bij het invallen van de duisternis worden gesloten door bewoners die voortdurend in angst leven. Want zij worden er alleen maar getolereerd omdat ze kooplieden zijn, en de soldaten die hen misschien hadden kunnen beschermen zijn reeds lang verdwenen. Ik hoop dat je niet denkt dat je een aardig hotel zult vinden!'

'Nee,' zei Rose ernstig. 'Ik weet dat er geen hotels zijn. Ik heb er alles over gelezen wat ik maar kon vinden.'

Hij lachte sarcastisch. 'Dan zul je weten dat je een onderkomen zou vinden bij een handelaar of koopman in de *frank*-wijken, en dat je je zwager in hetzelfde huis zou aantreffen, of in het huis ernaast. Hoe zou je in 's hemelsnaam naar een kind willen zoeken? Waar zou je beginnen? Je zou opgesloten zitten op een terrein en overal om je heen zou je de roep van de *muezzin* horen die de inheemse bevolking oproept om te bidden tegen een vreemde god wiens volgelingen je haten.

Neem uw kinderen mee, madame Fanny, en als u naar India wilt, neem dan de boot en vaar om Afrika heen. *L'Egypte, ce n'est pas l'Inde!* In India hebben de Britten wellicht dankzij uw East India Company een kleine wereld voor zichzelf ingericht. Maar Egypte is wreed voor hen die proberen daar te wonen, het is een te rauwe beschaving, te wild, te... *étrange*. Er zijn geen wetten, want hoewel de Turkse pasja in zijn paleis in Caïro zit, worden plaatsen als Alexandrië in werkelijkheid geregeerd door mammelukse beis: gekken, woestelingen, zelf ook vreemdelingen, die elkaar haten, en ook de Turken en de Egyptenaren. De beis zijn generaties geleden uit de Kaukasus of uit Georgië gekomen. Ze kwamen als slaven en ze eindigden als woeste heersers. Ze hebben kromzwaarden en pistolen bij zich, ze dragen een felgekleurde tulband en ze overvallen iedereen die ze willen overvallen, zomaar! Het is totale chaos! Jullie zouden het, om het eerlijk te zeggen, hoogstwaarschijnlijk niet overleven: vrouwen en kinderen in een stad zonder ziel. En de vreemdelingen zelf – kooplieden – zij zijn de *vagabonds*, de losbollen, gedeserteerde zeelieden, onbetrouwbaar.'

'Eén van hen heeft de vrouw in huis genomen,' zei Rose scherp. 'Dus ik neem aan dat zelfs *les vagabonds* een hart bezitten!'

'Misschien! Misschien! Maar je zult vrijwel zeker ontdekken dat er altijd sprake is van een financiële transactie. En het is misschien nog zomer als je daar arriveert. *Mon Dieu*, de kinderen zouden die hitte echt niet kunnen verdragen. Dit alles had ik al in Londen moeten zeggen, toen jullie me van jullie plannen op de hoogte stelden, maar ik wist niet dat dominee Harbottom... Ik dacht dat hij van dit alles op de hoogte was en ik vond niet dat ik het recht had' – hij keek Rose snel aan en wendde zijn blik toen weer af – 'me ermee te bemoeien.'

De twee vrouwen bleven enige tijd zwijgend zitten. Toen zei Fanny ten slotte: 'U hebt ons in Londen verteld over de koptische taal die nog steeds in hun christelijke kerken wordt gebruikt. Maar die christenen zullen ons toch zeker wel helpen?'

'O, madame Fanny.' Hij zuchtte. 'Ik geloof dat er eens een lange traditie van harmonieus samenleven bestond tussen de kopten, de joden en de mohammedanen. Ooit stonden hun godsdiensten met elkaar in verband, samenhangend met hun geschiedenis in Egypte. Maar de kopten voelen zich tegenwoordig al even onveilig als de *franks*. Bovendien is het zo, als u me wilt vergeven, *madame* Fanny, dat de koptische godsdienst niet wordt gecelebreerd op een manier zoals u die kent. Een koptische kerk is totaal verschillend van de anglicaanse kerk in Wentwater. Ze zeggen dat de kopten de ware Egyptenaren zijn, dat ze afstammen van de farao's zelf. Maar ik heb kunnen constateren dat ze desalniettemin meer op mohammedanen leken dan op welke christenen dan ook. Bovendien,' – hij zuchtte even – 'hoewel ik rooms-katholiek ben opgevoed, leef ik nu zonder dat soort zekerheden. Voor velen geldt, in elk geval voor mij, dat je geen oude beschavingen kunt bestuderen zoals ik dat heb gedaan en geloven dat uitsluitend het christendom het bij het rechte eind heeft.'

'Maar er zijn toch ook' – Rose had moeite de goede woorden te vinden – 'beschaafde Egyptenaren? Ik bedoel, ontwikkelde Egyptenaren. Ik heb over hen gelezen en je hebt ons in Londen verteld dat je hen had ontmoet, en dat je in hun huizen was ontvangen. Het is niet waar dat alle mohammedanen wild zijn. Mijn vader heeft me verteld dat het een oude en eerzame religie was, net als die van ons. En hij liet het klinken, jíj liet het klinken, alsof Egypte het fascinerendste land was dat er bestond. Mogen Fanny en ik zoiets fascinerends dan niet ook zien?'

'Wij zijn mánnen, Rose. Hoe vaak moet ik dit nog benadrukken? *Het is een wereld van mannen.* Als vrouw alleen zou je er nooit veilig zijn. En in je vaders tijd was het waarschijnlijk veiliger dan nu.' Hij stond op, liep naar het raam, keek uit over de rue Mazarine. 'Het is gedeeltelijk onze eigen schuld,' zei hij. 'Ik denk dat de invloed van vreemdelingen in dit deel van de wereld – ook Napoleons invloed, moet ik erkennen – een eeuwenoud, primitief land overhoop heeft gehaald. En het is nu erg instabiel, erg onzeker over welke weg er moet worden ingeslagen. Het water van de Nijl zal stijgen als altijd, en van het vruchtbare land zullen de boeren oogsten als altijd, en anderen zullen winst behalen: Turken, Engelsen, Fransen, Duitsers, Portugezen, Grieken, iedereen behalve de Egyptenaren zelf. Het schijnt altijd zo te moeten gaan.'

Ze zaten zwijgend bijeen in de kleine zitkamer terwijl de schemering over het *quartier* viel.

'Ik moet nu gaan,' zei hij, maar hij kwam niet bij het raam vandaan. 'Wat het kind betreft...' Pierre keek Rose eindelijk recht aan. 'Je zwager zal ongetwijfeld alles te weten komen wat jij ook weet zodra hij in Alexandrië is en zijn naam onder de buitenlanders wordt genoemd.'

'Nee!' riep Rose uit. 'Dat kan hij niet!'

'Toch wel, Rose. Alle *franks* kennen elkaar, er zijn er

niet veel meer van over. Iedereen zal het verhaal kennen van kapitein Fallon, burggraaf Gawkroger, en hoe hij is gestorven. Er is geen manier waarop jij kunt voorkomen dat George over het kind hoort, zodra hij daar is gearriveerd.' Rose zag zo bleek dat hij even zweeg. '*Pardonnez-moi*. Ik weet dat je een heel nobel plan had, en ik besef dat ik hier gedeeltelijk voor verantwoordelijk ben geweest, en dat spijt me heel erg. Maar vergeef me, het is geen weloverwogen plan... het is een romantisch idee en het kan alleen maar eindigen in een tragedie. En mocht je haar toevallig toch vinden... als ze niet net als haar moeder is gestenigd...'

'Hou op!'

'In Egypte kun je niet weekhartig zijn, Rose! Zoals ik al zei, mocht je haar vinden, dan zal de Engelse wet haar aan burggraaf Gawkroger geven... *et c'est fini!*'

Ze zagen dat Pierre ondanks zijn Franse goede manieren heel erg boos was. 'Het was verkeerd van mij om tegenover jou over het kind te beginnen, maar ik heb niet ingezien hoe' – hij gebruikte het woord dat haar het meeste pijn deed, want George had het ook gebruikt – 'krankzinnig jij kunt zijn. Ik zal eerlijk zeggen hoe ik over jullie denk: in mijn ogen zijn jullie twee *imbéciles irresponsables* die op zoek zijn naar avontuur. Om hieraan tegemoet te komen lijken jullie bereid te zijn het leven van deze kinderen op het spel te zetten. Wilt u hen terecht laten komen in de ruïne en chaos die Alexandrië is? Wilt u hen op uw weg naar India meenemen op een soort wilde *caravane* door gevaarlijke woestijnen, madame Fanny? Wilt u hen blootstellen aan de besmettelijke ziekten die de steden geselen?'

'Ik dacht... Ik dacht dat dit een geweldige ervaring zou

zijn, die een onuitwisbare indruk zou achterlaten.' Fanny probeerde flink te klinken, maar haar stem stierf weg aan het eind van de zin.

'Het zou onvergeeflijk zijn!' Toen hoorde Pierre opeens zijn eigen luide stem. '*Pardonnez-moi.* Het gaat mij niet aan wat u besluit. Ik ben mijn boekje te buiten gegaan.' Hij begon de knopen van zijn jasje dicht te doen.

Rose keek hem een tijdje zwijgend aan. *Hij houdt niet van me. Hij denkt dat ik gek ben.* Ze vermande zich, sloeg haar handen stevig ineen en sprak zorgvuldig. 'Pierre, ik vind dat je ons geen recht doet wanneer je ons als *imbéciles irresponsables*, op zoek naar avontuur, beschouwt. Ik heb me op deze reis voorbereid. Ik geloof dat ik bijna alles heb gelezen dat erover geschreven is.'

'En voor zover ik weet is er tot dusver heel weinig geschreven!' Even werden zijn ogen zachtmoedig. 'Op Egypte kún je je niet voorbereiden, *Rosette.*'

En ze zag hen weer voor zich staan, in de gele salon van Josephine in de Tuilerieën, zoals Franse mannen in het openbaar bij elkaar hoorden – en vrouwen nooit – en hoe hij naar haar toe was gekomen om met haar te praten, en hoe zo het verhaal was begonnen. Ze beet op haar lip en boog haar hoofd. 'Beste Pierre,' zei ze, maar ze keek hem niet aan. 'Vergeef me.' Er viel een vreemde stilte in de kamer in de rue Mazarine, want haar woorden hadden meerdere betekenissen en dat besefte ieder van hen. Maar Pierre zei niets, en Fanny besefte dat zij niets moest zeggen. Ten slotte slaakte Rose een beverige zucht en zei toen: 'Ik moet proberen dit kind te vinden. Neem het me niet kwalijk dat ik ook dromen heb.'

Pierre staarde haar aan met een ondoorgrondelijk gezicht. Na een tijdje zei hij heel rustig: 'Ik kan hier niet verder tegenin gaan. Ik heb geprobeerd de gevaren die jullie in Egypte wachten te beschrijven. Meer kan ik niet zeggen.' Hij wreef met zijn hand over zijn gezicht en leek toen plotseling tot een soort besluit te komen. 'Er is nog een ander punt dat ik moet noemen. Jullie moeten allemaal Parijs verlaten. Jullie moeten uit Frankrijk weg, zo snel mogelijk.'

Rose moest meteen aan de woorden van de oude marinemannen denken. 'Komt er zo gauw alweer oorlog?' vroeg ze, maar hij gaf geen antwoord. En ze begreep dat hij natuurlijk geen antwoord kon geven, hij was een Fransman. En hij maakte deel uit van de regering van Napoleon Bonaparte. Ze voelde een blos naar haar wangen stijgen; dit was heel pijnlijk.

Fanny begreep het ook meteen. 'Je verkeert in een onmogelijke situatie, Pierre,' zei ze. 'Vergeef ons alsjeblieft.' En haar sterke gezichtje vertoonde opeens de trekken die Rose maar al te goed kende. En Rose wist wat Fanny had besloten.

'Het is jullie eigen land, met jullie eigen koning, waardoor ik in deze onmogelijke positie ben gebracht! Denk je dat wij nog weer oorlog willen? Jullie regering heeft zich niet aan het verdrag gehouden, ze weigeren Malta te verlaten, ze zetten schandelijke leugens over de Fransen en over Napoleon in de kranten, en dan zeggen ze vervolgens dat ze zulke leugens niet recht kunnen zetten vanwege jullie "vrijheid van drukpers". Ik denk dat het jullie regering is die de oorlog zal verklaren, en dus zal er oorlog komen, ja.' Het was stil. Na een tijdje sprak Fanny.

'Je hebt natuurlijk gelijk. Als er kans is op oorlog, kan ik mijn kinderen niet in het soort gevaren storten zoals jij die beschrijft.' Ze keek Rose aan. 'Het sijt me, lieve Rose, het is mijn schuld. Je weet hoe graag ik met je mee wilde gaan, maar ik kan het leven van mijn kinderen niet in de waagschaal stellen.'

'Ik weet het.' Rose legde haar hand op die van Fanny. 'Ik weet het, lieve nicht.' Beide vrouwen zagen de plotselinge opluchting op het bezorgde gezicht van Pierre.

'Dus jullie gaan allemaal terug naar Engeland?' zei hij, terwijl de spanning in zijn stem en op zijn gezicht wegtrok. Hij kwam weer bij hen zitten. 'Ach... daar ben ik erg blij om. Maar jullie moeten meteen uit Parijs weg. Ik zal jullie op alle mogelijke manieren proberen te helpen. Ik moest er echt niet aan denken dat jullie met z'n allen zo'n reis zouden ondernemen, in zo'n tijd.' Maar tot zijn verbijstering keken de vrouwen hem verrast aan.

'Nee,' zeiden ze als uit een mond.

'Hoe bedoelen jullie, nee?'

'Ik ga wel,' zei Rose. 'Ik dacht dat dat wel duidelijk was.'

'Natuurlijk gaat zij wel,' zei Fanny. 'Rose, en Mattie gaat met haar mee. Ze moeten Frankrijk zo snel mogelijk verlaten, zoals jij ons zo ruimhartig hebt geadviseerd. Dank je, Pierre. Je bent echt een goede vriend voor ons geweest. Ik zal morgenochtend uit Parijs naar Engeland gaan, om met de kinderen deze lange tocht per boot te maken, zoals jij voorstelt, omwille van hun veiligheid. En daarna zullen we' – haar liefdevolle blik naar Rose was treurig maar vastberaden – 'elkaar natuurlijk in India ontmoeten.'

Twintig

*E*nkele weken later werd in het fraaie gebouw in Lea-
denhall Street, bekend als het East India House,
door met tulband getooide Indiërs de thee geserveerd in
een Wedgwood porseleinen servies. Dit was een van de
geneugten, herinnerde de bisschop zich, van een bezoek
aan het gebouw van de East India Company. Achter gesloten deuren klonk het gemompel van mannenstemmen.
Dominee Horatio Harbottom, zijn oom de bisschop, een
advocaat en de directeuren van de Company schudden
zorgelijk hun hoofd. Een van de jongere directeuren echter keek naar zijn gemanicuurde nagels en bedacht dat als
hij nog veel langer met die bisschop en zijn neef zat op-
gescheept, hij misschien ook naar India zou vluchten,
hoewel die dominee echt wel een knappe kerel was om te
zien. Maar de heren die hier bijeen waren hadden het
vooral over Plicht. Niet, concludeerde de jonge directeur,
over de plicht van de East India Company, of van de
kerk, of van de juristen, of over de plicht van dominee
Horatio Harbottom en zijn oom de bisschop. Nee, ze waren het allemaal eens over de plichten van mevrouw Fan-

ny Harbottom. En naast plichten hadden ze het over de wet. Er werden vervolgens brieven verzonden (helaas niet van de jonge directeur, waar Fanny in elk geval om zou hebben moeten lachen) namens de Wetten van Engeland, en de kerk van Engeland, en de East India Company van Engeland. De brieven waren streng van toon en gericht aan de vader van Fanny. Van hem werd ook verwacht dat hij zijn plicht zou doen.

Maar mevrouw Fanny Harbottom was reeds ver weg en werd nu wakker van de wind in de zeilen en het geluid van de zee en heel vaag het gemompel van stemmen, afkomstig van een quakerbijeenkomst die in het ochtendgloren aan dek van de *Treasure* werd gehouden.

'God is liefde,' zeiden de quakers.

De *Treasure* was een kleine bark. Nadat ze de stormen in de Golf van Biskaje, die alles behalve plat op bed liggen onmogelijk maakten, hadden overleefd, waren de quakers begonnen met gebedsbijeenkomsten op het dek. De anglicaanse zendelingen op weg naar Afrika en de anglicaanse vicaris op weg naar India dienden bij de kapitein een officiële klacht in inzake andersdenkenden die de vrede verstoorden, hoewel de quakers tijdens hun bijeenkomsten vaak lange tijd zwijgend bijeenzaten.

Het kon de kapitein allemaal niet zoveel schelen, maar een Belangrijk Persoon aan boord steunde de quakers, dus werd er een compromis gesloten: de bijeenkomsten van de quakers konden aan dek worden gehouden, maar het werd wel bijzonder op prijs gesteld als ze voor het ontbijt werden afgerond.

Dus toen de *Treasure* de tropen naderde kwamen de quakers in het ochtendgloren bijeen terwijl er vliegende vissen rond de boeg van het kleine, dappere vaartuig speelden. Fanny had zich uit nieuwsgierigheid 's ochtends vroeg bij hen gevoegd terwijl de kinderen nog sliepen. Aanvankelijk hield ze zich een beetje op de achtergrond, maar omdat ze haar iedere dag verwelkomden, werd ze bijna automatisch deel van de groep. De quakers verbaasden zich over de schoonheid en de uitgestrektheid van hun omgeving. Ze zaten zwijgend bijeen of spraken over God, en tot God wanneer de geest vaardig over hen werd. Zowel mannen als vrouwen spraken, er bleek geen ongelijkwaardigheid te zijn. 'God is liefde,' zeiden ze vaak. Ze vormden een boeiende verzameling. Niet alle leden droegen grijs. Het verschil tussen 'lichte' en 'sobere' quakers werd Fanny uitgelegd. De 'lichte' quakers lachten meer en zongen vaker. Op een avond zong een kleine man, die meneer August werd genoemd en die niet in het grijs gehuld was, voor de passagiers van de *Treasure* met een mooie tenor over de problemen van 'Barbara Allen', en de volgende morgen sprak hij tegen zijn quakermetgezellen over Gods genade.

De vicaris op weg naar India kwam erachter dat Fanny's man voorganger in de anglicaanse kerk was. Hij wachtte haar op een middag onder de zeilen op en sprak haar aan over haar Plicht jegens God en de Onbeschaamdheid van Andersdenkenden. Fanny glimlachte, bedankte hem en maakte zich met enige moeite van hem los.

Ten slotte begon ze op een morgen, tot haar eigen verbazing, vanuit de stilte te spreken. Heel aarzelend eerst, maar met groeiend zelfvertrouwen. 'Mijn naam is Fanny Harbottom,' zei ze. Ze vertelde over haar jeugd, toen ze zich dicht bij God had gevoeld, dat ze altijd gesprekken met Hem had gevoerd. Er was hier en daar een knik van herkenning. En paar ochtenden later, toen ze moed had gevat, sprak ze over haar latere leven, waarin ze moeite had gehad om met Hem te communiceren, hoewel ze heel aandachtig luisterde. (Ze vertelde niet dat dit was gebeurd toen ze door het leven ging met een dienaar van God.) 'Wees geduldig,' zeiden de quakers. 'Hij zal spreken.' Ze voelde zich op een wonderlijke manier getroost.

Later die dag kwam er een vrouw naar haar toe. Fanny was geweldig verbaasd dat ze bleek te praten met de hertogin van Brayfield, van wie natuurlijk iedereen had gehoord: ze had zowel een nauwe band met het Koninklijk Huis als met bepaalde machtige parlementsleden. Een invloedrijke gastvrouw bij politieke diners. En Fanny herinnerde zich weer dat Rose haar jaren geleden had ontmoet toen ze aan de prins van Wales was voorgesteld en ze had gezegd dat deze vrouw voor haar een voorbeeld was. De hertogin van Brayfield was uitzonderlijk knap om te zien. Fanny had over haar in de kranten gelezen, had zelfs spotprenten van de hertogin gezien, toen ze campagne voerde voor een verkiezing. Spotprenten vormden een bewijs van enorme beroemdheid. De hertogin complimenteerde Fanny met de manier waarop ze had gesproken.

'Bent ú een quaker, hoogheid?'

'Ik ben een heel lichte quaker,' zei de hertogin met veel charme, 'maar ik ben hier onder valse voorwendsels! De *Treasure* moet me binnenkort op een ander schip van de vloot overzetten, opdat ik me bij mijn man kan voegen. De vaartuigen zijn het bezit van mijn familie. We hopen contact te kunnen maken met het schip van mijn man, hoewel zoiets op zee helaas eerder een mogelijkheid dan een waarschijnlijkheid is! Maar ik wilde graag tegen je zeggen dat jij een gave bezit, een heel eenvoudige en directe manier van spreken tegen een groep mensen. Dit gaat je heel natuurlijk af. Ik vroeg me af, en ik hoop dat je er geen bezwaar tegen zult hebben dat ik dit voorstel, en besteed er alsjeblieft verder geen aandacht aan als het je onbeschaamd voorkomt wat ik ga zeggen, maar wil je niet overwegen je bij ons te voegen?'

'Om een quaker te worden?' Fanny was stomverbaasd.

'Misschien om via ons God terug te vinden?'

'Dat is mijn eigen reis, hoogheid,' zei Fanny zacht.

'Natuurlijk.' De hertogin nam Fanny goedkeurend op. 'Natuurlijk. Maar als ik zo vrij mag zijn, ik denk dat jij geweldig zou kunnen prediken.'

'Prediken?' Fanny schoot verbaasd in de lach en haar rode haar danste. 'Mijn man is dominee in de anglicaanse kerk!'

Nu was het de beurt van de hertogin om verbaasd op te kijken en te glimlachen. 'Quakers geloven dat door het geloof in Jezus Christus man en vrouw één zijn.'

'Dat is niet het geloof van mijn man,' zei Fanny droog.

Ze leunden over de reling van de bark, hoorden de wind in de zeilen, zagen de zee onder zich stromen. De kinderen speelden aan het andere eind van de boot, onder toezicht van enkele matrozen.

'Hoe is dit alles zo gekomen?' vroeg de hertogin zacht. Fanny keek haar verbaasd aan. 'Je bent getrouwd met een dominee en toch heb je gezegd dat je het nu moeilijker vond om God te horen dan vroeger.'

'O,' zei Fanny, kijkend naar de zee. De hertogin drong niet verder aan, staarde peinzend naar de horizon. Ze keken beiden in de leegte, met nergens iets anders dan blauwgrijs water. Tot haar eigen verbazing begon Fanny tegen deze vreemde te praten, haar te vertellen waarom ze aan boord van de *Treasure* was. De hertogin luisterde aandachtig, stelde soms een vraag, gaf geen commentaar. Fanny liet sommige dingen weg, de ergste dingen.

Plotseling verscheen Horatio vanaf de andere kant van de boot, hoogst verontwaardigd.

'Jane heeft me *gebeten*!' meldde hij woedend. 'Ik heb gewacht en gewacht om het te vertellen, maar u was in gesprek en u zegt dat ik u niet mag storen als u in gesprek bent, en het begon al weg te trekken. Dus... kijk... ik heb er zelf weer in gebeten, waar zij me had gebeten, zodat u kunt zien wat ze heeft gedaan!' Zijn gezicht was rood van verontwaardiging. Hij stak zijn arm uit, zodat ze de afdruk van de tanden konden zien. Beide vrouwen begrepen dat ze onder geen beding mochten lachen. Fanny pakte Horatio's hand.

'Om te beginnen moet je goedemiddag zeggen tegen de hertogin van Brayfield, Horatio,' zei ze. 'Daarna moet Jane haar excuses aanbieden.'

Horatio trok zijn hand uit die van zijn moeder en bleef kaarsrecht staan, met zijn handen op zijn rug. 'Goedemiddag, hoogheid,' zei hij, zoals zijn vader hem had geleerd. 'Hoe maakt u het?' Vervolgens schonk hij haar een vertrouwelijke glimlach. 'Mijn vader is erg op hertogen en hertoginnen gesteld. Hij wenste dat er voor hem een paar in Wentwater waren om mee om te gaan. Dat heeft hij me zelf verteld.'

'Is dat zo?' zei de hertogin van Brayfield peinzend. 'Is dat werkelijk zo, jongeman?'

De volgende morgen kwam er in de verte een schip in zicht. Alle passagiers aan boord van de *Treasure* juichten bij de gedachte andere menselijke wezens te zullen zien. Toen ze elkaar dicht genoeg genaderd waren riepen sommigen op beide vaartuigen: 'GOD SAVE THE KING!', hoewel hun woorden niet ver droegen en in de wind vervlogen. Er werd een bootje in gereedheid gebracht om de hertogin van Brayfield over te zetten. De hertogin, met een enorme hoed op het hoofd ('Als ik verdrink, wil ik dat de mensen me goed kunnen zien!'), kwam te midden van al het gejuich en gejoel naar Fanny toe en trok haar naar de reling aan de andere kant van het schip.

'Luister, Fanny,' zei ze. 'Ik wil iets tegen je zeggen voor we afscheid nemen. Ik heb veel over jouw situatie nagedacht. Om te beginnen kunnen jij en ik het natuurlijk allebei ontkennen als ooit, ooit, mocht worden gesuggereerd dat we eens, midden op de oceaan, een schokkend gesprek hebben gevoerd!' Fanny keek niet-begrijpend. 'Maar ik mag je heel erg graag en ik zie duidelijk dat je talenten bezit.' Opnieuw kon Fanny haar verbazing niet bedwingen. Niemand had het in haar leven ooit over talenten gehad. De hertogin glimlachte raadselachtig, hield haar hoed vast.

'Lieve kind, ik heb ontdekt dat als er weinig keuzes zijn – en ik zie dat jij heel weinig keuzes hebt als je zoveel van je kinderen houdt – je soms de wapens van de tegenpartij moet hanteren, in dit geval de gevestigde kerk in de gemeente Wentwater. Ik wil iets voorstellen wat misschien heel vreemd is, en ik hoop echt' (ze sloeg haar ogen even ten hemel) 'dat God in Zijn onmetelijke wijsheid me dientengevolge niet zal neerslaan wanneer ik afdaal in Zijn oceaan.'

Eenentwintig

$\mathcal{A}$ls eerste zagen ze, laat in de middag, langs de eindeloze, kale kust de resten van een oude toren.
Daarna kwamen de desolate ruïnes van een oude, oude
stad in zicht. Rose klampte zich zo stevig aan de scheepsreling vast dat er een splinter van het versleten hout in
haar hand drong.

Egypte.

Het schip maakte zich klaar om langs een pier te varen
en de 'nieuwe' haven van Alexandrië binnen te gaan waar
buitenlanders en christenen gedwongen waren aan land
te gaan. Ze mochten niet afmeren in de andere nabije
haven, die uitsluitend voor mohammedanen was.

'Maar,' zei een britse handelaarsvrouw die ook aan
boord was, mevrouw Venetzia Alabaster, geboren Venetzia Dawkins, van De Zingende Acrobaten, 'het is een
aanfluiting om deze puinhoop van een haven "nieuw" te
noemen. Ik denk dat op deze kust die we nu naderen
Cleopatra haar paleis had gebouwd. Waarschijnlijk varen
we op dit moment over de ruïnes ervan.' Aan het eind van
de pier stond een armzalig bouwsel, misschien een fort.

'Waar ooit de schitterende vuurtoren van Pharos stond, een van de zeven wereldwonderen,' zei mevrouw Venetzia Alabaster. 'Hij is in de zee gestort en kijk nu eens naar al die rommel, allemaal kapotte stenen, net als elders.' Ze trok opeens haar omslagdoek rond haar gezicht, niet zoals ze dachten om zich te verschuilen, maar om de naargeestige grauwe ruïnes niet te hoeven zien.

Toen Rose en Mattie mevrouw Alabaster voor het eerst ontmoetten, bij het inschepen in Livorno, was ze net zo gekleed als zij, in een jurk met verhoogde taille en diepuitgesneden hals. Haar blonde haar was gekapt in een wat ouderwetse stijl die in Engeland niet langer in de mode was. Toen ze over de Middellandse Zee voeren stonden ze 's avonds aan dek, wanneer de harde wind dit toestond, zonder precies te vertellen wat hun plannen waren. Mevrouw Alabaster liet doorschemeren dat ze betrokken was bij transacties voor haar man, Rose liet doorschemeren dat Egypte haar altijd al had geïnteresseerd. En terwijl ze praatten liet mevrouw Alabaster soms haar gewrichten knakken, zoals andere mensen hun keel schraapten of met hun vingers trommelden. Nu was ze als Arabische vrouw gekleed, met haar blonde haar onder een lang, zwart gewaad verstopt.

De ondiepte voor de kust was overwonnen en het Zweedse koopvaardijschip liep veilig binnen, de kapitein en de loods waren bezig de bark tussen grote brokken steen en stapels puin te manoeuvreren terwijl ze naar binnen voeren. Rose stond aan de reling en staarde ongelovig om zich heen. *Is dit het land van het magische schrift?*

Toen maakte een hoge obelisk op de kust dat ze opeens haar adem inhield. 'Die dingen heten Naalden van Cleopatra,' zei mevrouw Alabaster. 'Er ligt er nog eentje naast,

maar die kun je hiervandaan niet zien. Ze hebben natuurlijk helemaal niks met Cleopatra te maken! Welkom
in Egypte.'

Hier en daar priemden minaretten in de lage, warme
lucht tussen droefgeestige grijze gebouwen. Mattie stond
alles met veel belangstelling te bekijken, alsof ze een teken zag. 'Ik heb zo'n gevoel, juffrouw Rose,' zei ze, 'dat
ik mijn man hier zal vinden.' Verder weg verrees een hoge
pilaar heel alleen uit de puinhopen, roze en blinkend.

'Korinthisch,' mompelde mevrouw Venetzia Alabaster,
terwijl ze de kust afzocht naar haar man.

Er naderde een bootje met twee beambten die met de
kapitein kwamen praten. De kapitein keek ernstig toen hij
de vrouwen, zijn enige passagiers, het bericht kwam brengen. Op dit moment waren de ongeregeldheden jegens
buitenlanders dermate hevig dat de Britse consul was
teruggeroepen. Een leger Albanezen had de Turkse pasja
in Caïro ten val gebracht. Buitenlandse bezoekers waren
niet welkom, ze betraden Alexandrië op eigen risico. Het
behoefde geen betoog dat alle vrouwen zich moesten bedekken. Er volgde nog meer nieuws, gebracht in kleine
boten door mannen met tulbanden en lange gewaden die
een vreemde taal vol keelklanken spraken en kwaad naar
de vrouwen met hun onbedekte hoofden keken.

De kapitein keek Rose aan. 'Wilt u terug?' vroeg hij
nors. 'Als het consulaat gesloten is, weet ik niet wat er
met mensen als u zou kunnen gebeuren. We gaan lossen
en keren onmiddellijk terug naar Livorno, ik ben altijd
blij als ik hier uit deze puinhoop weg kan.' Ze werden belaagd door een vreselijke stank, afkomstig uit het water,
vanaf de kust. 'U kunt beter met mij mee teruggaan.'

'Beslist niet,' zei Rose. Ze stond letterlijk te trillen.

'Natuurlijk niet,' zei Mattie.

'Weet u het zeker?'

'We weten het zeker.' Maar Rose keek opeens toch achterom, alsof ze nog een teken van de beschaafde wereld wilde zien, de wereld die ze aan de overkant van de Middellandse Zee hadden achtergelaten. Ze zag echter alleen maar water.

Mevrouw Venetzia Alabaster begon opeens te zwaaien. 'Daar heb je Archie, hij heeft gezien dat ik aan boord ben, hij heeft al dagen op me gewacht, hij zet een paar roeiers uit. U kunt erbij springen als u dat wilt, ik leen u wel een paar lange omslagdoeken. We gaan natuurlijk naar de *frank-wijk*. Dat is de enige plaats waar u naartoe kunt.' Het schip liet het anker gevaarlijk dicht bij de pier vallen en begon meteen te lossen. Ze popelden om weer te vertrekken.

Rose stond nog steeds ongelovig te kijken. Er stonden een paar stoffige dadelpalmen op de tot ruïne vervallen kust van de stad van Alexander de Grote, de prachtige stad van Cleopatra, de laatste hoop van Marcus Antonius: de troosteloze, stinkende puinhoop van duizend geschiedenissen inclusief nu die van haarzelf: Alexandrië.

Te midden van haastige begroetingen met meneer Alabaster klommen de vrouwen uiterst moeizaam omlaag naar een kleine boot en werden ze aan land gebracht, naar een weerzinwekkende stank en naar zand en grote brokstukken steen en de torenspitsen van moskeeën en vijandige gezichten. Ze voelden iets van opluchting toen ze een Franse vlag wat lusteloos zagen wapperen: *De beschaafde wereld is nog steeds vertegenwoordigd*, dachten ze, en ze vergaten even dat ze met Frankrijk in oorlog waren. Er werden ezels geregeld voor de korte afstand naar de *frank*-wijk. 'Alleen de Turken en de mammelukken mogen op paarden rijden,' zei mevrouw Alabaster misnoegd. 'Volgens mij is dat om ons er zo dwaas mogelijk uit te laten zien.'

Toen ze zich gereedmaakten om de haven te verlaten, mompelde meneer Alabaster, die er enigszins verfrommeld maar wel heel energiek uitzag, over zijn schouder tegen Rose en Mattie: 'Zorg er vooral voor dat je niemands blik trekt. Ze weten dat ik een handelaar ben, ik zit hier al jaren, maar in deze atmosfeer kan ik niets garanderen, jullie reizen met mij op eigen risico.' Meneer Alabaster en een met een tulband getooide man die een vreemd zwaard droeg, reden aan het hoofd. De drie vrouwen volgden op een rijtje: Rose en Mattie met omslagdoeken om hun hoofd getrokken, gevolgd door mevrouw Venetzia Alabaster, wier ogen, het enige deel van haar gezicht dat niet bedekt was, even minachtend keken als die van de Arabieren. De bagage volgde op de schouders van dragers.

Overal schrokken ze van de kakofonie aan enge, onbekende geluiden. Rose klampte zich moeizaam vast aan haar ezel, en ze probeerde om zich heen te kijken zo goed en zo kwaad als dat ging vanonder de lange, zwarte doek. Mevrouw Alabaster had hem vastgespeld zodat hij omlaag viel tot op haar wenkbrauwen en naar boven reikte tot haar neus. Ze transpireerde hevig door haar angst en door de zwarte doeken en door de hitte die als een klamme deken op hen lag. Het zweet stroomde langs haar lichaam. Mannen met tulband en vrouwen in het zwart staarden hen aan, schichtige katten die vel over been waren schoten onder de poten van de ezels door. De ongelofelijke hitte, de vreselijke, afschuwelijke stank en de waarschuwing voor alle gevaren versterkten de wilde, ongelovige gevoelens waardoor Rose voortdurend werd belaagd: *is dit het land van de kennis, van de hiërogliefen, van de twaalf-uur waterklok?* Het luide, grommende geluid van de Arabieren die praatten, schreeuwden, handel dreven, riepen; het zand dat overal was, in haar mond, rond haar tanden en tong; de eindeloze bergen kapotte grijze stenen, niet alleen langs de wegen maar overal om hen heen opgestapeld; de myriaden vliegen en andere insecten die onmiddellijk om hun gezichten zoemden. Blinde Arabieren staarden naar hen op, sommigen leken helemaal geen ogen te hebben, zoals Pierre had verteld. Ze was gewaarschuwd geweest, maar dat had geen nut gehad. Ze had zich heimelijk op zijn minst palmbomen en rozenblaadjes voorgesteld.

Aanvankelijk leek het alsof er letterlijk niets dan ruïnes waren, dat Alexandrië alleen maar een stad van grote, kapotte stenen was. Toen zag Rose dat er toch nog huizen tussen de ruïnes stonden, gebouwd van oude stenen of van het soort blokken van gedroogde leem zoals ze op sommige schilderijen in Parijs had gezien. De huizen leunden in donkere steegjes tegen elkaar aan, met ertussen lijnen vol wasgoed op houten palen. De stank die overal hing was onbeschrijfelijk, weerzinwekkend. Ze was gewend aan, zelfs immuun voor, alle stank van Londen, maar de zware, smerige walm van verrotting en van andere soorten stank waaraan ze zelfs geen naam kon geven, was bijna ondraaglijk in deze hitte. Het was smerig, walgelijk, afgrijselijk, alsof het verleden zelf stonk. Overal zoemden vliegen. Was dit waar Harry was gestorven, in *deze* straten? Ondanks de waarschuwing troffen haar ogen opeens die van een vrouw wier gezicht net als haar lichaam volledig was bedekt, op twee kleine gaten na: vanuit deze gaten staarden donkeromrande, amandelvormige ogen haar nieuwsgierig aan. Rose wist niet dat haar eigen ogen wezenloos waren van angst en ontzetting. Ze staarde naar de kraampjes, de straatverkopers en de borden in het vloeiende, onbekende Arabische schrift. En overal de vijandige gezichten van de Egyptenaren die deze vreemde kleine stoet van kennelijke vreemdelingen gadesloegen. Verscheidene mannen spuwden: een dikke, gele klodder belandde in het zand juist daar waar Rose voorbijkwam. *Maar ik kan niet zeggen dat ik niet was gewaarschuwd, ik heb alles van tevoren geweten.* Dit alles binnen het zicht van de haven. Toen de zon begon te dalen en de lucht violet kleurde en de poorten van de *frank*-wijk in zicht kwamen, klonk er opeens een vreemde kreet door de lucht. Hij kwam uit meerdere richtingen: *Allahu Akbar... Allahu Akbar...* hoorden ze. *Allahu Akbar... God is groot.*

Toen ze veilig binnen de enorme poort waren – Rose en Mattie konden pas weer normaal ademhalen toen ze het geluid hoorden van grendels die achter hen werden dichtgeschoven – vroeg meneer Alabaster aan Rose of ze soms kamers wilden huren in een Turkse *khan*.

'Wat is dat?'

'Grote Turkse huizen met kamers die meestal worden gebruikt in tijden van pest, maar het zijn ook plaatsen waar *franks* heen gaan tot ze zich hebben gesetteld. Bent u van plan te blijven, burggravin?' Rose wist zeker dat ze geen titel had genoemd. 'U kunt een huis huren als u blijft, het hangt van uw plannen af.' Ze dacht dat ze hem zag glimlachen.

'Ik... we weten het nog niet zeker. Een paar kamers hier lijkt me voorlopig prima. Dank u.'

Meneer Alabaster riep iets in het Arabisch en er slenterde een man in een lang gewaad en met een tulband op naar de Alabasters. Er wisselde wat geld van eigenaar (van de Arabier naar meneer Alabaster). 'Geef hem de helft van waar hij om vraagt!' riep Alabaster en hij verdween met zijn vrouw verder over de onverharde weg terwijl de man met de tulband boog en hen binnenliet. Rose en Mattie schudden opgelucht hun omslagdoeken af en lieten zich van de ezels glijden. Rose viel toen haar voeten de grond raakten, maar ze stond meteen weer op en veegde het stof van zich af.

De *khan*, een langwerpig gebouw met twee zijvleugels, gebouwd rond een lege binnenplaats met zand, had kamers op de hele bovenverdieping. Ze werden naar boven gebracht over een trap die naar een lang balkon leidde, en er wachtten hun kale, eenvoudige kamers. Rose keek om toen ze de trap opliep, waardoor ze even struikelde. Ze bleef staan en wist de houtsplinter van de scheepsreling uit haar hand te trekken. Daarna keek ze weer om naar de binnenplaats en het zand. *Ik ben in Egypte*, zei ze steeds weer vol ongeloof tegen zichzelf. *Ik ben in Egypte*. Opeens renden er twee struisvogels met verbazingwekkende snelheid over de binnenplaats, en toen Rose daarna omhoogkeek naar het balkon aan de overkant, zag ze heel duidelijk, met haar witte muts en een bril en een boek in de hand, juffrouw Constantia Proud, die stond te zwaaien en te glimlachen.

'En u hebt Fanny echt ontmoet?'
    'Ik heb Fanny inderdaad ontmoet.'
    'En ze is echt op weg naar India?'
    'Ja, ze is op weg naar India.' Juffrouw Proud glim-

lachte. 'Ik had natuurlijk niet gedacht zelf nog weer op reis te gaan! Ik ben er eigenlijk heel verbaasd over. Ik hoopte maar dat je er geen bezwaar tegen zou hebben.'

'Bezwaar?' zei Rose, half lachend en half huilend, terwijl ze juffrouw Proud omhelsde. 'Bezwaar?'

In de kale kamer van Rose was een verheven platform met tapijt, dat dienst moest doen als bed. Er lagen kussens op en er hing muskietengaas om haar tegen vliegende insecten te beschermen. Verder was er niets. De kamer kwam, net als alle andere kamers, uit op het lange balkon, en hier gingen ze zitten. Mattie straalde van vreugde bij het verschijnen van juffrouw Proud. Ze probeerde een maaltijd te bereiden, geholpen door enkele Arabieren die geen Engels spraken, van het voedsel dat zij te koop aanboden. Ze wist stevig af te dingen want ze was hen direct de baas en juffrouw Proud adviseerde verse dadels, brood en een soort kaas, en ze vertelde Mattie hoeveel zij geleerd had ervoor te betalen. Het was duidelijk dat juffrouw Proud geweldig opgelucht was hen te zien. 'De oorlog heeft alles veranderd. Ik dacht dat je daardoor misschien niet op reis had kunnen gaan.'

'Monsieur Montand' – Rose voelde hoe haar hart een sprongetje maakte – 'heeft ons geholpen om een veilige doortocht door Frankrijk te krijgen. We zaten in Zwitserland toen de oorlog werd verklaard. Daarna zijn we over de Alpen naar Italië gereisd. Alles is heel ongewis, overal in Europa. Het leek wel of we eeuwig op reis bleven! Ten slotte arriveerden we in Livorno en boekten daar een overtocht naar Alexandrië op een koopvaardijschip. Maar het stormseizoen was aangebroken en het schip moest tot twee keer toe teruggaan.'

'Geen wonder dat jullie er zo lang over deden!'

'Maar monsieur Montand heeft me een brief gegeven. Een brief voor een Alexandrische kopt die erbij was toen de vrouw werd gestenigd.'

'Hoe kun je hem vinden?'

'Ik moet de brief naar de kerk van Sint Marcus brengen. Maar,' ze keek juffrouw Proud opnieuw vol ongeloof aan, 'hoe bent u hier vóór ons gekomen?'

'Ik ben via Malta gekomen.'

'Malta?'

'Ik weet het... Je weet nooit van wie het nu weer zal zijn! Maar het was niet aan de Fransen teruggegeven, zoals in het Verdrag van Amiens was overeengekomen. Het is nog steeds in Britse handen. Weet je, toen Fanny...'

'... O, mijn liefste Fanny, wat vond ik het vreselijk om afscheid van haar te moeten nemen...'

'Ze kwam naar South Molton Street toen ze terug was in Engeland. Ze vertelde me over jullie tijd in Parijs en dat jij alleen zou gaan. Die twee kinderen leken nogal geschokt, dus besloot ik hen zelf naar Portsmouth te brengen. Het is een plaats die ik goed ken door mijn broers bij de marine. Gelukkig vonden ze al heel gauw een schip, dat was gunstig. Fanny had de jongen bijna naar zijn vader teruggestuurd. Als ze nog een week hadden moeten wachten, denk ik dat ze het had gedaan. Maar er was iets wat haar zei dat ze door moest gaan met die reis, dat het de moeite waard zou zijn, dat als ze dat jongetje nu in de steek liet, ze hem voor altijd zou verliezen.' *En Rose zag haar nichtje voor zich, bleek en vastbesloten, samen met haar kinderen zwaaiend vanaf het dek van een klein, dapper zeilschip.*

'Dus zijn ze naar India vertrokken! Er waren veel Engelse passagiers aan boord, ik zag een groep quakers zich inschepen, de vrouwen in grijze jurken en met grijze luifelhoeden. Dat zal Fanny plezier hebben gedaan! Er waren ook nog andere kinderen, en ik vond dat ze in een goede stemming verkeerden toen ze vertrokken. De kinderen waren opgewonden, de kleine Horatio vergat dat hij kwaad was. Ik weet zeker dat Fanny een verstandig besluit heeft genomen. Maar ik vond het wel heel jammer dat jij zonder haar verder moest reizen. En toen, heel toevallig, of liever gezegd, ik denk dat het toevallig was, wie weet of ik niet onbewust op zoek was!, vond ik een schip dat bijna onmiddellijk naar Malta zou vertrekken. Iedereen wist uiteraard dat het elk moment oorlog kon worden, maar – het was echt in een opwelling – ik regelde snel van alles en ging aan boord. Zodra ik Malta had bereikt, hoorde ik dat de oorlog was uitgebroken. Ik kon slechts hopen dat jij uit Frankrijk weg was, want ik hoorde dat Napoleon alle Engelse bezoekers tot krijgsgevangenen had gemaakt.'

Rose bleef haar hoofd schudden: *juffrouw Constantia Proud was in Alexandrië*.

'Op Malta vond ik gelukkig een schip dat bijna direct naar Alexandrië vertrok.' Juffrouw Proud somde deze uitzonderlijke gebeurtenissen op alsof het dagelijkse voorvallen waren. 'Ik ben hier pas twee dagen geleden aangekomen. We kregen het advies terug te gaan, vanwege alle ongeregeldheden, en sommige reizigers hebben dat inderdaad gedaan. Maar ik was niet zo ver gekomen om weer terug te gaan! O, en ik moet je tot mijn spijt vertellen, lieve Rose, dat ik op dezelfde dag ben gearriveerd als het gezelschap van je zwager, burggraaf Gawkroger, die zich ook niet terug liet sturen.'

'O nee!' riep Rose uit. 'Hij is toch zeker niet al hier?' Haar stem schalde ontzet door de *khan*.

'Er zijn drie koopvaardijschepen gearriveerd op de dag dat ik hier kwam. Slechts enkelen van ons zijn gebleven, na de waarschuwing dat het zo gevaaarlijk was. We zijn met drie achterblijvers naar deze wijk gekomen, en ik heb gehoord dat het gezelschap van de burggraaf een huis heeft gehuurd.'

Rose sloot haar ogen in ongeloof. 'We hebben hen niet een keer ontmoet, ook al hoorden we dat ze in Parijs waren. Ik hoopte dat ze krijgsgevangen waren genomen. Ik hoopte en bad, elke keer dat er iets misging met onze reis, dat hun hetzelfde zou overkomen. Nu zal George overal zijn!' *Ik ga niet huilen.* 'Was... Leek lady Dolly... in verwachting te zijn?'

Juffrouw Proud keek verbaasd. 'Ik heb niet die indruk gekregen, maar we waren natuurlijk allemaal in van die gewaden gehuld. Maar, lieve Rose...' Juffrouw Proud keek opeens heel verlegen. 'Lieve Rose, mocht jij er de voorkeur aan geven met dit avontuur alleen verder te gaan, dan zal ik me niet in het minst beledigd voelen. Ik heb al een geweldig opwindende tijd gehad! Ik was blij te zien dat ik alles net zo interessant bleek te vinden als toen ik jonger was.' Ze glimlachte naar Rose vanonder haar onberispelijk witte muts en Rose deed haar uiterste best om het niet te doen – want dat George al hier was aangekomen was rampzalig, maar dat juffrouw Proud hier was was wonderbaarlijk – maar ze barstte toch in snikken uit.

'Ik ben erg blij,' huilde ze, 'om u te zien! Ik ben echt doodsbang geweest en ik heb mijn best gedaan dat niet aan Mattie te laten blijken!'

'Maar ik wist het natuurlijk wel,' zei Mattie, die weer met een paar schalen binnenkwam. 'Ik ben echt ook doodsbang. We moeten water kopen. En de Arabieren hebben ons deze stoofschotel aangeboden voor een bepaalde prijs. Ik denk dat het geit is.'

Bij het aanbreken van de dag werd Rose gewekt door een vreemd, schel geroep uit de stad beneden. *Allahu Akbar...* riep de stem in de verte... *God is groot.* Ze rook onmiddellijk de hitte, en het zand, en een vreemd land. Ze stapte van haar Egyptische *divan* omlaag en keek behoedzaam naar de vloer of ze ook kakkerlakken zag. Uit haar hutkoffer haalde ze de brief die Pierre ten slotte bereid was geweest voor haar te schrijven om mee te nemen naar Alexandrië, naar een kopt die hij kende. Ze bleef even heel stil staan met de brief in haar hand, terwijl ze met vreselijke spijt aan Pierre dacht. Wat het hem moest hebben gekost om hen zo snel Frankrijk uit te krijgen terwijl zijn land zich voorbereidde op een oorlog. Hij was erg kwaad geweest en toch was hij heel vriendelijk. Ondanks alles was hij, zoals hij had beloofd, een echte vriend gebleven. Pierre had hen allen veilig weggekregen. Hij leek in die angstige dagen niet te hebben geslapen. Maar al die tijd was zijn misnoegen zichtbaar geweest. Ze was niet in staat geweest door de barrière heen te breken die hij tussen hen had opgericht. Had hij, zoals ze vreesde, een ander voor zijn hart ontmoet? Ze kon het niet zeggen. Rose en hij spraken nooit meer over iets anders dan over de reizen, en ze wist dat hij haar verwend en dwaas vond, dat hij al het mogelijke had gedaan, met uitzondering van haar vastbinden, om haar reis te verhinderen. Steeds weer wilde ze zeggen: *ik had het mis. Ik wist niet goed wat ik deed.* Maar deze mens, die zo open was geweest, was nu voor haar gesloten en er had zich een kille hand over haar hoopvolle hart gelegd. Heel even streelde ze zijn onbegrijpelijke Arabische handschrift. Ze zag hem weer voor zich, lang, vriendelijk en kwaad. 'Ik zou daar bij je moeten zijn,' had hij woedend gemopperd. 'Je kunt niet door de straten van Alexandrië lopen zonder een man om je te vergezellen.' Ze zag opnieuw zijn strakke gezicht en ze besefte dat haar hoop vergeefs was.

Langzaam pakte ze haar dagboek en liep naar het balkon, dat nog in de schaduw lag. Er was haar verteld dat de ergste zomerhitte voorbij was. Maar het was nu al drukkend heet op een manier die ze nooit eerder had meegemaakt, overal zoemden vliegen. Op de binnenplaats zag ze een wat rommelig uitziende grote vogel, vreemd en zwart, kribbig in het stof pikken. Hij leek veel groter dan enige vogel die ze ooit had gezien. Misschien was het een soort havik. Ze herinnerde zich weer de woorden uit het oude boek van haar vader: *Wanneer ze een god willen aanduiden, of hoogte of laagte of uitmuntendheid of bloed of overwinning, tekenen ze een HAVIK.* De vogel merkte dat ze naar hem keek, hij slaakte een vreemde kreet terwijl hij opvloog – niet weg, maar recht op haar af. Hij dook kwaad naar het balkon omlaag, zodat ze zich angstig bukte, met haar armen afwerend naar hem uitgestrekt, en daarna vloog hij over de muur, weg van de *khan*. Hoewel Rose haar hart voelde bonzen, voelde ze ook iets van voldoening. Ze schreef in haar dagboek dat ze als het ware haar eerste hiëroglief had gezien. Terwijl ze dit schreef hoorde ze in de verte opnieuw de schelle Arabische kreet: *Allahu Akbar...*

Vanaf het balkon zag ze juffrouw Proud aan de overkant van de binnenplaats. Ze zat vredig onder een parasol te lezen terwijl ze automatisch vliegen wegjoeg. Het leek net of ze haar hele leven in een *khan* in Alexandrië had gewoond. Toen ging de poort naar de *khan* open en reed Mattie, gehuld in omslagdoeken, heel zelfverzekerd op een ezel naar binnen, met in haar armen dingen die op lange wortels en een kool leken, terwijl ze haar dank riep naar een man die de zandweg opging.

Mattie zag Rose en zwaaide. 'Cornelius Brown is in Egypte!' riep ze.

Rose leunde over het balkon. 'Waar ben je geweest?'

'Ik hoorde dat de bedienden in de *frank*-wijk vaak vroeg op pad gaan om etenswaren te kopen, dus ben ik meegegaan. Een van de kooplieden komt altijd met een escorte, dat doen ze om de beurt.' Mattie steeg af. 'Ik heb een zeeman gesproken die Cornelius kende! De man zegt dat hij beslist in Egypte is, hij is ook handelaar! Had ik 't niet gezegd?' Mattie lachte en kwam de trap op met haar groenten, de omslagdoek nog over haar hoofd.

Toen ze voorbijkwam stopte ze bij de kamer van Rose. 'Ik heb gevraagd of die meneer Alabaster langs wil komen,' zei ze. 'Hij spreekt Arabisch en hij kan jou met die brief naar die kerk brengen; zonder man kun je nergens naartoe. Ze schijnen hier geen alcohol te mogen drinken, maar ik waarschuw je, het is pas acht uur in de morgen maar hij was al dronken!' Mattie verdween weer en Rose hoorde haar praten met de Arabieren in de *khan*. Ze leek Arabisch te spreken.

Allahu Akbar riepen de stemmen in de verte.

'Heb ik het niet gezegd, Archie?' zei mevrouw Venetzia Alabaster. De schemering viel, maar de hitte bleef. Eindelijk waren de Alabasters naar de *khan* gekomen, zoals was gevraagd, waar Rose de hele dag popelend van ongeduld op hen had gewacht. Ze zaten met zijn allen op het lange balkon: de vrouwen dronken muntthee, meneer Alabaster had zijn eigen verfrissing meegebracht en dronk die rechtstreeks uit de fles.

'Ik neem aan dat dat een tropisch medicijn is,' zei juffrouw Proud, 'want ik weet dat de mohammedanen geen alcohol drinken.'

'Zo is het maar net, juffrouw Proud!' zei hij. 'Een tropisch medicijn!' Hij lachte, en ze roken de rum. De kreten van deze vreemde stad waren vanachter de poort te horen toen de duisternis inviel, met donkere fluwelen luchten en een miljoen sterren boven hen, en muskieten die overal zoemden. Terwijl ze met elkaar praatten wapperden en sloegen ze voortdurend muskieten en vliegen weg.

'Het was de naam Fallon,' verklaarde mevrouw Alabaster. 'Ik dacht dat jullie misschien familie zouden zijn. Iedereen hier kent het verhaal. De vrouw is gestenigd, wist u dat?'

'Ja,' zei Rose zacht, 'dat wist ik.' Mattie kwam en ging, liep in en uit de schaduwen, stak een paar kaarsen aan. Ze vlamden op en flakkerden nauwelijks, zo stil was de avondlucht.

'Die nieuwe burggraaf probeerde me een beetje te commanderen toen hij van de week arriveerde,' zei meneer Alabaster. 'Daar zal-ie spijt van krijgen. Ik heb tegen hem gezegd dat hij moest ophoepelen. Ik zal hem nergens mee helpen als hij assistentie behoeft en dat zal hij in Egypte ongetwijfeld nodig hebben!'

'Mooi zo,' zei Rose. 'Ik wil graag dat u mij helpt, maar ik wil vooral niet dat de burggraaf ook maar iets van mijn plannen weet. Ik heb een brief die ik naar de Kerk van de Heilige Marcus moet brengen. Direct, morgenochtend vroeg.'

'Wat dat kind betreft,' zei mevrouw Alabaster, 'er zijn duizend van zulke kinderen in Alexandrië. Het zal zijn als zoeken naar een engel op een speldenkop!' Ze fronste even haar wenkbrauwen over haar eigen ongepaste metafoor. 'Een speld in een hooiberg, bedoel ik.'

'Ik heb een brief,' ging Rose halsstarrig verder.

'Tja,' zei mevrouw Alabaster, 'we kunnen het natuurlijk proberen.' Even bleven ze zwijgend zitten. 'Luister,' zei mevrouw Alabaster.

Vanuit de stad, van buiten de poort van de *frank*-wijk, kwam een geluid aangedreven. Er hing muziek, een ander soort muziek, in de lucht: vreemd, ongrijpbaar, heel anders dan de muziek zoals zij die kenden. In de verte klonk een vrouwenstem in het donker, heftig, klagelijk. Ze werden overmand door een gevoel van ontheemd zijn.

'Speel voor ons eens een deuntje, Vennie,' zei meneer Alabaster opeens. 'Echte muziek, een van je eigen liedjes. Ik was vergeten hoe dat gedoe tot hier in de *khan* kan doorklinken als je niet uitkijkt!' Hij leek geschokt en stond op, staarde het donker in, ging toen weer op de marmeren bank zitten, en viel onmiddellijk in een diepe slaap terwijl zijn lege fles over het balkon rolde.

'Ik zal hem zo naar huis laten dragen,' zei mevrouw Alabaster alsof het de gewoonste zaak van de wereld was, en in de stilte klonk de klagelijke muziek. 'Hij zal jullie morgenochtend meenemen, hij zal ook voor jullie tolken. Het kost twee goudstukken. Jullie kunnen me dat nu geven als jullie willen.' Als ze al zag dat beide vrouwen onthutst waren over dit enorme bedrag dan lieten ze niets merken. Maar Rose stond snel op om het geld te halen. De goudstukken rinkelden toen ze van eigenaar verwisselden.

'Morgenvroeg,' drong Rose aan.

'Morgenvroeg,' stemde mevrouw Alabaster in. 'Het is beter om bij het aanbreken van de dag te reizen, wanneer het koeler is.' Daarna zaten ze zwijgend te luisteren naar de stad waarvan ze afgesloten waren. Meneer Alabaster snurkte zachtjes.

'Ik neem aan dat het hier... ooit... heel mooi is geweest,' zei juffrouw Proud zacht. 'Ze zeggen dat Alexander de Grote van Macedonië de mooiste stad van de wereld heeft gebouwd.'

Mevrouw Alabaster zei terloops: 'Ze zeggen dat Alexander de Grote zelfs de vuurtoren heeft bedacht, en de bibliotheek en de waterreservoirs en prachtige gebouwen, hoewel hij uiteindelijk met zijn leger ver weg is gestorven. U weet dat Alexandrië ooit een beroemde stad voor de wetenschap was omdat het de grootste en belangrijkste bibliotheek ter wereld had? Nou, ik heb gehoord dat er geen schip kon aanleggen zonder uit eigen land een boek mee te brengen voor de bibliotheek van Alexandrië. Ik vind dat wel een mooi beeld, ik stel me voor hoe zo'n ruige oude zeekapitein aan land komt met een kostbaar boek onder zijn arm, in ruil voor het aan land mogen gaan! Ze zeggen dat duizenden jaren later Cleopatra Julius Caesar wist te verleiden en daarna Marcus Antonius. Dat deed ze op staatsiesloepen vanaf een paleis hier dat zo wonderschoon was dat beide mannen er nooit meer van bij zijn gekomen: rozenblaadjes, wijnen, vruchten, liefdesliederen en geweldig eten, om nog maar te zwijgen van het feit dat het hun werd voorgeschoteld door de mooiste vrouw van de wereld met lotusbloemen en kaneelolie! Ik probeer daar altijd aan te denken wanneer het me hier te machtig wordt.' Ze zuchtte. 'Maar daar is nu niets meer van te zien, hè? U weet dat er waarschijnlijk geen schilderijen of standbeelden van Cleopatra zijn. Dus kunnen we ons haar net zo voorstellen als we maar willen.'

'U moet veel dingen hebben geleerd sinds u hier bent gekomen, mevrouw Alabaster.' Mevrouw Alabaster haalde haar schouders op. Juffrouw Proud sloeg heel hard met haar waaier naar een muskiet terwijl het gezoem rond hun hoofd voortduurde. 'Bent u soms erg... op Egypte gesteld geraakt?'

Mevrouw Alabaster wierp haar hoofd achterover en lachte. 'Erop gesteld geraakt? Als je eerst de kost hebt moeten verdienen met in Ranelagh Gardens ondersteboven liedjes te zingen terwijl de heren champagnekurken en munten naar je wierpen, zou je overal op gesteld kunnen raken!' Rose bloosde in het donker, omdat zij ook bij die heren was geweest. 'Toen Archibald me dit leven aanbood, nam ik het met beide handen aan!' Ze keek met een ondoorgrondelijke blik naar de snurkende man naast haar. 'Ik heb eigenlijk één ding geleerd. Het arme oude Egypte heeft, tot in de tijd van de farao's toe, altijd invasies gehad: Grieken, Romeinen, Arabieren, Turken! Zelfs wij, rondtrekkende handelaren, wij zijn ook in allerlei gevechten beland in de tijd dat we hier zijn. De Fransen kwamen met Napoleon, de Engelsen kwamen met lord Nelson, lord Abercrombie is gekomen. Het komt natuurlijk door de plaats waar het op de kaart ligt: op weg naar het Oosten, en door de vruchtbare oevers van de Nijl – daarom is Archie uiteraard hier. Hij handelt in graan en rijst, vier seizoenen per jaar. Dat hebben ze in Kent niet! Dus ik denk dat ik op een bepaalde manier, ach, niet echt van het land houd, maar ik heb er toch een zekere band mee. Ook al zijn die vreemde kreten en de muziek uitsluitend Arabisch en komen die niet voort uit hun eigen geschiedenis met al die mooie farao's en koninginnen die ik graag zou hebben ontmoet.'

Mevrouw Alabaster leunde achterover, keek naar de sterren omhoog. 'Wat voor muziek denkt u dat die farao's speelden? Dat zou ik wel eens willen weten. Ik heb overal in Egypte oude ruïnes gezien met schilderingen waarop ze fluit of luit speelden, maar ik denk dat we wel nooit zullen weten hoe hun muziek heeft geklonken. Het maakt me soms heel melancholiek dat te bedenken.' En toen mevrouw Alabaster zweeg, was de dissonante, doordringende Arabische muziek nog steeds vanuit de straten buiten de *frank*-wijk te horen: er klonken trommen en tamboerijnen, en de duisternis ritselde van de vergeten dromen. 'Ze zijn een poosje christelijk geworden tijdens de Romeinse overheersing, en daar zijn er nog een paar van over, de kopten, zoals in de Kerk van de Heilige Marcus, waar jij naartoe wilt, maar het is tegenwoordig net zo onveilig christen te zijn als buitenlander. Ik heb gehoord dat ze nu voornamelijk in de oude vervallen tempels wonen, verderop langs de Nijl. De meeste Egyptenaren zijn al honderden jaren mohammedaans, en hun vroege voorouders zijn helemaal vergeten. Nu doen ze weer aan stenigen en ophangen en aan het afhakken van handen. Ik kan me niet voorstellen dat die mooie, beschaafde farao's zo grof waren!'

Rose en juffrouw Proud zaten gespannen te luisteren. Rose bedacht hoe vreemd het was dat ze hier nu met een van de heldinnen uit haar jeugd zaten te praten.

'Mevrouw Alabaster,' zei ze, 'ik heb De Zingende Acrobaten gezien, niet alleen met mijn man voor hij stierf, maar ook toen ik kind was.'

'Dat zal best,' antwoordde ze droog. 'We zeiden altijd dat we net zo beroemd waren als de koning! We wisselden natuurlijk wel. Er waren meisjes die trouwden, of nog erger, die met kind werden geschopt. Ze probeerden het zo lang mogelijk verborgen te houden, want hoewel we er allemaal spuugzat van werden, viel er toch goed geld mee te verdienen, zeker wanneer heren een oogje op je hadden.'

'We vonden het iets geweldigs om naartoe te gaan, als kind, en ook toen we ouder waren! Ik herinner me een avond dat ze, dat jullie, allemaal zongen en het publiek van geen ophouden wist. Jullie zaten verstrengeld in de touwen die daar in het donker hingen te zwaaien, en er waren lampen, en de sjaals die jullie om hadden wapperden als vlaggen. Het was heel spannend voor kinderen! Mijn nichtje Fanny en ik hoopten steeds maar dat u Händel zou zingen, hij was onze favoriet omdat we wisten dat hij in onze straat had gewoond!'

Mevrouw Alabaster leunde achterover tegen de muur van de *khan* en begon heel vrijmoedig zacht te zingen.

Waar gij ook gaat,
Een koele bries in de bomen,
Op de plek in het bos,
Waar ieder wil komen...

Haar stem klonk scherp, maar op de een of andere manier ook hypnotiserend, vol herinneringen en verdriet. De vrouwen leunden ongemerkt naar voren, zo werden ze geboeid, en de dissonante muziek van een andere cultuur werd niet langer gehoord. Meneer Alabaster, die slap op een marmeren bank lag, glimlachte een beetje.

Ten slotte ging mevrouw Alabaster staan en riep in het Arabisch een bediende. Daarna richtte ze zich tot Rose. 'Ik wilde je deze vraag nog stellen... Dit is een vreemd land, zoals je wel zult hebben gezien. En ik vind zelf vooral dat... dat de dingen niet altijd zijn wat ze lijken. Er zijn in zo'n chaos natuurlijk altijd veel eenzame kinderen. Hoe zul je er zeker van kunnen zijn dat zo'n kind dat van je man was? Als je geld hebt, zal waarschijnlijk morgen iemand je een kind kunnen geven.'

Morgen? Toen Rose dat hoorde sloeg haar hart een slag over, zodat ze even geen adem kon halen of iets kon zien. 'U bedoelt,' wist ze ten slotte uit te brengen, 'dat het kind misschien... misschien wel in de kerk is waar wij naartoe gaan?'

'Wie weet? Misschien als de kopten ernaar zoeken. Maar hoe kun jij zeker weten of dat het kind is dat je zoekt?'

'Ik... ik hoop dat ik het op de een of andere manier zal herkennen. Ze moet nu meer dan een jaar oud zijn.' Rose zag dat mevrouw Alabaster haar in het kaarslicht bekeek met iets wat bijna op medelijden leek, en daarna haalde ze haar schouders op.

'Goed... ik ga morgen met je mee,' zei ze. 'Ik zal je aankleden. Ik breng alle spullen mee en de sluier. Je zult jezelf niet meer herkennen!'

'De sluier is echt geen Egyptisch concept,' zei juffrouw Proud verontwaardigd. 'De farao's en de koninginnen droegen geen sluiers.'

'Inderdaad,' zei mevrouw Venetzia Alabaster, even afkeurend als juffrouw Proud, en ze riep weer in het Arabisch om bedienden. 'Die dingen zijn hier door de mohammedanen naartoe gebracht, en de sluier lijkt voor hen nog belangrijker te zijn dan de rest van de kleren. Kun je het geloven?... Archie en ik voeren eens mijlenver hiervandaan over de Nijl en toen zwommen er wat boerenvrouwen naar onze boot om om *baksjisj* te bedelen. Sommige vrouwen waren naakt, maar ze hadden allemaal een lap stof over hun gezicht!' Mevrouw Alabaster schoot opeens in de lach en ze rekte zich uit terwijl ze al haar gewrichten liet knakken alsof ze weer op hun plaats moesten worden gebracht. Toen hesen de bedienden de slapende meneer Alabaster op hun schouders en vertrokken ze allemaal.

Rose kon niet stil blijven zitten toen de poort van de *khan* was dichtgevallen. Ze liep heen en weer over het balkon. Ten slotte zei ze tegen juffrouw Proud: 'Neem me niet kwalijk.' Ze rommelde wat om een sigaartje te pakken en stak dit aan met de vlam van de kaars. 'Ik had niet begrepen dat het misschien zo snel al zou zijn... morgen! Iedereen heeft me verteld dat het onmogelijk was, maar... misschien is het toch niet onmogelijk!' De rook kringelde omhoog in het donker. 'Gaat u gerust uw gang, als u wilt.' Ze gebaarde beleefd van juffrouw Proud naar de sigaartjes.

'Dank je,' zei juffrouw Proud, en tot grote verbazing van Rose stak zij ook, met gemak, het aangeboden sigaartje op. Rose bleef nog steeds heen en weer lopen, bleek, gespannen en opgewonden terwijl ze haar sigaartje rookte.

'Tot morgenochtend is er niets wat we kunnen doen, liefje,' zei juffrouw Proud.

'Dat weet ik, dat weet ik. Maar het is gewoon dat nu het bijna zover is, ik niet weet wat ik van alles moet denken.' En met de grootste moeite ging ze op de marmeren bank zitten, leunend tegen de muur van de *khan*, net zoals mevrouw Alabaster dat had gedaan. Na een tijdje begon zij ook te zingen.

Waar gij ook gaat
Een koele bries in de bomen

Maar haar stem stierf weg. 'Stelt u zich Händel eens voor. Al die muziek in zijn hoofd. Ik weet nog dat ik met mijn ouders zijn Water Music heb gehoord in de Music Rooms op Hanover Square. Ik heb toen gehuild! Ik was pas een jaar of tien. Praat tegen me, juffrouw Proud. Ik kan nooit meer slapen. Ik voel me alsof ik zal ontploffen!'

'Mevrouw Alabaster is een heel opmerkelijke vrouw,' zei juffrouw Proud kalm. 'Ze weet meer over Egypte dan de meeste mensen, inclusief mijn broers, die hier allemaal op enig tijdstip zijn geweest. Als mevrouw Alabaster de kans had gekregen zich echt te ontwikkelen, wie weet wat voor leven ze dan misschien had gehad.'

'Misschien was haar leven dan wel niet zo opwindend geweest!' zei Rose. 'Iemand die hen nooit heeft gezien, kan zich niet voorstellen hoe spannend De Zingende Acrobaten waren!'

Het witte mutsje van juffrouw Proud, dat Rose nog net kon zien onder de zwarte zijden mantel die ze buiten allemaal droegen om minder last van de vliegende insecten te hebben, leek van verontwaardiging te schudden. 'Een intelligente vrouw als zij die ondersteboven moet hangen en met champagnekurken wordt bekogeld! Ze had van alles kunnen doen...'

'Zoals wat?' zei Rose droog.

'Ze had boeken kunnen schrijven,' zei juffrouw Proud

uitdagend. 'Dat is in elk geval een carrière die openstaat voor alle vrouwen. Om andere vrouwen te helpen. Veel beter dan óf ondersteboven te moeten zingen óf in een vreemd land iedere avond een dronken echtgenoot naar huis te moeten laten dragen! Dat is toch geen keuze! Weet je, ik heb me onder vier ogen laten vertellen dat de koning niet voor de ontwikkeling van vrouwen is – alsof het leven van mevrouw Alabaster moet worden ingeperkt omdat Zijn Brittannische Majesteit George III nee zegt!' Ze mepte met haar waaier naar insecten, en het geluid weergalmde door de *khan*. 'Ik zou de Koninklijke Familie het liefst laten afzetten, ik denk echt dat dat zou helpen. Ik bedoel natuurlijk niet hun hoofd eraf hakken, maar... toen ik jong was, heb ik ooit kapitein Cook ontmoet. Hij kende vast wel een paar plaatsen, ver weg, waar ze graag wat koninklijke bezoekers hebben.'

'Maar, juffrouw Proud, kapitein Cook is uiteindelijk... opgegeten, zeggen ze... aan de andere kant van de wereld!'

'Precies,' zei juffrouw Proud, 'dat bedoel ik nou net.' En daarna ging ze verder alsof ze een heel redelijk voorstel had gedaan. 'We zeggen dat onze regering onafhankelijk is van de monarchie, maar de koning bemoeit zich voortdurend overal mee.' En Rose zag plotseling een beeld voor zich van de oude hertog van Hawksfield, adviseur van de koning, die zich naar voren boog om de koning iets in het oor te fluisteren: *de raad van een droge, oude man*. En ze huiverde in de warme duisternis.

'En een corrupte, toegeeflijke kroonprins,' ging juffrouw Proud verder. Ze schudde vol afkeer haar hoofd en drukte haar sigaartje woest uit op de kandelaar. Rose luisterde geboeid. 'Echter!' besloot juffrouw Proud haar korte polemiek op een positieve toon, 'Prinses Charlotte is de volgende in de rij van troonopvolging en haar vader zal op een dag ongetwijfeld ontploffen door al zijn uitspattingen – hij zal echt gewoon uit elkaar barsten! – en dan een vrouw op de troon, dat zal echt helpen!' Er rende een grote rat of zoiets langs hun voeten. Rose smoorde beschaamd een gil. Juffrouw Proud leek hem niet eens op te merken, ze staarde naar de sterren omhoog. 'O, kijk daar toch eens! Geen wonder dat de Oude Egyptenaren astronomen waren. Kijk eens hoe helder die sterren schijnen!' Er stak opeens zomaar een briesje op. Ze voelden het dankbaar op hun wangen, dachten dat ze misschien de zee hoorden. Onwillekeurig zuchtten ze allebei. Juffrouw Proud stond op. 'Ik moet nu naar mijn kamer.'

'Blijf alstublieft nog even,' zei Rose snel. 'Heel eventjes maar!'

Juffrouw Proud glimlachte even in het donker maar ze ging toch weer zitten. 'Waar zou je over willen praten? Zal ik je vertellen over wat ik aan het lezen ben?'

'Vertel eens over uw verloofde,' zei Rose. De woorden waren eruit voor ze ze tegen kon houden. *Een droevige toestand* hadden de oude heren gezegd. Rose kon haar tong wel afbijten.

De wind wakkerde aan, roerde zich en ritselde.

Ten slotte zei juffrouw Proud, zonder dat het ergens op sloeg: 'Wist je dat boshyacinten *en masse* lichtpaars kunnen lijken?'

Rose geneerde zich zo dat ze in het donker bloosde. Juffrouw Proud was uiteraard van onderwerp veranderd. 'Neemt u me alstublieft niet kwalijk, juffrouw Proud, ik weet niet wat me bezielde.' De sterren schenen helder boven hun hoofd. 'Ik wist niet dat boshyacinten paars konden lijken.' Ze hoorden het geluid van het fluisterende zand dat in de wind over Alexandrië werd meegevoerd, zoals dit altijd was gebeurd, waarbij het in het donker over oude paden buiten de dichte hekken van de *khan* werd verwaaid.

'Onder de bomen lag een tapijt van paarse boshyacinten toen we naar het kerkje reden waar mijn vader predikant was. Ik denk dat het kwam door de manier waarop het licht erop viel. Ik droeg een witte jurk en een sluier – ik had nooit gedacht er weer een te moeten dragen, zo ver weg in Egypte! – maar in die tijd, meer dan veertig jaar geleden, had ik krullen en was Napoleon zelfs nog niet geboren. We zouden in Londen gaan wonen, dat was mijn droom.'

'Dus u bent wél getrouwd geweest?' Rose hield haar adem in, ze herinnerde zich opeens de glimp van juffrouw Proud als een jonger iemand, die keer in het rijtuig in de regen.

'Ik zou gaan trouwen. Hij zat bij de marine. Hij had me beloofd dat als we in Londen woonden, ik naar iedere openbare lezing zou gaan, naar iedere tentoonstelling, alles waar we samen naartoe konden, want hij vond zulke dingen ook interessant. We zouden samen leren. Ik kon gewoon niet geloven hoe gelukkig ik was dat ik hem had gevonden.'

Er viel een lange stilte. Rose wachtte, durfde nauwelijks adem te halen.

'Hij was de avond voor onze trouwerij in het dorp gearriveerd, en omdat ik hem volgens het gebruik niet had mogen zien, was hij het dal in gegaan en had wat boshyacinten voor me geplukt. En zal ik je eens wat zeggen? De vage geur van boshyacinten in het voorjaar herinnert me nog altijd aan die avond voor ik zou trouwen, toen ik mijn gezicht begroef in de bloemen die waren bezorgd en ik van puur geluk moest huilen. Zoals je dat kunt wanneer je jong bent.' Weer een lange stilte. 'Mijn aanstaande man arriveerde bij het kerkje, samen met mijn broers, allemaal in hun trotse marine-uniform.' *En Rose zag het kerkje voor zich, de blauwe jasjes, de gouden tressen.* 'Ik liep aan de arm van mijn oudste broer door het middenpad in mijn witte trouwjurk.' *Rose zag het voorjaarszonlicht door de hoge ramen naar binnen vallen.* 'We stonden naast elkaar, mijn lieve vader glimlachend bij het kleine altaar, klaar om het huwelijk van zijn enige dochter te voltrekken. En mijn... mijn aanstaande glimlachte naar me, en toen – ik herinner me het zelfs nu nog duidelijk – keek hij me zo wonderlijk aan, alsof hij iets wilde vragen. En toen... viel hij.'

'Viel hij?' herhaalde Rose onnozel.

'Er was iets gebeurd... Zijn hart, zijn hoofd... we wisten het niet... hij was bijna meteen bewusteloos. De dokter zat natuurlijk in de kerk, ze droegen hem naar de kleine consistorie, ze luisterden naar zijn hartslag, ze hebben hem adergelaten.'

Rose wilde allerlei vragen stellen maar durfde het niet, kon zelfs niet kijken naar de vrouw die zo kaarsrecht in haar zwarte Arabische mantel naast haar zat. *Ze zag de jonge bruid in het wit, het bloed op de vloer, een vlek bloed op de witte jurk. In de kleine, donkere, benauwde consistoriekamer bogen mensen zich over het lichaam, en de broers van juffrouw Proud, in hun blauwe uniform, keken bezorgd naar hun zusje, probeerden haar over te halen mee naar buiten te gaan.*

De onverwachte wind had veel vliegjes en insecten weggeblazen voor het moment, en de nacht werd onstuimig, en bewoog met wolken en sterren. 'Wat... wat vreselijk verdrietig,' zei Rose, machteloos over de ontoereikendheid van haar woorden.

'Hij stierf binnen een uur, en buiten scheen de zon nog steeds. En ik weet nog dat ik op dat moment wenste – heel egoïstisch, dat weet ik,' (Rose ving even een zuur glimlachje op in het kaarslicht) – 'maar ik wenste dat we op zijn minst waren getrouwd voordat hij viel. Want nu bleef ik zoals ik was begonnen: juffrouw Constantia Proud.' De wind blies langs de zijkant van de *khan*.

'Wat... wat hebt u toen gedaan?'

'Ik bofte erg met mijn familie. Mijn broers kochten het huis in South Moulton Street, maar ze hadden ook schepen, zoals ik al heb verteld. En een broer was consul geworden in Spanje en hij zei dat hij me nodig had om hem te vergezellen. Eerlijk gezegd geloof ik niet dat dat echt zo was, maar het gaf mij het gevoel dat ik nodig was. Mij viel het grote geluk ten deel verscheidene jaren door Europa te kunnen reizen. Maar toen werd mijn moeder ziek en moest ik weer in Wiltshire gaan wonen, omdat ik de enige dochter was.

Dus nam ik me voor om zelfs in Wiltshire dat te doen wat ik met mijn man had willen doen. Ik besloot dat ik me tot een hoog niveau wilde ontwikkelen, zelfs als ik het allemaal zelf zou moeten doen. Ik begon alle boeken te lezen die ik in handen kon krijgen. Alles. Alles waar ik ooit van had gehoord.' *En Rose zag juffrouw Proud in de salon van haar ouders in Brook Street, hoe ze zich over een boek boog alsof ze het wilde verslinden.*

Ten slotte stond juffrouw Proud weer op. Ze keek uit over het plein van de *khan*. 'Weet je, Rose, nu ik hier ben, zo ver bij onze eigen wereld vandaan, terwijl ik de hele dag de roep hoor van een andere religie en een andere god, begin ik te begrijpen waarom ik, ook al ben ik de dochter van een dominee, me al zoveel jaren ongemakkelijk heb gevoeld over onze God.' Rose moest direct aan Pierre denken: *je kunt niet net als ik oude beschavingen bestuderen en geloven dat het christendom de enig ware religie is.*

'Gelooft u dan dat er... helemaal geen God is?'

'Er worden zoveel oorlogen om godsdienst gevoerd! Mensen geloven in hun God, niet in jouw God. Het is belachelijk.' Juffrouw Proud sprak kortaf: ze had het verleden achter zich gelaten. 'Ik ben gaan geloven dat wij met ons leven het beste doen wat we kunnen. Misschien is er een soort noodlot, misschien is er alleen maar chaos. Maar we moeten niet proberen hulp te zoeken bij een ander, hoger wezen dan wijzelf, ons leven is hier, op aarde, niet boven in de hemel. Dit is alles wat we hebben, en we moeten er het beste van zien te maken.'

'Ik wou dat Fanny hier was,' zei Rose langzaam. 'Zij is de diepzinnigste van ons en ik weet dat ze heeft geworsteld met haar ideeën over godsdienst. Maar misschien blijkt uiteindelijk de wereld toch geen zin te hebben zonder God.'

'Misschien blijkt de wereld uiteindelijk geen zin te hebben met God,' zei juffrouw Proud resoluut, en ze staarde uitdagend naar de heldere sterren.

'Het spijt me, lieve juffrouw Proud,' zei Rose.

Juffrouw Proud stak haar hand op in dank, of ten afscheid, en de kleine, kaarsrechte, donkergeklede gestalte liep naar de schaduwen verderop op het balkon en verdween. De wind voerde uit de stad beneden flarden mee van de klanken van een tamboerijn en de klaaglijke, vreemde stem die over liefde zong.

Tweeëntwintig

egen de tijd dat de eerste kreet bij het aanbreken van de dag ... *Allahu Akbar*... naar de *khan* omhoog- klonk, waren ze klaar. Mevrouw Alabaster had Rose een soepele lange broek gegeven, daaroverheen een lange, lichte jurk. Aan haar voeten deden ze zachte leren laars- jes en die bedekten ze met slofjes. Daarna werd er een soort platte tulband op haar hoofd gezet en mevrouw Alabaster maakte hier een witte sluier aan vast, zodat al- leen haar ogen te zien waren. Over het geheel deden ze een lange, zwarte mantel die haar van top tot teen bedek- te. *Ik voel me als een snikhete non!* mopperde Rose, maar me- vrouw Alabaster zei dat ze er wel aan zou wennen. Me- vrouw Alabaster was ook zo uitgedost en leek zich zeer op haar gemak en uiterste elegant in deze kledij te voelen. De poort van de *khan* werd geopend, ze klommen op klei- ne, grijze ezels (juffrouw Proud en Mattie zwaaiden hen angstig na) en met meneer Alabaster en een zwaarddra- gende Arabier voorop gingen ze op weg. Meneer Alabas- ter leek geen enkel nadelig effect van alle rum te onder- vinden.

Buiten de *frank*-wijk werden ze in het vroege ochtend-licht aangestaard door mannen met onbewogen gezichten. Heel even dacht Rose dat ze, boven het bonzen van haar hart uit, de zee op de kust hoorde slaan. Toen werd de stilte opeens, vanuit verschillende richtingen, opnieuw verbroken door het schelle geluid, en vanuit de moskeeën tussen de rommel en de oude huizen weergalmde de op-roep tot gebed door de straten. *Allahu Akbar! Allahu Akbar!* De mannen met de ondoorgrondelijke gezichten verdwenen onmiddellijk om de hoek, de steegjes in. Maar de kreet bleef in de stille lucht hangen: *Allahu Akbar... la ilaha illa Allah! Er is geen andere God dan onze God!*

De reizigers sloegen de smallere straatjes van de stad in, waar oude huizen met gesloten luiken steeds dichter naar elkaar toe leunden, zodat ze elkaar in de donkere steegjes bijna raakten. Op staken in de grond hing wasgoed, in op-merkelijk vrolijke kleuren. De smerige lucht in de straten werd Rose opnieuw bijna te machtig. De vele lagen van hun kleding waren al doorweekt, ze klampte zich uit alle macht vast aan haar ezel, die ook stonk, maar haar voeten waren niet ver van de smerige grond waarover ze reden. *Dit heeft er van mij moeten worden om Harry's kind te vinden.* Het absurde, de wilde opwinding en de angst over haar situa-tie dreigden haar te overweldigen terwijl ze door de smal-le spleet in haar sluier naar buiten keek. Ze wist niet of ze moest lachen of huilen of gillen of eenvoudig bezwijmen in de hitte, *maar als ik bezwijm val ik op de kakkerlakken en de rot-tende etenswaren en de uitwerpselen en de ratten.* Ze klampte zich nog steviger aan de ezel vast. Ze kwamen in een bre-dere straat, hoorden het geschreeuw met de lage keelklan-ken die Rose opeens, heel bizar, deden denken aan die akelige oude mannen in het huis op Berkeley Square die hun keel schraapten. Ze zagen het ochtend worden, met het vreemde blauw van de lucht. Ze zagen kinderen, en ezels die bijna schuilgingen onder schoven met biezen en tarwe, en karren hoog opgestapeld met vreemd fruit. Er werd op een poort aangeklopt, de brief van Pierre Montand werd overhandigd, de poort ging open, zij gingen naar binnen en de poort sloot zich weer achter hen. Maar toen Rose wilde afstijgen zag ze dat de grond modderig en nat was. *Wat is dit voor water? Waar komt het vandaan? Er is geen regenwater in Alexandrië.* Vervolgens huiverde ze om haar eigen verbeeldingskracht, want de zware stank van verrotting op het kerkhof was even sterk als de stank in de steegjes. De ezels werden door kleine, schreeuwende jongens weggeleid naar de andere kant van een oud gebouw waar het pleisterwerk afbladderde en een eenzaam christelijk kruis op het dak stond. Er stond één stoffige plataan te kwijnen.

Na diverse onverstaanbare gesprekken werden de vreemdelingen een trap op gestuurd en in de oude kerk binnengelaten. Mevrouw Alabaster en Rose gingen opgelucht op een houten bank aan de zijkant zitten, meneer Alabaster werd weggevoerd. Rose keek om zich heen, ze zag overal verval, zelfs hierbinnen. *Ik moet het kind hier meteen weghalen.*

'Dit is de Kerk van de Heilige Marcus in Alexandrië,' fluisterde mevrouw Alabaster. 'Ze zeggen dat hij het christelijk geloof naar Egypte heeft gebracht.'

Rose keek omhoog. De verf bladderde af en het mozaiek was gebarsten en kapot, maar er staarde een man met een halo rond zijn hoofd treurig omlaag, met opgeheven hand. Overal om hem heen hingen andere heiligen en madonna's in diverse stadia van wanhoop en verdriet. Ergens vandaan kwam een vreemd, ritmisch geluid. Ze beseften dat het een bezem was die over de stenen vloer heen en weer werd geduwd. Er zoemden vliegen rond de ogen van Rose en toen ze haar hand ophief om ze weg te jagen, zoemden ze rond haar handen. In een hoekje brandden een paar kaarsjes die in het zand waren gestoken. De gedachte dat ze hier, nu, echt Harry's kind zou zien, maakte haar duizelig van ongeloof. Ze probeerde diep adem te halen, zo kalm mogelijk te blijven, maar het kostte haar enorm veel inspanning om stil te blijven zitten, niet gillend achter meneer Alabaster aan te rennen. In de schaduwen van de kerk hoorden ze de bezem langzaam heen en weer gaan over de oude stenen.

'Ze zeggen dat de Heilige Marcus door de Romeinen is gemarteld en gedood,' zei mevrouw Alabaster op gedempte toon, 'en zijn hoofd was ergens naar Italië gebracht, maar het is weer teruggehaald, zeggen ze, en het ligt hier in de crypte bij de rest van zijn lichaam. Maar,' voegde ze er droog aan toe, 'hetzelfde verhaal wordt in Venetië verteld!' Mevrouw Alabaster bleef een raadsel voor Rose: iemand die ooit als zingende acrobate aan de kost was gekomen en toch zoveel wist.

Opeens kon Rose duidelijk ruiken dat zich iemand bij hen in de buurt bevond, een ongewassen, vreemde lucht. Er dook een Arabier op, die haar iets toefluisterde. Ze kon zijn adem in haar oor voelen. Hij hield kralen omhoog die hij in haar hand duwde. Ze voelde haar hart angstig bonzen. Ze schudde haar hoofd, hij fluisterde weer in haar oor: *U wilt kopen?* Te dichtbij, ze wilde hem wegduwen, durfde niet. *U wilt kopen?* Maar juist op dat moment ging er achter de preekstoel een deur open en verscheen er een oude man met een tulband, samen met meneer Alabaster, en de kralenman griste zijn kralen terug om in de schaduwen te verdwijnen. De bezem bleef plotseling stil.

De oude man en meneer Alabaster spraken in het Arabisch terwijl ze naar de vrouwen toe liepen. Rose sprong overeind, vergat haar sluier en de hitte en de kralenman, struikelde over haar mantel en trok hem onder haar voeten vandaan. 'Wat zegt hij?' riep ze, waarbij haar stem weergalmde door de lege ruimte. De Heilige Marcus keek omlaag vanuit zijn verbleekte kleuren en kapotte mozaïek.

Als Rose had gehoopt dat christenen er anders zouden uitzien, dat ze zich onmiddellijk bij hen thuis zou voelen, werd ze teleurgesteld. De kopt met zijn donkere tulband en lange mantel zag er net zo uit als de mohammedanen die ze buiten waren gepasseerd. De oude man boog, maar Rose zag onmiddellijk dat hij zich niet op zijn gemak voelde en dat ze hier even weinig welkom waren als elders.

'Er zijn veel problemen geweest,' zei hij in het Engels, met een zwaar accent, en ze moest zich naar hem toe buigen om hem te verstaan. 'Sinds alle soldaten weg zijn is het niet veilig. De koopman,' hij wapperde met de brief van Pierre, 'hij is weg, zoals velen.'

'Waar is ze?' vroeg Rose dringend. 'Waar is het kind?' Ze keek naar meneer Alabaster. 'Zegt hij dat ze nog in leven is?' Om vervolgens, nu ze alle vragen had gesteld, tot de ontdekking te komen dat ze de antwoorden vreesde.

'De Turken zijn hier geweest,' zei de oude man, min of meer in de richting van Rose en mevrouw Alabaster, maar zonder hen aan te kijken. 'En de Arabieren. Het kind is weg.' Zijn ogen gleden even naar de schaduwen en keken toen weer omlaag.

'U bedoelt dat ze is meegenomen?'

'Het spijt me,' zei hij. 'Moge God u zegenen, het kind is weg.' Hij sprak in het Arabisch tegen meneer Alabaster, terwijl hij hem Pierres brief weer in de hand duwde.

Rose voelde zich alsof ze een vreselijke klap in haar middenrif kreeg toen ze opeens besefte dat de lange reis vanuit Londen tevergeefs was geweest. 'Nee! Alstublieft!' riep ze luid tegen de priester, zodat hij schrok en nerveus om zich heen keek, en ze liep naar hem toe, legde haar hand op zijn arm. 'Alstublieft, laat me op zijn minst weten of het kind in leven is!' De priester sprak weer snel tegen meneer Alabaster.

'Hij wenst u te laten weten dat u, als u dat wilt, een relikwie van de Heilige Marcus mag zien,' zei meneer Alabaster.

'Een relikwie?' Ze rook rum.

'U mag niet afdalen naar het graf, maar u mag de kleine kamer van de vinger binnengaan.'

'De vinger?' vroeg Rose onnozel.

'Dat is een relikwie.'

'Dank u,' zei Rose, die in paniek begon te raken. 'Dat is uitermate vriendelijk.' Maar ze keek meneer Alabaster aan alsof hij gek was, of nu al dronken. 'Maar... kunnen we niets meer over het lot van het kind te weten komen dan dit?' Ze werd overmand door angst en verdriet. 'Als ze in leven is, zou dat tenminste al iets zijn,' zei ze wanhopig. 'Hij moet het ons vertellen! Wat dan ook! Ik zal ervoor betalen.' Ergens klonk het vreemde geluid van een tamboerijn, of een trommel, waar steeds weer op werd geslagen, en daaroverheen klonk, zwak, in de oude, vernielde stad de kreet *Allahu Akbar!* voor een andere god, en toen ze om zich heen keken was de kopt verdwenen.

'O nee!' riep Rose. 'Roep hem meteen weer terug! Hij moet ons vertellen waar we naartoe moeten, waar we naar haar moeten zoeken. Roep hem terug!' En ze zou naar de deur achter de preekstoel zijn gerend als meneer Alabaster haar niet had tegengehouden.

'Luister naar me!' zei hij. De bezem begon weer over de vloer te vegen, ze hoorden het scherpe geluid ervan. Meneer Alabaster ging naast zijn vrouw op de bank zitten, maar Rose kon niet zitten. 'De vrouw die uw man had ontmoet was een Egyptische die met een Turk verloofd was.'

'Dat weet ik, dat weet ik!' riep Rose.

'De huidige heersers zijn Turken. Het is heel gevaarlijk voor christenen om zich met hen te bemoeien, en de priester zegt dat hij er verder niets over weet en dat hij er niets mee te maken wil hebben.'

'Meneer Alabaster, ik ben bereid alles te betalen wat hiervoor nodig is! Alles wat ik bezit! Ik moet weten waar het kind zou kunnen zijn als ze nog in leven is. Ik kan echt niet zomaar... deze kerk uit lopen en weer naar huis gaan! Ik ga niet weg, niet voordat ik iets weet. Ik moet iets te weten komen!' En tot haar eigen verbazing en schaamte begon ze onbedwingbaar te huilen. Ze kon niet ophouden, de tranen rolden onder haar sluier en haar zwarte mantel. 'Ze konden ons toch zeker wel vertellen waar ze haar naartoe hebben gestuurd? Of op zijn minst of ze nog in leven is? Dat moeten ze toch zeker wel weten? Hoe kunnen we zelfs maar beginnen te zoeken als hij ons niet wil helpen?'

Meneer Alabaster trok behendig een flesje uit zijn zak. 'Hier, neem een slokje,' zei hij. 'Daar word je kalm van!' En voor ze het goed en wel besefte stond Rose in een

kerk rum uit de fles te drinken. 'Luister. De priester heeft
me verteld dat de Engelse koopman die de moeder in huis
nam – Cartwright, ik herinner me hem nog vanwege zijn
goedhartigheid – gedwongen was Egypte te verlaten zodra de Britse troepen vertrokken. Hij raakte ook zijn
handel kwijt, dat weten we. En nu is de koptische koopman aan wie je vriend een brief had geschreven, ook
weg.' Hij gromde misnoegd. 'Er vallen legers binnen en
ze gaan weer weg en ze denken nooit aan wat ze aanrichten bij mensen die proberen een eerzaam bestaan te leiden in de chaos die zij achterlaten.' Rose wist niet zeker
of hij de Fransen of de Britten of Harry zelf bedoelde, of
dat hij alleen maar dronken was.

Het geluid van de bezem kwam dichterbij. In de schaduwen zagen ze een vrouw die de bezem vasthield, die
steeds dichterbij kwam vegen. Ze droeg een doek over
haar hoofd maar haar gezicht was onbedekt, ze leek van
de leeftijd van Rose, met een olijfkleurige huid, donkere
ogen. Ze kwam heel dicht bij Rose vegen, te dichtbij. Ze
keek opeens op van haar werk en in de betraande ogen
van Rose achter haar sluier. Ze keek haar strak aan. Ze
was zo dichtbij dat Rose het gevoel had dat ze achteruit
moest stappen, dat ze haar geur rook. Vermoedelijk kon
de Arabische vrouw op haar beurt de rum ruiken. Een se-
condelang staarden ze elkaar aan. Rose bleef huilen, hoewel ze probeerde dat niet te doen. Toen, bijna zonder de
ritmische beweging van het vegen te staken, reikte de
vrouw naar iets wat ze om haar nek had en duwde het
Rose in de handen, ongeveer net zoals de man dat met
zijn kralen had gedaan. 'Nee, nee, dank u,' zei Rose. Ze
voelde iets in haar hand, iets wat warm en olieachtig en
vies was, en ze probeerde het terug te geven. 'Nee, dank

u.' Maar de vrouw boog zich even naar haar toe en fluisterde: 'Rashid.' Ze keek Rose recht in de ogen om te zien of ze het had verstaan. 'Rashid,' fluisterde ze opnieuw terwijl ze heel even de bleke handen van Rose vasthield en ze teder streelde, alsof ze er een boodschap in wilde drukken, en Rose zag haar vriendelijke ogen. Ergens klonk het geluid van een deur die openging, en de vrouw was onmiddellijk weer in de schaduw verdwenen, net als de kralenman en de oude man. Alleen de echo fluisterde terug. *Rashid*. Verder was er het geluid van het vegen en lag iets wat om de hals van de vrouw had gehangen nu in de hand van Rose.

'Laat eens zien,' zei meneer Alabaster meteen. Rose overhandigde hem aarzelend wat de vrouw haar had gegeven, terwijl ze zich verbaasde over zijn opwinding. 'Ja,' zei hij langzaam, 'het is het oude koptische teken, het kruis uit Egypte. Hij stopte het snel in zijn zak. 'Laten we maken dat we hier wegkomen.'

'Maar wie is... Rashid?' zei Rose, en ze probeerde hem tegen te houden. 'Wat bedoelde ze? Denkt u dat ze me iets probeerde te vertellen?'

'Ja,' zei meneer Alabaster, terwijl hij snel achteromkeek naar de dichte deur achter de preekstoel. 'Ik denk dat ze probeerde je iets te vertellen, en ik denk dat die priester loog.' Hij riep met gedempte stem iets in het Arabisch in de richting van de schaduwen. De vrouw antwoordde zacht en meneer Alabaster verdween naar haar. Ze hoorde zachte stemmen. Toen kwam hij terug. 'We moeten direct weggaan. Als we blijven krijgt zij er problemen mee.'

'Maar kent u die Rashid?' hield Rose aan.

'Rashid is de naam van een stadje verderop langs de

kust,' zei mevrouw Alabaster, maar ze zei het fluisterend, en samen met haar man namen ze Rose snel mee de kerk uit, nagekeken door de Heilige Marcus. Ze stegen snel weer op hun ezels en verlieten het kerkhof. Buiten op straat stond de Arabische bewaker te wachten om ze zo snel mogelijk op hun dieren terug te brengen in de richting van de *frank*-wijk, langs de kraampjes en door de viezigheid en de stank, tussen de vijandige mensen, de kapotte en verbrijzelde stenen en pilaren door om zo snel mogelijk weer in veiligheid te zijn.

Binnen de poort van de wijk steeg meneer Alabaster af en ging naast de ezels lopen. Juffrouw Proud en Mattie stonden bij de poort van de *khan* te wachten, ze zagen dat Rose geen kind bij zich had, ze hielpen haar van de ezel af en assisteerden met het afdoen van haar sluier en tulband. Ze wilden snel alles horen.

'En dat heet dan godsdienst!' zei meneer Alabaster. 'Die priester was een leugenaar of waarschijnlijk een lafaard. Het meisje hoorde alles en wilde helpen. Maar het heeft geen zin erg hoopvol te zijn. In Rashid kunnen ze wel "Caïro" zeggen, en in "Caïro" zeggen ze misschien "Aswan". Ik blijf altijd in gedachten houden dat het lot van dit land in handen is van de grootste sprookjesvertellers van deze wereld, en ik raad je aan hetzelfde te doen. Maar we hebben toch geluk gehad, want die vrouw wist in elk geval iets. Ze zei dat haar broer, toen de problemen begonnen, de baby had meegenomen uit het huis van de Engelse koopman, omdat ze veronderstelden dat de Engelse kapitein een christen was en ze had gehoord dat het kind naar Rashid was gebracht.'

'Hoe weten we dat het Harry's kind was?'

'Ze zei dat het het kind was van de kapitein die was gedood en de vrouw die door haar volk was gestenigd. Ze hoorde mijn gesprek met de priester.'

'Kunnen we daar dan heen gaan? Kunnen we er nu heen gaan?' Rose liep haastig, onhandig strompelend verder terwijl ze haar onwillige ezel met zich mee trok en probeerde bij meneer Alabaster te blijven, die door wilde lopen. Juffrouw Proud en Mattie volgden haar op de hielen. 'Zouden we er vandaag al naartoe kunnen gaan? Wilt u alstublieft even blijven staan?'

'Wilt u dat ik met u meega?'

'Alstublieft! Alstublieft, meneer Alabaster, ik kan natuurlijk niet alleen reizen, maar ik moet er direct heen!'

Hij bleef eindelijk staan. 'Honderd guinea's!'

Rose trok letterlijk wit weg. 'Honderd?' Dat is bijna een kwart van alles wat ik heb. Het was meer dan het dubbele van wat Mattie in een jaar verdiende. 'Dat is te veel,' zei ze.

'Niet voor wat u wilt,' zei hij sluw. 'De burggraaf zou me meer geven.'

'Maar ik heb het geld nodig om het kind te kopen, en voor de terugreis naar Engeland.'

'Ik breng je er niet alleen naartoe, ik zal ook blijven om je te helpen zoveel mogelijk aan de weet te komen. Het kruis dat dat meisje aan je heeft gegeven zal vast van pas komen.'

'Hoe bedoelt u?' Ze dacht dat hij het wilde verkopen.

'Bij andere kopten.' Hij legde zijn vinger veelbetekenend tegen de zijkant van zijn neus. 'Ik heb geleerd net als zij te denken, als de Egyptenaren. Ze verwachten geen *frank* met een koptisch kruis te zien. Dat zal een teken zijn.'

Mevrouw Alabaster riep van achter hen, nog steeds op

haar ezel: 'Wat dacht je van tachtig guinea's en verder niets als we geen succes hebben, en nog eens tachtig als we het kind vinden?'

'Vijftig!' zei juffrouw Proud onverwachts, en ze knikte naar Rose.

'Zeventig!' zei mevrouw Alabaster. Juffrouw Proud knikte heftig naar Rose.

'Afgesproken!' zei Rose bedremmeld. Ze beet van ongeduld op de binnenkant van haar wang. 'Kunnen we er dan nu heen gaan, nu meteen?'

Alabaster lachte, bood haar opnieuw zijn rumfles aan. 'Je kunt niet zomaar naar Rashid gaan! We zullen met een karavaan mee moeten gaan.' Rose nam van pure wanhoop nog een slok uit de fles. 'Misschien morgenochtend vroeg. Zelfs als je van hier naar Rashid wilt reizen, wat maar één dag weg is, zijn er bedoeïenen, dieven, schurken. En er moeten *firmans* worden bemachtigd, dat is de vergunning om te reizen. Ik zal zien wat ik kan regelen.'

De ezel van Rose trok aan het touw dat ze vasthield, hij balkte luid. Ze zag zijn grote, gele tanden. 'Is het net als Alexandrië, dit Rashid?'

'Het is een welvarender haven dan Alexandrië geworden, het is een leuke plaats, je zult het er wel aardig vinden,' antwoordde hij haar. 'Er zijn meer *franks*, meer buitenlanders. De vrouwen dragen er niet altijd een sluier, zolang ze hun hoofd maar bedekt houden en niet in de achterafstraatjes komen. Het is er gevaarlijk en wild, maar je zult het er prettiger vinden dan in Alexandrië.'

De ezel van mevrouw Alabaster kwam naast hen lopen. 'En je zult de plaats kunnen zien waar de steen vandaan komt.'

'De steen?' Rose keek naar mevrouw Alabaster.

'Rashid is een andere naam, de Arabische naam, voor Rosetta. De Fransen of de Italianen noemden de plaats *Rosetta* naar de prachtige rozen die ze er vonden.'

Rose struikelde over haar zwarte mantel en zou zijn gevallen als juffrouw Proud niet naast haar had gelopen. 'Rosetta?' herhaalde ze vol ongeloof. 'Rosetta?' Ze dacht meteen aan haar vader, dromend over het stadje Rosetta, de plaats waar zij naar was vernoemd, ze zag hem uit het raam van zijn studeerkamer in Brook Street staren en ze voelde opeens iets van vreugde, alsof ze een teken had ontvangen. *Ik zal het kind vinden. Morgen ga ik naar Rosetta, waar mijn vader is geweest, de plaats die me mijn naam heeft gegeven! En het is de plaats van de steen. Ik zal het kind vinden.*

'O, ik ben zo blij!' zei ze tegen mevrouw en meneer Alabaster. En toen bleef ze opeens staan. 'Maar ik moet terug.'

'Waar naartoe? Waarom?'

'Naar die vriendelijke vrouw in de kerk.' Ze begon haar ezel te wenden. 'Ik moet haar betalen. Ik heb haar niet betaald.'

'Je moet beslist niet teruggaan,' zei Alabaster. 'Ze vroeg ons weg te gaan!'

En omdat Rose heel onzeker keek, zei mevrouw Alabaster, alsof ze even kon voelen wat Rose op haar hart had: 'Ze heeft je gezien. Ze zal het weten. Het was haar niet om geld te doen.'

De Alabasters liepen het zandweggetje verder af. 'Tot bij het diner,' riepen ze, en ze verdwenen rond een bocht in de weg, hij lopend naast de ezel en zij zittend op de rug ervan.

Juffrouw Proud vertelde, toen ze terugliepen naar hun *khan*: 'We zijn allemaal, alle *franks*, uitgenodigd om bij een

Britse koopman, een zekere meneer Barber, te komen eten. Hij schijnt in zulke moeilijke tijden als deze als consul te fungeren.'

'O.' Rose luisterde amper.

'Ik heb tweehonderd guinea's voor je,' zei juffrouw Proud op het plein bij de struisvogels. 'Van Fanny.'

'Van *Fanny*?'

'Ze zei dat jij weigerde iets van haar vaders geld aan te nemen omdat je vond dat je op eigen benen kon staan. Ze wilde dat ik dit geld voor je meenam.' Ze deed alsof ze de plotselinge tranen van Rose niet zag. 'Ik ben blij dat ik dit heb gedaan, ook al had ik niet kunnen dromen dat ik dit geld in Egypte aan je zou geven! Het schijnt hier een dure klus te worden.'

'Ik had zeshonderd guinea's bij me toen ik vertrok,' zei Rose. 'Dat was zoveel als ik mee kon nemen. Ik heb er nog steeds bijna vierhonderd, maar daarvan moeten er nu honderdveertig naar de Alabasters!'

'Ik heb er nog honderd, en we zullen ons weten te redden,' zei juffrouw Proud resoluut. 'We zullen ons weten te redden dankzij de hulp van die lieve Fanny. Nu kun je beter je gedachten even op dit diner richten. Alle *franks* zullen er zijn.'

Rose begreep het meteen. 'George?'

'Vermoedelijk. Een van de handelaren heeft Mattie weer mee de stad in genomen om eten te kopen en zij hoorde het nieuws over George, Dolly en William.'

'En meer over Cornelius Brown!' zei Mattie kalm.

'Wat heb je over George gehoord?' Rose had het gevoel dat haar hoofd zou barsten, zoveel nieuws kreeg ze te verwerken.

'Hij is nu nog in Alexandrië,' zei Mattie. 'Ik heb gehoord dat hij probeert de Nijl op te komen. Om op zoek te gaan naar antiquiteiten.'

'En Dolly?'

'Ik heb Dolly gezien. Ik kon natuurlijk niet zien of ze zwanger was, want ze was helemaal bedekt. Maar ze was het wel, en ze liep door de bazaars alsof ze een inheemse was! Langer dan alle andere vrouwen. En zo bleek als de maan.'

'Het is duidelijk dat je je zwager in een omgeving als deze niet zult kunnen vermijden,' zei juffrouw Proud. 'Ik denk dat het slechts een kwestie van geluk is dat jullie wegen zich niet al hebben gekruist. Je hebt gezien hoe het is, de Alabasters wisten alles al over het kind, Mattie heeft Dolly in de stad gezien. Ik ben ervan overtuigd dat als de burggraaf niet nu al weet dat jij hier bent, hij het zeker tegen het eind van de middag zal weten. En, Rose, liefje, ik kan me niet voorstellen dat een groep buitenlanders aan een diner het onderwerp van het kind zullen mijden wanneer ze de naam Fallon horen. Er zal veel gegniffeld worden en de mensen zullen maar al te gretig George alles willen vertellen. Ik vermoed dat het hier net zo zal gaan als in de andere Britse gemeenschappen die ik in het buitenland heb gekend.' Ze liepen over de buitentrap van de *khan* naar boven. Juffrouw Proud zag het radeloze gezicht van Rose. 'Misschien moeten we ons gewoon rustig houden en hopen dat we morgenochtend naar Rosetta kunnen vertrekken.'

Rose zweeg een poosje, sloeg vliegen weg. 'George Fallon heeft het in Egypte niet voor het zeggen,' zei ze ten slotte resoluut. 'En hij kan me niet dwingen me in een *khan* te verstoppen. Natuurlijk moet ik zien hoe het met Dolly is. En morgen ga ik naar Rosetta om het kind te zoeken en George kan daar niet van weten!'

'En mocht het kind ter sprake komen,' zei juffrouw Proud, 'dan kun je altijd nog doen of je van helemaal niets weet. Je zegt zelf dat hij op de hoogte is van jouw grote belangstelling voor hiëroogliefen, dat kan de reden zijn voor je reis. We zouden een beetje aan de late kant kunnen komen, zodat burggraaf Gawkroger er al zal zijn, en dan zal hij het initiatief moeten nemen.'

'En ik zal in de keuken proberen nieuwtjes te weten te komen,' zei Mattie. 'Dat is er gewoonlijk de beste plaats voor.'

Rose schoot opeens onbedaarlijk in de lach. 'Pierre Montand heeft ons gewaarschuwd dat de meeste Engelse mannen hier bedriegers en schurken zouden zijn. We zullen ons aanpassen en net zo worden!'

'Je stinkt in elk geval al naar rum,' zei Mattie.

Allahu Akbar... riepen de stemmen... *la ilaha illa Allah! Er is geen God dan onze God!*

Het oude Ottomaanse huis van Barber stond aan het eind van de *frank*-wijk van de stad. Aan de bovenkant van het hoge, bijna elegante gebouw zagen ze dun bewerkt ijzeren traliewerk dat op oude bruine kant leek.

'Dat is waar de vrouwen wonen,' zei mevrouw Alabaster, die was gekomen om hen in Arabische kleding te vergezellen, en ze wees omhoog met haar vele sjaals. 'Zij kunnen jou zien, maar jij kunt hen niet zien. Mevrouw Barber, de vrouw van de koopman, zit natuurlijk niet opgesloten, maar je zult tot de ontdekking komen dat de meeste Egyptische families nog steeds zo leven.'

'Ik wou,' zei juffrouw Proud verlangend, 'dat ik zulke vrouwen eens kon ontmoeten. Hoe houden ze zo'n leven vol?'

Ze waren te laat, zoals gepland. Rose zag ondanks al haar bravoure erg op tegen de ontmoeting met George. Ze voelde een prop in haar keel en merkte dat ze beefde. *Ik heb het afgelopen jaar toch zeker genoeg met George te stellen gehad om te weten dat kalmte het enige wapen is.* Ze liepen een trap op naar een grote open ontvangstruimte. Het was er koel, met witte stenen muren, en deze ruimte in het midden van het huis was helemaal open naar de blauwe lucht. Er kwamen andere kamers op uit. Daaruit stegen opgewonden Engelse, Franse, Griekse, Zweedse en Italiaanse stemmen op, die het over de politieke situatie, de veiligheidssituatie en geld hadden. Het was duidelijk dat er veel illegale alcohol voorhanden was. Rose voelde een moment van wonderlijke opluchting, zo'n zaal vol mensen in Europese kleding te zien. Op één na, zag ze opeens. Meneer Barber, de gastheer, stond met George, Dolly en William te praten. Maar de bijna komische uitdrukking van opperste verbazing op het gezicht van George maakte dat meneer Barber zich omdraaide om naar meneer Alabaster te kijken. Hij verwelkomde hem vormelijk, waarmee hij de twee groepen bij elkaar bracht.

'Goedemiddag, George,' zei Rose. 'Goedemiddag, William. Wat leuk je te zien, Dolly.' Dolly was gekleed in de kleren van een Arabische vrouw: veel laagjes en doeken, maar de doek van haar hoofd was afgezakt. Ze zag er adembenemend uit, jong, langer dan ieder ander, maar zo bleek als de dood zelf en Rose voelde een steek in haar maag. *Dolly is ziek.* Door de manier waarop ze was gekleed viel onmogelijk te zeggen of ze al dan niet in verwachting was.

'Je hebt bij onze vorige ontmoeting helemaal niet gezegd dat je naar Egypte zou gaan,' zei Dolly tegen Rose, maar ze sprak alsof ze hardop droomde, en haar pupillen waren zo klein als speldenknoppen. 'George is er zojuist van op de hoogte gebracht dat er een nakomeling van zijn broer moet zijn!'

'Jij wist het!' zei George, volslagen onthutst bij de aanblik van zijn schoonzuster. 'Ik heb het net pas te horen gekregen, maar jij moet het hebben geweten, anders was je niet hier geweest!'

Meneer Barber keek wat verward, mevrouw Alabaster stelde iedereen aan elkaar voor, William keek net zo ongemakkelijk als hij steeds in aanwezigheid van Rose had gedaan sinds die keer in Hotel de l'Empire in Parijs, toen ze zijn kamer was binnengevallen.

'Fallon?' zei Barber. 'Is de hele familie hier op zoek naar dat kind?'

'Welk kind?' zei Rose, en er viel een plotselinge stilte die werd verbroken doordat mevrouw Barber, een Italiaanse, iedereen uitnodigde aan tafel te komen.

Dolly zei luidkeels, met een stralende glimlach: 'Rose Fallon is de weduwe van kapitein Harry Fallon, over wie u ons hebt verteld.' Wat maakte dat meneer Barber, een koopman uit Nottingham, zichtbaar gegeneerd keek en snel probeerde iedereen naar de eettafel in de aangrenzende kamer te krijgen.

Maar George stond Rose nog steeds aan te kijken. 'Jij wist het,' zei hij. 'En je hebt het me niet verteld.' Zijn ogen stonden vreselijk dreigend en zijn stem was net iets te luid om niet door belangstellende gasten te worden gehoord.

Rose gaf geen antwoord. Ze draaide zich om, bevend en wel, en keerde zich tot meneer Barber om de schoonheid van het huis te prijzen. Enigszins opgelucht vergezelde Barber zijn gasten naar de maaltijd. Hij wees Rose op het traliewerk waardoor de vrouwen nog steeds omlaag konden kijken en zien wat er gebeurde, en hij toonde haar de geheime trappen in de muur voor mohammedaanse vrouwen om te gebruiken wanneer er onverwachts een onbekende man in het huis kwam.

'Dat was in vroeger tijden?' vroeg Rose.

Barber keek verbaasd. 'Nee,' zei hij, 'dat is nog steeds zo. Alleen gebruikt mijn vrouw die natuurlijk niet!'

Maar toen hij Rose naar de eetkamer leidde, pakte George haar bij de arm. 'Sta me toe mijn schoonzuster te vergezellen,' zei hij, en hij glimlachte geforceerd naar Barber. Er waren dertig gasten die aten en praatten en alcohol dronken, en het geroezemoes werd met de minuut luider. George duwde Rose bij de menigte vandaan, weer naar buiten, naar de andere kant van de kamer zonder dak, en naar een kleinere kamer die eraan grensde. Het leek een slaapkamer: er lagen zijden sjaals over een divan gespreid, er waren fonkelende spiegels en er stonden prachtige gele muiltjes met kralen.

'Jij wist het,' zei George, en in die kleine kamer van andere mensen sloeg hij haar zomaar in het gezicht. Ze keek hem verbijsterd aan, met haar hand tegen haar wang. *George verloor zijn zelfbeheersing nooit.* Hij zou zich nooit in het openbaar misdragen, nooit. Had het bericht dat er nog een deel van zijn geliefde broer op deze wereld over was zijn kille hart toch weten te beroeren?

'Jij dwaas!' schreeuwde hij. 'Jij stomme, sentimentele, gevaarlijke zottin! Dacht je nou echt dat je dit voor mij verborgen kon houden? Wilde je zijn kind zoeken en het mee naar Londen nemen om onze familie te schande te maken, misschien zelfs de titel op te eisen?' Haar hand lag nog steeds op haar wang, in shock. Hoe kon George al deze belachelijke dingen schreeuwen zodat anderen het konden horen? 'Je denkt toch zeker niet dat ik toesta dat jij een smerig, zwart, Egyptisch kind mee naar Londen sleept om de nagedachtenis van mijn broer te bezoedelen, om alles onderuit te halen waar ik mijn hele leven voor heb gewerkt? We willen ons niet door onwettige kinderen voor gek laten zetten! Deze dieven en schurken hier zijn niet van belang, wat hier gebeurt is niet van belang, maar wat er met de nagedachtenis van mijn broer en met de eer van onze familie in Engeland gebeurt is voor mij van levensbelang!'

'Waar heb je het over?' Eindelijk kon ze iets uitbrengen. 'Ik heb geen idee waar je het over hebt.'

George was dermate door het lint gegaan dat hij in staat was geweest haar opnieuw te slaan, maar op dat moment kwamen Barber en Alabaster de kamer binnen die Rose met zich meetrokken.

'Nee, meneer de burggraaf,' zei Alabaster onbekommerd – en Rose zag dat hij al erg dronken was – 'we zijn dan misschien een stel schurken, maar we hebben toch onze normen en waarden, en we slaan geen vrouwen.' Rose kreeg nog net de tijd om de moordzuchtige blik in de ogen van George te zien voor ze zo ongeveer naar de eetkamer werd teruggesleurd. (Alabaster mocht dan geen vrouwen slaan, hij kon wel heel ruw aan hen trekken.) Ze bedankte hem echter, trok haar wenkbrauwen op naar juffrouw Proud om aan te geven dat alles goed met haar was en manoeuvreerde zich direct naast Dolly. Even later zag ze dat Barber George tot bedaren leek te hebben gebracht, waarna ze zich beiden weer bij het gezelschap voegden. Onder al het gepraat en geschreeuw en het

drinken hing er echter een versterkt gevoel van opwinding rond de tafel terwijl de gasten het ongenoegen onder
de leden van de familie Fallon gadesloegen en onthullingen en drama verwachtten. Toch werd het diner normaal
voortgezet. Naast de bleke gestalte van Dolly zat een
Hollandse koopman die snel dronk. Hij was al bijna on-
bekwaam en maakte grommende geluiden.

'Hoe gaat het met jou, Dolly?' vroeg Rose ten slotte.
'Je ziet er geweldig uit in deze kleren, ze staan je.'

'Heeft hij je geslagen? We hebben gehoord dat hij je
sloeg! Nou, nou! Hij is meestal heel beheerst, zoals je ongetwijfeld zult weten. Hij kreeg een vreselijke schok toen
hij jou zag, juist op het moment dat hem over het kind van
Harry werd verteld!' Dolly giechelde. 'Hier, drink nog
wat wijn!' Rose dronk snel, verslikte zich, maar dronk
nog meer.

Toen zei ze zacht: 'Dolly, je bent ziek. Wat is er gebeurd? Wat is er aan de hand?'

Dolly sloeg haar ogen neer. 'Praat er niet over. George
weet het nog steeds niet. Hij zou me natuurlijk meteen
naar huis sturen. Ik probeer iedere dag het kwijt te raken.' George keek over de tafel naar hen, zag hoe zijn
vrouw en schoonzuster met hun hoofden naar elkaar toe
gebogen zaten. 'Ik heb iets ingenomen dat ik vanmorgen
bij een vrouw in de bazaar heb gekocht. Ik voel... ik
denk...' Ze keek even verbaasd. 'Het is net of er iets in
mijn binnenste gebeurt.' Rose keek ontzet, staarde weer
over de tafel naar George en William. *Hoe is het mogelijk
dat ze niet zien hoe ziek ze is?* 'Ze negeren me nu bijna voortdurend,' zei Dolly, als in antwoord op de gedachten van
Rose. 'Zelfs die lieve William. Ik slaap alleen. Maar,' en
haar jonge stem, hoger dan die van de anderen, sneed

door de lucht, 'het bevalt me hier wel.' Haar manier van doen was uitermate vreemd, alsof ze zweefde. 'Ik houd van de geur... van de parfums en de specerijen in de bazaars... en van al het wilde geluid en van de muziek... en die roep, die Arabische kreet, die geeft me zo'n... magisch gevoel.' Het woord *magisch* paste absoluut niet bij hoe Dolly eruitzag, zo onwezenlijk, zo ziek. 'Ik wil de Nijl op varen.' Dolly dronk van de Griekse wijn alsof het water was. 'Wanneer dit' – ze wees opeens in een soort woede naar haar buik, en greep zich toen aan de tafel vast alsof ze duizelig was – 'weg is, zal ik me niet alleen Arabisch kleden' – ze dronk weer snel, net als de koopman naast haar – 'maar ook als man. Het zal de enige manier zijn om veilig rond te trekken zonder' – ze keek vol minachting over de tafel – 'de Engelse heren.'

'Maar zij hebben je uiteindelijk toch toegestaan mee te gaan, die Engelse heren? Dat had ik niet van hen verwacht.' Rose was verbaasd dat ze een samenhangend gesprek kon voeren, zo sterk was ze zich bewust van George' aanwezigheid aan de andere kant van de grote tafel.

'Ik wilde hun niet toestaan zonder mij te gaan, dat is alles. Ik heb gezegd dat ik anders met de hertog van Hawksfield zou praten, en ze wisten dat ik dat zou doen. Je weet natuurlijk waar ik op doel?' Ze stootte een vreemd, vals lachje uit. 'We kunnen ons geen enkel *scandale* meer veroorloven sinds de douairière en *l'affaire de la Commission de l'Egypte!'*

Er werden gebraden duiven geserveerd (Dolly schoof ze vol afkeer opzij en leek nog bleker te worden) en allerlei soorten kaas, olijven en wijn. Iemand begon een Italiaans liefdeslied te zingen, anderen vielen spontaan in. Dolly stond opeens op, en Rose wilde haar volgen, maar

Dolly wuifde haar weg en Rose ging onzeker weer zitten. Ze zag George ook opstaan. Overal om haar heen was lawaai en gelach. Ze zag dat de mensen keken, dronken en lachten en dat George naar haar toe kwam, dat hij zich langs de tafel en de mensen drong. Het was mevrouw Alabaster die George tegenhield. Toen hij langs een houten pilaar kwam, stond ze opeens naast hem en leek zich op een wonderlijke manier met haar armen en haar Egyptische sjaals rond de pilaar en om hem heen te wikkelen. De mensen juichten meteen: hier viel iets leuks te beleven! Iedereen kende mevrouw Venetzia Alabaster, die vroeger bij De Zingende Acrobaten was geweest. Ze ging natuurlijk voor hen zingen. Het was heel bijzonder: opeens waren haar voeten niet langer op de grond maar bevonden ze zich ergens op de dunne pilaar, en George zat verstrikt in haar armen en in haar wapperende sjaals. Iedereen juichte weer om deze prestatie en Rose zag dat George niet weg kon komen zonder openlijk met mevrouw Alabaster op de vuist te gaan.

Waar gij ook gaat
Een koele bries in de bomen
Op de plek in het bos
Waar ieder wil komen...

Terwijl ze zong – haar stem had weer diezelfde scherpe, obsederende klank – glipte Dolly weer op haar plaats naast Rose. Ze had nu twee rode vlekken op haar wangen en haar ogen schitterden. Het lied was afgelopen en er klonk een daverend applaus. Voor George zat er niets anders op dan weer naast William te gaan zitten en zijn das een eindje losser te maken. Het gepraat en gelach zwollen opnieuw aan.

'George zal het kind doden, als er een kind is,' zei Dolly. 'Dat is belachelijk!'

'Dat is niet belachelijk,' zei Dolly lachend. 'George zal alles doen om een schandaal te vermijden, dus ik hoop dat jij geen stille hoop hebt het voor jezelf te kunnen houden!' Haar woorden werden onduidelijk. Ze hief haar glas op voor meer Griekse wijn, de Hollander naast haar schonk haar en zichzelf automatisch in, waarbij hij wijn op de tafel morste. 'Ga je met monsieur Montand trouwen?'

'Nee, Dolly, ik ga niet met hem trouwen.' Rose keek de kamer rond, ze probeerde wanhopig te blijven praten. 'We hebben allemaal wel geluk gehad, hè, dat we in Parijs niet gevangen zijn gezet toen de oorlog uitbrak?' Daarna liet ze haar stem dalen. 'Ik zie dat je ziek bent, Dolly. Laat me je naar huis brengen. Alsjeblieft, Dolly, je moet me je laten helpen.'

'Mijn man heeft een nakomeling van zijn broer gevonden!' zei Dolly luid tegen de Hollander, terwijl ze Rose negeerde. 'Dit is beslist veel amusanter dan op Berkeley Square wonen.' De Hollander gromde. Dolly keek Rose opeens weer woest aan, maar haar ogen stonden glazig. 'Wist jij het, van William en George?'

Rose stak haar hand in wanhoop naar Dolly uit. 'Ik heb je geschreven, Dolly. Ik wilde je helpen. Het spijt me heel erg, ik kon me niet voorstellen dat ze jou zouden dwingen te trouwen voor je zestien was. Ik had gedacht dat jij misschien bij mij in South Molton Street wilde komen wonen.'

'Mijn man en' – haar stem trilde – 'mijn broer.' En toen herstelde ze zich en zei: 'Geef antwoord, Rose.' Haar stem was opeens luid genoeg om in de hele kamer te worden gehoord. George hoorde haar en draaide zich snel hun kant uit. Dolly zag dat George haar aankeek, maar hoe bleek en ontredderd ze ook was, ze hield zich flink. 'En wie zou er nou' – haar stem klonk smalend – 'in South Molton Street willen wonen?'

'Je hebt gelijk, Dolly, mijn liefste,' riep George, en zijn stem was luid genoeg om de meeste anderen het zwijgen op te leggen. 'South Molton Street is inderdaad geen plek voor mensen als wij!' Rose zag dat hij zichzelf weer onder controle had in dit wilde huis in Alexandrië waar vrouwen ooit geheime trappen op waren gehold om niet te worden bekeken, en waar de verboden alcohol vloeide als water, en waar Dolly met haar glazige ogen en bleke gezicht zat. Rose was er opeens heel zeker van: *er is iets verschrikkelijks met Dolly aan de hand.*

'Maar burggraaf Gawkroger toch!' klonk de uiterst verstandige stem van juffrouw Proud over de tafel. 'U moet de omgeving niet in twijfel trekken waar veel van Zijne Majesteits admiraals resideren wanneer zij Londen bezoeken, zelfs lord Nelson voor korte tijd, meen ik. Het is een plek met een eerbiedwaardige historie. Wist u dat Händel een deel van zijn mooiste muziek in Brook Street heeft gecomponeerd, daar vlakbij? Misschien wel het lied dat we zojuist zo verrukkelijk hebben horen zingen. U dient deze opmerking terug te nemen, meneer!' Er was iets zo respectabels en onverzettelijks en zo Engels aan juffrouw Proud, met haar witte haar zo netjes onder haar witte muts, de broche met de camee aan het kant aan haar hals, deze beschaafde vrouw die zo dapper had gereisd naar waar ze nu zaten, dat burggraaf Gawkroger slechts instemmend kon buigen.

'Ik neem mijn woorden terug, juffrouw Proud,' zei hij, op zijn allercharmantst.

In het ogenblik van stilte dat nu volgde richtte een jonge Française, die een man zocht te midden van de buitenlandse populatie van Alexandrië, en die overeenkomstig was gekleed, opeens alle aandacht op zichzelf, zoals ze al enige tijd had gehoopt te kunnen doen, door luid op te merken: 'Ik hoor u allen iets mompelen over een kind. Ik zou *enchantée* zijn om hier ook bij te worden betrokken. *Cet enfant...* hebben we het hier over een Engels kind?' Rose zag veel mensen een blik met elkaar wisselen, vol verwachting. Ze zag hoe George Fallon naar haar keek: als blikken konden doden was Rose ter plekke gestorven, daar in die kamer. En opeens, in een verwarrend mengsel van uitzonderlijke gevoelens van echte haat jegens haar zwager en, heel overweldigend, van angst om Dolly, ging Rose staan. Ze ademde diep in voor George weer kon spreken en zei luid: 'Het gaat inderdaad om een Engels kind! George, laat me je mijn oprechte gelukwensen aanbieden. Je zult wel heel blij zijn een erfgenaam voor de titel te hebben. Maar ik vrees dat je Dolly niet de zorg geeft waar haar toestand om vraagt.'

Ze hoorde Dolly naast haar een gesmoorde kreet slaken en ze zag het gezicht van George. Ze zag hem opstaan van tafel en zijn glas omstoten zodat de Griekse wijn op de stenen vloer stroomde.

'Dolly?' zei hij.

Haar bleke gezicht staarde hem aan.

William ging ook staan. Hij liep direct naar zijn zusje toe.

'Dolly?' zei hij.

De twee mannen keken naar het meisje, zagen misschien wel voor het eerst hoe ze eraan toe was.

'Ik... ik voel me geloof ik niet goed, William,' zei lady

Dolly, burggravin Gawkroger, en ze stak een bevende witte hand uit naar haar broer, in een soort smeekbede.

Er holde een Arabier door de nacht met zijn lange *gala-biyya* wapperend rond zijn benen, over de zandweg naar de *frank*-wijk, waar hij buiten aan de bel van de *khan* trok. De Engelse vrouwen werden dringend geroepen. Ze kleedden zich haastig aan en trokken omslagdoeken om zich heen. Mattie droeg handdoeken. Mevrouw Alabaster, die vanuit haar eigen huis voor hen allen uit holde, schreeuwde in het Arabisch bevelen voor warm water. Dolly lag op een divan, bewusteloos, op een stapel kussens, in een plas bloed. Juffrouw Proud en Mattie gingen met handdoeken aan de slag, mevrouw Alabaster bracht steeds warm water, Rose legde een koele natte doek op Dolly's gloeiende voorhoofd en streek Dolly's vochtige haar uit haar gezicht. Dolly verroerde zich niet, maar ze zagen dat ze nog ademde. In de Arabische wijk was een dronken Griekse dokter gevonden. Hij zat koffie te drinken en gaf de vrouwen opdrachten in slecht Engels. Er kwam een kakkerlak dichterbij, Rose verpletterde het dier door er met haar schoen op te stampen.

'Dit is jouw schuld!' schreeuwde George tegen Rose toen hij de kamer binnenkwam, en Rose schreeuwde meteen terug.

'Nee, George, dit is niet mijn schuld! Ze heeft iets ingenomen wat ze gistermorgen van een Egyptische vrouw in de bazaar heeft gekocht, om te proberen de baby kwijt te raken. Ik weet zeker dat er voldoende getuigen zullen zijn van deze ongewone aankoop. Ga in 's hemelsnaam een Arabische dokter zoeken.'

'Hoe bedoel je? Zo'n smerige Arabier mag niet bij een Engelse vrouw in de buurt komen!'

'Waarom zou ze een Arabische dokter nodig hebben?' Williams gezicht stond zo gespannen en bezorgd dat Rose zich opnieuw afvroeg hoe hij de toestand van zijn zusje, die zoveel van hem hield, niet had kunnen opmerken.

'Omdat ze een Arabisch medicijn heeft ingenomen! Ze haten ons. Wie weet is ze misschien wel vergiftigd. Dit lijkt me onze enige kans.'

'Geen smerige Arabier...' begon George.

'Ik ga wel,' zei William, en ze hoorden meteen zijn voetstappen in het donker naar de poort van het huis rennen, hoorden hem roepen dat die geopend moest worden, hoorden de angst in zijn stem. Rose stond onmachtig naast het meisje terwijl ze nog steeds over haar gloeiende gezicht streek. Ze was woedend en intens verdrietig, maar voelde een kille zekerheid. Mevrouw Alabaster bleef om meer handdoeken roepen, maar die waren er niet.

Dolly's ogen gingen even open, zagen Rose. Begrepen toen.

'Ik ben bang,' fluisterde ze, en Rose pakte snel haar hand. Dolly deed hevig haar best om nog iets anders te zeggen. 'Ga ik naar de hel?'

Rose boog zich onmiddellijk naar Dolly toe. Er kwamen vreemde woorden in haar op: Fanny's woorden. 'Ik geloof helemaal niet dat jij naar de hel zult gaan. Er bestaat geen hel, Dolly, er is alleen maar een vredige plek, daar ben ik van overtuigd. Een rustige, vredige plek waar je gelukkig zult zijn. God is geen wreed iemand. God is liefde.'

Ze kon Dolly's koude, zwetende handpalm voelen toen

ze opeens wanhopig tegen Rose schreeuwde: *'Maar ik heb vreselijke dingen gedaan.'*

'Nee, Dolly. Ik vind dat je heel dapper bent geweest.'

'Echt?' Haar ogen knipperden, ze zakte weg, maar haar ogen verlangden nog naar iets.

'Dolly, liefje, je bent heel dapper geweest, altijd.'

'Zeg dat nog eens.' Ze leek ongeveer tien jaar oud en tegelijkertijd honderd, het meisje dat een pauw als vriend had gehad.

'Je bent dapper, Dolly. Je was dapper toen je nog kind was en probeerde in de studeerkamer van je vader jezelf verder te ontwikkelen, zonder dat iemand je daarbij hielp. En je was heel flink toen je mama ziek was en jij haar hielp en tegen haar praatte. En je was dapper in Parijs.'

'In Parijs?'

'Weet je nog, met Napoleon?'

Een klein trekje rond Dolly's lippen. 'Ik viel flauw.'

'Ik was erg trots op je.'

'Heeft hij... monsieur Bonaparte... geweten dat ik deed alsof?'

'Natuurlijk wist hij dat! Napoleon glimlachte!'

Weer een heel kleine trilling. Toen ontspande de hand zich en gingen haar ogen dicht, maar daarna werd haar hele lichaam overweldigd door een vreselijke aanval van pijn, en Dolly gilde het uit. De gil weerklonk door de Egyptische nacht.

'Zeg tegen de lieve William...' zei Dolly, hijgend, zwetend, terwijl ze probeerde niet weer te gillen. Maar ze kon niet verder, ze klampte zich aan Rose vast en schreeuwde een laatste keer. En toen gingen de grote, treurige ogen dicht en fluisterde ze in de nacht: '... zeg dat het me spijt dat ik zo lastig ben geweest...' Het was duidelijk dat ze nauwelijks nog iets kon uitbrengen. '... en dat ik meer van hem houd dan van wie ook ter wereld.'

De Griekse dokter boerde en schudde zijn hoofd. Mevrouw Alabaster veronderstelde dat hij wat Arabisch kende en probeerde hem over het Arabische medicijn te vertellen, maar hij keek haar lodderig aan. George Fallon stond in de deuropening van de kamer met de gevaarlijke, woedende blik die Rose maar al te goed kende: zijn plannen, zijn invloed binnen de familie Torrence, alles balanceerde nu op de rand van de afgrond, en elders was al een kind geboren. Om vier uur in de morgen, voor de dageraadskreet vanaf de moskeeën hun kon vertellen dat er slechts één God was, stierf Dolly.

Toen William terugkeerde, verfomfaaid en met lege handen – *niemand van die verdomde buitenlanders sprak fatsoenlijk Engels, niemand verstond me, niemand wilde meegaan* – waren de Arabische dienstmeisjes al met hun spookachtige kreten van rouw in de duisternis begonnen, zodat de Engelse bezoekers het gevoel hadden dat ze in een nachtmerrie leefden en probeerden dit akelige, on-Engelse geluid uit hun oren te bannen. De kreet werd overgenomen vanuit andere *khans* en huizen langs de weg. De vrouwen hielden even op toen George tegen hen schreeuwde, maar ze begonnen weer zodra hij zijn hielen had gelicht. Toen de dageraad aanbrak klonk de vertrouwde kreet *Allahu Akbar* van buiten de poort.

Volgens de gebruiken van het land vond de begrafenis bijna meteen plaats, kort en kil in deze hitte. De dienst moest worden gehouden in de *frank*-wijk, met meneer Barber die uit de bijbel las en met de poort op slot; het gerucht had de ronde gedaan dat het de schuld van een Ara-

418

bische vrouw was. De Egyptenaren verzamelden zich dreigend bij de gesloten poorten, er klonk het geluid van ritmisch gebons en een voortdurend gemompel van woede. William zag er vreselijk uit, maar hij huilde niet. Als het George al iets kon schelen dat hij vrouw en kind had verloren, toonde hij dit niet. Rose huilde. Ze dacht aan het lange, slungelige meisje van vijftien dat op de boot naar Calais stond, dat over haar moeder praatte, verlangend naar de Parijse mode informeerde, de markies d'X bedacht om haar dagboek interessant te maken voor haar geliefde broer. Ze besefte dat er in Engeland helemaal niemand was om Dolly te bewenen. Haar moeder was dood, haar vader had zich nooit om haar bekommerd. De hertog van Hawksfield had haar als bezit beschouwd. Dolly zou snel begraven worden op een christelijke begraafplaats in Alexandrië, zonder veel ceremonieel, zodra het veilig werd geacht dit te doen. Misschien waren er op Berkeley Square een paar bedienden die nog aan haar zouden denken. Misschien zouden zij voor de pauw zorgen.

En toen, terwijl Rose zich stijfjes omdraaide, kwam George even naast haar staan. Hij sprak zo dat alleen zij hem kon horen. Ze zag zijn ogen en geloofde hem zonder meer.

'Laten we één ding duidelijk stellen. Er zal geen kind van Harry zijn,' zei George Fallon.

Drieëntwintig

$\mathscr{R}$ose braakte en had diarree in emmers, en ze hoorde juffrouw Proud en Mattie verderop in de gang van de *khan* hetzelfde doen. *George zal het kind doden, als er een kind is*, had Dolly heel onverschillig gezegd. Terwijl ze steeds weer moest overgeven, zag ze Dolly's witte, stervende gezicht voor zich, en daarna zag ze George heel terloops een reekalf doden door het met zijn handen de nek te breken.

Mattie was even ziek als de anderen. De drie vrouwen moesten om beurten de emmers legen wanneer ze daartoe in staat waren; de inhoud werd gewoon achter de *khan* gesmeten, waar open greppels vol vliegen en ratten zo groot als katten waren. Het was alsof ze in een soort hel verkeerden. Op een gegeven moment gilde en braakte Rose tegelijkertijd. Ze kregen het bericht dat iedereen die bij het fatale diner was geweest, zwaar ziek was geworden. Een Franse dokter, die zich eindelijk had laten overhalen om te zien of iedereen in de *frank*-wijk stervende was, verklaarde dat het geen terugkeer van de pest was, maar de gebraden duif, of misschien het water dat naar

Alexandrië was gebracht, of mogelijk de Griekse wijn.

Mevrouw Venetzia Alabaster arriveerde bij de *khan*. Ze was dit soort aanvallen gewend en beter in staat ze te bestrijden. Ze vertelde hun meteen dat George, die net als de anderen moest overgeven en diarree had, naar hen toe was gekomen en alsof er niets was gebeurd, alsof zijn vrouw en kind niet in Alexandrië waren gestorven, had geprobeerd haar man over te halen hem te helpen bij het zoeken naar Harry's kind. Meneer Alabaster was helaas zowel dronken als ziek geweest en had de burggraaf bespot met een verhaal over een kruis. Mevrouw Alabaster zag het gezicht van Rose en liet boos haar gewrichten knakken. 'Archie is geen partij voor iemand als de burggraaf, Rose. Vooral als hem genoeg geld wordt aangeboden. Het spijt me, maar zo is Archie nu eenmaal. Ik ga zoveel mogelijk over het geld, ik ga naar Italië om zijn drank te kopen, ik houd hem in de gaten, maar soms raak ik hem kwijt. Ik heb een inheems kruid voor je meegebracht dat kan helpen, want je moet snel beter worden, en hier, kijk hoe ik het doe, wrijf de binnenkant van je waterkruik met amandelen in, dat zal helpen om het water te zuiveren.' Ze haalde iets van haar hals. 'Ik heb in elk geval dit voor je weten te bemachtigen.' Ze gaf Rose het oude koptische kruis. 'Archie had het bij zijn zakenpapieren achter slot en grendel gedaan, maar jij moet het hebben. En we moeten proberen direct naar Rosetta te vertrekken. Er staat voor morgenochtend vroeg een karavaan gepland, als jij dat zou weten te halen. En ik zal Archie tot die tijd goed in de gaten houden. Ik ben alleen gekomen, omdat hij nu slaapt en niet bezig is jouw zaken te bederven. Je kunt me het geld nu geven. Denk je dat je het kunt redden om morgen te vertrekken?'

'We zullen morgen vertrekken,' zei Rose resoluut, ook al moest ze weer in de emmer overgeven, en tussen het overgeven door telde ze de zeventig guinea's uit.

'Ik heb de broer vanmorgen gezien,' zei mevrouw Alabaster, 'in zijn eentje bij de haven. Hij huilde als een klein kind. Ik dacht dat Engelsen nooit huilden.'

'Daar is hij dan te laat mee,' zei Rose verbitterd. 'Dolly hield meer van hem dan van wie ook ter wereld, en dat wist hij. Maar hij en zijn oom hebben haar aan George verkocht.'

'Ik dacht dat dat een Arabische gewoonte was,' zei mevrouw Alabaster.

Voor het aanbreken van de dag krioelde het bij de haven van de kooplieden, vreemdelingen, Egyptenaren en Turken. Er werd geschreeuwd en onderhandeld, mensen van overal verdrongen zich in de *karavanserai*, reizigers voor Rosetta, Caïro, Aswan. Er werden aarzelend Arabische bewakers ingehuurd: slechts tien dagen geleden waren er twee Fransen langs deze route vermoord – *bedoeïenen, beis, moord*, overal klonken er geruchten in het donker. Er hing een walm van sesamolie, van de lampen die flakkerend van de ene groep naar de andere gingen. Soms brulde er een kameel, een luid en dreigend gegrom uit zijn lange, lange nek. Het Egyptische kruid had gewerkt en de Engelse vrouwen stonden bleekjes in hun Arabische gewaad door de kleine opening in hun sluier naar de kamelen te kijken. De kamelen lagen in het zand. Rose vroeg zich af of ze degene op wie ze had besloten te rijden over de kop moest aaien, zoals je dat bij een hond deed. Maar ze werd in het lamplicht aangekeken door een paar vreemde ogen, zonder te knipperen en zonder enige expressie. Tot ieders verbazing bleek Mattie al eens op een kameel te hebben gereden toen ze met haar man in Deptford naar een circus was geweest. 'Niet doen, juffrouw Rose!' waarschuwde ze. 'Rij op een ezel! Zelfs Cornelius Brown is eraf gevallen!'

'Cornelius Brown?' zei mevrouw Alabaster. 'Ik ken een Cornelius Brown. Hij is een Engelse koopman in Rosetta.'

'Dat is mij op de markt ook verteld!' zei Mattie triomfantelijk, en haar ogen schitterden in haar bleke gezicht.

'Hou je vast, verdomme!' schreeuwde meneer Alabaster toen Rose zich aan de zadelboog van tapijt vastgreep en haar kameel langzaam de lange, stakerige benen uitvouwde. Ze schoof en gleed op het zadel heen en weer, maar wist toch te blijven zitten. Eindelijk vertrok de karavaan, juist toen de eerste roep vanaf de moskeeën klonk, en burggraaf Gawkroger en de markies van Allswater waren nergens te bekennen.

Ze reisden naar het oosten, eerst langs grote bergen stenen en puin, daarna gingen ze in de richting van de zee. Als ze de hele dag door het zand trokken en geen tegenslagen troffen, zouden ze voor het invallen van het donker een veilige karavaanhalte kunnen bereiken. Daar, vertelde Alabaster de vrouwen, zouden ze een bootje oppikken om hen naar Rosetta te brengen.

'*Insha' Allah!*' zei een van de Arabische bewakers, terwijl hij nerveus achteromkeek terwijl hij zijn geweer op een heel onhandige en gevaarlijke manier vasthield. *Zo God wil.*

De Middellandse Zee glinsterde in het zonlicht. De veertig of vijftig reizigers bleven dicht bij elkaar in een groep terwijl ze achterdochtig de zandheuvels in de verte in de gaten hielden. Rose had een soort parasol gekregen, maar ze voelde zich heel vreemd en heel warm, en ten slotte werd ze weer misselijk, doordat ze ongenadig op haar kameel naar voren en naar achteren werd geslingerd. Het dier liep stoïcijns door. *Ik ga niet om een ezel vragen.* Het landschap werd wazig voor haar ogen. *Ik moet overgeven.* Ze kokhalsde, boven op haar kameel, maar er kwam niets. Er was niets dat nog naar buiten kon komen. Ze kokhalsde opnieuw terwijl de zon brandde. Ze weigerde op te geven, niet nu. Ze dwong zich beter rechtop te gaan zitten. Ze kon zich niet voorstellen dat ze iets kon eten, dat ze ooit nog iets kon eten, maar ze had een verschrikkelijke dorst. Ze maakte haar waterfles open en dronk gulzig, hopend dat de amandelen hun werk hadden gedaan. Ze keek om zich heen en zag mevrouw Alabaster en juffrouw Proud en Mattie op hun ezeltjes voortdraven, alle drie resoluut en vastberaden met hun zwarte mantels en hun parasols, terwijl hun voeten bijna het zand raakten. De zon brandde ongenadig. De kameel deinde. Na een tijdje wist ze een manier te vinden om haar lichaam mee te laten gaan met het ritme van de kameel, en ze deinden samen op en neer, en heen en weer. Zolang ze goed rechtop bleef zitten voelde ze zich veilig, en na een tijdje was ze niet langer misselijk. Ze glimlachte in zichzelf in een soort grimmige triomf. Gedurende een wonderlijk moment voelde ze zich één met het landschap, zoals ze in een lang, zwart gewaad op een kameel door de woestijn reed, met een houten koptisch kruis om haar hals. Soms reden ze langs dadelpalmen. Sommige palmen zaten vol rijpe vruchten, ze kon de gele en rode dadels aan de hoge takken zien hangen. Sommige bomen waren wilder, met takken die warrig tot aan de droge, zanderige grond bogen.

Toen de zon laag aan de hemel stond, schreeuwde iemand en wees naar een verre heuvel van zand. Er stond een eenzame bedoeïen op een zwart paard in silhouet afgetekend tegen de violetkleurige avondlucht naar de karavaan te kijken. Ze kregen onwillekeurig een prop in hun keel. Het was als een scène uit een beroemd schilderij. En toen was hij weg.

'Het is pas twee jaar geleden dat de Slag bij Aboukir plaatsvond, tussen de Fransen en de Engelsen, toen lord Abercrombie is gesneuveld,' waarschuwde een van de Engelse kooplieden de groep toen ze dichterbij kwamen. 'Aboukir is de plek waar we ons kamp zullen opslaan en er zijn nog steeds bewijzen van die strijd.' Rose keek verschrikt op bij het horen van die naam. 'En de beroemde Slag aan de Nijl, van lord Nelson, was ook in de wateren van Aboukir, niet echt op de Nijl zelf.' Rose schudde vol ongeloof haar hoofd. Ze dacht aan Harry's onderscheidingen, ontvangen wegens betoonde moed bij lord Nelson. Nu was ze zelf in Egypte, op de weg waar Harry was geweest.

Ze arriveerden in Aboukir, weinig meer dan een halteplaats naar het scheen, voor het invallen van de duisternis. De kameel van Rose besloot uit eigen beweging te gaan liggen, en als Alabaster niet waarschuwend had geschreeuwd: 'Achteroverleunen!' was Rose halsoverkop in het zand getuimeld. Ze stapte heel wankel af. Er werden vuren aan de kust gemaakt, tenten opgezet, er werd eten klaargemaakt, en er werd buffelmelk aangeboden maar beleefd afgewezen. Alabaster stopte discreet een flesje rum in zijn zak en zei dat hij een boot naar Rosetta ging regelen. Juffrouw Proud en Rose staarden uit over de zee, liepen dankbaar in de ondergaande zon langs het water, opgelucht dat ze uit Alexandrië weg waren.

'Wat liggen hier overal een bijzondere schelpen,' zei Rose. Ze bukte zich om de mooie witte vormen, die half in het zand begraven lagen, op te rapen. Ze hoorde de waarschuwing van juffrouw Proud niet.

'Grote hemel! zei Rose.

Haastig kwam ze weer overeind. Ze hield een klein, gebleekt botje in haar hand, misschien een vingerkootje. Ze liet het snel weer in het zand vallen en daarna bedwong ze zich opeens. Ze was in Aboekir waar vreselijke gevechten waren geleverd. Harry had het tafereel maar al te vaak beschreven, met zinkende boten die in brand stonden, de Middellandse Zee rood van het bloed en vervuld van de kreten van mannen. Juffrouw Proud bukte zich eveneens. Samen begroeven ze het botje dieper in het zand. Maar toen zagen ze in de avondschemering dat er overal gebleekte botten lagen, grotere botten, delen van een schedel, vermoedelijk van Engelsen, en van Fransen, en waarschijnlijk ook van Arabieren en Turken. Rose sloot even haar ogen en mompelde een soort gebed voor de rust van de zielen, ook al leek dit een van God verlaten oord. Juist op dat moment, als om haar te bespotten, klonk de stem van de *muezzin* over het zand... *Allahu Akbar...* De klaaglijke kreet dreef weg op het geluid van de zee.

Terug in het kamp waren er Arabieren uit het niets opgedoken die nu met de *franks* stonden te kibbelen over kamelen, ezels, boten en water, maar vooral over geld. Alabaster kwam uit het gekrioel tevoorschijn, gehuld in een sterke walm van rum, met de mededeling dat hun boot zou vertrekken zodra de maan goed was opgekomen, om hen in de vroege ochtenduren over de gevaarlijke zandbank bij Rosetta heen te krijgen.

'Bij de zandbank stroomt het water vanaf de oceaan naar binnen en uit de Nijl naar buiten,' zei mevrouw Alabaster. 'En waar die twee watermassa's elkaar ontmoeten ontstaan spontaan draaikolken en enorme golven. We moeten een loods aan boord hebben om de ergste gevaren te vermijden.' Ze zag de bezorgde gezichten maar weidde hier verder niet over uit.

In afwachting van de boot naar Aboukir, waar haar man met lord Nelson had gevochten en een held was geworden, lag Rose op kussens met een net over zich heen naar de stralende sterren in de heldere, donkere hemel te kijken. Het sprak vanzelf dat de oude Egyptenaren astronomen waren geweest, had juffrouw Proud opgemerkt, als er zulke sterren te zien waren geweest. Er dreef Arabische muziek over het zand, van ergens buiten de *serai*. Er zaten vlakbij schorpioenen onder het zand, maar dat wist Rose niet. Ze voelde zich alsof het er spookte. Als ze de zee hoorde, was het alsof de geesten van duizenden soldaten zuchtten: hier te zijn gestorven, zo ver van huis, en dat met die vreemde muziek.

Maar niet Harry's geest, want Harry was gestorven te midden van de ruïnes en de puinhopen van Alexandrië. Net als Dolly. Arme, ongelukkige Dolly. Rose voelde een paar tranen uit haar ooghoeken langs haar oren lopen, en misschien vielen sommige daarvan in het witte en beschaduwde zand van Aboekir.

Bij het licht van de maan voeren ze snel met hun zeilboot langs de kust en wachtten vlak buiten de zandbank voor Rosetta op het eerste morgenlicht. De wind stak op. Er viel een gedempt gebulder te horen op de plaats waar het zoete en het zoute water om de heerschappij streden. Terwijl Rose in de boot op en neer deinde, zag ze in gedachten steeds de gezichten van George en William, grimmig bij de haastige begrafenis. Hoeveel zou George weten? Volgde hij hen, of was hij hen voor? De loods riep iets tegen hen toen de dag aanbrak en er was veel Arabisch geschreeuw en gedoe. Opeens gingen ze op weg. De boot naderde de zandbank. Het gebulder van water, de zeelieden maakten zich klaar om een stroming in te schieten. Iedereen klampte zich vast aan van alles en nog wat. De zeilboot werd door de stroom gegrepen. Hij tolde rond en enorme golven stortten zich op het kleine vaartuig. Behendige Arabieren gingen de golven te lijf met roeiriemen terwijl ze omlaag doken, de boot schoof naar de ene kant van de zandbank en toen naar de andere. En toen, even plotseling, belandden ze pardoes in de rustige, uitnodigende wateren van de Nijl waar langs de rand van de rivier oude wrakken op hun kant lagen.

Rose was doorweekt. Ze dacht dat ze nog nooit zo bang was geweest en ook zo opgewonden. Ze keek ongerust naar Mattie, die met dichte ogen languit op de bodem lag, en naar juffrouw Proud, die keurig rechtop zat, eveneens doorweekt, terwijl ze vol belangstelling om zich heen keek. Rose stak haar handen in de Nijl, schepte wat water op en dronk ervan. Ze hadden net de zee verlaten, maar dit water was absoluut niet zout, het smaakte fris en schoon. Ze voeren kalm verder, langs kleine nederzettingen. Weldra passeerden ze een gehavend groepje gebouwen aan hun rechterhand en mevrouw Alabaster riep tegen Rose: 'Dat is het fort Rashid, waar die Fransen de steen hebben gevonden!' En Rose voelde haar hart letterlijk opspringen door een ander soort opwinding. Ze staarde omhoog naar de verlaten, gedrongen toren, waar de Steen van Rosetta honderden en honderden jaren onopgemerkt had gelegen, ze staarde naar de afgebrokkelde muren waar groen gras uit groeide.

En toen, een eindje verderop langs de rivier, kwam het stadje Rosetta in zicht, en op hetzelfde moment klonk de vertrouwde waarschuwingskreet naar de bezoekers: *la ilaha illa Allah... Er is geen andere God dan onze God.*

Rose kon haar ogen niet geloven. Elegante witte gebouwen. Huizen met tuinen die op platte daken waren aangelegd. Prachtige oude huizen langs de kade. Klimplanten die op hekken groeiden, velden met groen, kippen die door de straten liepen, de onvermijdelijke ezels, minaretten die in het zonlicht blonken. Maar bovenal massa's groene bomen en felgekleurde bloemen, bogen vol rozen in verschillende kleuren, overal rozen. Er bloeiden ook andere prachtige, exotische, onbekende bloemen. Er groeide fruit: citroenen, sinaasappels, granaatappels, limoenen en bananen.

'Het ziet er heel anders uit dan Alexandrië omdat het niet zo oud is,' zei mevrouw Alabaster, toen ze het gezicht van Rose zag. 'De Nijl stroomde hier over het land toen Alexander de Grote zijn stad bouwde. En er waren geen ruïnes, dus moesten ze oude stenen over de rivier hierheen brengen, voor hun forten en hun moskeeën.' *Rose zag lange, platte barken volgeladen met enorme, beschadigde obelisken en beelden en stukken van paleizen, en ergens, te midden van de afgedankte goden, de afgebroken Steen van Rosetta waar zij met haar hand over had gestreken.* Ze huiverde in de hitte. Ze dacht aan haar vader, zoals hij in Brook Street zijn exotische tabak rookte en droomde van hier, van deze zelfde plek, en hoe hij zijn dochter naar hier had vernoemd. Ze zocht naar mannen die op de oever bezig waren koffie te malen, en naar een kleine jongen en een oude Arabische man die zong.

Langs de oever staken honderden masten van andere boten omhoog, als bomen in een woud. Ze hoorden een kakofonie van stemmen en talen en het handeldrijven en zakendoen te midden van alle masten. De vrouwen aan boord van de boot hadden op de Middellandse Zee hun zwarte mantels en sluiers afgelegd. De vrouwen op de oever – waren het buitenlandse vrouwen? – droegen helemaal niets op hun hoofd. Een van hen, zag Rose, rookte zelfs! Zouden ze in Rosetta dan vrij zijn? Het leek een pak van haar hart.

Maar toen hoorden ze het geluid van paarden, ze zagen dat de tabak meteen werd weggegooid, dat de vrouwen op de oever haastig hun hoofd bedekten, en de vrouwen aan boord ook snel hun sluier omdeden. Een groep mannen met tulband naderde de aanlegsteiger, stopte en schreeuwde.

'Het zijn de mammelukken,' mompelde Alabaster gespannen. 'Maar de mammelukken hebben de kooplieden uiteindelijk ook nodig.' Hij hield zijn *firman* van de gouverneur van Alexandrië in de hand, spoelde zijn mond met rivierwater en stapte over andere boten om aan wal te gaan. Hij gaf de *firman* aan de man die de leiding leek te hebben en begroette hem in het Arabisch. Er volgde een lang gesprek, het tuig van het paard schudde, en er rinkelden belletjes. Vanuit de zeilboot werden bezorgde blikken geworpen naar de strenge gezichten van de mannen met hun felgekleurde tulband, hun kromzwaard aan de riem. Zouden ze dit paradijs binnen mogen gaan? Vanaf de oever kwam een vage geur van citroenen.

Rond het middaguur waren ze aan wal. Rose huurde

met gemak een huis dat een lange tuin had, en Alabaster ging onmiddellijk op pad om naar de Kerk van de Heilige Marcus van Rosetta te informeren. Hij kwam niet terug. Mevrouw Alabaster liet haar gewrichten knakken en ging hem zoeken. Laat in de middag voelden Rose, juffrouw Proud en Mattie zich zeker genoeg om met bedekt hoofd maar zonder sluier, zonder een man om hen te vergezellen, langs de oever van de Nijl te lopen en de lawaaierige volle stad in te gaan om hem ook te zoeken. Ze hadden de indruk dat buitenlandse vrouwen zonder te worden gemolesteerd zonder sluier langs de kade en door de brede elegante straten konden lopen. Er leken hier mensen uit alle landen van de wereld te zijn. Het leek er vriendelijk, veilig. Rose bekeek het gezicht van ieder kind dat ze passeerden. Er was nergens een teken van Alabaster te bekennen met nieuws. Er was nergens een teken te bekennen van George; als hij hier was hadden ze hem beslist moeten zien. De vrouwen liepen langs borden met het onleesbare, vloeiende Arabische schrift en Rose voelde opnieuw allerlei oude gedachten bij zich opkomen, over de verschillende tekens die verschillende talen vormden, waar ze zich zo lang geleden het hoofd over had gebroken. Ze zagen zelfs een Engels woord op een fraai bewerkt oud gebouw: BATHS, waar uit ramen in het dak stoom opwolkte en waar mannen buiten rondhingen en lachten.

En toen zag Mattie haar man.

'Daar heb je 'm,' zei ze heel kalm. 'Ik wist wel dat ik hem zou vinden.'

Maar de persoon die Mattie aanwees was niet helemaal zoals Rose en juffrouw Proud zich hem hadden voorgesteld. Deze man was, of leek in elk geval, een Arabier. Hij had Mattie niet gezien, hij stond in het Engels te praten met een man die als een Fransman klonk. Ze waren in een diep gesprek verwikkeld. Maar de Fransman, die de oogziekte had en er slecht uitzag, stond tegen een Arabier te praten. Even staarde Mattie naar de Arabier, ze wapperde automatisch muskieten weg bij haar gezicht. 'Kijk nou toch es wat hij aan heeft!' zei ze, zonder de moeite te nemen haar stem te dempen. 'Hij is zeker een muzelman geworden!'

'Mattie!' Rose en juffrouw Proud keken hevig verschrikt. De man van wie Mattie overtuigd was dat het haar man was, droeg een tulband en een pyjamabroek (zo leek het hun) en een zijden wambuis over een katoenen kledingstuk met open hals, als het bovenstuk van een *galabiyya*. Ze keken en keken. Hij zag er zonverbrand en verweerd uit, en tot hun verbazing knap, en hij glimlachte opgewekt naar de Fransman. 'Wat ga je doen?' Rose merkte dat ze fluisterde, maar Matties gezicht was heel kalm.

'Ik heb altijd gezegd wat ik zou doen,' zei Mattie, zonder ook maar enige moeite tot fluisteren te doen. Ze liep naar haar man toe, Rose en juffrouw Proud sprakeloos achterlatend.

'Hallo, Cornie,' zei Mattie.

Als mannen aan flauwvallen deden, was Cornelius Brown beslist flauwgevallen. Zijn mond ging open, maar er kwam geen geluid uit. Zijn Franse metgezel keek nietbegrijpend. De laatste keer dat Cornelius Brown zijn vrouw Mattie Brown had gezien was in een andere wereld geweest, op Ludgate Hill, een zijstraat van Fleetstreet. Het lukte hem niet zijn geest zo'n snelle wending te laten maken dat hij begreep dat hij haar in Rosetta zag, gekleed in het zwarte gewaad van Arabische vrouwen. Hij dacht dat ze een geestverschijning moest zijn, maar zij koesterde zulke twijfels niet ten aanzien van hem. En dat was waarom het voor Mattie zo gemakkelijk was om hem op het gezicht te timmeren, tot twee keer toe.

'Dat krijg je omdat je 'm zomaar gesmeerd bent zonder iets te zeggen,' zei ze, 'zonder iemand zelfs maar iets van je plannen te vertellen. Ik was blij dat je ging, dat weet je, maar je had 't moeten zeggen, want je moe was erg ver- drietig en ze dacht dat je dood was. Je bent een lafaard, Cornie.' En toen liep ze terug naar haar vrouwelijke met- gezellen en ze lieten zich, als in een droom, meevoeren verder de stad in. Geen van hen zei aanvankelijk iets over dit uitzonderlijke incident, maar Rose kon zich ten slotte niet meer inhouden en schoot in de lach. Mattie glim- lachte even, en de mondhoeken van juffrouw Proud be- wogen even. Boven zich zagen ze de zon, een enorme gouden schijf in een donkerviolette hemel, achter de hori- zon zinken.

'Tja,' zei Mattie. 'Kijk nou toch eens!' Ze staarde vol verbazing naar de ondergaande zon. 'En dat ik Cornelius Brown uitgerekend hier terug moet vinden na al die jaren! Net zoals ik had gezegd dat ik zou doen,' voegde ze er uiterst voldaan aan toe.

'Ga je hem nog eens ontmoeten?'

'Ik ben niet hier gekomen om weer wat met hem te krij- gen,' zei Mattie kalm. 'Ik heb altijd gezegd dat hij zich heel slecht had gedragen tegenover zijn moeder. Ik ben hier gekomen om hem op z'n gezicht te timmeren. Ik doe altijd wat ik zeg.' Rose en juffrouw Proud wisselden ver- baasde blikken. De zon begon achter hen te verdwijnen. Ze liepen verder, het centrum van de stad in.

Maar mevrouw Alabaster had hen gewaarschuwd niet de *bazaar* in te gaan, de achterafstraatjes en de stinkende steegjes van deze stad. Zelfs als ze door de smalle openingen keken was de stank ondraaglijk. Er waren geheimzinnige deuropeningen met parfums, sieraden, viezigheid, specerijen en medicijnen. Ze dachten aan Dolly en de *bazaars* van Alexandrië, en ze zwegen. Toen de schemering viel waren de steegjes waar ze nerveus in keken gevuld met Egyptenaren die kochten en verkochten. Er waren vrouwen die volledig bedekt waren en mannen met tulband en lange *galabiyya*, geen vreemdelingen. Maar daar, toen ze voorzichtig voorbijliepen, waarbij ze alleen maar keken en hun omslagdoek over hun gezicht trokken, daar, vlak bij de ingang van dit verboden gebied, werd de blik van Rose opeens door iets getrokken. Ze slaakte een gesmoorde kreet en dacht razendsnel na, zelfs terwijl ze zenuwachtig om zich heen keek.

'Natuurlijk!'

Haastig bedekte ze haar gezicht, terwijl ze de anderen gebaarde hetzelfde te doen. Ze keek voortdurend om zich heen. Niemand besteedde enige aandacht aan hen, er scheen geen gevaar te zijn. Toen hoorden ze opeens een fluisterend, tikkend, ritselend geluid en plotseling verscheen er een Arabier van achter een kralengordijn. Hij glimlachte en wenkte. 'Kom... Kom,' riep hij in het Engels. 'Ik zetten thee. U willen kopen?' Rose liep snel naar de exotische, donkere deuropening. ze roken kaneel en sinaasappel.

'Kijk!' zei Rose, en ze wees.

Het was een klein, verfijnd blauw kruis van lapis lazuli, dezelfde helderblauwe steen die Pierre op zijn bureau in Parijs had gehad. En in het midden was een kleiner kruis dat in edelstenen was gevat. Het was zo mooi dat alle drie de vrouwen hun blanke vingers onder de zwarte mantels vandaan staken om het te betasten. Hij zag hun ogen.

'U willen kopen?' zei hij weer.

'Hoeveel?' vroeg Rose. De anderen keken verbijsterd.

'Is prachtig. Uit graf van farao. Wij praten. Theedrinken.' Hij hield het gordijn open, de kralen rammelden, ze zagen het donker erachter.

'Hoeveel?' zei Rose opnieuw scherp. Juffrouw Proud begreep niet wat ze daar deed, in die verboden *bazaar*, kijkend naar zoiets kostbaars.

'Waarom doe je dit?' vroeg ze, en ze zag het ongeduldige gezicht van Rose.

'George weet dat er een kruis is!' zei ze. 'Als het kostbaar is, zal hij vergeten dat het een koptisch kruis had moeten zijn!'

Mattie begreep het meteen, en ze nam de leiding. 'Hoeveel?' zei ze in het Arabisch.

'Vijftig guinea's.'

Rose was zo verbaasd, zo geschrokken, dat ze even haar omslagdoek liet zakken toen ze de man aankeek. Mattie greep direct haar arm en trok haar verder de *bazaar* in. 'Niets zeggen. Kom snel mee.'

De Arabier zag dat ze weggingen. 'Veertig goudstukken,' zei hij. 'Wij drinken thee.'

Over haar schouder riep Mattie: 'Vijf!'

Er volgden woedende Arabische verwensingen en ook: 'Dertig!' in het Engels. Het steegje werd donkerder, ze zagen dat mannen hun lantaarns begonnen aan te steken.

Opeens keek Mattie om zich heen in het besef dat ze de verkeerde kant uit waren gelopen. 'Kunnen we ons vijftien goudstukken veroorloven?' fluisterde ze. 'Het is te veel, veel te veel, maar ik denk dat we het zo snel mogelijk moeten kopen en de *bazaar* uit moeten gaan!'

Rose grabbelde naar het geld in haar mantel. Ze voelde scherp dat andere Arabische ogen naar hen keken, ze meende gemompel in de menigte te horen. 'Snel,' zei ze, terwijl ze om zich heen keek.

Mattie onderhandelde. Het geld werd gegeven, juffrouw Proud kreeg het kruis in handen gedrukt, het lichtte helderblauw op, de edelstenen fonkelden in haar oude hand toen ze zich omdraaiden. De stemmen in de menigte werden luider. Ze voelden opeens mensen duwen en dringen. Maar op dat moment waren het niet de buitenlandse vrouwen die de aandacht hadden getrokken. Verderop in het steegje, waar de lantaarns werden aangestoken, sleepten twee Arabieren een gillende, vieze Arabische vrouw voort. Haar rok was gescheurd, haar blote benen sleepten achter haar aan, haar voeten bloedden. Niemand hield hen tegen. De vrouw riep wanhopig om hulp, ze zagen haar onbedekte, doodsbange gezicht, maar de menigte bestond slechts uit toeschouwers die haar zwijgend nastaarden. De Engelse vrouwen hadden haar bijna kunnen aanraken toen ze langs hen werd gesleurd. Een van de Arabische mannen riep iets, waarop de menigte kwaad mompelde en naar voren kwam. Iemand wierp een steen naar de gillende vrouw.

'We moeten iets doen!' riep juffrouw Proud in het Engels. De menigte draaide zich direct naar haar om, ze zagen de gezichten. Rose en Mattie voerden haar haastig mee, duwden haar tussen in het zwart gehulde vrouwen naar waar ze de lichtere straten zagen, maar niet voordat er verscheidene stenen naar hen waren gegooid. Een ervan raakte juffrouw Proud op het hoofd. Ze wachtten niet, ze kibbelden niet, ze gingen de Arabische vrouw niet redden. Het gevoel van geweld in dit paradijs was onmiskenbaar. Bang en van afschuw vervuld trokken de Engelse vrouwen hun zwarte mantels volledig over hun gezicht, sloten hun oren voor de kreten van de vrouw en haastten zich terug naar de haven, naar hun huis, naar de geur van rozen. In de donkere steegjes achter hen werden in de verte de figuren uit dit onbekende verhaal, de Arabische mannen die de vrouw voortsleepten, steeds kleiner. Ten slotte waren de kreten van de vrouw nauwelijks meer te horen en gingen de mensen weer verder met waar ze mee bezig waren geweest.

Het gezicht van juffrouw Proud, terug in het elegante huis met de marmeren pilaren, was lijkbleek. 'Ik had er iets aan moeten doen,' zei ze, maar er zat bloed op haar oude, broze hoofd en ze wist dat ze machteloos was. Rose werd overmand door paniek. Ze hadden zich afgewend, net als Pierre Montand indertijd had moeten doen, onmachtig. *Ik moet het kind zien te vinden en haar wegvoeren uit deze gevaarlijke omgeving.* Toen riep ze opeens: 'Maar waar is het kruis?' Juffrouw Proud deed moeizaam haar oude, nog steeds bevende hand open: daar lag het fraaie kruis.

Rose deed het om haar hals. Het lag daar tegen haar huid, naast het oude houten kruis van de kopten, verborgen onder Egyptische gewaden.

In het huis bewogen slechts wat Arabische bedienden, nors, heimelijk, in de keuken. Er waren geen lampen aangestoken, de Alabasters waren nergens te bekennen. De stilte galmde om hen heen. Toen voelden ze opeens hun anders-zijn, hun alleen-zijn in een vreemd land. Ze voelden zich alsof ze betoverd waren geweest. Mattie stak olielampen aan, Rose haalde kostbaar water, maakte het hoofd van juffrouw Proud schoon, besefte hoe dicht het bot van haar oude schedel onder de oppervlakte lag, zo kwetsbaar, en ze voelde opnieuw paniek. Hier kon van alles gebeuren, met alleen de Alabasters tussen hen en de chaos. *Ik moet het kind snel vinden.* De deur vloog met een klap open en een van hun beschermengelen wankelde naar binnen en viel tegen de deur.

'Waar is mijn Vennie?'

'Dat weten we niet. We waren allemaal op zoek naar u beiden.'

Alabaster liep zigzaggend naar een divan, liet zich er dwaas op vallen en keek de dames niet aan terwijl hij tegen hen sprak. 'Er is hier een Kerk van de Heilige Marcus,' zei hij. 'In de stad, achter de Turkse baden. De boel was nu op slot en donker. Ik heb op de deur gebonsd en gebonsd, maar er kwam niemand. Behalve een kopt die toevallig voorbijkwam en me vertelde dat er morgenmiddag een dienst wordt gehouden.' Hij leek nog beschonkener dan anders, als dat al mogelijk was. Rose deed haar ogen van ongeduld dicht.

Vanaf de straat hoorden ze de *muezzin* en de deur zwiepte weer open toen mevrouw Alabaster binnenkwam, met haar armen vol granaatappels, bananen en lange, witte bloemen.

'Ben je daar, Archie,' zei ze meteen, opgelucht. 'Waar heb je al die tijd gezeten?' Maar haar man was in slaap gevallen.

Ze vertelden haar dat ze in de *bazaar* waren overvallen en ze liet haar gewrichten nijdig knakken om het gevaar waarin ze hadden verkeerd, bekeek zorgvuldig de wond op het hoofd van juffrouw Proud en stond erop haar een van haar kruiden te geven. 'Waarom gaan jullie daar in 's hemelsnaam naartoe terwijl jullie weten dat het zo gevaarlijk is?' Maar ze keken naar Alabaster die languit op de divan lag en ze zeiden niets. Mevrouw Alabaster begon heel voorzichtig het hoofd en de schouders van juffrouw Proud te strelen.

'O!' Juffrouw Proud was heel verbaasd te worden aangeraakt. 'Dank u.' En langzaam kwam er weer kleur op haar gezicht.

'Er bestaat een Arabisch woord: *mass*,' zei mevrouw Alabaster. 'Dat betekent voorzichtig aanraken. Vandaar het woord *massage*.' Haar handen gingen zacht heen en weer en juffrouw Proud deed haar ogen dicht. Heel even herinnerde Rose zich een ander leven en hoe Pierre heel teder haar hand over de tafel had gepakt en haar had gevraagd met hem te trouwen. Zij deed eveneens haar ogen dicht.

Ze vertelden mevrouw Alabaster dat ze Matties man hadden gevonden.

'Dus het is dezelfde Cornelius Brown!' zei ze verbaasd. 'Is hij jouw man?' Ze opende haar mond om nog iets te zeggen, maar zweeg toen, terwijl haar handen nog steeds over de schouders van juffrouw Proud gingen. 'We kennen hem, natuurlijk kennen we hem. Hij is een van de Engelse kooplieden hier. We kennen elkaar allemaal!' Ze keek Mattie verbaasd aan. 'En jij bent zomaar uit zijn verleden opgedoken en je bent hem in Egypte, aan de Nijl, op zijn gezicht komen timmeren? Hij zal wel erg verbaasd zijn geweest!'

Buiten ging de bel bij de voordeur.

'George!' fluisterde Rose meteen.

'Het is Cornie Brown,' zei Alabaster, die toch niet bleek te hebben liggen slapen, en hij tuurde de nacht in. 'Hoe gaat het ermee, Cornie? Lang niet gezien. Kom iets drinken!' En daarna, bijna als bij nader inzien: 'Je hebt een blauw oog, man!'

'Dat klopt!' zei Cornelius Brown. 'Ik heb me laten vertellen dat jij mijn vrouw hier hebt, Archie.'

'Je vrouw? Je vrouw zou echt niet zonder jou hierheen komen, Cornie, dat weet je, dat is tegen de gewoonte. Neem iets te drinken! Eigenlijk moet ik het toch eens met jou over de toestand hier hebben. Ik heb me laten vertellen dat er in Caïro van alles is veranderd. Neem iets te drinken.' Hij hield een fles rum in de hand.

'Je weet dat ik tegenwoordig niet drink, Archie! In Rashid begint het goed te gaan, *insha' Allah*, maar eerst moet ik met mijn vrouw spreken.' De vrouwen luisterden gefascineerd.

'Misschien heb je het niet gehoord, Archie,' zei mevrouw Alabaster, 'maar Mattie schijnt Cornelius' vrouw te zijn, of...' Ze keek Mattie verontschuldigend aan. 'Eén van hen.'

'Mattie?' herhaalde Alabaster. 'Onze Mattie? Je bedoelt dat onze Mattie Cornies vrouw is? Hoe zit het dan met die andere?'

'Zo, zo!' zei Mattie, en ze stapte naar voren. 'Heb jij een andere vrouw, Cornie?' Ze begon te lachen. 'Ben je van plan haar mee naar Ludgate Hill te nemen? Daar zal je moeder van opkijken! O, moet je dat oog nou es zien!' Mattie leunde tegen een van de marmeren pilaren van het oude, elegante huis en lachte. Rose en juffrouw Proud bekeken, nu het duidelijk was dat Mattie absoluut niet verdrietig was, de door de zon gebruinde, knappe Engelsman met een blauw oog, gekleed in een pyjama, en zij begonnen ook te lachen. Cornelius Brown vatte het sportief op, als een echte Engelsman.

'Oké, oké. Maar ik zou even met jou willen praten, Mattie,' zei hij ten slotte. 'Ik weet dat ik je een verklaring schuldig ben, maar je wist dat ik niet terug kon komen toen ik eenmaal was gedeserteerd. En jij bent mij een verklaring schuldig waarom je zomaar opeens voor m'n neus staat. Een man zou er een hartaanval van krijgen.'

'Net zoals je je vader een hartaanval hebt bezorgd.'

'Ik mag hopen dat die ouwe zak lang en breed in z'n graf ligt?'

'Cornelius Brown, wat een manier om over je vader te praten!'

'Mijn vader was een rotzak en een zuiplap, en dat weet jij ook, Mattie.'

'Het is waar,' Mattie knikte naar het geboeid luisterende publiek.

'Dus hij is dood?'

'Hij is dood, en aan het eind heeft-ie om jou geroepen.' Dit leek geen indruk op hem te maken.

'Zal best. En m'n moe?'

'Die houdt zich flink, als altijd.'

'Mooi zo!' Er verscheen een glimlach op het gezicht van Cornelius Brown. 'Ga je dus mee, Mattie? Gewoon, om een beetje te praten?'

Rose knikte naar Mattie. 'Ga maar!' fluisterde ze.

'En dat na al die jaren!' zei Mattie, en ze rolde met haar ogen. Ze greep automatisch naar haar zwarte mantel en bleef toen staan. 'Moet ik al deze toestanden weer aantrekken, zelfs als ik met m'n eigen man over straat ga?'

'Rashid is altijd een wat gemakkelijker plaats geweest,' zei Cornie. 'Maar op dit moment beleven we onrustige tijden.' De vrouwen dachten aan de *bazaar*. Mattie, onverstoorbaar in haar zwarte mantel, verdween naar buiten, de zanderige straat in, met Cornie in zijn pyjama. Het leek een gewoon Arabisch echtpaar, maar ze kwamen wel uit Ludgate Hill.

Mevrouw Alabaster begon te lachen. 'Hij mag dan uit de marine zijn gedeserteerd, een mohammedaan zijn geworden, en met een Arabische vrouw zijn getrouwd,' zei ze, 'maar Cornelius Brown is op en top een Engelsman. Hij lóópt zelfs als een Engelsman. Hij is eigenlijk best knap, nu ik er zo over nadenk! Wilde ze hem echt niet terug?'

'Volgens mij niet. Maar ze vond dat hij zich slecht had gedragen, ze wilde hem heel graag eens zeggen wat ze daarvan vond.'

'Nou, dat heeft ze dan in elk geval gedaan,' zei mevrouw Alabaster.

'Ik ben er echter zeker van,' zei Rose, 'dat hij nu nooit meer naar Engeland terug zal gaan, dus Mattie is eindelijk echt vrij van hem.'

'Wie weet?' zei mevrouw Alabaster. 'Naar mijn mening is het menselijk hart zo vreemd en gecompliceerd dat we onszelf nauwelijks kennen.' En Rose hoorde haar Händel neuriën terwijl ze in de keuken verdween.

Mattie kwam terug met blozende wangen.

'Luister eens goed,' zei ze. 'Hij heeft ons allemaal bij hem thuis uitgenodigd om zijn andere vrouw te ontmoeten en' – Mattie leek zelf een beetje beduusd over deze informatie – 'zijn vijf kinderen!' *Allahu Akbar...* klonk de kreet over de stad.

'Wat? Wanneer?'

'Nu. Vanavond. Hij zegt dat het allemaal moet worden uitgelegd. Hij heeft het zijn andere vrouw verteld.'

'O Mattie!' zei Rose. 'Is alles goed met je?'

'Wil je echt gaan, Mattie?' vroeg juffrouw Proud nuchter. 'Vind je dit alles niet vervelend?'

Allahu Akbar... riepen de stemmen.

'Vervelend?' zei Mattie. 'Natuurlijk vind ik het niet vervelend! Toen ik hem die optater had verkocht was ik heel tevreden.' Ze zag dat ze haar allemaal aankeken. 'Denken jullie nou echt dat ik al die jaren heb lopen simmen? Ik wilde alleen geen twintig kinderen! Ik miste hem wel, natuurlijk miste ik hem, hij was levendig en we kenden elkaar heel goed. Daarom heb ik altijd geweten dat ik hem uiteindelijk zou vinden. Ik ken Cornie, ik wist dat hij op zijn pootjes terecht zou komen. Maar ik zag mijn moeder en ik zag zijn moeder, die steeds weer een baby verwachtten, en ik nam me stellig voor nooit net zo te zijn. En jij was voor mij al genoeg als dochter, juffrouw Rose.' Ze wierp Rose een heel ouderwetse blik toe. Toen schoten ze allebei in de lach. 'En die vreselijke pa van hem was genoeg om iedereen erop tegen te maken!' Mevrouw Alabaster zette een kop thee naast Mattie neer, en Mattie keek verbaasd op. 'Ach... vandaag is alles anders,' zei ze, en ze dronk gretig van de thee. Toen ging ze verder: 'Hij schijnt heel rijk te zijn geworden! Cornelius Brown! Hij is koopman, hij koopt rijst in Rosetta, Rashid noemt hij het. En hij is muzelman geworden omdat je dan gemakkelijk twee vrouwen kunt hebben!' Ze begon weer te lachen. 'Wat een vreemde wereld! Maar ik wist wel dat ik hem zou vinden.'

'Ik zou me erg bevoorrecht voelen een Egyptische vrouw in haar eigen huis te mogen ontmoeten,' zei juffrouw Proud verlangend.

'Goed dan... Vanavond,' zei Mattie. 'We kunnen niet vanavond al naar het kind gaan zoeken, juffrouw Rose.'

443

Rose knikte, maar liep ongemakkelijk weg, keek uit het raam, voelde de twee kruisen op haar huid. 'Tenzij...' Mattie keek juffrouw Proud aan. 'We hebben natuurlijk lang gereisd en u bent gewond... Bent u moe?'

'MOE?' zei juffrouw Proud woest. 'MOE? Ik heb de rest van mijn leven om moe te zijn, Mattie! Ik zal mijn mooiste jurk aantrekken, als die tenminste is opgedroogd van alle avonturen op de zandbank voor Rosetta.'

En zo leidde Alabaster zijn groepje van in zwarte mantels gehulde vrouwen in een kleine optocht naar het huis van Cornelius Brown. Ze waren blij te horen dat dit niet in de buurt van de *bazaar* was. Maar in Rosetta was de avond levendig en lawaaierig, met rijen en rijen kleine winkeltjes die door kaarsen werden verlicht. Winkeltjes met fruit, groenten, zeilmakers, maïs, kleermakers, bakkers, geldwisselaars. Het wemelde er van de mensen van allerlei nationaliteiten, er werd geschreeuwd en gelachen. *Bonjour* zeiden de Arabieren, *ciao, hello hello hello, you want to buy*? Rose keek overal uit naar George. Er doken schapen en geiten op, die weer in steegjes verdwenen, glibberend over het slijmerige afval. De vrouwen vroegen Alabaster naar de tweede vrouw van Cornelius Brown, maar waren teleurgesteld te horen dat hij haar nooit had ontmoet. Ze zagen haar in hun fantasie allemaal voor zich: jong en mooi met donkere, mysterieuze ogen, en ze trokken hun mantel nog wat verder om zich heen om hun tekortkomingen te maskeren. Wat verder bij de rivier vandaan stonden hoge, oude Ottomaanse huizen zoals ze die op die fatale dag in Alexandrië hadden bezocht. Cornelius Brown woonde in zo'n huis. Ze zagen het fraai bewerkte traliewerk (ze wisten niet dat onzichtbare ogen omlaagkeken, dat stemmen fluisterden). Ze liepen de trap op naar een koel, stenen huis waarvan een deel open was naar de avondhemel. Ze zagen de fonkelende sterren. In de belangrijkste kamer waren bedienden, maar geen Egyptische vrouwen.

'Waar is je vrouw, Cornie?' zei Mattie meteen. 'We zijn allemaal erg benieuwd, je kunt ons maar beter meteen aan elkaar voorstellen!' Het leek of ze boven zich gefladder van vleugels hoorden.

'Als jij me even wilt excuseren, Archie, dan zal ik een pijp voor je klaar laten maken.' En Cornelius bracht de vrouwen een verdieping hoger. 'Dit is de manier waarop zij het willen!' zei hij heftig tegen Mattie. 'Ik wil niet dat je grapjes over hen maakt.' Hij riep in het Arabisch om hun aanwezigheid aan te kondigen, en toen gingen ze door een gordijn. Er zaten vier vrouwen verlegen op kussens in een kamer vol tapijten, wandversieringen en zilver, en hoewel de kamer door olielampen werd verlicht, hing er een geur van sinaasappel en kaneel. De vrouwen droegen prachtige wapperende sjaals maar geen sluier. Het waren helemaal geen mooie jonge Arabische vrouwen. Ze waren beslist niet langer jong en ze waren tamelijk mollig op de manier waarop Mattie mollig was.

'Zijn dit allemaal jouw vrouwen, Cornelius?' vroeg Mattie verbaasd. Er waren twee meisjes met een olijfkleurige huid, kennelijk dochters, een van vier of vijf jaar oud, een van misschien tien, die toen de Engelse vrouwen binnenkwamen hadden zitten spelen met iets wat op knikkers leek. Het kleinste meisje holde direct naar de vrouwen, ze verschool zich achter hen door haar moeders sjaal voor haar gezicht te trekken. Het oudere meisje bleef waar ze was en keek toe.

'Ik zou jullie wel alleen willen laten,' zei Cornelius, die

445

zijn keel luid schraapte, 'dat is hier de gewoonte, en jullie zouden vast graag over mij willen praten, maar ik zal als tolk moeten fungeren.' Hij stelde zijn eerste vrouw Mattie voor aan zijn tweede vrouw Layla. In de godsdienst die hij jaren geleden had omarmd was het heel acceptabel om twee vrouwen te hebben, dus liet hij niet blijken of hij zich een bigamist voelde, maar zijn gezicht zag er wat verhit uit. Rose kreeg opeens, sinds jaren, weer het verlangen dingen op te schrijven die ze zag. 'En dit zijn Layla's zusters,' zei Cornelius, en de andere vrouwen glimlachten en bogen hun hoofd.

'*Salamu 'aleikum*,' zei mevrouw Alabaster.

'*Salamu 'aleikum*,' antwoordden ze.

Mattie en Layla namen elkaar op en leken bijna onmiddellijk troost te ontlenen aan het feit dat ze er min of meer hetzelfde uitzagen, vooral in hun lange gewaad. Layla's gewaad was koningsblauw, ze droeg er een soepele, wijde lange broek onder, zagen ze, en haar prachtige sjaal was even blauw als de Egyptische hemel. De sjaals rond haar hoofd waren versierd met zilver, en ze droeg zilveren oorbellen en hangers die zacht klingelden wanneer ze zich bewoog. Mattie trok haar zwarte mantel uit. Hieronder droeg ze haar mooiste jurk, helemaal uit Londen meegenomen, over land, zee en over de Nijl: met een hoge taille, lage halsuitsnijding en wonderlijk genoeg eveneens blauw. Ze had linten om haar haar gewikkeld en ze droeg een gouden ketting om haar hals. De Arabische vrouwen waren als betoverd. Cornies blik was ondoorgrondelijk. Even zweeg iedereen. Toen stonden de Arabische vrouwen op, praatten met kennelijke verbazing met elkaar en begonnen Matties jurk te betasten, verlegen haar blanke arm te strelen.

'Ik zal jullie even alleen laten,' zei Cornelius ten slotte, terwijl hij aan zijn hemd trok. 'Flo, kom eens hier.'

'Flo?' zei Mattie, Cornelius vragend aankijkend. Toen stapte het oudste van de twee meisjes verlegen naar haar vader. 'O,' zei Mattie goedkeurend, 'je hebt haar naar je zus vernoemd, dat zal ze leuk vinden. Aangenaam kennis met je te maken, Flo.'

'Flo spreekt Engels, net als haar oudere broers. Ze heeft me net zolang aan m'n kop gezanikt tot ik ja heb gezegd, ik zei dat het voor haar niet nodig was om Engels te leren, haar broers hebben het nodig om zaken te doen, maar zij natuurlijk niet. Maar ze was d'r niet van af te brengen. En verdomd als 't niet waar is, ze is er beter in dan die knullen, stuk voor stuk! Flo,' zei hij weer, 'wil jij voor de dames zorgen en voor hen vertalen?'

'*Aywa*, papa,' zei Flo. 'Ik zal mijn best doen.' En ze ging op een wonderlijke manier op de vloer zitten, met een been onder zich. Ze keek haar gasten verlegen aan, maar ook trots, en ze wachtte af. Haar Engels was langzaam maar duidelijk en de bezoekers hoorden dat ze het accent van Ludgate Hill in haar spraak had, net als Cornie en Mattie. Cornelius Brown trok het gordijn weer dicht en ging naar beneden. Hij transpireerde hevig.

De gastvrouwen zagen dat juffrouw Proud de oudste was, keurig rechtop in haar beste jurk en haar witte muts. Ze maakten meteen voor haar als eerste plaats op de kussens, nog voor de anderen, en zorgden dat ze comfortabel zat. Ze staarden naar de chique kleren van de Engelse vrouwen. De Engelse vrouwen staarden op hun beurt naar de prachtige zijden en katoenen stoffen. Een dienstmeisje bracht muntthee. Mevrouw Alabaster maakte beleefde opmerkingen in het Arabisch, de olielampen, die naar sinaasappels geurden, wierpen zachte schaduwen. Maar het was duidelijk dat Layla iets op haar hart had. Ze zat voortdurend tegen Flo te fluisteren, maar die schudde haar hoofd en keek naar de vloer. Er werd thee ingeschonken, er werden jurken bekeken en betast, maar Layla glimlachte niet nu Cornelius weg was.

'Ik ken je tante,' zei Mattie tegen Flo. 'Ze zal het heel leuk vinden dat Cornie haar heeft vernoemd.'

'Is ze mooi?'

'Tja... op een bepaalde manier,' antwoordde Mattie diplomatiek. 'Je kunt erg met haar lachen. Ze zong altijd veel,' mompelde ze tegen haar metgezellinnen. 'Dol op een geintje.'

'Wat is een *geintje*?' vroeg Flo meteen, en Mattie was even van haar stuk gebracht.

'Nou, heel energiek, net als je vader,' zei ze wat hulpeloos.

'Waar zijn je broers, Flo?' vroeg Rose. Flo ging direct staan en wenkte Rose haar te volgen, maar zelfs toen Rose stond wilde Flo niet weggaan voordat Mattie ook meeging. Toen ze het vrouwenvertrek verlieten, konden ze mannenstemmen horen. Pal boven de grote zaal beneden liep een smalle gang. Flo legde haar vinger tegen haar lippen en gebaarde Rose en Mattie haar te volgen. Het open gedeelte van de muur bevatte een scherm van prachtig houtsnijwerk, en door de openingen in deze wand konden de vrouwen omlaag kijken, zoals Flo voordeed. Ze zagen Alabaster zitten roken aan een vreemde, ingewikkelde pijp die omlaag voerde naar een pot met water. Cornie zat tegenover hem net zo te roken. Naast Cornie zaten vier Arabische jongens, nog geen volwassen mannen. Waren dit Cornies zonen?

'Ze zeggen dat Mohammed Ali in Caïro de leiding neemt, we weten niet wat daar zal gebeuren.' De mannen bogen zich naar voren. Rose voelde zich wat ongemakkelijk, alsof ze stond te spionneren.

Juist toen ze weer terug wilden gaan naar de kamer van de vrouwen legde Flo haar hand heel verlegen op de arm van Rose. 'De kleine jongen is de zoon van mijn tante. Man voor mij.'

'O... Maar je bent nog erg jong. Om te trouwen.'

'Het is belangrijk man te regelen, dan blij,' zei Flo. Ze leek niet erg blij. Rose zag hoe vreselijk jong ze nog was, en ze moest aan Dolly denken en deed haar ogen even dicht in een onverwachte vlaag van verdriet. Maar Flo klopte nu Mattie op de arm. Deze gebaren waren elke keer heel voorzichtig, maar wel dringend. 'Alstublieft,' zei ze zacht tegen Mattie, toen ze de vrouwenkamer weer binnenkwamen. 'Mijn moeder, zij is bang. Spreek vriendelijk tegen haar.'

Mevrouw Alabaster voerde een half-Arabisch gesprek en juffrouw Proud zat te lachen terwijl de vrouwen allerlei gekleurde sjaals om haar heen wonden. 'Nee, nee! *Shokran*, dank u!' toen Layla erop stond dat de prachtige blauwe sjaal die zij had gedragen om de schouders van juffrouw Proud moest blijven, dat deze nu van haar was. Mattie sprak zacht met mevrouw Alabaster. Mevrouw Alabaster sprak rechtstreeks tegen Layla in het Arabisch, langzaam en duidelijk. De Arabische vrouwen zwegen opeens, er volgde enig opgewonden gekwebbel en toen keken ze allemaal naar Layla, die een stortvloed Arabisch uitspoot waar geen eind aan leek te komen.

Mevrouw Alabaster richtte zich tot Flo. 'Kun jij me helpen, liefje?' zei ze. 'Mijn taal is niet goed genoeg.'

Flo richtte zich schoorvoetend weer tot haar moeder, sprak in het Arabisch. Layla knikte herhaaldelijk, net als haar zusters. Mevrouw Alabaster zei zacht: 'Ik geloof dat ze bang is dat jij hem weer mee wilt nemen, Mattie.'

'Cornelius Brown weer meenemen naar Londen, in zijn pyjama? Is ze nou helemaal?'

Flo keek Mattie aan en haalde diep adem. Rose zag opeens dat de handen van het meisje beefden. 'Mijn moeder,' zei Flo, 'vraagt me te zeggen dat ze u smeekt papa niet mee te nemen, want hij is' – ze had moeite de juiste woorden te vinden – 'haar leven en ons aller leven.' Er was iets heel ontroerends aan dit donkere meisje met haar Londense accent, zo ver van Londen. 'En verdomd als het niet waar is, ze is erg blij dat u bent gekomen.' Ze sprak heel beleefd en heel verlegen, waardoor het 'verdomd als het niet waar is' een heel plechtige klank kreeg. 'Ze weet dat u erg boos bent omdat ze zijn gezicht heeft gezien toen hij u had ontmoet.' Flo wist opeens niet meer wat ze moest zeggen en ze keek snel haar moeder aan, spreidde haar beide handen, en alle vrouwen begrepen dat Flo ook erg bang was.

'Grote hemel!' zei Mattie meteen. 'Dit is belachelijk! Arm kind. En arme moeder van je. Ik weet niet wat Cornie tegen jullie over mij heeft gezegd, maar ik ben natuurlijk niet van plan hem mee te nemen! Natuurlijk niet! Flo!' Flo keek naar Mattie. Mattie sprak heel duidelijk en heel langzaam. 'Flo, zeg tegen je moeder dat ik niet van plan ben Cornie ergens mee naartoe te nemen. En wat nog belangrijker is, ik ben erg blij dat ze hem zoveel kinderen heeft geschonken. Dat zou ik nooit hebben gedaan!' Flo vertaalde dit en Layla's gezicht, dat eerst ongelovig stond, glimlachte nu breed. Iedereen glimlachte, alle Arabische vrouwen glimlachten naar de Engelse dames die zo plotseling in hun midden waren verschenen, in hun vreemde en mooie kleren, maar die Cornelius Brown gelukkig niet mee zouden nemen.

Rose lag wakker in het stadje Rosetta, het stadje waarnaar haar vader haar had vernoemd, en ze schreef. Ze was zo lang in touw geweest sinds ze met de karavaan Alexandrië hadden verlaten, dat ze niet kon slapen. Buiten haar klamboe zoemden de muskieten en vliegen om haar hoofd, net als haar gedachten. Er was zoveel gebeurd: de dood van Dolly, iedereen erg ziek, George die het kind bedreigde, de reis naar Rosetta, de kruisen die ze bij zich droeg, het gezin van Cornelius Brown. Maar ze was naar Egypte gekomen om haar eigen gezin te zoeken. *Een klein Arabisch meisje,* schreef ze, *dat zal moeten leren een Arabische vrouw te zijn. Ze zal opgesloten worden, net als Flo en Layla en haar zusters. Als ik haar kan vinden en haar mee kan nemen, dan zullen tegen de tijd dat zij volwassen is, alle Engelse vrouwen vrij zijn om een opleiding te volgen en een beroep uit te oefenen en over de wereld te reizen. Ik zou ervoor zorgen dat ze absoluut alles leerde, ik zou goed voor haar zijn.* Plotseling werd ze overvallen door een golf van eenzaamheid. *Ik zou heel veel van haar houden. Ik zou haar liefhebben met heel mijn hart.*

Ze deed haar dagboek dicht en stak een sigaartje op.

Ze dacht aan Cornelius Brown. Had hij in al die jaren ooit aan Mattie gedacht? *Denkt hij wel eens aan Engeland?* Maar als ze nu een kind uit Egypte meenam, zou dat kind zich niets herinneren. De rook kringelde omhoog. *Natuurlijk zal ze in Engeland beter af zijn. Ik zal haar grootbrengen als een Engelse vrouw.* Ten slotte ging ze op de divan liggen en probeerde te slapen, bleef proberen in slaap te komen, *ik moet slapen*, bleef aan het kind denken, viel even in slaap en schrok toen weer wakker. *Waar is George?* Ze lag in de hitte te woelen en te draaien. *Er zal geen kind van Harry zijn*, had George gezegd. *Waar is hij?* Ze schudde haar hoofd, alsof ze een zoemend geluid probeerde kwijt te raken, en opeens begreep ze dat ze geen ogenblik langer kon wachten. Snel trok ze haar jurk aan, maakte de witte sluier en de kleine tulband vast, sloeg de zwarte mantel over alles heen en verliet het huis te voet, nu geheel bedekt, net als een van de vrouwen in de smalle steegjes van de *bazaar*.

De straten waren nog steeds vol met Arabieren en vreemdelingen, de kraampjes gingen nu dicht maar er klonken flarden van gelach en muziek onder de heldere sterren van Rosetta. Hoge fluiten en nasale stemmen vormden een vreemd lied. Alabaster had gezegd dat de kerk vlakbij de Turkse baden lag. Niemand besteedde enige aandacht aan haar. Ze bleef aan de zijkant van de belangrijkste straten en keek niet op, haastte zich als een donkere schaduw door de fraaie poorten, langs witte gebouwen, op weg naar het enige Engelse uithangbord dat ze had gezien: BATHS. Ze zocht een teken van een christelijke kerk en vond dat achter de baden: een wit kruis op een oud, vervallen gebouw. De poort naar het koptische kerkhof was op slot. Ze wachtte even, keek ongemakkelijk om zich heen, en klom toen, terwijl ze mantel, jurk en doek om zich heen klemde, snel over de poort naar het kerkhof.

De kerk was in duisternis gehuld, maar er viel licht uit een smal pad ertegenover en ze volgde het licht, terwijl ze intussen zichzelf toesprak dat ze zich nu op een christelijke plek bevond en dat ze dus veilig moest zijn. Ze stapte over kapotte stenen op weg naar een poort die naar het smalle pad leidde.. Ze hoorde geritsel. Mensen? Dieren? Ze wist het niet. Ze rook de sesamolie van lampen, ze rook eten, specerijen en vuilnis. *Ze zag de gillende Arabische vrouw die met bloedende voeten door een schemerig en gevaarlijk steegje werd weggesleept.* Tegen een muur stond een man – een priester? – zijn behoefte te doen. Rose wachtte, maar toen hij klaar was haalde ze diep adem en zei luid: '*Salamu 'aleikum.*' Hij schrok zich een ongeluk. Maar hij had haar stem gehoord. Hij keek haar onderzoekend aan, begreep dat ze een buitenlandse was en Rose meende hem te horen zuchten.

'*Français?*' zei hij. '*Italiano?*'

'*English,*' zei Rose. 'Spreekt u Engels?'

'Een beetje,' zei hij.

'O, daar ben ik blij om,' zei Rose. 'Ik heb uw hulp nodig.'

'Natuurlijk,' zei hij en ze vermoedde dat als ze midden in de nacht over een hek klom, ze inderdaad hulp nodig had. 'Een kind?' vroeg hij.

Rose was met stomheid geslagen. Hoe kon hij dat weten? Had hij van haar zoektocht gehoord? Wist iedereen in Egypte van Harry's kind? *Waar is George?* Ze knikte.

'Kom morgen terug,' zei hij nors en hij draaide zich om en zou door de deuropening zijn verdwenen.

'Nee, nee! Wacht!' Haar luide kreten weergalmden door het smalle, ruwe poortje. De priester draaide zich geërgerd om. Ze probeerde een kruis, het houten, van haar hals te rukken, maar het bleef steken in de witte sluiers, als twee godsdiensten die met elkaar vochten. Ten slotte trok ze de sluier weg, deed het koptische kruis af en stak dit uit naar de priester. Zijn gezicht veranderde, hij keek haar opnieuw aan, nu zorgvuldiger.

'Bent u bootmeisje?'

'Wat is "bootmeisje"?'

'Waarom bent u hier, in de Kerk van de Heilige Marcus?'

'Zoals ik al zei, omdat ik op zoek ben naar een kind.'

'Bent u op zóék naar een kind?' Rose knikte, en hij vroeg nogmaals: 'U bent op zóék naar een kind dat in leven is?'

'Ja,' zei ze. 'Een kind dat half Egyptisch en half Engels is. Ik zoek het kind van de Engelse kapitein.' Hij bestudeerde haar gezicht, haar manier van doen aandachtig.

'Dit?' zei de priester, en hij hield het houten kruis omhoog. Ze vertelde hem alles. Hij leek alles te overwegen en tot een besluit te komen. 'Kom,' zei hij ten slotte. Hij hield het houten kruis nog steeds in zijn hand.

Ze liepen door de deuropening een donkere gang in, *ik ben niet bang, ik ben niet bang,* en ze werd naar een kleine kamer gebracht. Daar zaten enkele mannen rond een tafel. Een oude man zat in kleermakerszit tussen enkele kussens op de vloer.

Hij rookte het soort waterpijp dat ze Alabaster had zien roken. Ze onderbraken hun gesprek enigszins verbaasd toen Rose achter de priester aan de kamer binnenkwam. Rose voelde haar hart hevig bonzen, maar ze zei streng tegen zichzelf dat het kopten waren, geen mohammedanen en dat ze haar echt niet zouden stenigen. De priester van de kerk liet het kruis aan de mannen zien.

'*Salamu 'aleikum,*' zei ze voorzichtig.

De priester sprak snel in het Arabisch. De oude man op de vloer zoog aan de zoetgeurende tabak in de waterpijp, blies de rook met halfdichte ogen uit en keek naar Rose. Het werd weldra duidelijk dat ook al sprak hij geen

Engels, het gesprek met hem zou moeten worden gevoerd. De priester fungeerde als vertaler.

'Wat voor kind is dit?' vroeg de oude man.

'Een kind dat is geboren uit een Egyptische vrouw, nadat de Britse troepen hier waren vertrokken. De vader was kapitein bij de Engelse marine en werd in de straten van Alexandrië gedood. Ik geloof dat de vrouw is gestenigd door haar eigen volk. En ik denk dat u het kind hier hebt.' Ze keek om zich heen in de donkere, smoezelige kamer, in de verwachting het kind opeens te zien verschijnen, en ze voelde zich alsof haar hart uit elkaar zou springen.

'Wat wilt u met het kind?'

Ze haalde diep adem. 'Het is een meisje, en het is het kind van mijn man. Mijn man is dood, zoals u weet.'

Donkere ogen keken haar aan. 'U kent het verhaal?'

'Ja.'

'En u wilt het kind toch zien?'

'Ja.'

'Wat wilt u met het kind doen?'

'Wat het beste is voor het kind. Is het hier?' Ze probeerde de hysterische klank uit haar stem te weren. Maar haar hart bonsde zo hevig dat dit niet lukte. 'Ik denk dat het kind in gevaar verkeert! Is het hier?'

De oude man gaf niet meteen antwoord op de vraag. 'Bent u een christen?'

Ze begreep dat dit een soort test moest zijn, ze dacht aan dominee Horatio Harbottom en hoopte dat God haar niet zou neerslaan. 'Ik ben een Engelse. In Engeland zijn we christenen en mijn neef is een bekende dominee.'

'Denkt u dat u hetzelfde bent?'

'Pardon?' Het sloeg allemaal nergens op, ze had het

niet begrepen, ze was duizelig van slaapgebrek maar ze moest deze test doorstaan.

'Dit is de plaats waar het christendom is begonnen. En het mohammedaanse geloof. En het joodse geloof. Kent u Mozes?'

'Natuurlijk.' Haar ogen stonden nu verwilderd. *Waar is het kind, hebben ze het kind hier, ben ik eindelijk in de buurt van het kind?*

'Het was hier in Egypte dat zijn biezen mandje werd gevonden. Langs de Nijl. In ons land staat er een joodse synagoge waar Mozes was gevonden, en er staat een christelijke kerk vlakbij. En een moskee ernaast. Ooit waren we nauw met elkaar verweven, nu zijn we vijanden. We wonen allemaal in het land van onze voorvaderen en onze godsdienst, onze geschiedenis leeft hier, bij ons. Denkt u dat u hetzelfde bent?'

Ze wist niet goed wat hij bedoelde. 'Hetzelfde als u?' Ze had geen idee wat hij wilde dat ze zou zeggen. 'Ik denk dat we in Engeland... meer afstand bewaren tot onze godsdienst.' Ze gebruikte haar handen: *apart, gescheiden.* 'Hier in Egypte lijkt het wel of u... of u allen... erin woont.' Ze zette haar handen tegen elkaar. Ze had geen idee wat de vertalende priester daarvan zou maken, maar de oude man knikte alsof het antwoord hem tevreden stelde. De andere mannen zaten vol belangstelling naar deze uitwisseling van standpunten te luisteren.

Opeens knielde ze neer voor de oude man die in kleermakerszit op de vloer zat. 'Vertel me alstublieft of het kind hier is! Ze is niet veilig!' Ze stak haar armen naar hem uit, ze kon het niet helpen. 'Ik moet haar meteen meenemen!'

Hij bekeek haar hysterische manier van doen met belangstelling en slaakte een kreet die Rose voor een soort Egyptische verwensing hield, zodat ze zich direct van hem en van zijn vreselijke adem weg boog. Maar hij herhaalde het, en ze begreep dat het een soort gegrinnik was. 'Je hoeft niet zo te schreeuwen, God zal antwoorden als Hem dat behaagt!' Nu lachten alle mannen terwijl ze de waterpijp doorgaven, en Rose boog schijnbaar onderdanig haar hoofd en wachtte gespannen af. 'Maar u hebt koptisch kruis van een van ons gekregen, en dat verwachten wij niet in handen van *franks*. Als een van ons het u heeft gegeven, is dit teken voor ons, wij u moeten geloven en vertrouwen.' Rose dacht aan de vrouw die veegde en luisterde. Ze bleef op haar knieën liggen.

'Dit is alles berg geworden,' zei de oude man. Rose keek de tolk aan. *Berg?* Maar hij haalde zijn schouders op. 'Het is maar een meisje, en half Engels. Ze had dood kunnen zijn. Wij verbergen haar alleen om Engelse koopman in Alexandrië die geld had. Maar ze probeerden hem te doden, de Turken, en hij moest vluchten... Er is nu geen geld. Als u geld hebt, u haar gemakkelijk van monniken kopen. Ze is in klooster bij monniken.' De oude man deed heel afstandelijk en de waterpijp ging rond terwijl ze haar zorgvuldig opnamen.

We kunnen elkaar niet kennen, dacht Rose. *Wie weet of ze de waarheid vertellen? Toch zijn zij de enige mensen in de hele wereld die me kunnen helpen. En dus moet ik hen vertrouwen.* Pas op dat moment, toen hij zich uitrekte naar de waterpijp, zag Rose dat de oude man niet in kleermakerszit tussen kussens zat: hij had geen benen. Ze wendde snel haar blik af.

'Waar is het klooster?'

De oude man keek haar sluw aan en antwoordde zelf. 'Ik,' zei hij in het Engels, en hij wees naar zijn borst. 'Ik!'

Het was vroeg in de morgen toen ze weer bij het huis arriveerde.

Iedereen was op, iedereen praatte, behalve Alabaster, die met open mond op de divan lag te snurken. 'Ben je daar!' zei juffrouw Proud opgelucht. 'Waar heb je gezeten? Heb je een vroege wandeling gemaakt? Je hebt de deputatie gemist.'

Ze verstijfde. 'George?'

'Nee, Cornelius en Layla en de zonen.'

'Wat is er? Wat is er, Mattie?' Want Mattie had vuurrode wangen.

Mattie liep snel naar de keuken, naar het Arabische personeel. 'Vertelt u het maar, mevrouw Alabaster, als u wilt,' zei ze over haar schouder. 'Ik moet die mensen in de gaten houden, anders weet ik niet wat ze u voor ontbijt geven – waarschijnlijk die magere katten!'

Mevrouw Alabaster liet haar gewrichten knakken en wikkelde zichzelf met haar lange sjaal om een marmeren pilaar. 'Nou, ik weet niet goed wat jij hiervan zult vinden, Rose,' zei ze. 'Mattie heeft vanmorgen heel vroeg bezoek gekregen van het huisgezin van Cornelius Brown. Cornelius en Layla, de zusters, de zonen, en Flo en Flo's verloofde... iedereen!' Mevrouw Alabaster lachte. 'Luister!' zei ze, alsof Rose niet heel aandachtig luisterde. 'Cornie en Layla en de hele familie hebben Mattie gevraagd in Rosetta te blijven. Dat wil zeggen' – ze zweeg even – 'om permanent bij hen te komen wonen.'

Rose merkte niet dat haar mond openviel. 'Hoe bedoelen ze, bij hen komen wonen?'

'Het schijnt dat ze graag willen dat zij haar plaats in het huishouden inneemt als eerste vrouw.'

'Mattie... eerste vrouw? Zijn ze nou helemaal gek geworden? Hoe dúrven ze?'

'Misschien zou Mattie daar gelukkig zijn,' zei juffrouw Proud. 'Misschien moet je haar zelf laten beslissen, Rose.' Rose keek haar verbijsterd aan, ze voelde haar wangen gloeien.

'Voor zover we het hebben begrepen was het Layla's idee,' zei mevrouw Alabaster, die nog steeds om de pilaar gestrengeld stond. 'Ik heb de indruk dat zij daar de touwtjes meer in handen heeft dan je op het eerste gezicht zou zeggen, en zij heeft voornamelijk het woord gevoerd. Ze denkt dat het voor Cornelius goed zou zijn iemand uit Engeland om zich heen te hebben, iemand die ook zijn familie kent. Layla heeft tenslotte haar zusters nog. Ze denken allemaal dat het hem gelukkig zou maken. En Cornelius leek het met hen eens te zijn, ondanks zijn blauwe oog.' Ze zag het geschokte gezicht van Rose. 'Ik heb je gezegd dat het menselijk hart veel verrassingen kent,' besloot ze droog.

De grote deur werd voorzichtig opengeduwd. In de grote zaal met de prachtige marmeren zuilen stapte een meisje van tien naar binnen: Flo, de jonge dochter van Cornelius Brown, half Arabisch, half Engels, met haar gezicht bijna volledig bedekt, vergezeld van een van haar jonge broers. Ze had een heel grote bos gele rozen bij zich, alsof ze uit de tuin van haar vader kwamen. De geur ervan vervulde onmiddellijk de kamer. '*Maati?*' zei ze onzeker. Mattie verscheen bij de keukendeur. Flo stak haar de rozen toe. 'Alsjeblieft, *Maati*,' zei ze. 'Blijf alsjeblieft bij ons, kom alsjeblieft in ons huis wonen. Ik zal voor je zorgen.' En de broer boog, bedremmeld, verlegen in aanwezigheid van de vrouwen. Daarna draaiden de twee kinderen, want het waren nog maar kinderen, zich om en vertrokken weer even snel als ze gekomen waren. Mattie

staarde hen na, met een uitdrukkingsloos gezicht, de rozen in haar armen. Rose voelde tranen in haar ogen prik-
ken. Mattie was natuurlijk niet haar bezit.

'Mattie,' zei ze heel snel. 'Als jij bij Cornie wilt wonen,
moet je dat doen. Je moet doen wat je gelukkig maakt.
Daar laat ik je uiteraard vrij in, maar... ik ga met een boot
de Nijl op om het kind te halen.' Iedereen staarde Rose
aan. 'Ik weet waar het kind is. Zodra het donker is ga ik
de Nijl op om haar te halen.'

Vierentwintig

/

$\mathscr{I}$n de verte was het geluid van koperen belletjes van de hindoetempel te horen, een licht tingelend geluid als van kinderen die met vriendelijke goden spelen. Fanny zat in een schommelstoel op de beschaduwde veranda. De stoel bewoog zacht heen en weer en Fanny waaierde zich koelte toe in de hitte van de late middag. Er zakten slierten rood haar onder haar breedgerande hoed vandaan. Ze had met de vrouw van haar broer in de grote tuin gewandeld, maar ze had het opgegeven in de warmte. Haar moeder had prachtige jurken van Indiase zijde en katoen en geborduurde mousseline voor haar laten maken. Fanny had nooit eerder in haar leven zoveel mooie kleren gehad. Vandaag droeg ze koele, blauwe, Indiase katoen, de tweede jurk van vandaag, want de hitte was drukkend. Ze had zelfs haar schoenen uitgedaan. Dit was het 'koude' seizoen, de winter van India. Maar Fanny viel de hitte zwaar, ze dacht aan sneeuw. Zwijgende bedienden brachten met regelmatige tussenpozen koele dranken; misschien dachten ze dat Fanny lag te slapen, ze had haar ogen dicht.

Maar Fanny dacht na.

De schitterend onderhouden tuinen spreidden zich voor haar uit in hun wonderbaarlijke mengeling van kleuren, met rood, geel en goud. Indiase tuinlieden bewogen zich in hun lange *dhoti's* tussen de bloemen. De oude man met tulband die de leiding over hen had zat in de schaduw van de banyan waarvan de takken tot aan de grond hingen. Fanny kon haar kinderen horen roepen en lachen met hun nichten en neefjes en met de Indiase bedienden die op hen pasten.

Er ging een uur voorbij. Fanny deed haar ogen open, schommelde heen en weer. Maar ze had niet geslapen.

Haar vader kwam de veranda op in zijn witte pak, met wat papieren in de hand. Hij kwam bij haar zitten aan een kleine tafel. De bedienden brachten glazen thee.

'Je ziet eruit als een plaatje, liefje!' zei hij op zijn gebruikelijke opgewekte manier, terwijl hij naar haar glimlachte. 'Je zou vaker blauw moeten dragen.' Hij dronk van zijn thee. 'Er is post,' zei hij.

'Van Rose?' Fanny sprong zo gretig op dat haar hoed op de schommelstoel viel. Ze ging aan het andere eind van de tafel zitten en streek haar haar naar achteren. 'Er is een brief van Rose! Is ze onderweg? Heeft ze het kind gevonden?' Gretig stak ze haar hand uit naar de brief.

'Niet van Rose, liefje.'

'O.' Fanny's gezicht betrok. 'Ik mis haar heel erg, ik was ervan overtuigd dat ze zou komen als ze kon. Ze zou het hier vast heerlijk vinden, papa. Maar misschien is ze nog steeds op zoek naar het kind. O, als we dat toch nog eens konden weten.' Hij zei niets.

Ze draaide wat aan de Indiase armbanden die haar zusjes haar hadden gegeven. Ze had natuurlijk opgemerkt dat hij niets zei. Ten slotte vroeg ze: 'Van Horatio, dan?'

'Van Horatio en anderen.'

'Hoe bedoel je?'

'Tja, lieve kind, we wisten dat dit moest gebeuren. We wisten dat we uiteindelijk bericht van Horatio zouden krijgen.'

'Ja, natuurlijk.'

'Hij heeft een advocaat in de arm genomen en hij heeft de Company erbij betrokken.'

'The East India Company?'

Hij zag de ontzetting op haar gezicht. 'Ja, Fanny.'

'O papa! Daar had ik niet aan gedacht. Het spijt me heel erg.'

'Nee, doe maar rustig. Ze waarschuwen me niet omwille van mij, maar omwille van jou. Je weet dat ik allerlei advocaten om raad heb gevraagd, maar er rest jou geen alternatief, zoals we al vaak hebben besproken. Als je de kinderen wilt houden, moet je terug.' Hij zag haar gezicht. Hij wenste dat zijn vrouw hier was in plaats van binnen bezig te zijn. 'Het had erger kunnen zijn, Fanny, liefje. Horatio had erop kunnen staan dat de kinderen onmiddellijk bij hem terugkwamen, zonder jou, en dan was daar niets tegen te doen geweest. Hij heeft met enige' – meneer Hall sloeg zijn ogen op naar de Indiase hemel – 'christelijke grootmoedigheid ermee ingestemd dat jij ook terug mag komen – en wel meteen.'

Fanny bleef roerloos zitten.

In de stilte hoorden ze het gekwetter van vogels die terugkeerden naar de bomen in de tuin, en ze zagen felle kleuren voorbijschieten. De lucht vlamde vurig op in de zonsondergang. Er kronkelde een kleine slang over de veranda en Fanny trok onwillekeurig haar blote voeten op, hoewel ze wist dat deze niet gevaarlijk was. Haar vader schoof hem opzij met zijn stok, hij glimlachte naar haar. Hij wenste dat hij zijn oudste dochter beter kon helpen, ze had duidelijk verdriet. Zijn vrouw was beter in dit soort dingen dan hij. Zijn vrouw en hij waren dol op hun twee nieuwe kleinkinderen, ze hadden hen zien opbloeien en wilden niet dat ze zo snel alweer moesten vertrekken. Ergens blafte een hond.

'Gelooft u in God, papa?'

Hij keek verbaasd op bij deze wending in het gesprek en toen lachte hij hartelijk. 'Nou ja, zeg, jij weet toch zeker meer over zulke dingen dan ik! Het is geen terrein waarop ik veel heb onderzocht. Misschien is er een vriendelijke heer in de hemel die over ons waakt, enzovoort, wat denk jij?' Hij glimlachte weer, hij had zich altijd meer op zijn gemak gevoeld als hij glimlachte. 'Dat heb ik je toch altijd verteld toen je klein was!'

'Dat weet ik. En ik heb altijd vrolijk tegen hem gepraat. Horatio ziet echter een wraakzuchtige macht als we niet doen wat hij wil.'

'Wat God wil of wat Horatio wil?'

Fanny schoot onwillekeurig in de lach. Haar vader glimlachte opnieuw en ze moest opeens aan de kinderlijke hiëroglief voor hem denken: geen gezicht, alleen maar een glimlach.

'Ik heb nagekeken wanneer er schepen uit Bombay vertrekken,' zei hij ten slotte. 'Er gaat er een aan het eind van de week...'

'Nee!'

'... en daar kunnen we brieven op meesturen: naar Horatio, naar Londen, voor het geval Rose weer thuis is gekomen. Er zijn nog wat vertrekdata aan het eind van de maand, die uiteraard niet geheel betrouwbaar zijn nu ze soms omwegen moeten maken of terug moeten gaan vanwege Napoleon en zo.'

Wanneer in India de avond valt, valt hij snel. Er is een prachtige schemering en daarna is het nacht, en in het koude seizoen is het dan koeler. Ze hoorden dat de kinderen werden opgehaald om naar binnen te gaan en er klonken hoge stemmetjes vol teleurstelling. Bedienden liepen geruisloos heen en weer om kandelaars aan te steken, brachten er ook een paar naar buiten, maar meneer Hall gebaarde ze weer mee te nemen, want het licht lokte muskieten en nachtvlinders en andere, grotere, insecten en er viel genoeg licht naar buiten vanuit het huis waar ze Fanny's moeder opdrachten aan het personeel konden horen geven, en waar de zusjes elkaar riepen. De vogels zwegen nu, maar niet ver bij hen vandaan konden ze jakhalzen horen blaffen en apen horen kwebbelen. Dit huis vormde een oase van beschaving, net als andere huizen in het district, maar als de duisternis inviel leek de wildernis heel dichtbij. Er viel een bundel kaarslicht naar buiten, daarna werd het weer donker toen er een deur dichtging, en er ritselde een rok. Fanny's moeder kwam bij hen zitten. Ze had drie glazen goede Spaanse sherry op een dienblad. Meneer Hall had zo zijn wegen om alles te bemachtigen wat ze nodig hadden. Zijn vrouw vroeg maar niet precies hoe. Maar terwijl ze hun sherry dronken waren er flakkerende lichten verderop langs de weg en het geluid van paarden. Ze zouden naar de andere kant van het huis komen. Meneer Hall zuchtte, half opgelucht, half geërgerd: zaken.

Hij dronk zijn glas leeg en zei: 'Nou, Fanny, je moet blauw dragen, mijn liefje, dat staat je goed. En wat voor plannen je ook maakt, je weet dat ik je financieel zal helpen wanneer dat maar nodig is.'

'Dank u, papa.' De deur naar het huis ging achter hem dicht.

Mevrouw Hall had een lichte omslagdoek meegebracht en ze legde die om de schouders van Fanny. 'Je papa heeft het me verteld, lieve Fanny, van de brieven.'

'Ik zal aan het eind van de maand naar Engeland teruggaan, mama.' Er kwaakten kikkers in de tuin, zonder ophouden.

'We zijn heel blij geweest je te zien, maar het is wel een kort bezoek geweest,' zei mevrouw Hall verdrietig. 'Ik zal de kinderen heel erg missen. En jou, mijn liefste Fanny.' Mevrouw Hall had tegenover Fanny nooit haar mening over Horatio Harbottom geuit, ze had hem altijd 'die lieve Horatio' genoemd, maar toen ze op de Indiase veranda in het donker een slokje van haar sherry nam, dacht ze terug aan Fanny's trouwdag en aan de schijnheilige stem die *Gods zuivere water zal mijn keuze zijn* had gezegd terwijl de gasten een mooie sherry dronken, net als deze. En ze had gehuiverd bij zulk stuurs gedrag op zo'n dag, en dit voorgevoel was alleen maar versterkt toen Horatio Fanny had verboden naar Londen te gaan, zelfs toen haar familie naar India vertrok. Mevrouw Hall was verdrietig over de verandering in haar dochter. Ze dacht aan haar zoals ze daar, hoogzwanger, bij het hek van de pastorie in Wentwater naast de geurende kamperfoelie had gestaan om afscheid te nemen van haar familie, hun te zeggen dat ze zich geen zorgen moesten maken, huilend, zwaaiend en glimlachend. Fanny was altijd zo zuiver geweest, zo puur. Het leek een vreemd woord, maar mevrouw Hall gebruikte het toch. Fanny, met haar snelle geest, haar zekerheid omtrent God, en bovenal haar simpele goedheid. Ze bezat die goedheid uiteraard nog steeds, ze straalde die uit. Maar er was iets veranderd in haar dochter. Een droge, wrange manier van doen, alsof de wereld minder wijs was dan ze had verwacht.

'Fanny, lieverd...'

'Ik heb een plan, mama.' Iemand had nu een lamp in een raam in het huis gezet en het licht van de lamp viel op de zijkant van Fanny's gezicht. Mevrouw Hall zag dat haar dochter haar wenkbrauwen had gefronst. Fanny's Indiase armbanden rinkelden toen ze de sherry iets te snel opdronk en haar glas neerzette op de tafel. 'Er zal behendigheid voor nodig zijn, en al mijn moed, maar ik heb een plan.' Die droge, bijna glimlachende toon. 'Geloof je in God, mama?'

Mevrouw Hall keek in het vage licht onderzoekend naar het gezicht van haar dochter. In de loop van vele jaren had ze ontdekt dat ze het beste kon blijven kwebbelen. Haar gezin verwachtte dit van haar en de oplossingen kwamen dan soms vanzelf bovendrijven. Men scheen te denken dat zij dit niet merkte. Ze zei: 'Om je de waarheid te zeggen, Fanny, vind ik de hindoegodsdienst heel aardig. Ze hebben veel goden en veel feesten, kleurrijke optochten en vrolijkheid. Maar ze verwachten wel dat vrouwen zich offeren op het graf van hun man en dat kán natuurlijk niet, dat is een heel barbaarse gewoonte. O, en ik vind Boeddha wel aardig, zo'n vreedzaam uitziende, weldoorvoede god. Boeddhisten geloven dat wij in vorige levens vlinders of olifanten zijn geweest. Ik denk dat er veel mooie godsdiensten zijn en dat we met zijn allen gelukkig samen moeten leven. Maar, Fanny, dit zijn dingen die je met je vader moet bespreken, niet met mij, want ik heb weinig opleiding genoten, zoals je weet. We gaan hier natuurlijk naar de anglicaanse kerk, maar ik merk dat ik het in deze wereld te druk heb om me veel zorgen te maken over de volgende. O, vergeef me, Fanny, ik vergeet dat Horatio natuurlijk een man van de kerk is, en hoewel jij het tegenwoordig niet meer zo vaak over God hebt als vroeger – weet je nog hoe vaak je vroeger met hem sprak? – verwacht ik dat je op dat punt nu toch wel je mening zult hebben gevormd. Het zou uitermate onhandig zijn' – ze dronk haar glaasje leeg – 'als een domineesvrouw niet in God geloofde!' Ze keek steels naar haar dochter in het schemerlicht, maar Fanny's gezicht stond ondoorgrondelijk. 'Maar als je problemen hebt, moet je daar misschien eens over praten met die reuze aardige quakers die bij jou aan boord waren. Ze waren veel aardiger dan die zure, jonge vicaris!'

Fanny schoot in de lach. 'Lieve mama. Je bent natuurlijk veel slimmer dan de rest van ons bij elkaar!' Haar armbanden rinkelden toen ze het dienblad en de lege sherryglazen oppakte. 'Als ik weer terugga naar mijn bestaan als mevrouw Horatio Harbottom, zal ik in elk geval een plan nodig hebben.' Ze stond met het dienblad in de hand op de veranda naar de kikkers te luisteren. Na een tijdje zei ze: 'Die reuze aardige quakers over wie jij het hebt, zeggen dat God liefde is, mama. Als God echt bestaat, weet ik zeker dat hij me zal vergeven wat ik van plan ben te gaan doen.' Ze weidde hier verder niet over uit.

Mevrouw Hall kende haar dochter goed genoeg om geen vragen te stellen. Ze zag dat Fanny iets had besloten. 'Zolang je niet van plan bent die lieve Horatio te vermoorden, weet ik zeker dat de Heer het zal begrijpen,

Fanny, lieverd,' zei ze, en ze zag opnieuw die wrange glimlach, en even later liepen ze gearmd terug het huis in, waar ze de kinderen konden horen spelen en Fanny's zusjes ruzie horen maken, zogenaamd over een kaartspelletje, maar in werkelijkheid over een officier in Zijne Majesteits leger van India.

Die nacht kwam Fanny naar haar moeders kamer met een kandelaar in de hand. Mevrouw Hall, met een grote witte slaapmuts op, schoot direct uit haar slaap overeind.

'Wat is er, liefje? Is er iets aan de hand?' Fanny was in haar nachthemd, met haar rode haar wild rond haar hoofd. 'Kom eens bij me zitten, zoals je dat vroeger altijd deed.'

'Ik wil je iets zeggen, lieve mama.' Fanny zette de kaars op een tafeltje en ging op de rand van haar moeders bed zitten. 'En daarna zal ik het nooit meer zeggen en zal ik ontkennen dat ik het heb gezegd, zelfs tegenover papa, en ik zal het tot aan mijn dood zelfs niet aan Rose vertellen, want ik kan het alleen doen als ik het aan niemand vertel, maar ik merk dat ik het toch aan íémand moet vertellen.'

Mevrouw Hall wachtte heel rustig, ze zette haar nachtmuts niet recht, ze trok niet aan de lakens, bijna alsof ze er helemaal niet was. Buiten kwaakten nog steeds de kikkers op het gazon.

'Ik heb besloten quaker te worden, mama. En niet alleen maar een quaker, maar ook een prediker, want ze gebruiken daar ook vrouwen voor, zonder enige vorm van onderscheid, en ze zeggen dat ik talent heb.'

'Je hebt inderdaad talent, Fanny. Je bent een van de "goede" mensen op deze wereld, dat valt niet te ontkennen.'

Fanny zuchtte. 'Maar weet je,' – haar moeder zag in het kaarslicht de gespannen trek op haar gezicht – 'ik kan niet langer in God geloven, mama. Als hij echt bestaat, wordt hij heel slecht gediend door veel van zijn vertegenwoordigers. Misschien komt hij toch nog op een dag tot me, misschien ook niet. Intussen verkeer ik in een erg moeilijke positie, zoals u zegt, omdat ik met een dominee ben getrouwd. Dus heb ik besloten dat te gebruiken wat ik van Horatio heb geleerd – en wat ik heb geleerd, moet ik tot mijn spijt zeggen, is dat de kerk vol huichelaars zit – en dat aan te wenden tot mijn eigen nut.' Als mevrouw Hall verbaasd of geschokt was liet ze dit niet merken. 'De quakers zullen voor me zorgen. Ik bedoel natuurlijk niet dat ik het nodig heb dat er "voor me gezorgd" wordt, maar er is besloten dat ze in Wentwater heel alomtegenwoordig zullen worden.'

'Daar zal Horatio niet blij mee zijn,' zei mevrouw Hall voorzichtig.

'Die lieve Horatio' – weer die nieuwe, droge toon – 'heeft altijd moeite gehad zich anders dan onderdanig te gedragen in de aanwezigheid van hertogen en hertoginnen, en mijn... mijn mentrix, zou je haar misschien kunnen noemen, is een hertogin. Ik zou niet op de uitkomst voor Horatio's ziel durven wedden als hij zou moeten kiezen tussen godsdienst en de adel! Hij zal inderdaad woedend zijn. Maar het betekent dat ik steun zal hebben in Wentwater – en die steun heb ik hard nodig gehad.'

'O, mijn lieve kind...'

'Nee, mama, je had me niet kunnen helpen, deze keer niet.' Ze streek haar moeders laken even glad. En ze lachte. 'Mama, het is altijd mijn werk als domineesvrouw geweest met vrouwen te praten, te proberen hen te helpen met hun problemen. Maar bij al mijn goede raad zou het in geen honderd jaar in me zijn opgekomen zulke wilde ideeën te bedenken als waarmee de hertogin van Brayfield voor mij is gekomen.' Mevrouw Hall gaf opnieuw geen blijk van verbazing over de vertrouwenspersoon van haar dochter, hoewel ze waarlijk verbaasd was, want iedereen wist wie de hertogin van Brayfield was. 'Ik zal goeddoen, ik geloof in de goedheid van deze wereld. Maar ik geloof niet langer dat er een christelijke God is, die man met die witte baard tot wie ik als kind altijd heb gesproken. De hertogin zei: *"Waarom dan niet alleen goeddoen? Wie zou het verschil weten, behalve jij en ik?"* 'In de verte jankte een jakhals, of een vos, tegen de maan. Het was een melancholiek geluid en het stierf weg in de verder stille nacht. 'Maar niemand zal er ooit enig idee van hebben.'

'Ik ben niemand,' zei haar moeder troostend, 'en het enige wat ik wil zeggen is dat iemand met zo'n oprecht hart als jij altijd goedheid aan andere mensen zal brengen, en echt, dan maakt het niet uit wat je aan hebt.' En in de tropische nacht lachten ze, misschien een melancholieke lach, net als de kreet van de jakhals, maar toch een lach om hoe de wereld was, en om hoe je daarmee om moest gaan.

Vijfentwintig

*A*labaster zat op de divan. Hij had de hele dag niet op stap kunnen gaan omdat zijn vrouw hem met argusogen bewaakte. De hele dag had hij zijn rum niet kunnen vinden omdat zijn vrouw die achterover had gedrukt. Hij voelde zich uitermate beroerd en zijn handen beefden. Hij had uiteindelijk onder het boze, achterdochtige verhoor van mevrouw Alabaster toegegeven dat de burggraaf in Rosetta was gearriveerd en dat ze elkaar hadden ontmoet.

'Wat heb je hem verteld?'

'Alleen dat we naar de kerk zouden gaan. Wat viel er anders nog te vertellen?' Hij was eerst nog tekeergegaan, maar onder de vernietigende blik van zijn vrouw was hij ten slotte gaan fluisteren. 'Hij heeft me vier keer zoveel betaald, Vennie! Vier keer zoveel.' Daarna had ze geweigerd tegen hem te praten. Nu luisterde hij vol ongeloof naar hun plannen. Hij was hard aan een stevige borrel toe. Zijn gezicht was verkrampt, zowel van pijn als van ongeloof. 'Ze kan echt niet alleen gaan, Vennie,' mompelde hij. 'Vreemdelingen worden doodleuk vermoord. De

472

kopten kunnen een buitenlandse vrouw niet beschermen.' De late middagzon scheen helder aan de exotisch
blauwe lucht.

'Neem Flo mee,' zei Mattie. 'Ze kan tolken en je zult
minder opvallend zijn, een vrouw met een meisje. Een
vrouw alleen is niet veilig.'

'Ik ben absoluut niet bang meer.' Rose had drie uur
geslapen, ze was bedwelmd door haar succes. 'Ik heb
's nachts door Rosetta gelopen zonder ook maar ergens
last van te hebben, zonder zelfs maar te worden opgemerkt. Ik geloof dat we het gevaar overdrijven.'

Juffrouw Proud zag erg bleek. 'Ben jij die vrouw in het
steegje vergeten?'

Rose dacht: *Het kind heeft me nu nodig. George mag haar
echt niet vinden. Ik laat me nu door niets meer bang maken.*

'Er zitten piraten en gekken op de Nijl,' zei mevrouw
Alabaster kalm. 'Iedere voorbijganger zal zien dat jij een
buitenlandse bent en kan het in zijn hoofd halen je te vermoorden. Dat is de realiteit van een nachtelijke tocht
over de rivier, met volslagen vreemden.'

'Neem Flo mee,' zei Mattie weer. 'Zij zou kunnen helpen. Ze zullen een kind niet opmerken.'

'Ze kan Flo toch zeker niet zomaar meenemen!' Juffrouw Proud was ontzet.

'De Egyptenaren zijn dol op kinderen,' zei mevrouw
Alabaster. 'Ik denk niet dat ze een kind kwaad zullen
doen. En Flo zal weten hoe ze zich veilig moet gedragen,
ze is een Arabische.'

'Ze zeiden dat ik alleen moest komen. Dat ik niemand
mocht meenemen. Ik weet waar de boot ligt afgemeerd,
ze zullen op me wachten.'

'Het is waar dat ze iemand moet vertrouwen,' zei mevrouw Alabaster, 'en ze moet nu gaan, vanavond nog, want die verdomde burggraaf' – ze keek haar man vernietigend aan – 'kan hier elk moment op komen dagen om over een kruis te raaskallen.'

'Maar ze moet geen dwaze, vreselijke risico's nemen!' zei juffrouw Proud, en haar oude gezicht was bleek van angst.

Maar er was iets aan Rose wat maakte dat haar woorden wegstierven. Ze had haar bestemming bereikt, ze kon niet terug. 'Eindelijk heb ik haar gevonden, ze is in leven, hier heb ik die lange reis voor gemaakt. Meer dan een jaar lang was alles wat ik ondernam gericht op dit moment. Ik dacht dat George zou proberen me tegen te houden omdat hij haar wilde hebben omdat ze Harry's kind was, maar hij ziet het kind als een bedreiging! Jullie denken allemaal dat ik melodramatisch doe, maar ik ken George zoals jullie hem niet kennen, en ik weet dat hij in staat is haar te vermoorden. Wat maakt het hem verder uit? Wat maakt het eigenlijk wie dan ook wat uit, behalve mij? Ik moet gaan. En ik moet alleen gaan, anders zullen ze me niet meenemen. Hiervoor ben ik naar Egypte gekomen!'

'Ik ga Flo halen,' zei Mattie. 'Ik zal Cornie duidelijk maken dat jij een burggravin bent. Hij is nog steeds een Engelsman, onder zijn pyjama,' en ze haastte zich weg in haar zwarte mantel.

'Er zijn daar waarschijnlijk twintig kloosters, of vijftig,' mompelde Alabaster. Iedereen negeerde hem. Rose telde geld, vulde haar waterfles uit een kan. Het geld ging in een binnenzak, al het andere in een klein rieten mandje dat ze onder haar mantel kon houden.

'Archie heeft gelijk,' zei mevrouw Alabaster ten slotte,

en ze haalde haar schouders op. 'En je moet ook weten dat er hier duizend kinderen zijn die door *franks* zijn verwekt, Engelse, Franse, Portugese, wat dan ook. Hoe kun je het dan weten? Ze kunnen je wel van alles en nog wat in handen duwen. Waarom denk je dat ze willen dat je alleen gaat?'

'Ik zeg het toch, ik voelde dat het waar was wat ze zeiden!' Rose was bijna in tranen, en ze begon te schreeuwen. 'Ik zeg het toch steeds dat ik de indruk had dat ze risico's namen om me te helpen en ik ben hen dankbaar. Ze praatten onder elkaar over hoe ze dit het beste konden doen. Het is een kleine boot, alleen de oude man zonder benen gaat mee, en zijn neefje. Eén extra vrouw die een Arabische vrouw lijkt te zijn zou geen achterdocht wekken. Als we met zijn allen gingen zou iedereen in Rosetta dat weten.'

'Neem Flo dan mee,' zei mevrouw Alabaster. 'Niemand zal achterdochtig worden van een meisje als zij.'

'De mensen zullen mij de schuld geven,' zei Alabaster. 'Dat ik je heb laten gaan.'

'U laat me niet gaan, meneer Alabaster!' riep Rose kwaad uit. Elk teken van tranen was onmiddellijk verdwenen. 'Ik ga uit eigen vrije wil, en ik smeek u lang genoeg nuchter te blijven om de burggraaf niet van mijn activiteiten op de hoogte te stellen, wat voor financiële beloning hij u ook in het vooruitzicht stelt!'

'Maak je maar niet ongerust, Archie gaat helemaal nergens heen,' zei mevrouw Alabaster.

Aan het eind van de lange tuin verschenen George en William, als late middagschaduwen tussen de bomen en de rozenstruiken, en ze liepen naar de nog steeds openstaande deur van het huis.

'Dus daar ben je dan,' zei George kalm. 'Net zoals ons was verteld.' Hij wierp een zakje geld naar Alabaster. 'Geef me dat kruis, Rose.'

Mevrouw Alabaster staarde van haar man naar het zakje met geld. Toen zuchtte ze, en in die zucht in het huis in Rosetta zagen ze haar leven, het leven dat ze had gekozen met Archibald Alabaster, om niet oud te hoeven worden bij De Zingende Acrobaten.

Rose dacht razendsnel na. 'U bent een slechte vriend voor me geweest, meneer Alabaster,' zei ze zacht. Ze boog haar hoofd, dwong zich naar de marmeren vloer te kijken. Ze moest George zo snel mogelijk kwijt zien te raken. Ze kon het met juwelen bezette kruis rond haar hals voelen.

'Neem nooit een zuiplap in dienst, Rose,' zei George. 'Hij heeft ons alles verteld. Je bent helemaal naar Egypte gekomen alleen maar om naar dit kind te zoeken.' Hij lachte kort, en zag niet dat juffrouw Proud een rieten mandje overnam van Rose en ermee de kamer uit ging. 'Het is toch wel een beetje... pathetisch... om naar de baby van je overleden man te gaan zoeken omdat je zelf niet in staat was er een te krijgen.' Hij sprak schijnbaar luchthartig. 'Ik heb je al gezegd... Harry's kind gaat jou niet aan. Het is een onwettig kind, een halfbloed, een bastaard, niets. Het is geen erfgenaam, het zou je niet in staat stellen claims bij de familie Fallon in te dienen. En het zal Engeland nooit bereiken, daar zal ik wel voor zorgen!'

Rose voelde woede, gevaar. Heel langzaam wendde ze zich een eindje van George af, zag toen de zwijgende, bleke William. Zijn zusje was pas drie dagen geleden gestorven. 'Ik vind het heel verdrietig van Dolly,' zei ze tegen William. 'Ik zal je nog wel een keer haar laatste woorden voor jou geven, zoals ze me heeft gevraagd.' Het was alsof ze hem had geslagen. Toen keek ze naar de lucht en naar de ondergaande zon. Ze wendde zich nog wat verder af en maakte het met juwelen bezette kruis los. Ze zag George' ogen groot worden, ze begonnen te schitteren. Daardoor zag hij niet de blik van verbazing op het gezicht van meneer Alabaster.

'Geef dat aan mij,' zei George, en hij stak snel zijn hand uit. Hij bekeek het aandachtig. 'Jij zult dat niet weten, maar dit is geen koptisch kruis,' zei hij meteen. 'Maar het is wel heel mooi! En het is veel geld waard. Je hebt wel geluk gehad, *Rosetta mia*. Ga weg, iedereen, behalve Rose,' ging hij scherp verder. 'Ik heb een voorstel dat ik haar wil doen. Onder vier ogen.' Hij keek naar hen allen met het blauwe kruis dat aan zijn hand bungelde. Juffrouw Proud verroerde zich niet, mevrouw Alabaster had slechts oog voor haar man, om hem ervan te weerhouden iets te zeggen.

'Eruit!' schreeuwde George. Rose knikte angstig naar hen, vertelde hun met haar ogen dat ze snel moesten gaan. Er ontstond veel beweging rond de marmeren pilaren. George wilde verder niets zeggen tot Rose en hij alleen waren achtergebleven. 'Ik wil met Rose alleen praten,' verklaarde hij luidkeels. Ze keken allemaal ongemakkelijk achterom, behalve William, die stoïcijns naar de rivier liep, met opgetrokken schouders, terwijl de zon onderging.

In de deuropening van het lege huis draaide ze zich meteen naar hem om. Ze kon zijn snuifpoeder ruiken, zoals ze dat altijd bij hem had geroken. Hij zag tranen in haar ogen, dacht dat het tranen waren omdat hij het kruis in zijn hand hield. Hij wist niet dat het tranen van woede en frustratie waren omdat ze werd opgehouden van haar reis. 'Wat wil je, George? Waarom laat je me nu niet alleen? Er is niets anders dat ik je kan geven.' Hij bleef staan met het blauwe, blinkende stuk lapis lazuli in zijn hand.

'Ik wil dat je overweegt met mij te trouwen,' zei George.

Er viel een verbijsterde stilte.

'Dat verbaast je? Maar het is een idee waar veel voor te zeggen valt, als je er zo over nadenkt.' Rose ging sprakeloos zitten op het dichtstbijzijnde dat beschikbaar was, een kleine marmeren bank vlak buiten de deur van het huis. George kwam gezellig naast haar in de tuin zitten. 'Waarom ben je zo verbaasd?' Ze konden rozen en citroenen en de rivier ruiken. 'Kijk eens hoe goed we elkaar kennen. Er zouden geen geheimen zijn. Hoeveel getrouwde paren kunnen dat zeggen? We hoeven alleen maar de schijn op te houden. Je weet dat ik erg rijk ben. Die rijkdom zou jou veel onafhankelijkheid bieden en ik weet, *Rosetta mia*, dat jij een vrouw bent die erg op haar onafhankelijkheid gesteld is! En er is een ding dat we gemeen hebben: we hielden allebei veel van Harry. Ik heb je indertijd wel eens verteld dat hij de enige mens was van wie ik ooit heb gehouden, en dat is de waarheid. Ik weet wat dat woord betekent, ook al denk jij van niet.'

Hij stond opeens op, liep door de haag met felgekleurde bloemen, draaide zich om en kwam weer terug. En Rose bedacht hoe opmerkelijk het was dat juist George het moeilijk vond om over zijn overleden broer te praten, terwijl hij de gedachte aan diens kind niet kon verdragen.

'Je denkt toch zeker niet dat de familie Fallon zou toestaan dat het bestaan van een smerige, vettige halfbloed-

Arabier een smet zou werpen op de heroïsche dood van Harry en zijn naam zou mogen bezoedelen?' (Alsof hij zichzelf ervan had weten te overtuigen dat Harry toch een heroïsche dood was gestorven om Engeland te redden.) Op dat moment besefte Rose dat de mythe van Harry, de onderscheidingen en het portret, voor altijd binnen de familie Fallon zou voortleven. 'Denk jij nou echt dat wij zo'n vieze vreemdeling zouden toestaan onze naam te gebruiken? Dit wurm heeft niets te betekenen, en ik zal dit op mijn manier afhandelen.' Er ritselde een duif in een boom vlak boven hen en ze keken even omhoog. 'Jij weet natuurlijk te veel, *Rosetta mia.*' Hij kwam heel dicht naast haar staan, té dicht, zoals hij dat wel vaker had gedaan, terwijl hij op haar neerkeek. 'Ik wil niet dat jij de rest van mijn leven kletspraatjes verkoopt over een onwettig buitenlands kind. Trouw met me, en dan vergeten we het.'

Trouw met me, dan kun je niet tegen me getuigen, vertaalde Rose. Ze wachtte.

'De hertog van Hawksfield en zijn familie staan nu te diep bij mij in het krijt, Rose, om zonder mij te kunnen leven, ondanks de dood van Dolly. En trouwens, Dolly was een heel dwaas en hysterisch meisje, zoals jij ook heel goed weet, maar ze heeft me toch een paar... interessante... herinneringen nagelaten. Het punt van dit alles is: de hertog van Hawksfield heeft om de een of andere reden een hoge dunk van jou, dus ons huwelijk zou hopelijk de klap over de dood van zijn nichtje wat verzachten. En tot slot, Rose – en ik denk dat dit je wel zal bevallen – zal ik na vanavond, wanneer ik deze kwestie voor eens en voor al heb afgehandeld, naar Caïro vertrekken, naar de piramides, de sfinxen, en naar alle plaatsen voorbij Caïro aan de Nijl, de plaatsen van de oude farao's, die ik, naarmate ik er meer over hoor, steeds spannender ga vinden. En waar ik veel profijt van zal weten te trekken. Antiek is iets waar ik heel veel verstand van heb. Ik weet hoe iets "in de mode" kan komen, ik kan het in Engeland nu al ruiken. Ze zeggen dat de bedoeïenen nu al door de straten van Caïro zwerven om sieraden te verkopen en dat je oude schedels en botten voor een habbekrats kunt bemachtigen, en gedecoreerde potten, en platen van graftomben – ik popel om ernaartoe te gaan! Je weet dat er vreselijk veel belangstelling voor hiërogliefen bestaat, maar geen kennis. Jij bent dol op die dingen, dit is je kans om meer te vinden.'

Rose deed haar ogen even dicht, zodat hij niet kon zien hoezeer dat de vervulling van haar oudste droom zou zijn, dat ze toch zou kunnen helpen het mysterie van de hiërogliefen op te lossen.

'Misschien bestaan er nog meer drie- of tweetalige stèles,' vervolgde hij, 'of misschien staan er aanwijzingen op het papyruspapier dat in de kisten van de mummies te vinden schijnt te zijn, en ze zeggen dat die mummies letterlijk overal zijn, dus die zouden we gemakkelijk te pakken kunnen krijgen.' (Rose zag in gedachten een beeld van George die mummies "te pakken" kreeg.) 'Je zou een duidelijke bijdrage aan het oplossen van de hiërogliefen kunnen leveren door op zijn minst meer voorbeelden te verzamelen. En je weet zelf dat je daar als vrouw alleen absoluut niet toe in staat zou zijn.'

George wist dat hij haar een wereld aanbood die haar zou kunnen veranderen. Maar hij moest ook weten dat er geen erfgenaam zou komen. *Wat zou hij over een paar jaar met me doen, wanneer de kwestie van dit kind zou zijn vergeten?*

Er zou natuurlijk altijd een manier te bedenken zijn om van haar af te komen.

'Je moet me nu nog één ding vertellen. Wat moest je hier precies mee doen?' Hij hield het kruis begerig vast, draaide de prachtige blauwe steen heen en weer. De edelstenen vingen het laatste licht op. 'Ik ga dit natuurlijk echt niet aan een priester geven. Maar Alabaster – een vervelende man, nietwaar? – mompelde iets over een teken, dat dit het enige is waarmee je een audiëntie kunt krijgen bij de priester die het kind heeft.'

'Dus hij heeft je alles verteld... alles wat ik weet.' Ze sloeg opeens haar handen voor haar gezicht, alsof dit moest helpen haar gedachten te verbergen. *Het is bijna donker. Ik moet hem kwijt.* Toch keek ze nog even weer op. 'George, waarom wind je je hier zo over op? Waarom ga je niet gewoon naar Caïro? Je vriend de prins van Wales en al zijn broers hebben rissen onwettige kinderen. Dit kind is voor jou toch zeker van geen enkel belang?'

'Wanneer ik deel uitmaak van de *beau monde* maakt het misschien niets uit. Om deel van de *beau monde* uit te gaan maken moet Harry een held zijn. Hij is in de strijd gebleven, niet bij een straatruzie! Je onwetendheid ten aanzien van sociale zaken, ook al heb je deel uitgemaakt van onze familie, verbijstert me.' Zijn opwinding was uitzonderlijk, zo ver van Engeland vandaan. 'Had je een afspraak?' Ze rook zijn snuifpoeder, haar gedachten gingen snel. Ze haalde diep adem.

Ze begon heel langzaam. 'In verband met alle gevaren,' zei ze zacht, zodat hij zich naar haar toe moest buigen om haar te verstaan, 'moesten we wachten tot de *bazaar* dichtging. Ik moest me vanavond laat heimelijk melden, met het kruis.'

'Daar heeft Alabaster niets van gezegd.'

'Ga dan eerder,' zei Rose, schouderophalend. 'Ik begreep dat ze het veiliger vonden om het kind over te dragen wanneer de stad in slaap was, maar misschien kun jij hen op andere gedachten brengen. De kopten lopen kennelijk gevaar doordat ze een kind van een vrouw die zoveel schande heeft gebracht huisvesten en beschermen.'

'Alabaster heeft me hier niets over verteld.'

Rose schreeuwde opeens tegen hem: 'Hoe kan ik nou weten wat meneer Alabaster van plan was! Misschien wilde hij het kind zelf bemachtigen om het aan de hoogste bieder te verkopen! Ik dacht dat hij me zou helpen! Ga het hem zelf vragen!' Ze had weer tranen in haar ogen gekregen. *Ik moet weg. En mevrouw Alabaster zal Archie inmiddels wel ergens hebben opgesloten, waar George hem niet te pakken kan krijgen.*

'Goed, goed.' Ze voelde dat hij glimlachte, ze wist dat hij haar nauwlettend in de gaten hield. Ze sloeg haar ogen neer en staarde naar de wortels van de bomen in het zand. 'Dat komt me prima uit. Ik heb iets wat ik eerst moet afhandelen. Ik kom bij je terug als dit hele gedoe achter de rug is, en dan vertrekken we onmiddellijk naar Caïro. Voor dit moment' – er gleed nu een heel ander soort glimlach over zijn gezicht – 'heb ik een... afspraak... in Rosetta, en mijn afspraak, kan ik je verklappen, aangezien ik geen geheimen voor jou wil hebben, is met een heel knappe jonge Arabische jongen. Dus je hoeft echt niet bang te zijn dat ik je ooit op die manier lastig zal vallen.' Hij glimlachte nog steeds, deze man die sinds kort weduwnaar was. 'Ik zal wachten tot de *bazaar* dichtgaat en het stil wordt in de stad. Op zich lijkt het me wel begrijpelijk dat ze het kind niet ten aanschouwen van de voltallige bevolking van Rosetta willen overdragen. Ik kom terug als ik de hele zaak heb afgehandeld en we zullen het niet meer over het kind hebben.'

Ze deed haar ogen dicht. *Waarom gaat hij niet weg?* Hij begon weg te lopen. Toen bleef hij weer staan en draaide zich om. Hij keek haar aan, en daar was hij weer, de oude George, even gevaarlijk als ze hem altijd had gekend.

'Ik heb nooit het gevoel dat ik je helemaal kan vertrouwen, *Rosetta mia*. Ik denk dat je nu niets kunt doen, maar bij jou weet een mens het nooit zeker. Je zult' – hij zweeg even om de juiste woorden te vinden – 'een interessante echtgenote vormen. Maar laten we één ding duidelijk stellen, of je mijn aanzoek aanneemt of niet. Er is geen enkele manier, dus overweeg het zelfs maar niet, zelfs als jij het kind mocht vinden in plaats van ik, waarop de wet om te beginnen het enige rechten binnen mijn familie zou geven, en het verder aan jou zou toewijzen. Ik zal deze... deze ergernis... onder geen enkele voorwaarde laten bestaan, zelfs als ik door de een of andere onvoorstelbare misrekening mijnerzijds het vannacht niet zal vinden.' Hij verdween naar het centrale gedeelte van het huis. Hij keek niet om.

Rose bleef een paar minuten volmaakt roerloos zitten. *Hij meent het echt – hij wil dit kind uit de weg ruimen, alsof het niets is.* Ze stond snel op en liep het huis in. *Hij biedt me Egypte aan in ruil voor het leven van het kind.* En opnieuw deed ze haar ogen heel even dicht en zag de hiëroglifen: de magische, mysterieuze teksten die wachtten om te worden ontrafeld. Er werd haar nog iets anders heel duidelijk. *George zal er altijd zijn, altijd. Ook al vind ik het kind vóór hem, ik zal me nooit los kunnen maken van de familie Fallon, ze zullen er altijd zijn, zo'n kind zal nooit veilig zijn.* Het lege huis met de marmeren zuilen leek haar woorden te herhalen: *altijd... nooit.*

Ten slotte kwamen de anderen weer terug. Het was alsof ze een stilzwijgende afspraak hadden: niemand sprak nog over het kind. Ze hoorde Alabaster om rum smeken. Juffrouw Proud haalde het mandje met eten en water en ging zwijgend naast Rose zitten. Samen keken ze naar de lucht die donker werd.

Juist toen Rose haar sluier en mantel omdeed en het mandje oppakte, werd er luid op de deur geklopt. De spanning in het huis met de marmeren pilaren was zo groot dat iedereen stokstijf bleef staan en zonder antwoord te geven naar de deur staarde. Toen hoorden ze de stem van Cornelius Brown, die om Alabaster riep.

'Snel, Archie!' riep hij. 'Er is grote heibel.'

'Waar?' Alabaster sprong overeind.

Cornie stak zijn hoofd om de hoek van de deur. 'Bij het badhuis. Ze zeggen dat er een Engelsman wordt aangevallen door een groep mammelukken – in het badhuis, begrijp je dat nou? We moeten toch op z'n minst even kijken of we kunnen helpen, maar we moeten wel voorzichtig zijn.'

'Goed,' zei Alabaster. En Rose en juffrouw Proud zagen dat ze messen tussen hun kleren stopten.

'Nee, Archie!' riep mevrouw Alabaster tegen haar man. 'Je moet er niet naartoe gaan, je weet wat er met die Franse koopman aan de rivier is gebeurd, op klaarlichte dag! Niemand kon daar helpen! Ik wil niet dat je waar dan ook naartoe gaat!'

'We kunnen een Engelsman toch zeker niet aan zijn lot overlaten!' zei Cornie. 'Schiet op, Archie!'

'Allemachtig, Cornie,' zei mevrouw Alabaster, 'je bent al jaren uit Engeland weg, je bent nu een van hen!'

'Archie en ik spreken allebei Arabisch,' hield Cornie aan, en hij liep de weg op. 'En misschien ben ik dan wel een van hen, zoals je zegt, maar ik laat Engelsen niet zomaar in de steek.'

Mattie verscheen opeens met Flo, maar Cornie was te opgewonden om meer te doen dan zijn dochtertje even over het hoofd aaien waarna de mannen haastig naar het badhuis liepen.

'Dan ga ik ook mee,' riep mevrouw Alabaster. 'Ik spreek Arabisch.' Maar toen ze wegliep terwijl ze de mantel over haar hoofd sloeg, keek ze om naar Rose en gebaarde met haar hand dat ze moest gaan. De zware deur viel achter haar dicht en het was opeens heel stil in de kamer.

'Snel,' zei Mattie. 'Ik heb Flo gestolen, God sta me bij.' Ze keek Rose heel vreemd aan. 'Ik weet wat dit voor jou betekent.' Ze richtte zich tot Flo. 'Onthoud goed wat ik je heb verteld, je bent nu een kopt, Flo, hoor je me? En Rose en jij moeten op elkaar passen. Denk goed aan de afspraak die we gemaakt hebben.' Ze zagen allemaal dat de ogen van het meisje schitterden van opwinding.

'*Aywa, Maati,*' zei ze, en ze stelde zich als een kleine lijfwacht naast Rose op.

'Ga dan!' zei juffrouw Proud. 'Ga snel! Jullie maken dat ik wenste dat ik in een God geloofde, zodat ik kon bidden!'

Toen de twee in omslagdoeken gehulde gestalten naar de rivier liepen, zagen ze mensen naar de stad hollen.

Bij het Turkse badhuis heerste een waar pandemonium. Er werd een naakte jonge Arabier de stoep af gesmeten, die bleef liggen waar hij viel. Het was duidelijk dat hij dood was. Ten slotte werd er een man, gewikkeld in handdoeken waar het bloed van afdroop, ruw de straat op gesleurd, te midden van veel gegesticuleer en geschreeuw. 'Ze hebben zijn hand eraf gehakt,' riep iemand. De menigte verdrong zich rond de vreemdeling om te proberen te zien wie het was, wat er aan de hand was. Ze hoorden een Engelse stem die zwoer dat dit aan de Britse monarchie zou worden gemeld, maar de mammelukken die achter de baders aan naar buiten renden, leken moordlustige plannen te hebben. Ze schreeuwden in het Arabisch over ongelovigen en sodomieten en zwaaiden met kromzwaarden. Cornie ging er snel op af, gevolgd door Alabaster. Mevrouw Alabaster keek toe, haar hart klopte in haar keel. Toen iemand de dode Arabier wegsleepte, gaf iemand anders (ze zou hebben gezworen dat het Cornie was) de Engelsman een klap, en hij viel op de grond. Er vielen handdoeken af, er waren mensen die schreeuwden en er werd met kromzwaarden gezwaaid. Mevrouw Alabaster hoorde Cornie luid schreeuwen, en ze deed haar ogen dicht toen ze zag hoe Cornie het lichaam op de grond steeds weer schopte. Toen zag ze al even plotseling hoe de beis om hun paarden riepen. Ze liepen pochend de kapotte stenen stoep af en lieten de Engelsen het verder zelf uitzoeken. Het was duidelijk, toen ze weggaloppeerden, dat de gewelddadigheden voor dit moment waren beëindigd. Ze wist niet of de Engelsman dood of levend was. Cornie en Alabaster tilden hem op, probeerden hem met handdoeken te bedekken, droegen hem het steegje uit en verdwenen.

'Grote genade!' zei mevrouw Alabaster tegen niemand in het bijzonder. 'Het is George Fallon! Het is die verhipte burggraaf!'

In het donker aan de andere kant van de haven liepen het meisje en de vrouw snel over de dekken van grotere boten en klommen omlaag in de *felucca* die wegglipte in de nacht in zuidelijke richting over de Nijl. De kopten waren een beetje verbaasd Flo te zien, maar zoals Mattie had verondersteld kwam er geen commentaar. Kleine Arabische meisjes telden niet mee. Flo keek hevig opgewonden in het donker om zich heen toen haar huis voorbijgleed. Ze was nooit eerder de rivier op geweest.

'We lijken wel bootmeisjes,' fluisterde Flo giechelend, en eindelijk begreep Rose wat de priester op het kerkhof had gedacht: dat ze zelf een kind moest krijgen, dat ze een van die buitenlandse vrouwen was die ze aan de oever van de rivier had zien lachen. De wind voerde het bootje snel mee, het neefje aan het roer was behendig. Weldra was Rosetta bijna uit het zicht verdwenen maar Rose bleef nog lang voortdurend omkijken, alsof George elk moment kon opduiken.

Het werd erg koud. Soms stelde de oude man zonder benen Rose een vraag. Flo vertaalde met horten en stoten. Hij wilde weten of ze Napoleon ooit had ontmoet, toonde zich verbijsterd toen dit inderdaad het geval bleek te zijn geweest, en hij leek haar niet helemaal te geloven. Hij zat een tijdje te zingen, een vreemde zelfbedachte melodie. Ten slotte viel hij in slaap. Rose en Flo kropen voor de warmte tegen elkaar aan, onder een grote omslagdoek. Ze staarden voor zich uit in de nacht naar de maan en naar de sterren die boven de Nijl stonden. Soms hoorden ze de roep van een wild dier. Er daalde een zware dauw op hen neer. Soms passeerden ze een andere boot die in de donkere stroming voorbijglipte. De neef stuurde de boot af en toe achteloos met zijn voet. Een paar keer dom-

melden Rose en Flo in, tegen elkaar aan. Rose was zo uitgeput dat ze in haar halfslaap telkens dacht te vallen,
maar ze schrok even zo vaak wakker en keek dan weer
naar de sterren, de maan en het stille, donkere water.
Toen stak de wind op, de neef hees het zeil verder op en
de boot snelde voort. Eén keer was er een plotselinge
windvlaag die maakte dat ze rondtolden en uit de koers
raakten, en even leek het dat de boot zou kapseizen.
Maar toen werd het weer net zo plotseling stil. Soms konden ze aan beide kanten de oever zien, soms leken ze de
eeuwigheid in te varen. Toen de dageraad aanbrak zagen
ze de schaduwen van de boeren, de *fallaheen* zei Flo, al op
hun groene akkers aan het werk. Er was een nieuw geluid: waterraderen die door geblinddoekte buffels werden
rondgedraaid, net zoals de vader van Rose had verteld.
De houten raderen waren bedekt met aardewerken potten die water van de Nijl in houten troggen schonken.
Het droefgeestige geluid van de ongeoliede raderen die
steeds maar in het rond draaiden begon deel uit te maken
van de ochtend, en toen zweefde de kreet van de *muezzin*
van ergens op de oever over het water... *Allahu Akbar... Allahu Akbar*. Het was allemaal vreemd, exotisch en onver-
getelijk.

De oude man werd wakker, mompelde iets tegen zijn
neefje, en de felucca werd naar een verlaten plek op de
rivieroever geloodst. De neef tilde de oude man op en
verdween. Flo gebaarde Rose dat ze zich hier konden op-
frissen. Ze wasten zich aan de oever van de Nijl en voelden het koude, heldere water op hun gezicht toen de zon
steeg. Ze vulden hun waterfles. De kopten kwamen terug, maar ze vertrokken meteen weer. Samen aten ze
hardgekookte eieren en brood uit het rieten mandje. Ter-

wijl ze in de vroege ochtend voortsnelden, waarbij de kopten soms naar een ander vaartuig riepen of bij wijze van groet een arm opstaken, schitterde de zon vanuit het oosten op het water en werd de lucht diepblauw. Ze zagen vrouwen die op de oever van de rivier kleren en potten van klei wasten, en opnieuw buffels die piepende waterraderen ronddraaiden om het kostbare water naar de akkers te brengen. Het werd steeds drukker op de Nijl, met kleine bootjes en grote, met allerlei soorten fruit en groente en kisten en zakken vol onbekende zaken, en mensen. *Alsof het een weg is in plaats van een rivier*, dacht Rose. Ze had het erg warm. Er was een kleine mat die een deel van de *felucca* bedekte. Hier scholen Rose en Flo tegen de zon en ze aten samen van een watermeloen die de kopten hadden meegebracht. De zon stond hoog aan de hemel toen de *felucca* een van de talloze zijkanaaltjes van de rivier in voer. Ze zeilden zwijgend weg van de rivier, eerst met enige snelheid omdat er nog wat wind stond, daarna langzamer omdat het water steeds ondieper werd. Soms gebruikte de neef een riem om bij de kant vandaan te blijven, maar toen hield het kanaal helemaal op. Er was geen water meer.

De neef maakte de oude man wakker, hees hem op zijn schouders en begon meteen door de donkere dadelpalm-bosjes en het zand te lopen. Hij gebaarde de anderen hem te volgen. Ze konden de zon voelen, knepen hun ogen halfdicht en bleven lopen. 'Hij zegt we moeten klooster voor zonsondergang bereiken,' zei Flo tegen Rose. De palmbomen werden schaarser en het zand hoger, daarna werd het terrein droog en gebarsten en was het groen helemaal verdwenen. Het leek wel of zodra het water ophield de woestijn terugrolde. Ze liepen in de woestijn.

Rose was zo uitgeput als ze zich nog nooit gevoeld had, maar ze kon zich er niet toe brengen hun te vragen te stoppen. *Als ik sterf, dan sterf ik.* Ze had het rieten mandje al een tijdje geleden laten vallen, ze had nu alleen nog geld en water bij zich. Ze hees haar zwarte mantel een eindje op om gemakkelijker te kunnen lopen en moest zich concentreren om haar ene voet voor de andere te zetten. Voor zich uit kon ze niets anders zien dan nog meer zand. Af en toe stopte ze even om van het kostbare water te drinken en Flo te dwingen ervan te drinken, want zelfs Flo wankelde. Maar de neef, die de oude man droeg, liep maar door, uren achtereen. *We zijn in een eeuwigheid, dit is de betekenis van eeuwigheid.*

De zon begon ten slotte te dalen, maar ze liepen nog steeds verder. Toen hoorde Rose een geluid van Flo die voor haar liep en ze keek op van het zand. Ze zag in de verte iets vaags in de lucht trillen. Toen ze dichterbij kwamen leek het de ruïne van een oude tempel te zijn. *Stel dat dit nou een luchtspiegeling is?* Maar het was een heel uitgestrekte ruïne, met gebroken zuilen en stenen die in het zand lagen. *Kon dit een klooster zijn?* Het was er volstrekt verlaten. Er vloog opeens een roofvogel op, met veel geklapper van vleugels, alsof hij was geschrokken. Verder was er alleen maar een grote ruïne en het zand. Ze kwamen bij de eerste afgebrokkelde stenen. De neef zette de oude man neer en gromde; hij ging voor de tempel liggen en viel meteen in slaap. Plotseling doken er enkele Arabieren uit het niets op, die neerhurkten bij de oude man en de slapende neef. Rose was inmiddels gewend aan gesprekken die als ruzies klonken: veel geschreeuw, gebaren en gelach. Ze leken geen monniken of godsdienstige mannen te zijn. Ze hurkte in het zand neer, net als de

Arabieren, wendde haar gezicht af en was het liefst plat in het zand gaan liggen, net als de neef. Helaas kwam er een grote schorpioen op haar af gerend. Ze slaakte een gil en sprong snel overeind, waardoor iedereen naar haar keek. Ze liep weg van de groep mannen. Flo volgde haar, een kleine, magere schaduw in het zand.

'Ze vragen wie jij bent,' zei Flo. 'Je moet niet gillen. Je gilt als een *frank*.'

'Het spijt me,' zei Rose nederig. Ze liepen verder langs de zijkant van de tempel, en overal lagen wonderlijke stukken afgebroken en gebarsten steen. Rose bukte zich om ze zorgvuldiger te bekijken en slaakte toen opeens een gesmoorde kreet. 'Hier heb ik een *cartouche*!' zei ze. 'Hier een uil! Dit zijn hiërogliefen! Hier, in dit zand, bij deze tempel. Ik sta in het zand hiërogliefen te bekijken!'

Flo leek niet onder de indruk te zijn. 'Jij gaat kind vinden?' vroeg ze.

'Ik hoop het,' zei Rose, terwijl ze een paar stenen in haar hand hield en ze steeds weer omdraaide.

'Meisje?'

'Ik denk dat het een meisje is,' zei Rose.

'Jij meisje meenemen naar jouw land? Naar *Maaties* land?'

'Dat weet ik niet, Flo,' zei Rose. 'Zou jij naar mijn land willen gaan? Naar Matties land?'

'Liefst ik heb *Maati* blijft in Rosetta.'

'Natuurlijk.'

'*Maati* zei als jij kind krijgt, dan zij kan blijven. Dan ik moet komen met jou om jou te helpen kind te krijgen.'

Rose staarde Flo niet-begrijpend aan. De neef riep.

'We moeten teruggaan,' zei Flo.

'Maar...' Rose keek Flo aan en vermande zich toen. 'Ik moet deze stenen meenemen,' zei ze.

Flo haalde haar schouders op. 'Zou ik niet doen.'

Rose keek op en ging toen snel staan. Er hadden zich nog meer Arabieren rond de kopten verzameld. Het waren allemaal mannen. Ze keken allemaal nors naar waar Rose en Flo stonden. Rose trok haar zwarte gewaad voor haar gezicht en pakte Flo's hand terwijl ze terugliepen. 'Als ze ernaar vragen, moet je niet zeggen waarom ik hier ben. Je moet zeggen dat ik een heel religieuze dame ben.'

'Wat is religieus?'

'Je moet zeggen dat ik het klooster wil zien.'

'Wat is religieus?' Flo huppelde naast haar door het zand.

'Dat je veel van God houdt.'

'Allah?'

'Nee, de God van de kopten.' Ze zag dat Flo het niet goed begreep.

De neef had de oude man al op zijn schouders gezet en begon te lopen. Rose en Flo volgden hen en Rose zette zich al schrap voor de eerste steen, maar de mannen bleven slechts zwijgend naar haar staan kijken. Toen ze omkeek waren ze verdwenen. *We kunnen elkaar niet kennen. Ik zou hen nooit leren kennen en zij zouden mij nooit leren kennen, in geen duizend jaar.*

Ze liepen langs de zijkant van de tempel die hoog en vervallen boven hen verrees. Rose kon nauwelijks bevatten wat ze zag. Er waren nog meer ingestorte zuilen; ze zag beelden waarvan hoofden en armen waren verbrijzeld. Overal lagen grote stukken steen, ze struikelde over een grote stenen voet. De zon stond nu laag en de lucht

was donkerviolet. Ze liepen voort, langs hoge, verbrok-
kelde muren en kwamen ten slotte in de schaduw van de
muren, waar de neef de oude man weer neerzette. De
oude begon te klingelen met een bel die op de bodem van
de boot had gelegen. Hij klingelde ermee heen en weer
onder de ruïnes. De neef ging naast hem in het zand liggen en was meteen weer in slaap.

'Kijk!' zei Flo.

Vanuit een donkere grotopening leek iets – een schaduw, een lichtpuntje – langzaam naar hen af te dalen en
in de verte klingelde een bel. *Zou dit het kind kunnen zijn?*
Toen de schaduw dichterbij kwam zagen ze dat het een
oude man was, een monnik. Hij had alleen maar een kleine kaars bij zich en hij klingelde met net zo'n bel; het geluid bleef in de lucht hangen. De monnik kwam tevoorschijn en begon een lang gesprek met de man zonder
benen, terwijl er telkens naar Rose werd gewezen. De ingang, diep in de aarde, leek die van een grot of van een
grafkelder en strekte zich duizelingwekkend uit naar het
niets. Flo stond er met open mond naar te kijken.

'Moeten we... daar naar binnen?' vroeg Rose angstig,
en Flo vertaalde haar woorden al even angstig in het Arabisch, maar niemand antwoordde. De twee oude mannen
praatten en de neef sliep. Soms klingelden de bellen per
ongeluk, wanneer de oude mannen naar elkaar gebaarden, en het geluid snerpte dan door de lucht. Rose keek
om zich heen. Alleen maar zand dat zich uitstrekte tot in
de verte, en de ruïnes die in silhouet tegen de lucht afstaken, en de duisternis die inviel.

Ten slotte keken ze haar aan, en Flo vertaalde.

'We moeten vannacht boven de muur slapen, in de tempel. Er is een plek.'

'Maar het kind? Ik moet het kind zien.' In haar ont-reddering bewoog Rose zich naar de monnik in de deur-opening van de duistere grot. Ze dacht dat ze andere schemerige gestalten tot ver achter hem zag, een leger van gezichten. 'Alstublieft,' zei ze, 'ik ben van zo ver ge-komen om het kind te zien, maar... het leeft toch zeker niet... onder de grond? Het hoort in het licht te zijn!'

Maar het gezicht in de deuropening, alle gezichten – als het inderdaad gezichten waren – keken haar onbe-wogen aan en de man draaide zich om. De man zonder benen was verdwenen, misschien was hij de grafkelder binnengedragen. De neef lag in het zand te slapen.

Flo pakte Rose' hand. 'Kom,' was alles wat ze zei. Het was nu kouder. Het tweetal liep langzaam terug door het zand langs de afgebrokkelde muren van de ruïne, naar een opening. Flo stapte erdoorheen. De tempel was ge-deeltelijk open, maar hier en daar lag het dak er nog op. Flo ging onzeker voorop, en toen zag Rose in de scheme-ring een kleine bruine hand die haar wenkte. Ze volgde Flo en daar, in een hoek, lagen kussens en omslagdoeken, en naast de kussens lag, onvoorstelbaar, wat eten op bla-deren, en er stond een kan water. Rose keek snel om zich heen, er moesten hier mensen zijn. Maar tussen de afge-broken zuilen hoorden ze alleen maar het geritsel van kleine dieren en hun eigen ademhaling. Stonden hier in het donker mensen met stenen? Toen zag ze grote figuren die in de muur boven haar waren uitgehakt. Flo liet zich snel op een van de kussens vallen, kinderlijk vermoeid, en zei toen dat haar was verteld dat er de volgende morgen iemand naar hen toe zou komen.

'Wie heeft dat gezegd?'

'Dat weet ik niet. Misschien was het de monnik.'

'Waar zijn ze allemaal naartoe gegaan?'

'Weet ik niet. Ik heb er maar één gezien.'

'Alleen maar één monnik?'

'Ja.' *Heb ik al die gezichten die zich in de grot leken te bevinden dan soms gedroomd? Ben ik zo moe dat ik spoken zie?'*

'Waar kwamen al die mannen daarstraks vandaan, toen we hier net waren? Uit deze tempel?' Rose keek bang om zich heen, zag vaag de uitgehouwen gestalten.

'Ik weet het niet.'

'Wie heeft er voor dit eten gezorgd?'

'Weet ik niet.'

Flo at snel. Toen ze klaar was, ging ze naast Rose liggen en viel meteen in slaap, alsof ze altijd in verwoeste tempels sliep. Rose probeerde niet in paniek te raken, probeerde niet te denken dat ze in een eeuwenoude tempel midden in Egypte was en dat het nacht werd. Ze keek omhoog en zag heldere sterren door het kapotte dak heen schijnen, en in het licht van de sterren leken de figuren op de muren óp haar neer te kijken. Ze bewoog zich dichter naar Flo, luisterde naar haar zachte, gelijkmatige ademhaling. Het was erg koud. Ze was vol bewondering voor dit meisje van tien dat niet een keer had geklaagd of blijk had gegeven van angst, behalve misschien bij de grafkelder, als het een grafkelder was. *Zal Harry's kind net zo zijn als dit kind?* Er speelde iets door haar gedachten. Rose was naar Egypte gekomen om een kind te zoeken, met Mattie zoals altijd aan haar zijde. Maar uiteindelijk was Mattie degene die een kind had gevonden. En Mattie zou blijven, zei Flo, maar alleen als Rose Harry's kind vond. Rose begreep het niet.

Ten slotte ging ze op haar zij naast het slapende meisje liggen, trok alle omslagdoeken over hen beiden heen en vroeg zich af wat er nu verder ging gebeuren. Er was iets heel troostvols aan de langzame, regelmatige ademhaling van het meisje naast haar. Ze moest wel geloven dat de kopten voor hen zouden zorgen, net als de vrouw in de kerk die haar het kruis had gegeven en *Rashid* had gemompeld. Ze staarde in de duisternis. De muren van de tempel keken op haar neer. Ergens trippelde en krabbelde er iets. Ze was te moe om zich erom te bekommeren. Hoe woonden die mensen hier? Misschien waren het er wel heel veel. Waar was dan iedereen? Wie had dit eten klaargemaakt en was zo vriendelijk geweest kussens neer te leggen? Het moest haast wel een vrouw zijn geweest, maar ze had geen vrouwen gezien... Maar niets was wat het leek, dat was alles wat ze van Egypte wist...

Toen ze plotseling wakker werd uit een diepe, diepe slaap, had het eerste licht de openlucht boven haar beroerd. Het was koud. Ze hoorde Flo water schenken uit de kan buiten. Vlug ging ze rechtop zitten, zag dat er inderdaad rond de tempel overal gestalten waren, gestalten die in de muren waren uitgehakt. Enorme, eeuwenoude, beschadigde gestalten keken omlaag, sommige met nog wat verbleekte kleuren erop. Toen ze ze nauwkeuriger bekeek, zag ze prachtige vrouwen. Geen van hen had haar gezicht bedekt.

En naast en onder de figuren zag ze de tekst, de hiërogliefen. Het was ongelofelijk dat zij nu eindelijk zag wat de geleerden hadden gezien, wat Pierre had gezien. Ze stond op en liep naar de muren, bekeek de gestalten uitvoerig. Sommigen droegen kannen die veel leken op de waterkan die in de tempel was achtergelaten. Enkelen droegen vruchten, anderen knielden naast grote, zwarte honden. En overal waren hiërogliefen. Ze streek met haar vingers over de tekst, betastte de vormen, probeerde net als toen ze jong was de betekenis ervan in te ademen. Maar er was alleen maar de geur van eeuwenoud stof. Hoe meer ze keek, des te meer ze zag. Ze ontdekte dat veel van de grote figuren en veel van de teksten waren beschadigd, naar het scheen met opzet. Op veel plaatsen was het koptische kruis botweg over de figuren en de tekst in de steen gekerfd. Er was iets aan de schitterende ruïne van de figuren en de verwoeste tekst dat maakte dat ze tranen in haar ogen kreeg. Iemand had zich veel moeite getroost om nauwkeurig over leven en dood, strijd en vreugde te hakken en te schrijven, en hier was het zomaar weggekrast, vernield. Ze dacht aan hoe haar vader, lang geleden, de hiërogliefen had omschreven: *de tijden van vroeger die tot ons spreken.* Ze staarde opnieuw naar de gespierde, volmaakt gebouwde mannen en de mooie vrouwen met hun lange neus en een hoog hoofddeksel op. Naar de boten en de dieren. *Als het schrift sterft is er niets, want we kunnen het niet begrijpen.*

Flo kwam de tempel weer in. Ze had haar gezicht gewassen en haar haar gedaan.

'Er is niemand,' zei Flo onzeker, 'zelfs niet man die oude man droeg en ging slapen.'

'Ze zullen komen,' zei Rose dapper. Ze gleed nog een keer met haar hand over de tekst en over de beschadigde figuren. 'Ze zullen komen,' zei ze weer tegen Flo. 'Ik weet dat ze zullen komen.' Flo keek Rose aan met haar kleine, vragende gezicht, maar ze zei niets. Ten slotte pakte Rose de kan met water en klom over de stenen omlaag naar het zand. Ze keek om zich heen. Niets dan ruïnes, beschaduwd in de vroege morgen, stil en verlaten. En het zand, dat zich eindeloos ver uitstrekte. Ze vond een beschut plekje iets verderop. Het was achter een oud, verbrijzeld stenen been, maar er zat niets anders op. Ze schonk wat van het kostbare water uit om zich met haar gewaad te wassen. Toen ze weer rechtop ging staan zag ze de eerste zonnestraal over de rand van de horizon komen, en ze zei tegen zichzelf: *nu ga ik het kind zien.* Maar het enige wat ze kon zien was steen en zand, een absoluut niets. Haar vader had gezegd: *Egypte is de wereld van de oudheid. Ik voelde me alsof ik in de bijbel was.*

'Natuurlijk zullen ze komen,' zei Rose weer tegen Flo. 'We weten dat hier iemand moet zijn, ergens.' Flo ging weer in het zand zitten, met een been onder zich, haar doek over haar hoofd, zwijgend. Ze leek zelf wel een klein monument uit de oudheid. Deel van het landschap. Geen vogel, geen dier, geen mens verroerde zich terwijl ze wachtten.

De zon begon op te gaan.

En toen, als een geestverschijning, was er een eenzame, in het zwart gehulde gestalte in de verte te zien, die vanuit het zand naar hen toe liep. Ze wisten niet hoe hij zomaar opeens kon zijn verschenen, misschien was hij uit een ruïne, een grafkelder of uit een grot tevoorschijn gekomen. Hij was er in elk geval, een priester in het zwart, en hij droeg iets. Hij vormde een flakkerend beeld in de opgaande zon, zoals hij daar naar hen toe liep, en Rose dacht opeens: *dit is als een scène uit het Oude Testament, dit is wat mijn vader bedoelde, de zon die opkomt, de gestalte in de verte en het kale woestijnlandschap van de oudheid.* En toen begreep ze het eindelijk: de man in het zwart droeg het kind. Ze wilde naar hem toe hollen, maar haar benen wilden niet in beweging komen. Ze stond als verlamd, met armen die pijn deden van eenzaamheid, terwijl de opkomende zon haar verblindde.

Ten slotte stond hij naast hen, zwaar ademend. Ze konden zijn zweet ruiken. Ze zagen toen dat hij geen priester was, of zelfs geen monnik, dat hij eerder leek op een van de honderden Arabieren die iedere dag in Rosetta rondliepen. Hij had de oogziekte die zo algemeen voorkwam onder hen die aan de Nijl woonden.

Hij gaf het kind aan Rose, ze was gewikkeld in een omslagdoek die de kleur van het zand had. Ze kon het gezichtje niet meteen zien.

'*U willen kopen?*' zei hij.

Zesentwintig

*R*ose huiverde in de schemering in Aboukir. Ze hoorde de zee en wandelde opnieuw met juffrouw Proud langs de kust, te midden van de beenderen van dode mannen. Vanavond blies er een harde wind over het zand dat de beenderen bedekte, hij blies het zand naar de vrouwen, in hun ogen en hun mond, zodat de vrouwen hun mantel voor hun gezicht hielden. Ze praatten zacht met elkaar. Juffrouw Proud was zojuist vanuit Rosetta in Aboukir aangekomen. Ze werd vergezeld door Cornelius Brown, met zijn tulband en zijn *galabiyya*. Hij was op Matties aandringen meegegaan om hen te helpen bij hun vertrek. Rose wist dat hij een risico nam, ze namen allemaal een risico. Er waren andere reizigers, die op kamelen naar Caïro wachtten, of op zeilboten die naar Rosetta of Caïro gingen. Er was het gebruikelijke gemarchandeer en geschreeuw van een karavanserai. De maan ging deze avond schuil achter een wolk, er was alleen het licht van een paar sterren, van de vuren langs de kust, en van een enkele lantaarn die flakkerend, met veel rook, op verontreinigde sesamolie brandde. De kamelen lagen in het stuivende zand. Soms brulde er een in het donker, uit zijn lange, droge keel. Morgenochtend vroeg zouden ze mee-gaan met een kleine karavaan terug naar Alexandrië en daar rechtstreeks naar de afgesloten, overvolle 'nieuwe' haven gaan. Tegen het invallen van de duisternis moesten ze een boot naar Malta zien te vinden, of naar Italië, of waar het maar veilig mocht zijn. In elk geval veiliger dan waar ze nu waren.

Rose had niet in Rosetta, de mooie, gevaarlijke stad die haar naam droeg, langs durven gaan, want de Turken en de Egyptenaren zouden te veel belangstelling hebben voor een buitenlandse vrouw met een kind – net als Geor-ge Fallon. Flo was heimelijk in het donker weggeglipt om boodschappen over te brengen. De kopten hadden Rose verder gebracht, naar de zandbank voor Rosetta. Ze had gereisd als een Arabische vrouw. Toen ze de zandbank voor Rosetta passeerden en de Middellandse Zee op voe-ren, had ze het kind in een omslagdoek in haar mantel verstopt en ze had gebeden tot alle goden van enig geloof die misschien luisterden.

Nu vertelde juffrouw Proud haar hoe Flo in het holst van de nacht terugkwam in het marmeren huis waar haar vader met angst en beven op haar had gewacht. Hoe hij, Cornelius Brown, het leven van George had gered door zelf, schijnbaar, de burggraaf te vermoorden teneinde de woedende mammelukken de moeite te besparen. En over de verwondingen van George, en hoe George en William, die nu groot gevaar liepen in Rosetta, gewoon waren ver-dwenen.

'Weet George dat ik het kind heb?'

'Dat weten we niet.'

'Weet meneer Alabaster het?' Juffrouw Proud knikte

ernstig. Alabaster was erbij geweest toen Flo met haar geheimen terugkeerde.

'Zouden ze al in Alexandrië kunnen zitten wachten?'

'Dat weten we niet.'

In Aboukir klaagde ergens een ezel in het donker op het strand. Het gebalk van een ezel weergalmt soms als een boosaardige lach.

Mijn liefste Fanny die ik zo mis,

Ik weet niets van je, helemaal niets. Je leeft in mijn Gedachten, ik denk heel vaak aan je en ik vraag me af hoe het jou en de Kinderen vergaat. Deze brief wordt geschreven op de Middellandse Zee. We denken dat we Brieven kunnen versturen vanuit Livorno, waar we vanavond zouden moeten arriveren en dat zal de eerste keer worden sinds ik Europa heb verlaten dat ik iets zal kunnen versturen. Ik ben niet op weg naar India zoals we van Plan waren, liefste nicht, maar op weg terug naar waar ik hoop dat ik goede Verzorging voor Harry's kind kan krijgen – voor mijn kind, zoals ik haar nu zal noemen. Ze heeft heel dringend Medische hulp nodig. Ik kon niet met haar naar een plek reizen waar we misschien nog verder weg waren van de hulp die ze nodig heeft. Ik heb haar Rosetta genoemd.

Ik heb Rosetta gevonden. Ze was in een Koptisch Klooster in de ruïne van een oude Tempel, een eind de Nijl op vanaf Rosetta en dan door de woestijn. Ze stonden me alleen toe haar te kopen als ik onmiddellijk uit Egypte vertrok, want de Egyptische Christenen hebben momenteel veel te verduren van de Turkse Heersers, en zoals we steeds hebben geweten, willen zowel de Turken als de Egyptenaren het kind graag hebben... En Fanny, het lijkt wel of het kind blind is. Ik zeg "het lijkt wel of", want misschien kan dit gedeeltelijk worden Genezen. Ze lijdt aan oftalmie in een vergevorderd stadium, de Ziekte van de ogen, waarover Pierre ons heeft verteld. Een twijfelachtige Griekse dokter, die toevallig in de buurt was, zei dat ik de oogjes met Schoon water moet baden — alsof zo'n basisproduct vrijelijk voorhanden is. Het doet het kind pijn en ze huilt veel, het arme wicht. O Fanny, ze is zo klein en broos en ziek van alles, naast de oftalmie. Ik ben erg bang, Fanny. Ik ben erg bang dat ze zal sterven voordat we weer in Engeland zijn. Ze is zo mager dat ik haar botten kan voelen, ze zijn als de botjes van een vogeltje.

George Fallon zal ons volgen, daar twijfel ik niet aan. Hij wil dit kind in handen zien te krijgen, deze verwijzing naar Harry's weinig heldhaftige Einde. Maar hij wil haar niet levend in Engeland hebben. Hij is bang voor een schandaal, hij is bang dat de mensen zullen weten dat Harry niet als Held is gestorven, dat het hele verhaal over zijn Dood ontrafeld zal worden. Maar ik kan daar nu niet aan denken, het enige waar ik aan kan denken is aan het zoeken van hulp en de Engelse Wet zal hem toch zeker niet toestaan haar kwaad te berokkenen? Gelukkig voor ons is George aangevallen, hij is in Egypte bijna aan zijn eigen dwaasheid ten onder gegaan, net als zijn broer. Er is in het Turkse Badhuis in Rosetta iets gebeurd wat veel opschudding heeft veroorzaakt. Ze zeggen dat hij is verdwenen, maar ik durf niet te hopen dat we hem Nooit weer zullen zien, en... o, dat kun je natuurlijk niet weten, Fanny, Dolly is dood. In het kraambed gestorven, is wat we zeggen. Ik heb jouw woorden gebruikt, Fanny, om haar te troosten. Ik heb haar verteld dat er geen Hel is. O, mijn liefste nicht, de wereld is inderdaad Vreemd en angstaanjagend en ik verlang er hevig naar te weten dat jij veilig bent. Want niets ter Wereld, weet ik nu, hoeft noodzakelijkerwijs te zijn wat het lijkt.

Juffrouw Proud reist met me mee naar huis. Zij past nu op Rosetta terwijl ik schrijf. Wist je dat ze me is gaan zoeken? Ik

503

ben nog nooit zo blij geweest een Vertrouwd Gezicht te zien als toen ik haar zag, de eerste dag dat ik in het Egypte van mijn Dromen aan Land stapte, en het was natuurlijk helemaal niet als in mijn Dromen. Maar Mattie is in Egypte gebleven, ik weet niet voor hoelang, want ze heeft een Gezin gevonden, het gezin van haar man (ze heeft Cornelius Brown gevonden en ze heeft hem op zijn gezicht getimmerd, precies zoals ze altijd heeft gezegd dat ze zou doen. Maar daarna gebeurden er andere dingen). Ze heeft me lang geleden beloofd dat ze niet bij me weg zou gaan voordat ik mijn eerste kind had... en Mattie is, zoals we weten, een vrouw van haar Woord. Dankzij Mattie hebben we Egyptische vrouwen in hun eigen Huis ontmoet... O lieve Fanny, wat wou ik graag dat ik dit alles met jou had kunnen Delen. Maar ik moet me nu haasten want ze roepen dat de Haven in zicht is, en vanwege Napoleon is er veel dat onzeker is, we hebben geen idee van onze plannen, zelfs niet of Italië veilig is en of we ooit ongedeerd in Engeland terug kunnen komen nu Napoleons Legers overal schijnen te zijn, en ze hebben het over Kustblokkades en nergens is zekerheid en het kind is zo ziek.

Ik heb niet heel Egypte gezien, zoals ik had gedroomd. Ik heb niet de grote Piramiden gezien, zwevend, zoals Pierre het beschreef toen hij ze vanaf de Nijl zag, in het ochtendlicht. Maar ik heb Egypte toch gezien. Ik heb de geruïneerde stad Alexandrië gezien, de stad van oude herinneringen. Ik denk dat ik daar de betekenis van het woord desolaat heb begrepen. Ik heb de Nijl gezien, net zoals Papa ons zo lang geleden heeft verteld, en het Leven dat deze met zich meevoert. En ik heb de woestijn zich tot in alle oneindigheid zien uitstrekken en ik heb een glimp opgevangen van hoe de oude wereld moet zijn geweest. Ik heb zelfs Hiëroglyfen gezien, vervallen in de woestijn. Ik heb grote goedheid en grote wreedheid gezien – maar dat had ik ook gezien in de wereld waarin wij zijn opgegroeid.

Nu roepen ze me weer. Ik zal proberen een manier te vinden om dit naar jou toe te sturen. Mijn hartelijke groeten aan je Gezin en vooral aan jou. Wat verlang ik ernaar nieuws van jouw Reis te horen. Ik mis jullie heel erg, en vooral jou, lieve, lieve Fanny, je hebt geen idee.

Ach, er is nog één ding dat ik moet zeggen voordat ik deze brief verzegel. De mensen vroegen hoe ik zeker kon weten dat dit Harry's kind was. Maar er was geen twijfel over mogelijk, de oftalmie kan het niet verbergen, haar broosheid kan het niet verbergen. Ze lijkt niet op Harry, ze lijkt echter sprekend – o Fanny, kun je dit geloven? – dezelfde aristocratische lange neus, dezelfde felle blauwe ogen, hoe beschadigd ze ook zijn. Er is geen twijfel over mogelijk.

Ik wilde dit kind zo graag vinden. Het is een God met een bizar Gevoel voor Humor die mij heeft geleid naar een kleine, zieke, Egyptische versie van de Douairière Burggravin Gawkroger.

Rose

Zevenentwintig

Soms vielen er een paar zonnestralen langs de luiken naar binnen, alsof ze probeerden over te brengen dat er buiten leven en vreugde te vinden was. De scharensliepen en de straatventers lieten als altijd hun kreten horen, maar in het huis in South Molton Street hoorden ze die niet. De nachtegalen zongen in de bomen op Hanover Square – ze hoorden het niet.

'We hebben haar in Egypte gevonden,' hadden ze tegen de Londense dokters gezegd, alsof dit de gewoonste zaak van de wereld was.

Maar de zomerdagen in South Molton Street brachten uiteindelijk geen veiligheid. Het was alsof het huis nog steeds leeg was. De dokters kwamen in treurige, donkere kamers waar de luiken vaak dicht waren tegen de zonneschijn. Ze wilden Rose en juffrouw Proud ook onderzoeken, maar de vrouwen wilden niets over zichzelf horen, alleen maar over het kind. Soms staarden de waakzame, beschadigde blauwe ogen aandachtig omhoog, volgden moeizaam iedere beweging in de kamer, maar daarna gingen ze weer dicht. Na slechts een paar dagen zeiden de dokters dat ze dachten dat ze niets meer konden doen, omdat het kind stervende was.

'Elke dag sterven er kinderen,' zeiden de dokters vriendelijk tegen Rose. 'Dat weet u ook. In de beste families van Engeland gaan er nog kinderen dood, zelfs in de familie van de koning. Het is heel uitzonderlijk dat ze niet tijdens de reis is gestorven. Maar er is verder niets wat we kunnen doen.'

Juffrouw Proud stond erop van tijd tot tijd bij het kind te waken, zodat Rose even kon slapen. Rose kon de gedachte aan in slaap vallen niet verdragen, maar ze dommelde toch telkens een poosje in. In haar dromen viel ze en droomde ze van hiëroglyfen die steeds beangstigender werden.

Ze weigerde de moed op te geven. Juffrouw Proud dacht dat Rose er krankzinnig van werd, want ze bleef maar tegen Rosetta fluisteren. *Ze zeiden dat je in Milaan zou sterven, maar dat deed je niet. Ze zeiden dat je in Keulen zou sterven, maar dat deed je niet. Je bent zo ver gekomen en je hebt het overleefd. Je mag het nu niet opgeven, drink dit kleine beetje melk op, slik dit lepeltje medicijnen in.* Soms gingen de beschadigde blauwe ogen open, soms slikte het kind, maar dan gingen de ogen weer dicht, haast als in opluchting, bijna alsof het kind zei: *laat me gaan.*

Je mag niet sterven, Rosetta, fluisterde Rose.

Op zomeravonden wordt het laat donker in Londen, zodat zij die onder dekking van de duisternis reizen minder tijd hebben. Juffrouw Proud, bij wie de vermoeienissen van de lange reis nog op het gezicht te lezen stonden, terwijl haar bril haar ogen vergrootte, keek de bezoeker geheel verbijsterd aan, waarna ze hem snel binnenliet.

Even kreeg ze een visioen van de oude marineheren die gedag kwamen zeggen en dan een *Fransman* aan zouden treffen, en ze deed de deur zorgvuldig op slot. 'Ik ben erg blij u te zien, monsieur, maar een Fransman loopt hier echt groot gevaar!' Ze nam hem mee naar haar met boeken gevulde, met kranten bezaaide kamer.

'*Oui, madame,*' antwoordde hij zuur, 'in Dover dacht ik dat mijn laatste uur had geslagen. Er is daar een landgenoot van mij – ik weet niet waarvoor hij daar was – doodgeschoten omdat ze aan zijn stem hoorden dat hij een Fransman was. Ik kan hier niet lang blijven. Ik moet weer weg voordat het licht wordt. Maar... hier ben ik.' Hij keek haar aan. 'U bent veilig terug, *Dieu merci!* Maar... u bent heel mager, madame.'

'We zijn pas tien dagen terug, monsieur Montand, we zijn nog niet helemaal op orde, en we maken ons veel zorgen over de ziekte van het arme kind. We hebben helemaal geen personeel, we dragen onze eigen kleren de trap op en af, en dat zal ongetwijfeld goed voor ons zijn! Het maakt niet uit, we zijn eindelijk weer thuis. Maar' – ze keek hem opeens verbaasd aan – 'hoe weet u dat? U kon dat onmogelijk weten.'

'Mattie heeft een brief bij mij laten bezorgen door een Franse koopman die naar Parijs ging.'

'Mattie?'

'Ze heeft me alles verteld wat er is gebeurd. En over uw rol erin, madame... U bent een ongelofelijke vrouw om op zo'n uitzonderlijke wijze in uw eentje de wereld door te trekken! En... u bent alle drie veilig?'

'Veilig?' Ze staarde hem weer aan. 'We zijn erg blij dat we weer thuis zijn, maar...' Juffrouw Proud ging opeens aan haar tafel zitten alsof ze haar eigen geringe gewicht niet langer kon dragen. Ze wreef met haar hand over haar gezicht. 'Monsieur, de lange reis terug was als een nachtmerrie vol vreemde havens en buitenlandse dokters en oorlog. Het kind is erg ziek. Naast de oftalmie waarover Mattie u ongetwijfeld zal hebben verteld.' Hij knikte. 'En overal soldaten, en de angst dat George Fallon ons op de hielen zat! Maar Rose is echt geweldig geweest. Ze zit voortdurend bij het bedje van het kind. Ik denk echt dat zij tijdens de reis met haar wil het kind in leven heeft gehouden, haar heeft gedwongen vol te houden, te overleven... met een wilskracht die ik niet bij haar had vermoed. We hebben haar eindelijk door Engelse artsen kunnen laten behandelen, goddank, ze komen iedere dag, maar... monsieur, ze zijn heel somber. Haar leven lijkt in mijn ogen, en ik weet ook in de ogen van Rose, een klein vlammetje dat elk ogenblik kan doven. Het is vreselijk voor Rose. En ze maakt zich uiteraard voortdurend ongerust als er op de deur wordt geklopt. George was vastbesloten dat het kind niet mocht blijven leven, als herinnering aan de schande van zijn broer, en Rose heeft haar eigenlijk pal voor zijn neus weggekaapt. Ik denk dat hij haar dat nooit zal vergeven.' De bril van juffrouw Proud viel op de grond, te midden van alle boeken en papieren. Pierre bukte zich om hem op te rapen.

'Ik ben blij te zien dat sommige dingen niet veranderen, madame,' zei hij, en hij glimlachte even. 'Ik herinner me deze kamer vol boeken en kranten van mijn eerdere bezoek, toen ze probeerden brand in uw keuken te stichten!' Ze lachten allebei bij de herinnering, maar hun lach klonk gespannen en ze keken naar het plafond.

'Monsieur Montand...?'

'*Oui, madame?*'

'Ik denk... ik denk dat Rose erg blij zal zijn u te zien.'

Hij ging alleen en onaangekondigd naar boven. Hij liep de verlaten zitkamer in, keek even om zich heen en dacht terug aan een zomeravond als deze, toen hij haar ten huwelijk had gevraagd en zij zijn aanzoek had afgeslagen.

'*Rosette*,' riep hij zacht.

Ze kwam uit het kamertje naast de zitkamer met een ongelovig gezicht, alsof ze een geestverschijning had horen roepen. Hij was geschokt over haar uiterlijk. Haar huid was zo dun en wit en strak dat ze veel ouder leek.

'Pierre!' Ze staarde, hield zich vast aan de muur om steun te zoeken. 'Hoe... Hoe ben je...?' Ze zocht naar woorden. 'Ik bedoel... De oorlog... Ben je...?'

'Rose. *Rosette*.'

'Maar...'

'Mattie heeft iemand gevonden die me in Parijs een brief van haar heeft gebracht.'

'Heeft Mattie je geschreven?' *Ze zag Mattie lang geleden in Brook Street zitten, toen ze leerde schrijven.*

'Er was een zekere monsieur Cornelius Brown, naar ik heb begrepen haar man, die haar heeft geholpen om mij te vertellen wat er allemaal is gebeurd.'

'Waar is George?'

'Dat weet ik niet, *Rosette*.' Toen hij naar haar toe kwam, verroerde ze zich niet, alsof ze dat niet kon. Hij was helemaal in het zwart gekleed, met zijn haar naar achteren gebonden op de manier van een Engelse kapitein. Hij zag de welving van haar lange, slanke hals, haar haar was langer, er waren rode vlekken op haar droge, witte huid. Hij sloeg gewoon zijn armen om haar heen. Even bleef ze stokstijf staan, zei helemaal niets. Toen sloeg ze haar armen ook om hem heen, voelde zijn lange, warme lichaam tegen het hare, rook het zweet van een man die paard had gereden. Hij voelde een lange, diepe zucht uit haar lichaam ontsnappen en toen ontspande ze zich, leunde tegen hem aan. Hij kon haar haar ruiken. Zo bleven ze staan, in een kamer in South Molton Street.

Ten slotte liep ze met hem terug naar de belendende kleine kamer. Daar lag het kind, met een brandende lamp er vlakbij. Ze was heel klein, met een olijfkleurige huid, uitgemergeld. Als het kind van een zigeuner of een bedelaar. Rose hoorde hem een onwillekeurige, gesmoorde kreet slaken toen hij dichterbij kwam. Het kind sliep niet, ze lag te luisteren naar de geluiden van Londen, of misschien naar de geluiden van een heel ander leven dat alleen maar in haar hoofd bestond. Het was duidelijk dat de oftalmie haar ene oog blijvend had beschadigd. Toch keek ze hem aandachtig aan.

'Maar... natuurlijk...'

'Ja,' zei Rose.

Want hoewel het kind een donkere huidskleur had en hoewel het ene oog erg beschadigd was en ze heel klein en heel ziek leek, was er geen twijfel over mogelijk dat dit Harry's kind was, want Pierre Montand zou nooit Harry's moeder vergeten zoals ze op Berkeley Square de oude Egyptische ring had gedragen. Het kind keek naar hem op: een heel kleine, beschadigde versie van de douairière.

'Ik heb haar Rosetta genoemd,' zei Rose.

Pierre bleef verbaasd staan kijken. '*La pauvrette!*' zei hij. 'Ze is zo klein en toch moet ze... bijna twee jaar oud zijn.' Zijn stem stokte even en ze wist dat hij aan Alexandrië dacht en aan de moeder die in de donkere steegjes was gestenigd.

'Ze eet heel weinig. Ik weet niet of ze slaapt of dat ze

daar alleen maar ligt adem te halen.' Rose schudde vermoeid haar hoofd. 'En ze heeft nog nooit gelachen. Dat vind ik wel het treurigste van alles.'

Het bleef lang stil. In gedachten zag hij Egypte voor zich. 'In de woestijn leefde ze in een andere wereld. Nu...' Hij draaide zich eindelijk om en keek Rose aan, en ze zag aan zijn ogen dat hij nog steeds van haar hield. Terwijl hij naar haar toe liep vulde hij aan: '... Nu woont ze in *la rue* South Molton, bij een knappe en dappere dame die naar citroenen geurt.' Het kind keek naar hen.

'Pierre.' Ze haalde diep en beverig adem. 'Pierre, wat er ook mag gebeuren... Ik weet dat jij de verstandigste, vriendelijkste... de vriendelijkste man bent die... neem me niet kwalijk, ik ben niet erg helder in mijn hoofd en ik weet dat dit niet het goede moment en de juiste plaats is, alles is nu anders...' Ze stotterde, gebaarde naar het kind, maar dwong zichzelf door te gaan. 'Pierre, ik begreep mezelf niet toen jij... Ik was niet dapper en ik was niet verstandig. Uiteraard is er nu veel veranderd – ons beider leven – maar ik wil dat jij weet dat ik heel veel over mijn dwaasheid heb nagedacht. Het was niet mijn bedoeling je te kwetsen. Ik heb hier in Egypte heel vaak aan gedacht. Ik ben de volgende morgen naar het huis van de Franse ambassadeur gehold om je te zoeken. Maar je was weg.' Ze wist niet of ze te volgen was. De blauwe ogen gingen moeizaam van Pierre naar Rose, en sloten zich toen. Misschien sliep het kind eindelijk, ze maakte kleine, ademende geluidjes. Rose kuste het kleine voorhoofd. '*Ma'assalama*,' zei ze zacht, zoals ze dat altijd zei, met haar gezicht dichtbij. 'Ik ben bij je, ik zal altijd hier zijn, en we heten allebei Rosetta.'

Ze keken naar het kind, en luisterden naar de oppervlakkige ademhaling.

'Ik maak mezelf wijs,' zei Rose, 'dat zolang ze de blik heeft die jij hebt gezien, met dat kijken en dat luisteren, ze niet zal sterven. Het betekent leven, die blik.' Hij zag dat er tranen in haar ogen kwamen. Het kind haalde gelijkmatig adem. Ze liepen terug naar de zitkamer en lieten de deur tussen de twee kamers open. Ze bleven enige tijd zwijgend zitten, hij op de zachte sofa, zij op de hoge, rechte stoel, terwijl ze op het geringste geluid bedacht waren. Ten slotte stak hij zijn hand uit en pakte de hare teder vast, zoals hij ooit eerder had gedaan. Het was alsof ze de stem van mevrouw Alabaster hoorde: *mass, dat betekent voorzichtig aanraken*. Hij voelde haar beven. Deze keer stond ze op en ging naast hem zitten.

'Nu is het mijn beurt,' zei hij, 'om mijn verontschuldigingen aan te bieden.' Hij raakte zacht de diepe frons op haar voorhoofd aan. 'Je hebt bewezen dat ik ongelijk heb, en daar ben ik blij om. Je hebt gedaan wat je zei dat je moest doen – jij, juffrouw Proud en Mattie. Omdat ik zo goed weet hoe het moet zijn geweest, kan ik nog steeds nauwelijks geloven dat je dit hebt gedaan en... en ik ben vol bewondering. Ik moet je een zwakheid bekennen: ik heb gehuild toen ik de brief van Mattie kreeg.' Toen nam hij haar in zijn armen, hij hield zijn geliefde in zijn armen, en daar kwamen ze plotseling, zonder woorden, als een soort afsluiting, en liet Rose Fallon zich eindelijk gaan. De tranen stroomden over haar gezicht, van uitputting, van vreugde, van verlangen, van wanhoop, van opluchting, en toen, ten slotte, van overgave, van absolute overgave na alle jaren waarin ze had geleerd zich te beheersen. Ze voelde zich hetzelfde en toch heel anders, haar hele lichaam stond in vuur en vlam op de manier die ze zo goed kende. Het was alsof er een rivier eindelijk buiten haar oevers mocht treden. De Nijl, het zand, de ruïne, het kind, de lamp in South Molton Street, alles tuimelde door elkaar.

Ze hoorden buiten op straat een koetsier naar een andere roepen. De oude klok uit Genua vertelde hun meedogenloos over elk kwartier dat snel verstreek.

'*Je t'aime, Rosette.*'

'Ik houd van je, Pierre. Ik ben zo blij je weer te zien! Maar ik weet dat je niet in Engeland hoort te zijn! Je bent hier niet veilig!'

'Voor een heel korte tijd ben ik veilig.' Hij streelde haar haar, haar uitgeputte maar nu blozende gezicht, haar tengere blote schouder. Maar Rose sprong opeens schuldbewust op, vanwege het kind, alsof ze het kind even was vergeten. *Stel dat ze is gestorven en ik was er niet bij!* De kleine borst ging nog steeds op en neer. Rose bleef in de deuropening staan, tussen de twee kamers, alsof ze niet wist waar ze moest zijn.

'Vertel me eens over madame Fanny,' zei Pierre zacht. 'Wat is er van haar reis geworden?'

'Er lag hier een brief op me te wachten.' Rose maakte langzaam de knoopjes van haar jurk weer vast. 'Ze komt terug. We denken dat dat binnenkort zal zijn, maar dat kunnen we natuurlijk niet weten met deze oorlog en met zo'n lange reis. Dominee Horatio Harbottom heeft haar met gerechtelijke stappen gedreigd – ik geloof dat hij bij de East India Company de nodige ophef heeft veroorzaakt – en Fanny zal nu wel heel bang zijn dat ze haar kinderen gaat verliezen.'

'Gaat madame Fanny terug naar monsieur Harbottom?'

'Ik denk dat ze wel zal moeten. De brief zei daar niets over.'

'Vind je het jammer, van Mattie?'

'Ik mis Mattie meer dan ik kan zeggen... en niet omdat... je moet niet denken dat ik geen kolen naar boven kan sjouwen of nachtspiegels naar beneden, en er zullen natuurlijk nieuwe dienstmeisjes komen. Maar Mattie was... Mattie maakte deel uit van mijn leven, ik had niet gedacht haar ooit te zullen verliezen.' Ze liep weer even terug naar het kind en kwam toen snel naast hem zitten, alsof ze zich niet langer kon bedwingen. Toen greep ze zijn handen vast alsof hij de antwoorden had. 'Wat moeten we doen? Als ze uiteindelijk toch in leven blijft, is George degene die alle rechten op haar heeft, niet ik!'

'Dat heb je altijd geweten, *Rosette*.'

'Ik heb het altijd geweten maar ik had het echt niet anders kunnen doen. George zou haar hebben vermoord als hij haar als eerste had gevonden... Pierre, het zou zo gemakkelijk zijn geweest, hij had helemaal niets hoeven doen, hij had haar gewoon ergens in het zand kunnen leggen en daarna weglopen. Wanneer ik mijn ogen dichtdoe, zie ik het hem bijna doen.' Ze deed haar ogen echt even dicht, alsof ze het beeld niet kwijt kon raken. 'Ik heb er begrip voor' – ze keek hem vermoeid aan – 'dat jij me ervan beschuldigde dat er in mijn hart veel romantiek en dwaasheid was met betrekking tot dit kind. Maar toen George er eenmaal was en ik begreep hoe hij erover dacht, toen was het gewoon een kwestie van haar leven!'

Pierre knikte en ging staan. Hij ging ook even bij het slapende kind kijken, luisterde naar de ademhaling, keek naar de wijzers van de klok uit Genua. Hij liep naar het raam en staarde naar buiten, naar South Molton Street.

'Rose, een van de redenen waarom ik meteen hierheen ben gekomen toen ik de brief van Mattie kreeg... Ik heb nieuws voor je.' Hij gaf haar een paar velletjes papier. Ze zag Matties ronde, moeizame handschrift, er zaten veel inktvlekken op het papier.

EN MENEER PIERRE U MOET JUFFROUW ROSE WAARSGUWE –
WE WISTET NIET MAAR DE BUGGRAAF IS TRUGGEGAAN NAAR
ROSETTA EN IS MET HET BLAAUWE KRUIS NAAR DE KERK GE-
GAAN EN DE PRIESTERS SGIJNEN HEM UITGELACHE TE HEBBE.
HIJ IS SNAGTS NAAR HET HUIS VAN ALABASTER GEKOME EN NU
IS MENEER ALABASTER DOOD.

WAT ZE OOK MOGE ZEGGE IK DENK DAT HIJ HET HEB GEDAAN
HIJ IS ZO GEK ALS EEN KAMEEL WE DENKE DAT HIJ OBELISKEN
WIL MEENEME MAAR JUFFROUW ROSE ZAL WEL VOOR HEM
MOETEN UITKIJKE WANT HIJ MOET WETE DAT ZIJ HET KIND
HEEFT DAAROM ZAL HIJ HET HEBBE GEDAAN.

Er was in een ander handschrift aan toegevoegd:

Er is geen enkel bewijs dit is alleen maar wat we denke. Ze zei-
den dat Archie was Gevalle en dattie Dronke was, maar mevrouw
Alabaster weet het. Ze zei dat de burggraaf als een dolle stier
tekeerging toen hij hoorde dat het blauwe kruis nep was, en dat
Juffrouw Rose weg was.

Hoogachtend
Cornelius Brown (sstt)
en zijn vrouw Mattie Brown

Pierre zag dat Rose de woorden steeds weer opnieuw las. Hij kwam naast haar zitten. 'Als je bereid bent naar Frankrijk te komen, zal er een speciale dispensatie zijn voor jou als Engelse. Ik heb zijn woord daarvoor gekregen.'

'Wiens woord? Dat van George?' Ze keek hem niet-begrijpend aan.

'Het woord van Napoleon Bonaparte. Ik heb hem over je situatie verteld. Weet je nog hoe mademoiselle Dolly... Ach, *la pauvre*, ik vond het verhaal over haar heel triest. Mattie heeft het me verteld.'

De ogen van Rose werden opeens zo hard als graniet. 'Hij heeft Dolly net zo zeker vermoord als wanneer hij haar met een mes had gestoken. George. En William, en die akelige oude hertog van Hawksfield, raadsheer van de koning! Voor hen was ze een pion in het spel, niets meer dan dat!'

Hij ging vriendelijk verder, alsof hij het tegen een kind had. *'Ecoute-moi, Rosette.* Napoleon herinnert zich jou en de dag van het flauwvallen. Als jij... als jij besluit met mij mee te gaan, zullen we nu vertrekken. We zullen in Parijs trouwen, met zijn toestemming. George kan daar niet veilig komen.'

Ze staarde hem niet-begrijpend aan. 'Maar ik moet bij Rosetta blijven.'

'Rosetta gaat natuurlijk met ons mee!'

'Maar Rosetta kan echt niet op reis!' Hij zei niets. 'En onze landen zijn met elkaar in oorlog,' voegde ze er on-nozel aan toe, alsof hij dat niet wist, alsof hij niet 's nachts alle gevaren had getrotseerd om naar haar toe te rijden: een eenzame Fransman te paard, de vijand. Ze had de brief nog in haar hand, ze keek hem aan alsof ze hem niet zag, alsof ze nog steeds daar bij Mattie was.

'Onze landen zijn inderdaad in oorlog,' herhaalde hij en zijn gezicht werd hard, net als zijn stem. 'De Fransen hebben via veel diplomatie geprobeerd deze nieuwe oor-log te voorkomen. De voorwaarden van de Vrede van

Amiens zijn telkens weer door jullie regering en jullie koning verbroken. Ik vrees dat het deze keer een oorlog op leven en dood zal zijn.'

'Wiens dood?'

'Die van jullie verraderlijke koning. Jullie opschepperige Nelson. Jullie dikke prins van Wales.' En daarna zei hij: 'Napoleon is keizer van Frankrijk geworden.'

Ze keek gechoqueerd op en schoot in de lach. Maar ze hield even plotseling weer op, ontzet over zichzelf. 'Maar waar is die revolutie dan goed voor geweest?'

Hij zuchtte. 'Misschien om andere mannen aan het bewind te krijgen. Dat was hard nodig, heb ik begrepen, omdat de royalisten hem voortdurend aanvallen. We moeten de *République* veiligstellen en het is Napoleon die voor de *République* staat. Wat mij betreft, ik zal blij zijn,' voegde hij er droog aan toe, 'als deze oorlog betekent dat wij de Steen van Rosetta weer in ons bezit krijgen.' Ze zag dat hij probeerde de stemming wat lichter te maken.

'Is er al enige voortgang geboekt?' Ze streelde zijn gezicht en hij wist dat ze weer bij hem terug was.

'Met de hiërogliefen? *Non. Rien d'importance. Hélas.*'

'O Pierre, ik heb ze gezien, de hiërogliefen! Ik heb ze gezien...' Maar ze kon niet verdergaan en haar ogen leken weer elders te zijn. 'Ik... ik slaap zo vreemd, Pierre. Ik ben 's nachts natuurlijk bij Rosette, maar als ik in slaap val, val ik in een droom naar beneden, het is altijd een droom met vallen en het vreemde is... de droom gaat niet over Rosetta... zelfs niet over George... Ik droom er nacht na nacht van... van de hiërogliefen.' De woorden stroomden eruit. 'In mijn droom zie ik de havik en de uil en de voet en de vreemde vormen, ze draaien in mijn hoofd rond, alsof ze willen dat ik ze niet vergeet. Toen ik ze in die verwoeste tempel zag, beschadigd en bekrast en overdekt met koptische kruisen, kon ik wel huilen!' Haar witte gezicht was nog steeds verhit. 'En in mijn dromen wacht ik altijd, wacht ik tot de sleutel tot de hiërogliefen wordt gevonden, alsof hij vlak in de buurt is, net buiten mijn bereik.' Ze lachte half. 'Waarom droom ik toch zoiets? Ik ben geen geleerde!'

Hij streek haar haar glad. 'Ga mee naar Parijs,' zei hij. 'Dan gaan we samen naar de hiërogliefen kijken, elke dag!' Hij glimlachte naar haar. 'Maar, *ma chérie*, terwijl ik hier naartoe reed, heb ik bedacht dat jij in Frankrijk misschien wat Arabisch zou kunnen leren, nu je de klank ervan zelf hebt gehoord. Er zijn veel goede leraren in Parijs, en dan zouden we op een dag naar Egypte terug kunnen gaan, met Rosetta. Arabisch is niet de taal van de hiërogliefen, maar hoe meer talen je leert, des te beter je kunt begrijpen hoe talen ontstaan. Dus misschien zul je eens de oude Egyptische talen verstaan, wie weet?' Ze voelde zo'n intense liefde voor hem, voor zijn woorden en ideeën en plannen en dromen, dat ze haar blik moest afwenden.

'En je boeken?' vroeg ze wat later.

'We werken eraan, dag en nacht. Hij staat erop dat het wordt voortgezet, zelfs in oorlogstijd. Maar, *écoute-moi maintenant*, je moet met mij mee teruggaan. En als we eenmaal getrouwd zijn, als Napoleon koning van Engeland wordt – wat uiteraard een mogelijkheid is – zal niemand Rosetta meer van je af kunnen pakken.'

'Napoleon koning van Engeland? Koning van mijn land? Natuurlijk niet!' Ze was zo verbaasd dat ze ging staan.

'Het is op zijn minst mógelijk, *ma chérie*.' Ze staarde hem ongelovig aan.

'Dit... dit is niet hoe we in Engeland erover denken. We kunnen ons zoiets absoluut niet voorstellen!'

Hij ging ook staan, keek haar zuur aan. 'Dit is hoe we er in Frankrijk tegenaan kijken, *ma Rosette*. Maar we moeten ons nu haasten, want er moet veel geregeld worden.'

Ze keek hem verbijsterd aan. 'Bedoel je nu? Je bedoelt toch zeker niet nu? Vanavond?'

Hij glimlachte, alsof niet elk moment dat hij in Engeland doorbracht vol gevaar was. 'Ik kan niet zomaar elke week komen! Napoleon heeft slechts ingestemd met deze ene reis. Alleen maar deze ene keer.' En terwijl hij sprak sloeg de oude klok uit Genua weer. 'We moeten vertrekken voordat het licht wordt.' Hij keek omlaag naar de straat en draaide zich toen haastig om. 'Het is later dan ik dacht, het moet nu. We moeten nu vertrekken!'

Ze staarde hem niet-begrijpend aan. 'Maar, Pierre... Rosetta... Ik kan niet... Het is niet alleen haar oogziekte, het gaat om haar leven. Dat begrijp je toch zeker wel?' Ze greep hem bij beide armen vast. 'Ik houd van je, laat daar deze keer geen misverstand over bestaan. Ik houd van je, Pierre, en ik zou heel graag met je willen trouwen.' Ze keek naar zijn lieve gezicht. 'Heel graag. Ik droomde ervan dat je terug zou komen, lieve Pierre... Maar ik had nooit gedacht dat mijn droom uit zou komen!' Ze trok hem opeens mee naar het kamertje. 'Kijk eens naar haar,' fluisterde ze.

Pierre wist dat het waar was: iets aan het kind maakte zelfs hem bang. Hij wendde snel zijn blik af. *Ze moesten het op deze manier doen. Ze moesten het risico nemen.* 'Ze kan het doen. Ze heeft de hele reis uit Egypte doorstaan! Rose, ik zal jullie beiden in het donker meenemen. We moeten het risico nemen, deze ene keer nog, *ma chérie*. George zou heel goed al onderweg kunnen zijn. Als we eenmaal uit Engeland weg zijn, terug in Frankrijk, geniet ik Napoleons bescherming en dan zijn we veilig. En zodra we in Parijs zijn kan ik voor jullie beiden zorgen. In Frankrijk weten de dokters natuurlijk veel van oogziekten af door alle soldaten die terug zijn gekomen. Er zal goed voor haar worden gezorgd.'

'Maar' – ze was verbaasd dat hij het niet had begrepen – 'het is niet alleen de oftalmie! Haar leven hangt aan een zijden draadje, dat moet jij toch ook zien!' Ze pakte hem weer bij zijn armen. 'Als het alleen om mij ging, zou ik meegaan! Ik zou nergens bang voor zijn, want geen reis kan me nu nog bang maken. Maar je moet het toch kunnen zien: ik ben Rosetta's kans om in leven te blijven. Als ze was gebleven waar ze was, zou ze nu dood zijn geweest. Als George haar had gevonden zou ze nu dood zijn geweest. Ik zal zorgen dat ze blijft leven!'

'En George Fallon?'

'Die zal haar niet krijgen!'

'Dan moeten we haar vanavond meenemen. Dat is onze enige kans.'

Ze zag zijn gezicht, en haar hart kromp van angst ineen. 'O Pierre, je moet me niet dwingen te kiezen! Geef me tijd!'

'In de oorlog is er geen tijd, Rose.'

'Luister naar me, luister! Ik wil niet één stap meer met dit kind verzetten tot ze... tot ze weer de goede kant uit gaat! Maar ik kan de gedachte niet verdragen je een tweede keer te verliezen, niet nu... Je zult nooit meer van me af kunnen komen want ik houd veel te veel van je.' Ze voelde opnieuw zijn handen op haar lichaam, alsof ook hij de gedachte niet kon verdragen haar een tweede keer te laten gaan. 'Pierre!' fluisterde ze, en ze stond opnieuw in vuur en vlam, alsof iets in haar binnenste onstilbaar was, ze voelde zijn handen op haar lichaam en zijn mond op de hare en opnieuw gaf ze zich aan hem over terwijl hij fluisterde: 'We moeten nu gaan, *Rosette.*'

'Ach... alsjeblieft!' zei ze. 'Alsjeblief, mijn liefste.' En misschien was het niet duidelijk waarvoor ze smeekte. Voor hem? Voor zijn begrip? Zijn handen? Tijd om na te denken? Maar het kind in de kamer ernaast hoorde dit misschien, en het begon te huilen, met droge, uitgeputte kreetjes. Het kind met haar beschadigde blauwe ogen. En de klok sloeg en het licht van de dageraad bedreigde Londen.

Toen begreep hij dat ze het kind niet op zou nemen en mee zou gaan. Er was liefde, maar er was ook iets onomkeerbaars.

Langzaam pakte hij zijn donkere overjas. 'Vaarwel, *Rosette.* Er valt geen tijd meer te verliezen.' Hij leek tegen hen beiden te spreken. 'Het spijt me meer dan je ooit zult weten dat je niet met me mee kunt gaan, want – *je regrette que* – ik denk dat je het niet begrijpt – het is voor mij onmogelijk om terug te komen.'

Haar gekwelde blik. 'Je kunt dit niet doen, Pierre. Je weet nu hoeveel ik van je houd! Je hebt gezien hoe slecht Rosetta eraan toe is. Het is niet goed dat je me dwingt te kiezen, het is een onmogelijke keuze!'

'Er zal geen derde keer zijn, *ma Rosette,*' zei Pierre Montand. Ze zag een vreselijke pijn in zijn ogen. 'Want soms moeten we dapper genoeg zijn om onmogelijke keuzes te maken.'

In het laatste duister van de nacht weergalmde het geluid van paardenhoeven op de keien en toen stierf het weg.

Achtentwintig

*D*e oorlog van Napoleon breidde zich uit. Steeds meer jongemannen verdwenen naar het slagveld. Er was geen enkele kans op verkeer tussen Engeland en Frankrijk. Er waren blokkades voor de havens. Rose kreeg geen enkel bericht van de man aan wie ze haar hart had geschonken. Op Engelse bodem werden Fransen doodgeschoten. *Spionnen van Napoleon*, zeiden ze. Ze begreep dat Pierre zijn leven in de waagschaal had gesteld door naar haar toe te komen. *Maar het leven van Rosetta ligt in mijn handen.* Rond Hanover Square begonnen de bomen hun bladeren te laten vallen, de bladeren ritselden en dwarrelden door Bond Street. In het kleine kamertje bleef ze vastberaden de wacht houden.

En toen, op een dag, besloot Rosetta in leven te blijven.

Eindeloos langzaam keerde het lichaampje terug naar de wereld, nam melk en medicijnen tot zich. De dokters noemden het een wonder. De beschadigde ogen mochten dan wel open zijn gegaan, maar over de schade aan haar verstand schudden ze hun hoofd. Ze konden het niet zeggen. Dag na dag sprak Rose tegen haar over het leven.

Het leek eindeloos te duren voor het kind ging zitten en haar hoofd draaide om de kamer te overzien. Ze werd naar de zitkamer gedragen, naar het licht, naar herfstbladeren. Ze had een pop waar ze naar keek zonder met haar ogen te knipperen, en ze had een oud, versleten kussen dat Angel heette. Op een bijzondere dag, toen ze gespannen naar een bundel licht van het herfstzonnetje keek, wist ze zich omlaag te laten glijden van de sofa waarop ze naast Rose was neergezet, om dichter bij de zon te zijn. Ze keek vol aandacht naar alles om zich heen. En naarmate Rosetta weer tot leven kwam, knapte Rose ook op. Ze begreep dat George Fallon haar nog niet achterna was gekomen. En ze begreep dat er geen bericht uit Frankrijk was gekomen, geen teken van bevestiging van wat er die avond tussen Pierre en haar had plaatsgevonden. Al was het maar een woord. Eén woord slechts. Maar er kwam niets. Er lagen dan misschien blokkades voor de havens, maar Pierre zou toch een manier hebben weten te vinden. En dus begreep ze het.

Pierre Montand was uit haar leven verdwenen.

Maar Rose wist dat George Fallon eens zou komen. Ze wist dat ze uiteindelijk de hertog van Hawksfield over de dood van Dolly zou moeten vertellen. Ze wist dat hij niemand anders over het kind zou vertellen, dat hij op een avond – ze wist dat het een avond zou zijn, hij kwam altijd 's avonds – op onheilspellende wijze gewoon weer haar leven binnen zou glijden, als nevel vanaf de rivier. Ze besefte heel goed dat ze Rosetta niet eindeloos in South Molton Street opgesloten kon houden.

Ze vertelde de dokters dat ze van plan was te verhuizen, weg uit Londen. 'Nog niet,' waarschuwden ze haar.

'Nu nog niet. Dit is een lange, lange strijd geweest voor haar kleine lichaam. U moet ons beloven dat ze nog een halfjaar hier blijft, zodat wij haar kunnen helpen.'

'Misschien zou ik haar tegen die tijd,' zei Rose, 'mee kunnen nemen naar... naar een ander land.' Maar ze zag de schrik op het gezicht van de dokters.

'Dat zou heel onverstandig zijn!' zeiden ze streng. 'U zit in het veiligste land ter wereld, in deze troebele tijden van oorlog. U zou in het buitenland niet gemakkelijk medische verzorging kunnen krijgen.'

Rosetta begon wankele, moeizame stapjes te zetten, maar haar benen waren nog niet sterk genoeg om haar te dragen en ze viel telkens. Soms trok ze zich op en hield zich met een wonderlijke volharding vast aan stoelen of deuren.

Rose maakte plannen voor hun nieuwe leven. 'Zodra het voorjaar wordt, zullen we gaan,' zei ze tegen juffrouw Proud. 'Ik zal een rustige plek vinden waar we veilig zijn. En als hij komt als wij weg zijn, moet u tegen hem zeggen dat het kind dood is.'

'En als hij komt voordat jullie weg zijn?' Juffrouw Proud lag in South Molton Street nachtenlang te luisteren of George Fallon nog niet kwam.

'Dan zal ik hem zelf vertellen dat het kind dood is,' zei Rose resoluut, en elke avond dat Rosetta, altijd zonder te protesteren, in haar bedje was gestopt, keek ze in de zitkamer om zich heen op zoek naar tekens: de pop, het oude, versleten kussen dat Angel heette, kinderbestek.

En zo leefden ze als gevangenen in South Molton Street, voortdurend gespannen, wachtend tot Rosetta sterk genoeg zou zijn.

'Je zou in het zwart moeten gaan, Rose,' zei juffrouw Proud op een dag. 'Voor als hij komt.'

De oude marineheren mochten eindelijk, in het grootste geheim, op bezoek komen. Ze probeerden hun geschoktheid over het uiterlijk van hen allen te verbergen: van Rose, van juffrouw Proud, van het magere, olijfkleurige, zieke Fallon-kind. Ze zagen eruit (zeiden de oude heren later tegen elkaar) alsof ze geesten of spookverschijningen waren. Maar de oude heren praatten gezellig, herinnerden hen eraan dat er buiten nog een wereld bestond, gaven Rose en Rosetta (en zelfs juffrouw Proud) snoepjes. Ze luisterden naar alle avonturen, schudden opgelucht en ongelovig hun grijze hoofd. 'Binnenkort reizen vrouwen zeker overal naartoe! Daar zullen we toch eens goed over moeten nadenken!' riepen ze uit, nauwelijks in staat hun oren te geloven.

'Rose zal eens boeken schrijven om hun te vertellen hoe ze dat moeten doen!' zei juffrouw Proud. En de oude heren lachten omdat ze verslagen waren. Maar ze waren ook trots op hen, wetend dat de wereld veranderde. Het kind zat naast Rose op de oude zachte sofa en luisterde en keek.

'En... en de familie Fallon?'

'Dat weet ik niet,' zei Rose koud. 'We komen niet buiten.'

'Maar je kunt haar toch zeker niet' – ze keken verbijsterd – 'steeds hier opgesloten houden?'

'Dat weet ik.' Ze zei verder niets. Ze vingen de blik van juffrouw Proud op, maar ze waren te vriendelijk en te bezorgd voor Rose om haar op dat moment onder druk te zetten en dus zwegen ze verontrust.

'Hebt u...' Rose keek hen niet aan. 'Kunt u misschien zeggen hoe lang deze oorlog zal duren?'

'Ach, liefje.' Ze zuchtten en schudden hun hoofd. 'Deze

keer zal er pas een eind aan komen als Napoleon dood is.'
Pierre had hetzelfde woord gebruikt voor de koning van
Engeland. 'Hij haalt de hele wereld overhoop. Dat mag
niet zo doorgaan.' Opnieuw stilte. De oude heren
schraapten hun keel. 'Haar oog. Is daar nog iets aan te
doen...?'

'Ik vrees van niet. Het was te laat, de schade was al
aangericht. Maar de dokters verzekeren me dat ze in andere opzichten langzaam beter zal worden.'

De oude heren glimlachten minzaam. 'We zullen van
haar houden. En... zal ze kunnen praten?'

'Ze praat nog niet en ze lacht ook niet. Ik heb geen idee
wat er in haar hoofdje omgaat. Dus praat ik tegen haar.
Ik heb haar verteld dat ze een zwart ooglapje zal krijgen,
net als een piraat, en op een dag zal ze weten wat *piraat*
betekent, want er zijn er in de Middellandse Zee heel veel
van, we horen zulke verhalen!' Maar Rose zuchtte. 'We
hopen dat haar nichtje en neef spoedig uit India naar huis
zullen komen, en ik dacht... misschien met andere kinderen...' Ze knikten begrijpend, hoewel Rose het enige kleine kind was dat ze ooit hadden gekend.

'O lieve help, kijk! Het regent!' De oude marineheren
wezen teleurgesteld naar de ramen. 'We hadden gehoopt
dat we misschien even met je op het plein konden wandelen, om wat frisse lucht te krijgen...' Rose, Rosetta en
juffrouw Proud keken op, zagen plotseling de herfstregen
langs het raam vallen. Rosetta liet zich verbaasd van de
sofa glijden en probeerde dapper over het kleed naar het
raam te schuifelen. Rose tilde haar voorzichtig op en
droeg haar naar het raam.

'Het heeft nog nauwelijks geregend sinds we terug zijn,'
zei Rose, 'en ze heeft bijna steeds in bed gelegen. In de

woestijn zal ze nog nooit zoiets hebben gezien.' En Rosetta keek plechtig omhoog naar de lucht, om te zien waar dat water vandaan kwam.

'Dat is regen,' zei Rose zacht tegen Rosetta, en ze glimlachte naar haar. 'Je zult daar in dit land veel van zien! Het is regen.'

De oude heren en juffrouw Proud bleven zitten praten. Rose stond bij het raam met het kind in haar armen. Ze keek naar het magere, bleke gezicht van juffrouw Proud, naar de grijze hoofden van de oude marineheren. Ze keek naar deze mensen van wie ze wist dat ze van haar hielden. Ze werd verscheurd door onrust bij de gedachte dat ze ooit dood zouden gaan.

En toen stak Rosetta haar handjes omhoog en trok het gezicht van Rose naar het raam. Rose voelde de warme handjes op haar wangen.

'*Regen*,' zei Rosetta duidelijk. Ze draaide zich om naar juffrouw Proud en naar de oude heren, en toen keek ze naar Rose. En opeens gebeurde er zomaar iets uit het niets: de oude charme van Harry Fallon verscheen, want Rosetta glimlachte.

De volgende dag werd er luid op de deur gebonsd. Rose keek met Rosetta in haar armen angstig uit het bovenraam. *Is het de hele familie Fallon?* Plotseling, toen ze zag wie het was, holde ze de trap af, juist toen Fanny, de kinderen en juffrouw Proud naar boven klommen. Fanny had geen brief van Rose ontvangen. Ze wist niet dat juffrouw Proud naar Egypte was gereisd. Ze wist niet dat het kind was gevonden. Ze zag haar nichtje in het zwart gekleed, met een uitgemergeld wit gezicht, en het kleine, magere kind. Eén lange minuut bleven ze allemaal op de trap staan staren, want afgezien van dit alles waren Jane en de jonge Horatio groter geworden en hun gezicht straalde nog van alle avonturen die ze hadden beleefd. Fanny was keurig in het grijs gekleed en maakte juist haar grijze luifelhoedje los.

'Wie is er dood?' zei Fanny, terwijl ze naar haar nichtje keek.

'Er is niemand dood, lieve Fanny,' zei juffrouw Proud. 'We zullen het uitleggen.'

'Waarom ben jij zo gekleed?' zei Rose, terwijl ze naar haar nichtje keek.

Fanny schoot in de lach. 'En dat zal ik jou uitleggen!'

Daarna omhelsde iedereen elkaar en huilde en stelde vragen. Fanny's kinderen keken naar Rosetta's waakzame, beschadigde ogen en stelden vragen over haar olijfkleurige huid. Daarna wilden ze met haar spelen, maar ze zagen dat ze nog heel broos en klein was, dus tilden ze haar heel voorzichtig op, zoals ze dat ook met de nieuwe baby in India hadden gedaan. Ze praatten voortdurend tegen haar, kietelden haar belangstellend en lachten veel naar haar en ze vertelden haar dingen over India tot Rosetta, of ze het nu begreep of niet, teruglachte. Fanny zag direct dat het de glimlach van Harry Fallon was. Daarna vielen de kinderen, net als altijd, op de sofa in slaap. Rosetta, die altijd wakker lag en dan waakzaam om zich heen keek, was zo uitgeput dat ze naast hen in slaap viel, met een mager armpje over de arm van haar nichtje Jane, terwijl de avond langzaam over Londen viel. Vlak voor hij in slaap viel zei de kleine Horatio, die nu niet meer zo klein was: 'Ik ga later bij de marine om tegen Napoleon te vechten.' Hij glimlachte, en Rosetta leek 'poleon' in haar slaap te zeggen.

Rose en juffrouw Proud keken nu naar Fanny met haar grijze jurk, en hun ogen waren vol vragen. Fanny keek naar de oude vrouw met het witte gezicht, en naar haar magere, bleke nicht. 'Vertel eens,' zei Fanny. 'Vertel me alles.' En zo hoorde ze ten slotte het verhaal over de zoektocht naar Rosetta, over juffrouw Proud die Rose naar Egypte was gevolgd. Over Alexandrië en Dolly. Over de tocht naar het stadje Rosetta, over Mattie en Cornelius Brown. Alle details over het avontuur aan de Nijl, en de kopten en Cornies dochter Flo, de vervallen tempel en de woestijn. 'O,' zei Fanny buiten adem, als in trance. 'O.' En ze pakte de magere handen van haar nicht terwijl ze keek naar haar gespannen gezicht, maar ze verborg haar bezorgdheid. 'En de tekeningen en de teksten die in de muren zijn gekerfd, het zand dat zich uitstrekte tot in de verte? Was het... zoals je had gedroomd?'

'Ja,' zei Rose, op wonderlijke toon. 'Ja. In de woestijn was het eindelijk zoals ik had gedroomd.'

'Het is in elk geval duidelijk dat er geen sprake is van een vergissing! Ze lijkt sprekend op de douairière, alleen glimlacht ze zoals Harry glimlachte.'

Rose knikte. 'Ze glimlacht net als Harry.'

Fanny keek even naar het kleine, slapende meisje. Ze schudde vol verbazing haar hoofd over wat Rose had gedaan. Toen stond ze op en liep naar het raam en naar de donker wordende lucht om uit te kijken over de stad waar ze was geboren. 'O, wat houd ik veel van deze heldere, pittige herfstavonden.' Ze keek hen weer aan. 'Je hebt niets over George verteld.'

'We weten niets van George. Hij was in Egypte betrokken bij veel schandalen.' Rose klonk afwerend. 'Hij zal niet zo gemakkelijk terug kunnen komen. Hoe moet hij de hertog van Hawksfield onder ogen komen? Hij is een moordenaar! En dan te bedenken dat hij me ten huwelijk heeft gevraagd!' Ze spuwde de woorden uit. 'Hij kan de gedachte aan haar bestaan niet verdragen. Ik dacht dat hij misschien van haar zou houden als deel van Harry, maar hij denkt alleen maar aan het schandaal dat afbreuk kan doen aan Harry's heldhaftige nagedachtenis.' Haar stem beefde. 'Eens zal hij proberen haar van me af te pakken.'

'En wat ga jij dan doen?'

'Ik wil haar houden. Ik ga naar Frankrijk.' Ze zag Fanny's verbaasde gezicht. 'Of naar Norfolk. Of ik kom naar Wentwater.'

'Natúúrlijk, als dat zou helpen.'

'Als George terug mocht komen in de tijd dat we nog hier zijn, zal ik hem zeggen dat het kind van zijn broer onderweg is gestorven. Daarom ben ik in het zwart gekleed.' De trilling in haar stem was verdwenen en ze sprak op koude toon. 'Ik vermoord hem nog eerder dan dat ik hem haar laat hebben.'

'Rose!' Fanny lachte. Maar haar nicht lachte niet met haar mee. Fanny ving de blik van juffrouw Proud op en keek toen snel de andere kant uit, over de stad. *Arme Rose. Het is nog niet voorbij.*

Rose en juffrouw Proud keken naar Fanny in haar grijze jurk. Ze hadden haar graag van alles gevraagd, maar iets in Fanny's manier van doen weerhield hen hiervan. Het was stil in de kamer, op de ademhaling van de drie kinderen na. Het gesprek stokte, er viel nog steeds te veel te zeggen. Ten slotte staken Rose en juffrouw Proud kaarsen aan en schonken warm water bij rode wijn, zoals

Mattie dat wel honderd keer had gedaan. Rose aarzelde even toen ze het glas aan Fanny gaf. *Als Fanny echt een quaker is geworden, drinkt ze misschien geen wijn?* Maar Fanny glimlachte en pakte het glas aan. 'In mijn hart ben ik geen "sobere" quaker, Rose. Ik ben een heel "lichte" quaker, want niemand mag mij de geneugten van dit leven ontnemen! Maar het is niet zo gek als mijn man denkt dat ik vromer ben dan hij!'

'Fanny,' – Rose en juffrouw Proud durfden nu eindelijk de vraag te stellen – 'je bent toch niet echt een quaker geworden? Toch, Fanny? Maar je gaat wel zo gekleed!'

Fanny keek naar haar grijze jurk en glimlachte even terwijl ze met haar handen over de stof gleed. 'In India hebben ze prachtige stoffen en uitstekende kleermakers. Dit is de mooiste stof die ik ooit heb gedragen, het was moeilijk om alleen maar grijs mee te nemen!' Toen keek ze ernstig naar de twee vrouwen. 'Ja, ik ben quaker geworden.'

Juffrouw Proud keek de lieve, helder denkende Fanny verbluft aan. Ze had verwacht haar over hindoes te horen praten, en over mohammedanen, en misschien over boeddhisten, maar de sobere grijze jurk van een quaker was volstrekt onbegrijpelijk. 'Je bent naar India geweest, dat is toch zeker een land van andere godsdiensten! Ik had je op zijn minst in een sari verwacht!'

'Ik vond al die andere godsdiensten echt heel boeiend. Maar... dit zal mijn godsdienst zijn. Ik was zo gelukkig enkele quakers te treffen aan boord van het schip waarmee ik vanuit Engeland op weg was naar India.'

'Juist ja.' Juffrouw Proud herinnerde zich de groep in het grijs in Portsmouth.

'Ik heb tijdens die lange reis veel tijd gehad om over

mijn leven na te denken. En over Horatio, natuurlijk.' Ze ging weer bij hen zitten. 'Ik ben bovenal met hem getrouwd omdat ik dacht dat hij de sleutel tot de kennis bezat, de sleutel tot mijn ontwikkeling, waar ik zo naar verlangde. En omdat ik niet over voldoende ontwikkeling beschikte, begreep ik aanvankelijk niet dat...' Ze zweeg even en nam een slokje wijn. '... Horatio die sleutel niet bezit. Maar ik begreep ook, zelfs terwijl ik steeds verder bij hem vandaan reisde, dat ik de wet niet aan mijn kant heb, dat ik mijn kinderen zou verliezen als ik hen niet terugbracht bij hun vader.' Ze staarden nog steeds vol ongeloof naar Fanny in haar grijze jurk. *Wat heeft dit allemaal met quakers te maken?*

'Een van de dingen waardoor ik me tot de quakers aangetrokken voelde, is dat ze in verandering geloven. Ze geloven dat de wet die zegt dat kinderen alleen maar het bezit zijn van hun vader, eens zal worden gewijzigd en als dat gebeurt, voor andere vrouwen, dan zal ik daar blij om zijn.' Ze zweeg weer even. 'Maar voor mij en voor Jane en voor de jonge Horatio zal het te laat zijn. Als ik mijn kinderen wil houden' – ze lachte wrang – 'dan krijg ik mijn man erbij.'

Rose keek naar de slapende kinderen en ze bedacht hoe lastig en verdrietig zij in Parijs waren geweest. 'Ze zijn veranderd... ze zijn nu...'

'Verbeterd. Ze zijn een stuk opgeknapt. Ze zijn gelukkiger. Ze zijn hard gegroeid nu Horatio niet in de buurt was om hun voortdurend de les te lezen. En in India hadden ze nichtjes en neefjes om mee te spelen, en een grootvader en een oom die geweldig opwindende dingen beleefden die niets met zonde en boetedoening te maken hadden, en die naar hen luisterden! Ze maken zelfs geen ruzie meer. Jane heeft Horatio goed te verstaan gegeven dat als hij haar knijpt, zij hem terug zal knijpen! En Horatio wil bij de marine. Hij heeft onderweg veel bij de matrozen gezeten en heeft lijnen moeten aanhalen en koper moeten poetsen. Hij heeft zelfs geholpen met het naaien van een zeil! En India! O, ik weet gewoon niet hoe ik dat aan jullie moet beschrijven!' Fanny haalde haar handen even door het rode haar dat rond haar gezicht viel op de manier die ze zo goed kenden. 'Het is er geweldig... Alles wat je ziet en ruikt, en alle warmte en schoonheid. Ik heb een bloem gezien, op de dag dat ik aankwam, en die bloem was zo dieprood dat het was alsof mijn ogen die kleur moesten leren kennen. En eindelijk mijn lieve, lieve familie.' Er kwamen even tranen in haar ogen en ze stond snel op, liep terug naar het raam. 'En toen... werden we gedwongen terug te gaan. Dus' – ze hoorden een nieuwe, harde klank in haar stem – 'werd ik gedwongen een manier te vinden om om te gaan met een situatie waarin ik door mijn gebrek aan ontwikkeling terecht was gekomen.' Rose en juffrouw Proud zwegen nog steeds, begrepen het niet.

'En nu zitten we dus hier!' Fanny keek hen wonderlijk aan, alsof ze wilde zeggen: *kunnen jullie me tot zover volgen?* 'Ik heb me wel afgevraagd of we Engeland weer zouden zien, want de terugreis was zo gevaarlijk dat ik wel eens dacht dat mijn problemen door de Heer op een totaal andere manier zouden worden opgelost! Maar... we hebben het overleefd! En vandaag heb ik een Engelse herfstdag gezien, met gouden bladeren aan de bomen – zo heel anders dan de hitte in India – en Engelse mensen, en de vertrouwde beelden toen we Londen binnenkwamen: de bruggen, de mensen, de St. Paul's, de torens van onze eigen kerken, ik heb onze eigen kerkklokken horen luiden! Het gevoel van mijn lieve eigen land. En ik wist dat ik blij was weer thuis te zijn, wat mijn thuiskomst ook mag brengen.'

'En de quakers... Komen zij naar Wentwater? Ga je daar quakerbijeenkomsten bijwonen?' Ze begrepen er nog steeds niets van.

'Luister goed,' zei Fanny weer. 'Dit is het verschil. In het quakergeloof bestaat er geen verschil tussen de talenten van mannen en vrouwen.'

'Hoe bedoel je?'

'Er zijn veel misstanden: de afgrijselijke omstandigheden in de gevangenissen, die vreselijke kwestie van de slavernij, waar ons land ook aan meedoet. Ik zal me inzetten voor de dingen waar ik goed in ben.' Ze zweeg even. 'Waarin God me leidt,' zei Fanny. En Rose besefte dat dit de eerste keer was dat haar nichtje het over God had.

'Bedoel je... dat je voor anderen gaat preken?' vroeg juffrouw Proud, niet-begrijpend.

'Misschien,' zei Fanny, 'als dat mijn kracht is.'

'Lieve, lieve Fanny,' zei Rose, verward. *Er is hier iets vreemds aan de hand. Er klopt hier iets niet.* Ze stond langzaam op en zette haar glas neer. Toen sloeg ze opeens haar armen om haar nichtje. 'O Fanny, lieve, lieve Fanny, wat ben ik blij je te zien! En ik ben ook erg blij te zien... te zien dat je er zeker van bent dat alles goed zal komen. Maar' – Rose deed een stap achteruit en keek haar nichtje onderzoekend aan, terwijl ze haar nog steeds bij de armen hield – 'je bent weg geweest en je bent het vergeten! Horatio zal er nooit mee instemmen dat jij, een vrouw – zijn vrouw! – een quaker wordt, en misschien zelfs gaat preken. Als zijn tegenstander? Want zo zal hij het zien... Hij zal het niet beschouwen als een bewijs van Gods goedheid, hij zal vinden dat er aan zijn gezag wordt getornd... een gezag dat jij al zwaar op de proef hebt gesteld. Hij zal het er vast nooit mee eens zijn!'

Fanny maakte zich behoedzaam van Rose los en keerde zich weer naar het raam dat uitzicht bood op haar stad. Toen ze zich weer naar hen omdraaide, had ze een vreemde uitdrukking op haar kleine, ronde gezicht, een droge glimlach, bijna alsof ze hen zou uitlachen.

'Ga eens even zitten, Rose, lieverd.' Rose deed dit verbaasd. 'Om te beginnen heeft papa me een grote toelage overgemaakt die uitsluitend op mijn naam staat, zodat Horatio mijn handtekening nodig heeft om eraan te kunnen komen. Horatio is uitermate dol op geld. Voorts' – Fanny keek hen nog steeds met een ironische blik aan, ze leek wel te glimlachen – 'is Horatio ook uitermate dol op... hoe zal ik het noemen?... mensen van stand! Lords en lady's, hertogen en hertoginnen. De quakers hebben heel machtige vrienden en zij hebben ermee ingestemd te helpen mij te beschermen. Dit zal veel indruk maken op Horatio.' Ze zag hun bedenkelijke gezichten en ze ging op dezelfde droge toon verder. 'Horatio en ik hebben veel lange uren samen in gebed doorgebracht en ja, heel veel uren! om God te vragen tot mij te komen en me te leiden. Nou, lieverds, zijn gebeden zijn beantwoord. Hij zal daar vast heel dankbaar voor zijn! Alleen is het misschien niet helemaal op de manier die hij had verwacht.'

Het was stil in de kamer terwijl ze haar aankeken, en Rose dacht: *ze doet dit voor de kinderen, niet voor God. Ze wil de kinderen houden, het is een manier om de kinderen te houden.*

Opeens begon juffrouw Proud te lachen. Rose keek haar verbaasd aan. 'Ik kan er niets aan doen,' zei juffrouw

Proud, en haar ogen vulden zich met tranen die beslist van vrolijkheid waren, en haar witte mutsje trilde. 'Ik lach absoluut niet om je besluit, Fanny, en ik geloof echt dat jij in staat zult zijn mensen te helpen, zo iemand ben jij wel. Maar je hebt de enige manier gevonden om Horatio te slim af te zijn! God, geld en de adel!' En haar mutsje schudde weer terwijl ze de grootste moeite had om haar lachen te beheersen. Toen zei ze tegen Fanny: 'Ik heb iets voor je.' Uit de volumineuze zak van haar zwarte jurk kwam iets tevoorschijn. Het was een lange, dunne Egyptische sjaal die even intens blauw was als de Egyptische hemel, en Rose herinnerde zich hoe Layla en de vrouwen hem om juffrouw Proud hadden gewikkeld, boven in de *haramlek*, en erop hadden aangedrongen dat ze hem hield, en ze hoorde weer het zachte gelach en het geritsel van sjaals en zijden stoffen. Heel even leek ze zelfs de geur van sinaasappels te ruiken.

'O, wat mooi!' Fanny staarde als betoverd naar de sjaal.

'Draag hem, Fanny,' zei juffrouw Proud, 'om te laten zien dat je hart "licht" is, en niet "sober". Hij is geweest van een vrouw uit een andere godsdienst, waar ze *la ihala ill' Allah* zeggen – er is geen andere God dan onze God – en ik weet zeker dat je in India ook beweringen in deze trant hebt gehoord. Maar je kunt deze sjaal dragen om duidelijk te maken dat er inderdaad veel goden zijn en dat ze het misschien allemaal goed bedoelen.' Juffrouw Proud schudde even haar hoofd en de sjaal schitterde in het kaarslicht.

'Ach, mijn lieve jonge vriendinnen, ik ben erg trots op jullie beiden, hoe het ook verder met de wereld mag gaan.' Ze stond op, wat strammer en langzamer dan vroeger, zagen ze, en – heel ongewoon voor juffrouw Proud –

ze kuste hen allebei. 'We weten nog niet hoe het met George Fallon zal gaan. We weten nog niet hoe het met dominee Horatio Harbottom zal gaan. Maar we zitten nu op een mooie herfstavond veilig in South Molton Street wijn te drinken alsof de wereld niet is veranderd, alsof jullie niet twee dappere avonturiersters zijn, die allerlei opmerkelijke dingen hebben gedaan. Jullie hebben uiteindelijk toch een ontwikkeling doorgemaakt en ik ben heel trots op jullie!'

Toen ze haar de trap af hoorden gaan en in haar eigen kamers hoorden lopen, voelde Rose opeens een steek van pijn. Ze zag zichzelf al eenzaam door stille kamers lopen, omdat ze de kans op geluk niet had gegrepen toen die haar op zo'n gevaarlijke wijze was geboden.

'Wat is er, Rose?' vroeg Fanny zacht. 'Vertel me eens wat je op je hart hebt.'

Het was hartverscheurend om de uitdrukking op het gezicht van Rose te zien. 'Denk niet dat ik hetzelfde niet nog eens zou doen. Maar... Pierre Montand is bij nacht en ontij door de vijandelijke linies en door Zuid-Engeland, waar geen Fransman veilig is, gereden om mij ten huwelijk te vragen en om samen met Rosetta in Frankrijk te gaan wonen. We... hij en ik, toen hij kwam...' Ze kon niets meer uitbrengen, schudde haar hoofd. 'Ik houd van hem, Fanny.' Er volgde een lange stilte terwijl Fanny alles tot zich door liet dringen. *La belle France,* zei Rose, met trillende stem. 'Zoals we het altijd noemden. Het betekende natuurlijk ook een manier om aan George te ontkomen, tot het eind van deze oorlog, hoe lang of hoe kort deze ook mag duren. O, wat was ik graag een heldin uit zo'n nieuwe roman geweest en had Rosetta onder mijn arm genomen om er in de nacht met mijn geliefde vandoor te gaan!' Ze beet op haar lip. 'In het echte leven is alles veel moeilijker... Fanny, ik heb er lang aan getwijfeld of Rosetta in leven zou blijven! Ze had echt niet nóg een reis kunnen maken! En nu' – Fanny zag hoeveel moeite het Rose kostte om niet in te storten – 'deze oorlog. Ik kan hem niet schrijven, ik kan niet naar hem toe, ik kan hem niet vertellen dat Rosetta zoveel beter is. O Fanny! Ik moest kiezen. En ik moest dít kiezen. Maar ik heb hem voor een tweede keer verloren!' Fanny durfde zich niet te verroeren om haar nichtje te troosten. Ze zag het desolate, ouder geworden gezicht. 'En nu zit ik te wachten. Op de komst van George Fallon.'

Daar zaten ze, de twee nichtjes, in het grijs en in het zwart. De helderblauwe sjaal lag tussen hen op de sofa. De kaarsen flakkerden, het werd donkerder in de kamer, hun kinderen sliepen. Fanny slaakte een diepe zucht die van ver in haar binnenste leek te komen. Ze nam de hand van haar nichtje in de hare. Ze beseften instinctief dat ze voor dit moment weer bij elkaar waren, even hecht als lang geleden.

'Uiteindelijk worden we allebei door dezelfde wrede wet in het nauw gedreven,' zei Fanny langzaam, terwijl ze naar de kinderen keek, en toen weer naar hun ineengeslagen handen. 'Rose, we moeten een manier zien te vinden, omwille van de kinderen' – ze keek op naar Rose alsof ze misschien iets anders wilde zeggen, en wendde toen haar blik weer af – 'om de dingen zo goed mogelijk te verdragen. Jij ook, Rose. Jij moet ook een manier zien te vinden, hoe moeilijk ook, net zoals ik dat heb gedaan.' Rose begreep opeens dat Fanny vanavond niet over God zou preken. Dit ging niet over God. Ze zaten zwijgend bijeen. Toen sprak Fanny weer. 'Wie had, toen we zeventien waren, en de wereld ons toelachte, kunnen denken dat alles zó zou uitpakken?' Ze staarde in de verte. 'Weet je nog, Vow Hill, met die badkoetsjes?'

'Ja, ik weet het nog.'

Er bewoog iets naast hen. Horatio en Jane lagen nog steeds diep te slapen. Maar ze zagen dat Rosetta naar hen lag te kijken, en naar de vrolijke, felblauwe sjaal naast haar, met haar gehavende, waakzame Fallon-ogen.

Negenentwintig

*T*e zeggen dat de lendenen van dominee Horatio Harbottom, om een bijbelse term te gebruiken, in brand stonden is veel te zwak uitgedrukt voor de staat waarin hij verkeerde toen hij South Molton Street naderde. Hij zou uiteraard voor het moment van hereniging zijn koele waardigheid weten te bewaren, maar hij zou onmiddellijk privacy eisen om met zijn vrouw te spreken, en daar – zijn geest stond eveneens in vuur en vlam, net als bepaalde delen van zijn anatomie, toen hij over dat moment nadacht – zou zijn huwelijk opnieuw beginnen.

Wat had hij geleden. De dames uit zijn gemeente in Wentwater hadden uiteraard hun best gedaan, maar hij had veel geleden. Niemand kon weten hoezeer hij ernaar verlangde zijn liefste Fanny te zien, hoe erg hij haar had gemist. Een klein stemmetje in zijn binnenste vertelde hem dat hij beter van haar had moeten houden. *Dat zal ik doen*, zei hij moeizaam tegen zichzelf. *Dat zal ik doen*. Hij verlangde ernaar haar geliefde gezicht weer overal in de pastorie te zien, bezig met koken, roeren, terwijl haar rode haar langs haar lieve gezicht viel, roepend naar de kinderen, haar wangen verhit wanneer ze zich in haar lange gele jurk over het fornuis boog (de lendenen speelden opnieuw op). Zijn leven zou weer goed georganiseerd worden, ze zou op haar kalme manier voor de dingen zorgen, zijn maaltijden klaarmaken, naar zijn preken luisteren, alles net als vroeger. En (zijn lichaam speelde weer op) Fanny zou nu berouwvoller zijn om alle vreselijke dingen die ze had gedaan, ze zou – hij zocht naar het juiste woord – inschikkelijker in zijn armen zijn dan ze ooit was geweest.

Sommige van deze meer verheven gedachten waren misschien te wijten aan het feit dat dominee Horatio Harbottom in de tijd dat hij zijn vrouw en haar steun erg miste, bekend was geraakt met bepaalde Franse publicaties die zijn voorstellingsvermogen hadden gestimuleerd ten aanzien van zaken die niet eerder in hem waren opgekomen. Deze publicaties waren de dominee op een avond laat tijdens het nuttigen van whisky ter beschikking gesteld door een collega-geestelijke, zodat zij deze beiden, na ze eerst uitvoerig te hebben doorgenomen, vanaf de kansel aan de kaak konden stellen. (Wonderlijk genoeg waren het exemplaren van dezelfde publicaties die Dolly in haar vaders studeerkamer ter beschikking hadden gestaan. Net als Dolly had Horatio ze gretig bestudeerd.)

Daardoor verkeerde dominee Harbottom in een staat van hevige opwinding toen hij op de deur van South Molton Street bonsde. Hij had het niet nodig gevonden, onder de gegeven omstandigheden had het hem wellicht een obstakel geleken, zich door zijn oom de bisschop te laten vergezellen bij de hereniging met zijn vrouw.

Juffrouw Constantia Proud deed zelf open en liet hem binnen in haar zitkamer met kranten en tijdschriften en overal stapels boeken. Horatio verwachtte Fanny te zien, maar tot zijn verbazing was de kamer vol dames en heren. 'Ach, Harbottom,' zeiden ze en staken hun hand uit.

'Dominee Harbottom, mag ik u voorstellen: lord Stone, de hertogin van Brayfield, sir Reginald Makepeace.' Juffrouw Proud deed met hem de ronde, terwijl Horatio's ogen bijna uit zijn hoofd rolden. Hij werd minzaam begroet door een grijsharige lord, en toen door nog een.

'Gefeliciteerd, Harbottom,' zeiden ze.

Andere heren schudden zijn hand. 'Gefeliciteerd, Harbottom,' herhaalden ze. 'Onze beste wensen.' De voornoemde hertogin van Brayfield glimlachte zo beschaafd dat hij volledig van zijn stuk raakte. *De hertogin van Brayfield*. Iedereen wist wie ze was en hoeveel invloed ze bezat. Ze was beroemd. Hij trok zijn schouders naar achteren en maakte zich nog langer. Ze moesten weten dat hij de terugkomst van zijn vrouw had afgedwongen zoals iedere man dat zou hebben gedaan, en hij had haar ook vergeven, want hij hield van haar. Hij deed eveneens heel minzaam, hij voelde zich als nooit tevoren onder gelijken, zijn witte, klerikale boordje begon gewoon te blinken.

De deur ging open en mevrouw Horatio Harbottom kwam binnen, met Jane en de jonge Horatio aan de hand. Dominee Harbottom zag nauwelijks dat zijn kinderen een eind waren gegroeid, zag nauwelijks Rose op de achtergrond met een wonderlijk uitziend kind in haar armen, want voor hem stond zijn lieve vrouw Fanny. Maar... ze was gekleed, realiseerde hij zich onmiddellijk, in de zedige grijze jurk en muts van de quakers.

'Goedemiddag, Horatio,' zei Fanny.

'Goedemiddag, papa,' zeiden Jane en de jonge Horatio.

'Gefeliciteerd, Harbottom,' zeiden de heren.

'Wat... Wat heeft dit te betekenen?' Horatio keek naar

Fanny, en daarna keek hij verbijsterd om zich heen. Hij zag nu dat sommige andere dames net zo gekleed waren als Fanny, hoewel de hertogin van Brayfield niet. Sommige heren, zag hij nu, waren eveneens in het grijs gekleed, hoewel niet lord Stone. *Dit kon toch niet, dit kon toch zeker niet? Dit kon toch niet een bijeenkomst van Afvalligen zijn?*

'Laat ons bidden,' zei een van de heren, en zonder verdere omhaal werd God bedankt voor het zenden van zijn geest naar Fanny Harbottom, voor het aanmoedigen van haar om goede werken te doen.

'Ze spreekt met oprecht gevoel en begrip, Harbottom,' zei lord Stone, 'zoals jij je ongetwijfeld bewust bent. We zijn van mening dat Wentwater alleen maar profijt kan hebben van haar aanwezigheid daar, om van onze Heer te getuigen. We zullen vaak op bezoek komen.' Horatio voelde zijn gedachten wild door elkaar tuimelen. *Wat zouden ze bedoelen? Ik ben degene die in Wentwater over de Heer spreekt!* Hij keek haar aan.

'Je kunt geen quaker zijn! Dat past niet in Gods kerk! Ik ben predikant in de anglicaanse kerk waar mijn oom bisschop is, en jij bent mijn vrouw!'

'Ik dank God,' zei Fanny helder en eenvoudig, terwijl ze Horatio aankeek, 'dat Hij eindelijk tot mij is gekomen en tot me heeft gesproken. Je weet, Horatio, hoezeer jij en ik daarnaar hebben verlangd. Ik zal alles doen wat in mijn vermogen ligt om Zijn geest te gebruiken voor het goede op deze wereld.' Ze leek kalm, helemaal niet berouwvol. Hij begon te razen en te tieren.

'Je bent mijn vrouw!' Hij keek om zich heen, op zoek naar steun. 'Ze is mijn vrouw! Ze heeft plichten jegens mij, jegens niemand anders. Ik ben Gods vertegenwoordiger op deze aarde en mijn vrouw heeft uitsluitend plich-

ten jegens mij! Ze is een vrouw!' En tot zijn grote onge-
mak verschenen op dit hoogst ongelegen moment in zijn
gedachten beelden van de Franse vrouwen in de boeken.

'We zijn allemaal kinderen van God, door het geloof in
Jezus Christus,' zei lord Stone vriendelijk tegen Horatio.
'En daar is man noch vrouw, maar zijn wij allen één in
Jezus Christus.'

'Dat is godslastering!' Horatio ontplofte .

Er viel een oorverdovende stilte in de zitkamer van juffrouw Proud terwijl de groep mensen hem aankeek, en er
viel een wankele stapel tijdschriften vanaf een klein tafeltje op de vloer. Toen hij weer om zich heen keek en opeens de enormiteit van de situatie inzag, de reden dat hij
door zulke machtige mensen werd omringd, ging Horatio
snel op de slappe sofa zitten. Deze mensen steunden
Fanny, niet hem. Ze zouden zich niet laten intimideren
door zijn oom de bisschop.

'Ik wil Fanny,' riep hij zielig.

'Ik ben hier, Horatio.' Ze kwam met de twee kinderen
naar hem toe. Ze kwamen naast hem op de sofa zitten:
een gezin. Hij kon haar schone, frisse huid ruiken.

'Ik wil dat het weer net zo wordt als vroeger,' zei hij
tegen haar. 'Ik heb geleden.'

'Maar God heeft Fanny geroepen,' zei lord Stone vriendelijk. 'En zelfs in de anglicaanse kerk kun je Gods roe-
ping niet negeren.'

'God roept geen vrouwen!'

'Wij denken van wel.'

Horatio sprong weer op. 'In mijn huis geen quaker,
geen afvallige! Nooit, nooit! Een dienaar van de anglicaanse kerk kan geen afvallige in zijn huis dulden. Mijn
oom is bisschop, daar zal hij wel voor zorgen.'

'Maar, Harbottom, ik ken je oom,' zei lord Stone. 'Hij heeft me onlangs nog gevraagd zijn naam naar voren te brengen als lid van mijn club.'

'Horatio.' Fanny stak haar hand uit. Hij ging weer op de sofa zitten, hij voelde haar zachte huid. 'Horatio,' zei ze vriendelijk, 'jij wilde ook dat God tot me zou spreken, dat Hij in mijn hart zou komen. Hoe vaak hebben we niet voor dit wonder gebeden? Kun je dan niet blij zijn dat het wonder is geschied?'

'We hebben tot hem gebeden jouw hart binnen te gaan vanuit de anglicaanse kerk!'

'We kunnen de route van onze Heer niet kiezen,' zei de hertogin van Brayfield zacht, 'want de wegen van de Heer zijn ondoorgrondelijk, dominee Harbottom, wanneer Hij Zijn wonderen wil verrichten.'

Dominee Horatio Harbottom, weer omringd door zijn gezin, het vuur in zijn lendenen aanmerkelijk gedoofd, legde zijn hoofd in zijn handen. In de stilte zei lord Stone: 'Laten we even nadenken over God, in de stilte van ons hart.' Even heerste er een rustige stilte in de salon van juffrouw Proud, slechts onderbroken door het geluid van ademhalen en een enkele kuch. Na een tijdje zei lord Stone heel zacht tegen dominee Horatio Harbottom: 'Ken uzelf, mens.'

'Papa,' zei de jonge Horatio vriendelijk, toen hij de ontreddering van zijn vader zag: 'Ik heb op een olifant gereden, en ik ga bij de marine, en ik ga terug naar India om India te beschermen, omwille van Engeland.'

'En, papa,' zei Jane met een hoog stemmetje, 'in India groeit de thee, en ik heb geleerd thee te zetten. Ik zal thee voor u zetten.'

Even later maakten de bezoekers zich op om te vertrekken.

'We zullen Wentwater uiteraard vaak bezoeken,' zei sir Reginald Makepeace, 'om te zien of alles goed gaat. Ik verheug me op constructieve gesprekken met u inzake de slavenhandel.'

'Ik hoop dat u ons altijd in Wentwater welkom zult heten,' zei de hertogin van Brayfield, 'want we zijn trots op Fanny, en we zullen heel vaak komen.' Ze glimlachte naar Horatio. 'Om te kijken of alles goed gaat.'

'Gefeliciteerd, Harbottom,' zei lord Stone.

Dertig

*E*r was geen aankondiging of waarschuwing. Hij kwam op een avond toen de novemberwind de laatste droge bladeren van de bomen rond Hanover Square in stinkende straatgoten blies. Juffrouw Proud en Rose zaten in de zitkamer van Rose te schaken terwijl ze luisterden naar het kind. Ze hoorden de deurklopper. Ze hoorden het nieuwe dienstmeisje opendoen, ze hoorden de stem van George. Er was nog net tijd om de deur van het kleine kamertje dicht te doen. Rose ging snel weer zitten en verzette een loper, terwijl de voetstappen naar boven kwamen.

Ze keken elkaar aan. Het was maanden geleden dat ze elkaar voor het laatst in Rosetta hadden gezien en ze waren alle drie veranderd. George had juffrouw Proud altijd al als een oude vrouw beschouwd, maar hij was geschokt over de verandering in Rose. *Zij is nu ook oud*, dacht hij. *Ze heeft rode pukkels op haar huid. Ze is mager, haveloos, ze ziet er vreselijk uit. Ze is in het zwart gekleed als een oude vrouw.*

George was ook veranderd, hij was gebruind door de zon. Zijn avonturen hadden hem ook ouder gemaakt. Er liep een lang litteken langs de zijkant van zijn gezicht. Hij leunde op zijn degenstok zoals hij dat altijd zo modieus had gedaan, maar zijn ene arm leek niet bruikbaar te zijn, hij hield hem vreemd, zoals hij daar stond. De mammelukken hadden hem met hun kromzwaarden danig toegetakeld voordat Cornelius Brown bij hem kon komen om hem in zijn ribben te schoppen.

'Dit is een verrassing, George,' zei Rose, net zoals ze dat lang geleden had gezegd. 'Wanneer ben je teruggekomen?'

Hij staarde naar de vrouwen aan het schaakbord, nam het stille huis in zich op. *Waar is het?* Hij ging niet zitten. Ten slotte zei hij: 'Ik ben net uit Portsmouth gearriveerd. William en onze bagage zijn al naar Berkeley Square. Maar ik geloof dat er nog iets is wat ik op moet halen.'

Stilte in de zitkamer. De scharensliep riep en de rijtuigen rolden voorbij.

'Zou u zo vriendelijk willen zijn ons alleen te laten, juffrouw Proud?' Hij deed een poging tot hoffelijkheid.

'Weet u, burggraaf Gawkroger, ik denk dat ik dat deze keer niet doe, als u zo vriendelijk wilt zijn mij te excuseren.' Ze verzette een paard.

Hij zette alle hoffelijkheid overboord. 'Waar is het, Rose?'

Stilte in de zitkamer. George keek om zich heen, keek naar de trap die naar de kamer boven leidde, alsof hij daarheen wilde gaan.

'Heb je het dan niet gehoord, George?'

'Ik heb gehoord dat dit een heel dure list was.' Hij viste uit zijn jasje het blauwe, met edelstenen bezette kruis, en de vrouwen hielden onwillekeurig hun adem in. De blauwe lapis lazuli zag er prachtig uit, de edelstenen schitterden heel exotisch in de kamer in South Molton Street.

Opeens was er de geur van kruidnagelen, het stuivende zand en de kreet van de *muezzin*. 'Ik moet je in elk geval feliciteren met je smaak,' zei George. 'Dit zal een fortuin opbrengen.' Hij stopte het kruis weer tussen zijn kleren en het vleugje Egypte verdween even snel als het was gekomen. Ze hoorden weer rijtuigwielen in de straat en er lachte iemand die iets riep over vleespasteitjes. 'Ik heb gehoord dat je de Nijl bent opgegaan en een kind hebt gevonden. Ik heb gehoord dat jullie beiden met een kind in Milaan zijn gezien.'

'Maar heb je het dan niet gehoord, George?'

'Wat?'

Rose haalde diep adem. 'Het kind is dood. Hij is onderweg gestorven. Hij was te... broos, te ziek om de lange en moeilijke reis te kunnen maken.'

'Waar is hij gestorven?'

'Hij is gestorven...' Rose boog haar hoofd. *We zijn in Milaan gezien. Dus hij is gestorven na Milaan.* 'Hij is gestorven toen we door Zwitserland reisden. We moesten Frankrijk natuurlijk mijden. We hebben hem daar begraven.'

Hij hield zijn hoofd scheef, alsof hij naar het huis luisterde, naar de geluiden van dit stille huis. Hij keek naar haar zwarte jurk. *Is ze in de rouw voor een onwettig kind?* 'Waar zijn de getuigen?'

'Ik ben getuige, burggraaf Gawkroger,' zei juffrouw Proud. 'Ik ben getuige van alles wat er is gebeurd. Uw schoonzuster is een van de dapperste vrouwen die ik ooit heb gekend.'

'Ze is ook een van de listigste!' snauwde hij meteen terug. 'Het zou me niets verbazen als je hem hier onder de vloerplanken had verstopt, klaar om tevoorschijn te kruipen en problemen voor mijn familie te veroorzaken!'

'Ik heb hem in een Zwitserse kerk laten dopen voor hij stierf,' zei Rose snel. 'Daar moeten gegevens van zijn.'

'Van zijn dood?'

'Van zijn naam. Ik heb hem Harry Fallon genoemd.'

'Hoe durf je? Hoe durf je!' Hij deed werkelijk even alsof hij haar wilde slaan, net als die keer in Alexandrië. 'Een bundel stinkende Arabische vodden die de naam van mijn broer draagt?'

Juffrouw Proud stond op. De vrouwen wisten dat het geschreeuw van een mannenstem het kind bang zou maken, en dat ze zou gaan huilen.

'Het is allemaal voorbij, George,' zei juffrouw Proud snel. 'Het is afgelopen.'

Hij keek opnieuw naar Rose. Er was iets vreselijks met haar gebeurd, dat kon hij zien. Hij bleef even zo staan, terwijl hij de vrouwen opnam. 'Misschien is het waar,' zei hij zacht. 'Maar misschien ook niet.'

'Misschien wil je het huis wel doorzoeken, George,' zei Rose koud, 'als de eerste de beste ordinaire deurwaarder.' Ze zag tegenstrijdige emoties over zijn gezicht trekken.

Ten slotte zei hij: 'Ik kom terug. Ik zal mensen moeten inhuren om jullie in de gaten te houden. Ik kom terug wanneer jullie me het minst verwachten.' Hij liep naar de deur. 'Ik heb William vooruitgestuurd, om uitleg te geven over de dood van Dolly, maar' – hij trok een zuur gezicht – 'ik moet nu tekst en uitleg geven aan de hertog van Hawksfield. Ik verwacht dat jullie beiden een getuigen-verklaring over haar dood in het kraambed willen afleggen, wanneer dat nodig mocht zijn.' En Rose dacht: *Dus dat is het. Hij heeft ons nog steeds nodig. Daarom heeft hij het huis niet ondersteboven gehaald.* 'Maar ik kom terug, Rose, want ik vertrouw je niet. En weet je, ik geloof bij nader inzien niet dat ik me ertoe zou kunnen brengen met jou te trouwen. Je ziet eruit als een oude vrijster, zoals ik altijd al heb gezegd dat je na Harry's dood was. Je leven is voorbij. Je moest maar eens leren spinnen!' En George Fallon draaide zich om en liep de trap af. De deur naar South Molton Street viel met een luide klap achter hem dicht.

Rose liep snel naar het zijkamertje. Rosetta was wakker en keek haar zwijgend en aandachtig aan.

De volgende middag was er voor juffrouw Proud nauwelijks tijd om een waarschuwing naar boven te roepen, nauwelijks tijd voor Rose om Rosetta op te tillen en in haar bedje te leggen.

'Blijf daar stil liggen,' fluisterde ze, alsof Rosetta ooit iets anders deed. Rosetta wachtte altijd stilletjes af.

Juffrouw Constantia Proud bracht hen naar boven.

De douairière burggravin Gawkroger hield heel nadrukkelijk een zakdoek tegen haar neus gedrukt. Bij iedere stap omhoog, naar de bovenste helft van het huis, straalde ze heviger een gevoel van afkeuring uit, samen met een sterke eau-de-colognegeur. Haar rokken zwiepten om haar heen en haar houding was buitengewoon kritisch. De hertog van Hawksfield volgde: kaarsrecht, streng, zwijgend. Daarna kwam William, gebruind, net als George, maar magerder, uitgemergeld zoals Rose dat was. Er waren in hun leven dingen gebeurd die hen hadden getekend. De hertog had Williams erfgoed veiliggesteld, maar de prijs was zijn zusje geweest, en William wist dat. Ten slotte, schoorvoetend, was George er weer; hij straalde zoveel ingehouden woede uit dat Rose meteen begreep dat hij door de hertog moest zijn gedwongen deze bijeenkomst bij te wonen. Ze zag dat George en de hertog het nauwelijks konden verdragen naar elkaar te kijken.

Iedereen – inclusief Rose – was in het zwart gekleed.

Rose begroette hen beleefd. Ze voelde opnieuw een schok toen ze de douairière zag, met de lange neus, de doordringende, nog altijd blauwe ogen die zo exact waren gekopieerd in het gezichtje van het kind in de naastgelegen kamer. Ze deinsde even terug bij de aanraking van de oude hertog van Hawksfield, toen hij zich over haar hand boog, onberispelijk als altijd. Ze rook bergamot, en een vleugje amandel, en de pommade in zijn witte haar. Ze gebaarde dat ze moesten gaan zitten. De douairière streek, omgeven door een wolk eau de cologne, op de meest rechte stoel van de kamer neer. Hoewel de mode een zekere eenvoud voorschreef, vertoonde haar rouwkleding nog steeds tekenen uit een royalere tijd: ze droeg een erg grote hoed met veren. De heren gingen ongemakkelijk zitten. George beging dezelfde vergissing als altijd door op de sofa neer te strijken, vergetend hoe zacht deze was. Rose voelde hoe de kamer zich vulde met vijandige geesten, met oude herinneringen. Het nieuwe dienstmeisje bracht thee, juffrouw Proud schonk in. George sloeg de thee af, hij ging abrupt weer staan, heel stuntelig omdat hij werd gehinderd door zijn gewonde arm. Ze zag zijn ongeduld. Hij was nijdig dat hij door de hertog was gedwongen hierbij aanwezig te zijn.

'William vertelt ons dat u ook in Egypte bent geweest.' De stem van de hertog klonk rasperig. Rose dacht opeens aan de donkere havik die over haar heen was gevlogen, die eerste morgen in Alexandrië.

'Juffrouw Proud en ik zijn pas onlangs teruggekeerd.'

'Dan weet u misschien meer,' zei de hertog, 'over een

kwestie waarvan ik pas zojuist op de hoogte ben gesteld. De dood van mijn nichtje.'

'Daar ben ik van op de hoogte,' zei Rose. 'Ik bied u mijn deelneming aan.'

'Bent u in de rouw om haar?'

Rose boog haar hoofd, als blijk van instemming. Ze keek niet naar George.

Zwijgend zaten ze even bijeen. Buiten klonk geschreeuw en geruzie tussen allerlei koetsiers, want het rijtuig met het wapen van Hawksfield blokkeerde South Molton Street volledig en niets kon erlangs.

Rose wachtte. *Weten ze iets van Rosetta?*

'Ik wil iets meer horen over de dood van Dolly,' zei de hertog scherp. Rose keek hem koud aan. *Ze zag weer het bleke, vreemde gezicht van Dolly in het huis van de koopman, toen ze vertelde over haar tocht naar de markt om iets te kopen om de baby kwijt te raken en ze zag weer haar lichaam in de Turkse khan en George die zei: 'Geen smerige Arabier', en Williams gekwelde gezicht en het gezoem van de muskieten in het donker, en de hitte, en de dood.* Ze vroeg zich af wat hij van dit alles zou willen weten.

Ten slotte sprak juffrouw Proud. 'We waren er allemaal bij, hoogheid. Wat er verder ook mag zijn gebeurd, er was niets dat iemand van ons had kunnen doen aan het einde.' Niemand zou ooit juffrouw Proud niet hebben geloofd, en ze sprak inderdaad de waarheid.

'Ziet u, hoogheid,' zei de douairière, 'dat is wat mijn zoon u al heeft verteld.' Ze deed alsof ze op wilde staan, alsof het onaangename gesprek in dit onaangename huis was afgelopen, maar de hertog van Hawksfield legde haar het zwijgen op door haar alleen maar aan te kijken. De veren op haar hoed trilden. De oude klok uit Genua vertelde hun allen op zijn Italiaanse manier dat het kwart over drie was. De hertog keek Rose aan.

'Wat weet jij over deze kwestie?' zei hij. 'Ik wil er meer van weten.' Rose voelde de ogen van George en William priemen. Ze hoorde een heel zacht geluid en draaide zich abrupt om. In de deuropening van het zijkamertje stond Rosetta, die zich aan de deur vasthield en naar de bezoekers staarde, die allen, om uiteeenlopende redenen, te geschokt waren om iets uit te brengen.

De douairière staarde als geobsedeerd. Ze bracht een hand naar haar keel, alsof ze niet kon slikken. Ze bracht haar hand naar haar hart, alsof dit stil was blijven staan. Alle kleur trok uit haar gezicht weg. Er steeg een vaag gekreun uit haar op toen ze naar de kleine, donkere, beschadigde versie van haarzelf staarde. Rosetta staarde terug.

'Haal het weg. *Haal het weg!*' De douairière hapte naar lucht als een vis op het droge. *'Haal dat weg!'*

Rosetta staarde.

De hertog, George en William waren allemaal opgestaan.

'Dit... dit is toch niet Dolly's kind?' De rasperige stem. Rose ving een glimp op van het ontzette, vuurrode gezicht van George.

'Nee, hoogheid.' Rose pakte snel Rosetta op, waarna ze met haar in de deuropening bleef staan. 'Dolly's kind is met haar gestorven. Dit is het kind van wijlen mijn echtgenoot. Ik was van haar bestaan op de hoogte, ze was de reden voor mijn reis naar Egypte.' Rosetta leek volstrekt onaangedaan onder het hysterische gedrag van de douairière en ze staarde naar de veren op de hoed van de oude dame, die nu wild in het rond dansten. Maar haar kleine, olijfkleurige hand lag rond de hals van Rose, voor alle veiligheid. Een tijdlang viel er in de kamer niets anders te horen dan de verstikte ademhaling van de douairière.

George had niets gezegd. Rose keek hem niet aan. Ten slotte zei de hertog, en het was nu een constatering, geen vraag: 'Dit is het kind van Harry.'

'Ja, hoogheid. Hij had een kind bij een Egyptische vrouw in Alexandrië. Ze is geboren na zijn dood. Ik heb haar gevonden in een klooster aan de Nijl.' Rosetta keek naar de mensen, maar legde haar hand nu in die van Rose.

Er volgde een lange, vreselijke stilte. Ten slotte zei de hertog: 'Wat is er met haar oog aan de hand?'

'Toen ik haar vond leed ze aan een oogziekte die in Egypte veel voorkomt. De ziekte heet oftalmie.' De douairière slaakte een geluid van weerzin.

Juffrouw Proud sprak. "Toen we in Egypte arriveerden was de Britse ambassade in Alexandrië gesloten, zo groot is daar in deze tijden het gevaar voor Engelse mensen. Toen Rose het kind had gevonden, was het van het grootste belang onmiddellijk het land te verlaten, want de daden van kapitein Fallon hebben verstrekkende en gevaarlijke gevolgen gehad. We hebben alle medische hulp die voorhanden was erbij gehaald, maar het was niet alleen de oftalmie... Het kind was zo zwak dat ze zou zijn gestorven als Rose haar niet had gevonden. Pas in Milaan was er een fatsoenlijke dokter te vinden, en pas in Engeland kon ze goed worden behandeld. Ze is uiteraard nog steeds herstellende, de dokters komen nog bijna elke dag. Maar het was Rose die haar leven heeft gered.' De Italiaanse klok tikte luid.

Ten slotte had George Fallon, burggraaf Gawkroger, zich voldoende hersteld om te kunnen spreken, maar zijn gezicht was nog steeds vuurrood. 'Dit kind, hoogheid, is uiteraard van mij. De weduwe van mijn broer heeft het niet nodig gevonden mij van haar bestaan in Londen te vertellen. Ik hoorde van het kind toen ik in Egypte kwam, en ik zou het zelf hebben gevonden als ik niet door buitenlanders was aangevallen.' Nu keek Rose hem wel aan, maar hij meed haar blik. 'Uiteraard wil mijn familie dit kind van mijn broer opeisen en veilig onderbrengen.' Rose zag dat de woorden als lood uit zijn mond kwamen. 'Mijn schoonzuster wilde het kind op eigen houtje gaan zoeken, maar ze kon er geen enkel recht op doen gelden. Het is mijn plan het kind mee te nemen. Ze zal worden ondergebracht in een geschikt klooster waar ze goed zal worden verzorgd.'

'Nee!' Rose was niet in staat haar kreet te bedwingen, zelfs met het kind in haar armen. Ze voelde Rosetta verstijven bij dit geluid. 'Dat kun je niet doen! Je kunt haar niet van me afpakken. Het kind heeft het grootste deel van haar leven gereisd, ze is van de ene plaats naar de andere gesleept, ze is ziek, niet oud genoeg om te begrijpen wat er allemaal met haar gebeurt. Alsjeblieft, je moet haar eerst laten wennen, wat er verder ook van haar mag worden. Ik smeek je, als je ook maar enig gevoel voor dit kind hebt, of voor mij, want we hebben samen veel gevaren doorstaan, laat haar dan goed beter worden, laat haar zich veilig voelen.' Haar gezicht was nog witter dan dat van de douairière. 'De dokters zeggen dat ze niet mag worden vervoerd, ze is doodziek geweest!'

De hertog van Hawksfield schraapte zijn keel. 'De wet is heel duidelijk, mijn beste,' zei hij tegen Rose, niet onvriendelijk. 'Je kunt geen enkel recht doen gelden op een kind van Harry. George is de wettige voogd. Maar ik verwacht dat hij je niet zal verbieden het klooster te bezoeken. Ik ben ervan overtuigd' – hij keek haar weer met die ondoorgrondelijke blik aan – 'dat je iets heel moedigs hebt gedaan, al was het misschien wat roekeloos, door haar helemaal naar Engeland te brengen, door landen die in oorlog waren. Maar ze is niet van jou.' Rose voelde iets breken in haar hart.

'Je bent altijd melodramatisch geweest, Rose,' zei George, die weer iets van evenwicht begon te voelen. 'Ze zal binnen een week naar een klooster worden gebracht. Ze is van mij, en we zullen haar nu meenemen. Ze zal heel veilig zijn, er is een kinderverzorgster want William is nu vader.' Hij ging achter de stoel van zijn moeder staan, met een hand losjes op haar schouder, alsof hij wilde zeggen: *Het is bijna voorbij.* Het geschreeuw van de koetsiers op straat werd erger, steeg op naar de ramen. Er scheen een soort opstootje te zijn. In de kamer duurde de stilte voort, alsof niemand goed wist hoe de laatste stap moest worden gezet.

Ten slotte was het Rosetta die in beweging kwam. Er was iets aan de douairière dat haar intrigeerde: de jurk of de sieraden misschien. Ze liet zich uit de armen van Rose glijden en schoof langzaam op haar wonderlijke manier over het tapijt. Iedereen in de kamer keek als gehypnotiseerd toe. Misschien was het de geur van eau de cologne. Misschien waren het de veren op de hoed, de manier waarop ze bewogen, in elk geval keek ze ernaar omhoog. Of wist ze, toen ze heel langzaam maar vastberaden door de kamer kroop, dat ze naar haar grootmoeder kroop? En toen, alsof er een geest in de kamer zweefde, glimlachte Rosetta naar de oude dame, met de glimlach van Harry.

De douairière staarde naar de armzalige echo van haar

geliefde zoon, maaide met haar armen door de lucht, en viel flauw. Er volgde veel gedoe met veren en onderrokken en nogal dikke benen die met veel belangstelling door Rosetta werden bekeken. Rose snelde naar Rosetta om haar in veiligheid te brengen. George snelde naar zijn moeder, juffrouw Proud riep het dienstmeisje om vlugzout te brengen. Toen dit arriveerde werd ermee onder de neus van de douairière gewapperd en er stegen flauwe geluiden op. Op dit punt nam de hertog, die zich niet had verroerd, de leiding.

'Breng je moeder naar de koets, George. Misschien kunnen juffrouw Proud en William je assisteren. We zullen later de zaken betreffende het kind regelen, niet op dit moment.'

George stond onmiddellijk op. 'Hoogheid, vergeeft u mij mijn impertinentie, maar u hebt mijn familie niet in eigendom. Ik laat het kind hier geen moment langer!'

'Je laat haar voor dit moment hier, George,' zei de hertog ijzig, 'want wij zijn nog niet uitgepraat over de dood van mijn nichtje.'

Iets in zijn stem maakte dat zelfs George zweeg. Hij keek even met onverholen woede naar de hertog, daarna naar Rose en ten slotte naar Rosetta. Toen draaide hij zich weer om naar zijn moeder. Ze werd ten slotte de nauwe trap af geholpen en de hertog, Rose en Rosetta bleven in de kamer achter, waar de geur van eau de cologne en zweet hing.

De hertog zei: 'Ik zou het op prijs stellen als je ging zitten.' Rose ging langzaam zitten. Ze was zo bleek dat het leek of zij ook ging bezwijmen. *Als hij erop staat naar Dolly te vragen, zal ik hem de waarheid vertellen.* Rosetta wilde neergezet worden, maar ze leunde voor alle veiligheid tegen

Rose aan terwijl ze de hertog aandachtig met haar beschadigde blauwe ogen bekeek.

De hertog stond streng rechtop, er was weer iets onbuigzaams aan hem en Rose moest opnieuw aan de havik denken. Er was voor haar iets weerzinwekkends aan deze man en aan zijn macht. Ze wendde vol wanhoop haar blik van hem af.

'Ik heb je gevolgd, Rose,' zei hij rustig, 'sinds de levens van onze families zich samenvoegden. Je bent een intelligente vrouw. Veel van de vrouwen om mij heen,' voegde hij er droog aan toe, 'zijn dat niet. Ik denk dat jij het verkeerd van me vond George Fallon toe te staan met mijn nichtje te trouwen.' Hij stak een hand op voor ze iets kon zeggen. 'Zonder dat huwelijk was Dolly's familie, Williams erfenis, geruïneerd geweest: te veel generaties van dwazen. Dolly's zusters hadden een goed huwelijk gesloten, maar niet goed genoeg. Anns familie heeft geld, natuurlijk, maar ook zonen. Jij hebt geen inzicht in de zaken van oude Engelse families en dat verwacht ik ook niet van je, maar ik heb gedaan wat ik dacht dat het beste was.' Deze man verkeerde met koningen, deze man die in een huis in South Molton Street stond, was machtig in het land en hij straalde nu macht uit en ze wilde zich afwenden, want ze voelde een bijna fysieke afkeer voor zijn persoon. Ze werd roekeloos.

'Ik was bij Dolly toen ze in Alexandrië stierf. Ze stierf te midden van veel pijn en verdriet, waarvan veel teweeg was gebracht door haar man, met wie u haar dwong te trouwen, en door haar broer, uw neef, die ze liefhad met heel haar hart.' Hij boog het hoofd even. Het viel onmogelijk te zeggen of hij zich dit aantrok of niet. Ze overwoog nog meer te zeggen, een barst te maken in het strenge uiterlijk van de man, maar ze deed het niet. Ze hoorde opnieuw het hoge gezoem van muskieten in die warme nacht in Alexandrië. Rosetta keek zwijgend toe. De hertog bleef roerloos, onbewogen. Ten slotte slaakte hij iets wat misschien een soort zucht was geweest.

'Liefje... deze dingen zijn gebeurd. Dolly is dood. Wat jou betreft: de burggraaf schijnt het kind te willen hebben. Het is een meisje en het is verminkt, maar het is... duidelijk...' – hij keek weer naar Rosetta – 'een kind van de familie Fallon en zij zullen het jou niet laten houden, en de wet zal dat ook niet toestaan. Wat mijzelf betreft,' ging de rasperige stem verder, 'mij maakt het allemaal niets uit, want mijn tijd met de familie Fallon is eindelijk, goddank, voorbij. William heeft nu een zoon, de eerste van vele, hoop ik, en we bidden dat de Torrence-lijn nu even veilig is als het Torrence-fortuin, dat ik heb... veiliggesteld. Ik begrijp,' – hij keek weer naar het kind dat hem aankeek – 'dat jij en het kind samen veel hebben meegemaakt, en ik vind dat wat juffrouw Proud en jij hebben gedaan uitermate dwaas was, maar ook heel opmerkelijk. Het kind lijkt... zeer op jou gesteld te zijn. Ik zou een voorstel willen doen.'

'Hoogheid,' barstte Rose hartstochtelijk los, 'de familie Fallon heeft het leven van een jong meisje geruïneerd, dat van uw eigen nichtje!' Ze voelde dat het kind opnieuw ineenkromp bij deze plotselinge spanning. 'Ik denk niet dat George goede bedoelingen heeft met het meisje. Ik geloof' – ze beet op haar lip en ging toen verder – 'ik geloof dat George haar zou hebben vermoord als hij haar als eerste had gevonden.'

Zijn gezicht bleef onbewogen. 'Dat is een zware beschuldiging.'

'Hoogheid, wijlen mijn echtgenoot – de broer van George

– is niet als held gestorven. Het kind vormt de herinnering daaraan. De burggraaf, zoals u ongetwijfeld weet, wenst deel uit te maken van... van het soort kringen waar u en Dolly in zijn geboren. Het kind maakt geen deel uit van dat plan.' Ze wendde haar blik af. Ze had alles gezegd, ze trok zich nergens meer iets van aan. Toen ze weer naar de hertog van Hawksfield keek, nam hij haar op met een soort bevoogdende minzaamheid.

'Je moet niet denken dat wij dit niet weten.' Het woord wij omvatte de hele wereld waarin hij verkeerde, met de koning, de regering, de macht: Engeland. 'Je denkt toch zeker niet dat iemand als George Fallon ooit echt deel zou kunnen uitmaken van de wereld waarin ik leef? Dat kind heeft niets te betekenen.'

Ze sprak koud, terwijl ze Rosetta weer optilde en in haar armen nam. 'Voor mij is ze niet niets, hoogheid.' Toen kon ze zich niet inhouden en begon opnieuw. 'De familie Fallon mag niet opnieuw een jong meisje in hun macht krijgen! Een klooster! Waarom zou ze haar dagen moeten slijten in een klooster? Terwijl ik...' Ze stotterde en zei toen zachtjes, terwijl het kind haar onderzoekend aankeek, 'terwijl ik van haar houd.'

'Het is helaas zo dat de wet zegt dat de burggraaf inderdaad de macht over het kind heeft en dat hij haar in een klooster kan plaatsen als hij dat wil.' Hij keek haar strak aan. 'Maar... op een ander terrein, waar' – hij kuchte even – 'de wet geen zeggenschap heeft... bezit ik macht over de familie Fallon. Wanneer ik dat verkies, kan ik ervoor zorgen dat de burggraaf in de gehele Londense society de deur wordt gewezen. Ik zou je willen vragen mijn vrouw te worden.'

Ze keek hem aan alsof ze het verkeerd had verstaan.

Hij glimlachte. Het was een armzalig soort glimlach, maar het was een glimlach. 'Het zou jouw positie en die van het meisje voor altijd kunnen veranderen, want ik geloof dat ik je niet over de familie Hawksfield hoef te vertellen en over onze... vooraanstaande positie. Mijn vrouw is een paar jaar geleden overleden. We hadden geen kinderen van onszelf, maar ik ben niet in staat mijn titel en mijn bezittingen aan William, het kind van mijn zuster, te vermaken aangezien ik een jongere broer met zonen heb. Daarom was Williams erfgoed zo belangrijk voor me: zijn nalatenschap moest hoe dan ook veilig worden gesteld. En nu is deze zaak afgehandeld en is de familie Torrence veilig.'

En is Dolly dood, dacht Rose.

'Ik heb wel eens gedacht dat ik graag een metgezel zou willen, en zoals ik al zei heb ik jou enige tijd gadegeslagen. Als je met mij trouwde, zou je in staat zijn als de moeder van het meisje te fungeren, daar zou ik voor zorgen. Ze zou worden grootgebracht in een van de beste families van Engeland, en jij zou hertogin van Hawksfield zijn, een goede bekende van de koning en koningin van Engeland. De oude koningin zou ongetwijfeld blij zijn met het gezelschap van een jong iemand als jij, in haar moeizame leven. Van George zou je geen problemen te duchten hebben, dat kan ik je verzekeren, want ik geef hem de schuld van de dood van mijn nichtje en dat zal hij weten. Ik zal ervoor zorgen – uiteraard als jij mijn aanzoek aanneemt – dat ik de wettige voogdij over het kind krijg en jij daarmee ook. Als hij zich in de society wil kunnen bewegen.'

Rose zei niets, maar ze merkte dat haar handen beefden, en dat de hertog dit had opgemerkt.

'We zullen niets met de familie Fallon te maken hebben. Zoals ik al zei zijn de zaken eindelijk veilig afgehandeld: Williams erfenis is veilig. Ik heb weinig zin nog langer in Londen te blijven, het is ordinair geworden. Ik kan eindelijk met een gerust gevoel teruggaan naar Hawksfield Castle. Ik heb mijn plicht gedaan, zoals ik het zie. En mocht je mij deze eer bewijzen, dan geef ik je mijn woord dat het kind' – hij keek weer even naar Rosetta – 'wettig mijn dochter zou worden. Ik geef je eveneens mijn woord dat ze een uitstekende opvoeding zou krijgen. Ik neem aan dat je dat zou verwachten.' Hij haalde zijn schouders op. 'Wat haar gezondheid betreft kunnen we natuurlijk haar dokters naar Hawksfield Castle meenemen, als dat nodig is.' Rose zei nog steeds niets. 'Mocht je daarentegen niet in staat zijn mijn aanbod aan te nemen, dan vrees ik dat je afscheid van haar zult moeten nemen.'

Rose mompelde iets in de trant van: 'Hoogheid, u bewijst me een grote eer.' Ze staarde naar zijn oude, kille gezicht. De kleinste, geringste vlaag van een dreigement zweefde ergens boven hen.

'Ik heb de indruk dat ik, ondanks mijn leeftijd,' – weer die vage glimlach – 'jou een oplossing voor je problemen zou kunnen bieden. Ik begrijp dat je misschien tijd nodig hebt om over mijn aanbod na te denken, maar ik vind dat we onder de gegeven omstandigheden niet mogen dralen. Ik verwacht morgen tegen het eind van de dag een antwoord van jou te hebben gekregen. We zouden meteen kunnen trouwen.' Hij boog en pakte haar hand. Zijn droge lippen streken langs haar huid. Ze rook bergamot en pommade. Toen draaide hij zich om en vertrok; ze hoorde zijn voetstappen de trap af gaan.

Rosetta keek op naar het gezicht van Rose en staarde

haar aan. Na enige tijd legde ze een handje in de hand van Rose en bleef haar aankijken. Het enige geluid in de kamer kwam van de oude klok uit Genua. Hij sloeg een kwartier. En toen een halfuur. Toen merkte Rosetta, die nog altijd naar Rose staarde, een verandering op in haar gezicht.

'Regen?' zei ze onzeker.

Juffrouw Proud kwam en ging, ze probeerde de huilende, bleke vrouw te troosten. Haar hart deed pijn, maar er was geen zinnig advies dat ze kon geven. Rose zou zelf moeten beslissen.

Ten slotte stopte Rose Rosetta in bed, net zoals ze altijd had gedaan, en ging toen in het donker naast haar zitten. *'Ma'as salaama,* Rosie,' zei ze, zoals ze dat altijd zei wanneer ze het kleine hoofdje kuste. Rosetta staarde naar de gestalte die nog lang naast haar bedje bleef zitten en viel ten slotte in slaap, met in haar armen een versleten, gerafeld kussen dat Angel heette.

Rose liep langzaam naar de zitkamer terug. Ze stak een sigaartje op. Steeds weer hoorde ze in de rook van de sigaar Fanny's raadselachtige woorden. Fanny, die met dominee Horatio Harbottom was teruggegaan naar Wentwater. *We moeten een manier vinden om de dingen te verdragen. Jij ook, Rose, jij moet eveneens een weg zien te vinden, hoe moeilijk die ook mag zijn, net zoals ik een weg heb gevonden.*

Op de zachte sofa waarop ze eens met Pierre Montand had gelegen en waarop ze haar liefde had uitgesproken, viel ze in een soort slaap. Ze droomde van ruïnes in het zand en van afgebrokkelde, verloren hiërogliefen waar koptische kruisen overheen waren gekerfd. Geheimzinnige, schemerige dromen van sleutels, van ontrafelingen en geheimen. Na die avond was er geen enkel teken, geen enkel bericht meer van Pierre gekomen. *Er zal geen derde keer zijn*, had hij gezegd. Ze hoorde de nachtwacht liegen dat alles veilig was.

De volgende morgen, oplettend gadegeslagen door Rosetta, pakte Rose de ganzenveer, doopte deze in de inkt en begon de tekens op papier te zetten die ze zo lang geleden had geleerd, de tekens waaraan ze zoveel plezier had beleefd, die vertelden wat er in haar hoofd zat. Van wat er in haar hart zat, liet ze niets blijken. *Aan de hertog van Hawksfield*, schreef ze. Haar huid trok strak over haar wangen, als bleek perkament.

Mijn Heer, ik dank u voor uw edelmoedige aanbod Rosetta en mij op te nemen als deel van uw gezin, en ik aanvaard het heel dankbaar.
    We zullen uw instructies afwachten.

Rose Fallon

Toen de brief was verstuurd liep Rose Fallon, heel alleen op die koude novemberdag, over de keurige grindpaden van Hanover Square, die ze zo goed kende.

Ze was vastbesloten deze verandering beleefd en fatsoenlijk ten uitvoer te brengen. Ze probeerde steeds weer haar zegeningen te tellen, en het allerbelangrijkste was dat ze Rosetta had, want George kon hun nu geen kwaad doen. Het zou hen nimmer aan iets ontbreken, Rosetta zou de beste medische hulp krijgen die er voor geld te koop was en ze zou een echte opleiding genieten, zoals mannen die kregen. Het zou vast een kleine trouwerij worden, zo ver van Londen. Misschien zouden ze het zelfs wel prettig vinden om bij alle drukte van Londen vandaan te wonen. Misschien was dit in zekere zin toch een happy end.

Het magere winterzonnetje probeerde door het hek en door de bomen op het grind te schijnen, met gebroken halfschaduwen, als in een droom, haar eigen dromen. Ze stond zich toe nog voor één keer aan Pierres gezicht te denken.

In haar eentje, op het pad op Hanover Square, deed ze vol verlangen haar ogen dicht.

Het beminde gezicht van Pierre veranderde in het oude, kille gezicht van de hertog van Hawksfield.

Eenendertig

$\mathcal{E}$r was een besloten dienst gehouden in de kapel op het terrein van Hawksfield Castle, daarna was er een officieel diner in de grote zaal van het kasteel, voor duizend gasten. Koning George III van Engeland, met een gevolg van ontelbaar veel hovelingen, zat op het verhoogde podium samen met de hertog en de nieuwe hertogin van Hawksfield. Rose had van de koning een hanger met diamanten en smaragden gekregen, en deze fonkelde nu om haar hals.

Boven de gasten hingen enorme wandkleden en kostbare schilderijen; de schilderijen hadden vergulde lijsten. De kroonluchters schitterden met honderden en honderden kaarsen, de bedienden haastten zich om ze steeds te vervangen en de gemorste was te verwijderen. De plafonds waren gestuct en geschilderd, met heiligen en prinsen die vanaf wolkenslierten met engelen omlaag keken. Over de vloeren blies een kille tocht die met de enorme deuren naar binnen kwam en dikke tapijten en kleden deed wapperen. Er speelden diverse grote orkesten, er was een schitterende uitvoering van Händels Royal Fireworks Music, en later was er echt vuurwerk.

Het koninklijk gezelschap at van gouden borden. Er was veel voedsel en wijn, dat door honderden bedienden met pruik werd geserveerd. Fanny zag al het eten om zich heen en ze vermoedde dat hele dorpen die tot de bezittingen van de hertog behoorden zouden zijn geplunderd, van schapen, koeien en varkens zijn ontdaan. Maar ze zag dat de mensen die zo gelukkig, of ongelukkig, waren om vlak bij de koning te zitten, zoals Horatio en zij, geen kippenpoten of ribstukken in hun mond propten of wijn naar binnen klokten zoals ze dat op Berkeley Square hadden gedaan. Dit was kennelijk niet gepast in de aanwezigheid van de koning van Engeland in het kasteel van de hertog van Hawksfield.

De familie van de hertog, onder wie William en Ann, de markies en markiezin van Allswater, zaten eveneens vlak bij het koninklijke podium (hoewel ze nog steeds moesten wennen aan de gedachte dat Rose Fallon opeens hun tante was geworden). Maar Ann kende de society waarin ze zich bewoog voldoende om geen kritiek te uiten op de daden van de oude hertog. Ze consumeerde enorme hoeveelheden cognac en bekommerde zich er niet om. Ze had tenslotte een zoon ter wereld gebracht en verwachtte een volgend kind. Haar positie was veilig en haar voortanden zouden binnenkort door nieuwe, helderwitte, van porselein, worden vervangen. William ving de blik van George, die met zijn moeder verderop in de zaal zat, overeenkomstig zijn rang als ex-aangetrouwde neef van de hertog. Zijn woede maakte zijn gezicht vuurrood.

'Hoer!' had hij Rose onder vier ogen weten toe te fluisteren. 'Je hebt jezelf geprostitueerd. En ik zal het altijd, altijd weten!'

Nu overzag George de tafels dichter bij de koning.

Vanavond, als het dansen en het vuurwerk in volle gang waren, wilde hij de dochter van een hertog benaderen. Hij moest zijn aanwezigheid op deze – hij kon de gedachte aan het woord gewoon niet verdragen – illustere trouwerij goed benutten. De dochter die hij op het oog had was helaas niet mooi, ze leek een beetje op een koe, met grote ogen, dikke wangen en lippen. Maar de hertogelijke vader was een ver familielid van de koning en misschien zou hij meer geluk hebben met deze familie. Hij was opnieuw op zoek naar een geschikte vrouw.

Dominee Horatio Harbottom had honger. Hij kon echter geen hap door zijn keel krijgen; nu hij zo dicht bij de koning van Engeland zat stikte hij bijna. Zijn vrouw, zijn eigen vrouw, had in de kapel naast de koning van Engeland gestaan, als getuige. Het klamme zweet brak hem ervan uit. Fanny zat nu naast hem in haar grijze jurk. Hij voelde zich nederig in haar aanwezigheid, ze scheen boven hem te staan, ze ging om met leden van het Koninklijk Huis. Ze organiseerde opnieuw zijn leven, ze kookte opnieuw zijn eten. Hij besefte hoe gelukkig hij was getrouwd te zijn met iemand die lords en lady's in zijn nederige pastorie ontving. Soms voelde hij zich heel verward. Hij begreep niet helemaal wat er was gebeurd. Zijn kinderen, besefte hij, deden nu heel – hij zocht naar een woord – toegeeflijk tegen hem. Wanneer hij bulderde en tekeerging en zei dat het reizen hen had bedorven, deed iedereen heel begrijpend en geduldig, alsof hij ziek was geweest. Dominee Horatio Harbottom slaakte een zucht. Hij bracht tegenwoordig veel tijd in zijn tuin door. Dat was de plek waar hij zich het gelukkigst voelde. Hij had onlangs een groot boeket winterbloemen geplukt en die naar binnen, naar Fanny gebracht, en zij had hem weer een beetje aangekeken zoals ze hem vroeger had aangekeken. Hij zuchtte opnieuw. Hij kon 's zondags nog steeds vanaf de kansel tekeergaan. Maar Fanny was bij hem teruggekomen, hoe vreemd ze ook was geworden. Hij liet de Franse publicaties niet vaak in zijn gedachten toe, want Fanny was heel vriendelijk. Hij keek eens heimelijk naar Fanny, maar ze staarde naar haar nichtje.

Gekleed in een eenvoudige gele jurk, met de prachtige koninklijke hanger om haar hals, luisterde Rose naar iets wat Zijne Majesteit zei. Ze was nog altijd heel bleek en mager, zag Fanny, maar ze glimlachte beleefd en zat kaarsrecht en ogenschijnlijk heel beheerst nu de stap was gezet. Slechts de gebalde vuisten die Fanny onder de tafel vermoedde, konden haar verraden. De koning glimlachte minzaam. De hertog van Hawksfield keek naar zijn nieuwe vrouw. Het orkest speelde een mazurka, maar er danste uiteraard niemand in het bijzijn van de koning.

Juffrouw Proud, die omwille van Rose plichtmatig naar koning George de Derde van Engeland had gebogen, was ontsnapt. Ze had zo snel als het fatsoen het toeliet haar weg weten te vinden over de schitterende marmeren trap en door uitgestrekte schemerige gangen met flakkerende kaarsen, starende edellieden, Griekse gestalten die wit poseerden en oude Romeinse urnen die boosaardig op haar neer keken. Ze was een paar keer verdwaald, waarop huisknechten en dienstmeisjes de schattige oude dame – ze veronderstelden dat ze schattig was, aangezien ze haar gedachten niet konden lezen – door nog meer spookachtig verlichte gangen en trappen omhoog hadden geloodst. Nu zat ze bij Rosetta en haar kinderverzorgster en probeerde zo goed mogelijk de gedachten te smoren die ze in de warme Egyptische nacht op het balkon van de *khan* had gekoesterd over het naar de andere kant van de aardbol zenden van de voltallige Koninklijke Familie.

'Tja, Rosetta,' zei juffrouw Proud. 'Tja.' Ze keek om zich heen in de grote, donkere, met voorouders volgehangen kamer. 'Je leven is heel erg veranderd en ik zal mijn vooroordelen voor me houden, omwille van de noodzaak, begrijp je?' Rosetta leek hierover na te denken, ze keek juffrouw Proud aandachtig aan en glimlachte toen naar haar. 'Je zult heel veel schitterende kansen krijgen. Je moeder heeft' – juffrouw Proud boog zich wat dichterbij, sprak nog zachter – 'een manier gevonden, zoals je tante Fanny een manier heeft gevonden. Je moet altijd trots op hen zijn, Rosetta. Ik, een dwaze oude vrouw, zal daarentegen mijn uiterste best doen ervoor te zorgen dat jij het contact met de gewone wereld niet kwijtraakt. Maar... ik hoop vooral, liefje... O, ik zal je vreselijk missen.' En opeens was juffrouw Proud druk met haar zakdoek in de weer. 'Ik hoop dat jij en je lieve, lieve moeder in staat zullen zijn gelukkig te zijn.'

Plotseling verlichtte het vuurwerk de kamer. De kinderverzorgster kwam bedrijvig terug om Rosetta voorzichtig op te tillen en naar de ramen te dragen die uitkeken over de lange, fraaie tuinen van de hertog, vol doolhoven, witte beelden en volmaakt gevormde bomen. Ze stonden met open mond bij het raam te kijken terwijl er telkens andere patronen van licht in de lucht uiteenspatten, in alle kleuren van de regenboog. De blauwe ogen van Rosetta werden groot, zo goed als dat ging. Ze hoorden het vuurwerk uiteenspatten, de nacht in.

Het Koninklijke Rijtuig was vertrokken.

Over het dansen en de muziek heen zag Fanny dat de hertog van Hawksfield wilde spreken. Hij ging staan. De gasten kuchten tot het stil werd, de muziek stierf weg en iedereen richtte zijn aandacht op Zijne Hoogheid. Hij hield een kort verhaal, hij bedankte de verzamelde gasten voor hun goede wensen. Daarna wenste hij hun een goede avond en draaide hij zich om naar het grootse trappenhuis, terwijl hij zijn nieuwe vrouw te kennen gaf dat ze hem moest volgen.

Rose keek eenmaal achterom. Fanny zag dat ze glimlachte naar de verzamelde gasten met lege, nietsziende ogen. Ze zag hen helemaal niet, geen van hen, zelfs Fanny niet.

'Kom, Rose,' zei de hertog van Hawksfield.

Tweeëndertig

*E*n zo leefde Rosetta in pracht en veiligheid in een kasteel en niet in de Egyptische woestijn of in een klooster. Ze werd lady Rosetta Hawksfield, voor wie haar echte oom George, die haar had willen vermoorden, en haar echte grootmoeder, de douairière burggravin, die *Haal dit weg!* had geroepen, omwille van hun sociale voortbestaan een buiging moesten maken. En Rosetta glimlachte naar hen en ze zagen Harry. Wanneer ze naar Londen kwam, toonden ze haar het enorme schilderij van haar vader en zijn medailles in de hal van het huis op Berkeley Square, en ze bekeek het met een onbewogen gezicht. En tegen al hun principes ontdekten ze tot hun grote vernedering dat ze dit vreemde, donkere, beschadigde kind vaker wilden zien, dat ze tot hun ontzetting ernaar begonnen te verlangen het kind te zien dat hen zo oplettend aankeek, alsof ze hen kende.

De grootste vernedering voor George Fallon was wel dat hij, in elk geval in aanwezigheid van de hertog van Hawksfield, zijn grote vijandin Rose Fallon als 'hoogheid' moest aanspreken. Hij deed dit met woest opeengeklemde kaken.

Rose, hertogin van Hawksfield, glimlachte en glimlachte en begreep dat de nachten van haar leven de prijs waren die ze voor Rosetta moest betalen, want Rosetta vertegenwoordigde haar liefde en haar leven. Het was Rose die Rosetta leerde lezen en schrijven voor ze in handen werd gegeven van de beste huisleraren van het land. Het was Rose die haar de vreugde van woorden leerde en het wonder van hoe ze de gedachten in haar hoofd op papier kon krijgen.

Rose betaalde de prijs, en ze glimlachte en glimlachte. Ze was een voorbeeldige vrouw en ze werd een befaamd gastvrouw. Ze wist dat ze had gedaan wat ze op die koude morgen, in haar eentje op Hanover Square, had gezworen te doen, met beleefdheid en fatsoen.

Maar er waren woorden die haar ongevraagd achtervolgden. De oude beschrijving in haar vaders boek van hiërogliefen: *de roofvogel duikt rechtstreeks omlaag op iets in de diepte... en zijn prooi, niet in staat dit te doen, wordt overweldigd.* De verplichtingen van de nachten, het moment dat haar man, de hertog van Hawksfield, haar met zijn kille ogen aankeek en zei: 'Kom, Rose', betekenden dat het leven dat ooit in haar ziel had gedanst, ten slotte in stukken uiteenviel en bevroor.

1817

Het heden en het verleden
Zijn misschien beide tegenwoordig in de toekomst.
En de toekomst ligt besloten in het verleden.

T.S. ELIOT
(*Burnt Norton*, 1935)

Drieëndertig

*E*erst was het een gerucht. Mannen in overvolle, rokerige koffiehuizen gaven het van mond tot mond door
en namen het, samen met andere nieuwtjes, naar hun
vrouwen mee naar huis. Als het een ander lid van de Koninklijke Familie was geweest – vooral de prins-regent, of
zelfs de koning, die nu als krankzinnig was opgeborgen –
zou er zijn gelachen, of misschien zelfs minachtend ge-
smaald. Maar de jonge prinses... *zij zal anders zijn*, hadden
de mensen gezegd.

Ten slotte gaven de kranten de bevestiging:

Hare Koninklijke Hoogheid prinses Charlotte is niet
meer. Deze jonge, mooie en interessante prinses is
overleden om halfdrie in de nacht van donderdag 6 no-
vember 1817, na het ter wereld brengen van een kind,
dat slechts enkele uren leefde.

Het lichaam van juffrouw Proud was knoestig en gebogen
toen ze in South Molton Street bij de haard de kranten
bestudeerde. Ze was kleiner geworden en haar bril gro-

ter. Haar bril was nu zo groot dat ze net een oude uil leek. 'Dus toch geen koningin van Engeland,' zei juffrouw Proud tegen de lege kamer. 'Als er nou eens een vrouw zou zijn gekroond, zouden Engelse vrouwen vrij zijn geworden. Maar nu is onze kans verkeken.' Ze ging zo op in het artikel, dat ze haar pantoffels schroeide en dit pas merkte toen ze een brandlucht bespeurde. Ze schoof onhandig achteruit en klopte afwezig tegen haar pantoffels terwijl ze bleef lezen.

... aangezien Hare Koninklijke Hoogheid als de moeder van een lange en illustere reeks Britse koningen werd beschouwd, is er slechts weinig aandacht besteed aan het punt van de troonsopvolging in het geval van haar voortijdig overlijden. Maar nu is deze kwestie onontkoombaar onder onze aandacht gebracht en de mogelijkheden zijn niet rooskleurig. De zonen en dochters van onze huidige monarch zijn allen zonder wettig nageslacht...

Het dienstmeisje van juffrouw Proud (die stilletjes in de keuken had zitten huilen om de jonge prinses) was zich opeens bewust van een brandlucht en kwam de zitkamer binnen geholdd. Ze vond daar de uitgeschopte pantoffels en juffrouw Proud die moeizaam haar jas en hoed pakte. Er luidden al klokken, overal in Londen.

'U moet niet naar buiten gaan, juffrouw Proud, niet met uw reumatiek. Het is veel te koud en te gevaarlijk, er zullen heel veel mensen op de been zijn en overal zijn dronken soldaten!' Juffrouw Proud glimlachte maar leek haar niet te horen. Het dienstmeisje zuchtte en hielp juffrouw Proud in haar laarzen, waarna ze zelf ook haar jas en hoed pakte.

Het publieke verdriet trof Londen op uiterst ongewone wijze. Overal verschenen mensen, die op straat huilden alsof hun hart van verdriet om hun kleine prinses zou breken. Ze trokken langs de nieuwe gaslantaarns op Piccadilly, langs de nieuwe schitterende standbeelden van de hertog van Wellington. Ze hadden groot verdriet. *Zo'n vrome prinses... Slecht behandeld door haar verdorven vader.* Ze probeerden niet naar de liederlijke, werkloze soldaten en matrozen te kijken, die ook door de straten zwierven, schreeuwend en bedelend om halve penny's of om werk. Die braakten van te veel gin en te weinig eten, over de extravagante gedenktekens ter ere van de Slag bij Waterloo en de overwinning op Napoleon. Dragonders te paard hielden de enorme menigten zenuwachtig in de gaten, dreven de mensen ruw terug met hun paarden. Er waren oproerkraaiers die hadden geklaagd over de belachelijke kosten van het oosterse paleis in Brighton, over de aanblik van zoveel gedenktekens terwijl de soldaten die deze overwinningen hadden behaald nu honger moesten lijden. Over de regering zelf. De regering had die rebellen opgepakt van wie ze geloofden dat ze de werklozen sterkten in hun ellende, en zij werden opgehangen. Napoleon mocht dan op St. Helena in gevangenschap zitten, toch hing er duidelijk een atmosfeer van revolutie in Engeland en politiemensen te paard waren steeds op de uitkijk naar eventuele oproerkraaiers. Juffrouw Proud had niet minder op een oproerkraaier kunnen lijken, maar toen er een jongeman, die een deel van de menigte had toegesproken, haastig werd afgevoerd, slaagde zij erin hem een goudstuk in de hand te drukken, en ze zag zijn verbaasde, dankbare ogen. Zij was ook dankbaar: de douairière hertogin van Hawksfield stond erop haar geld te geven. Juffrouw Proud besteedde dat geld vaak op deze manier.

Maar op deze dag wendden de meeste mensen in Whitehall hun hoofd af van de werkloze soldaten en treurden om de mooie prinses. Na enige tijd gingen juffrouw Proud en haar dienstmeisje langzaam weer op weg naar huis.

Overal in het koninkrijk Groot-Brittannië werden direct bij duizenden odes en elegieën van wisselende kwaliteit voor de dode prinses gecomponeerd.

De gevestigde kerk was doodsbang, zelfs terwijl men zich opmaakte voor de koninklijke begrafenis. De mensen huilden ja, maar er hing te veel onrust in de lucht, er waren zelfs mensen die Napoleon, de verslagen vijand, als een held beschouwden! Stel dat zulke enorme mensenmassa's op straat, die nu om de prinses rouwden, zich tegen de monarchie en de kerk zouden keren? Zoals in Frankrijk was gebeurd? Dit moest ten koste van alles worden voorkomen! En dus klonken er officiële waarschuwingen door het hele land om de mensen te bevelen zich weer op de godsdienstige principes van de Heer te richten, en werden er ontelbaar veel pamfletten met deze tekst gedrukt. De kerkmensen verspreidden tweehonderdnegenenveertigduizend negenhonderdtweeëndertig bijbels.

George Fallon, burggraaf Gawkroger, was van weerzin vervuld. Door het hele land verkondigden kerkmensen zonder ophouden de noodzaak frivole genoegens, immoreel gedrag en extravagantie op te geven en in plaats daarvan geheelonthouding en huiselijkheid te cultiveren. Deze ideeën slopen ook zijn leven binnen. Zijn vrouw, de burggravin, die alleen maar een klein beetje op een koe leek, vertelde hem liefjes dat ze had gehoord – nu er geen troonopvolger was – dat alle zonen van de koning, alle gestoorde, immorele hertogen, haastig meer aandacht aan hun officiële, goedgekeurde huwelijk besteedden en oprecht probeerden hun wettige echtgenote te bezwangeren. De huiselijkheid vierde hoogtij, aldus de burggravin, hoe kort deze ook mocht duren, zelfs in koninklijke kringen... en misschien kon er ook wat huiselijkheid bij hen heersen? (Want ze hadden slechts één kind, een zoon uiteraard.)

'Godallemachtig!' riep George woedend, terwijl hij een krant door de kamer smeet.

Op de dag van de koninklijke begrafenis in Windsor trok juffrouw Proud langzaam haar laarzen en jas aan. Ze wilde weten wat er in de kerken werd gezegd. Overal in het land zou er worden gepreekt naar aanleiding van de dood van de prinses en juffrouw Proud vermoedde dat de kerk deze treurige gebeurtenis zou aanwenden ten eigen bate. Vergezeld van haar dienstmeisje ging ze op de voorste rij van een kerk in de buurt van Piccadilly zitten. Het was lang geleden dat ze in een kerk was geweest. Ze deed haar ogen even dicht terwijl ze luisterde naar het orgel dat speelde en ze dacht terug aan haar verre jeugd in de pastorie in Wiltshire en aan die voorjaarsmorgen toen ze in een witte trouwjurk over het middenpad had gelopen.

'Geliefde broeders,' zei de deken, bedrieglijk kalm. Beschouwen wij het langdurige lijden en voortijdige verscheiden van een hoogverheven, minzame en waarlijk uitmuntende prinses in haar tweeëntwintigste levensjaar.' En toen begon de stem al te stijgen en werd het menens met de preek. 'Wanneer is het dat onze Almachtige Schepper tegen het zwaard van de engel der vernietiging zal zeggen: *"Zwaard! Ga door het land, om de zondigheid van hen die erin wonen!"*, wie is in staat zijn komst tegemoet te zien? Ieder van u die heeft gezondigd: toon berouw, doe boete! Waar zijn de Egyptenaren, de Perzen en de grote Assyrische vorsten?' Hij schreeuwde nu. 'Zij zijn weggevaagd door de bezem der vernietiging; ze zijn overwonnen! Maar eerst waren ze diepgezonken en begraven' – zijn stem daalde tot gefluister – 'in de witte grafkelder van luxe en wellust.'

Hier stond juffrouw Proud op en liep heel langzaam door het middenpad terug, gevolgd door haar dienstmeisje. Juffrouw Proud leek zozeer op een lief oud dametje dat de wenende gemeente veronderstelde dat ze door emoties was overmand en in zekere zin hadden ze gelijk. De stem der verdoemenis achtervolgde haar.

'De vloten en legers van onze ergste vijanden waren niet in staat onze ondergang te bewerkstelligen! Laat dan niet onze eigen schanddaden, onze eigen enormiteiten, die vreselijke gebeurtenis tot gevolg hebben! Doe boete, heb berouw!'

'Doe zelf boete!' zei juffrouw Proud luid.

Toen ze thuiskwam vond ze in haar krant een bekende schrijfster die een oproep deed aan de Vrouwen van Engeland: In deze Schokkende Tijden Moeten Vrouwen de Weg Wijzen. Ze moeten al het andere opgeven, alle gedachten aan zichzelf, om hun hele leven aan hun gezin te wijden. Ze moeten zichzelf volledig wegcijferen, als helpster van hun man, als een voorbeeld voor hun kinderen.

Ze moeten de verslagen toon van het publieke moreel verheffen en de slapende geest van godsdienstige principes wekken en de Huiselijke Haard moet hun Tabernakel zijn.

'Godallemachtig!' zei juffrouw Proud woest, en ze smeet, voor zover haar reuma dit toestond, de krant door de kamer. '*De Huiselijke Haard moet hun Tabernakel zijn! Voor vrouwen gaat de wereld achteruit!*'

Het enthousiasme voor Egyptische zaken, dat door Napoleon was begonnen, had immense proporties aangenomen. Op Piccadilly waren Egyptische tentoonstellingen en overal in het land droegen vrouwen een tulband bij wijze van modeaccessoire. Met ieder schip werden er in Marseille of Portsmouth oudheidkundige vondsten uit Egypte aangevoerd: enorme granieten benen en handen, obelisken, hoofden van farao's die in het zand hadden gelegen. In Egypte marchandeerden de Fransen en de Engelsen met elkaar, bedrogen elkaar en krabbelden graffiti op elkaars schatten, verdeelden de vindplaatsen van Egypte onder elkaar en probeerden met veel gevlei goede maatjes te worden met de nieuwe pasja, Mohammed Ali, die ze ooit als achterlijke Albaniër hadden afgedaan. (De achterlijke Albaniër had door middel van kracht en list de mammelukken weggevaagd.) Met het verdwijnen van die mammelukken, die hem uit het badhuis van Rosetta achterna hadden gezeten, had George Fallon opnieuw een fortuin kunnen vergaren, als hij niet een probleem had gehad met mevrouw Venetzia Alabaster, thans een van de machtigste handelaren in Egypte en getrouwd met een woeste bedoeïenensjeik. Zelfs nu was George rond de havens van Alexandrië en Rosetta zijn leven niet zeker. Daardoor kon hij geen toezicht houden op het verschepen van antiquiteiten naar Europa. Desalniettemin wist hij wat kleinere schatten te vergaren door in oude graftombes ver weg, stroomopwaarts langs de Nijl, te kruipen. Hij vond gouden bekers en verbijsterend mooie sieraden, waarvan zijn oude, gestoorde moeder af en toe stukken droeg. Er werd gefluisterd dat burggraaf Gawkroger met de doden wandelde: hij verwoestte heimelijk kisten van mummies om de waardevolle papyrusrollen die met de lichamen waren begraven te vinden, zodat hij de oude handschriften kon verkopen. George wist deze schatten te bemachtigen, maar hij zat er niet-begrijpend naar te staren.

In Worthing echter, aan de kust, had Thomas Young, een Engelse arts en linguïst, aan zee gezeten met enkele oude papyrusrollen en een kopie van de Steen van Rosetta: zijn vakantielectuur.

'De Egyptenaren hielden nauwkeurig de gegevens van hun heersers bij, en ze hadden veel buitenlandse heersers,' zei hij tegen zijn vrouw toen ze in de schaduw van een oude eikenboom in de tuin van hun hotel zaten. 'Ze zullen toch minstens de buitenlandse namen met een alfabet of met fonetische tekens hebben moeten schrijven, dus zullen we eerst buitenlandse namen moeten vinden en met elkaar vergelijken, zoals *Ptolemaeus, Alexander, Cleopatra*, met meer dan één dezelfde letter.' Hij was ten slotte in staat te bewijzen dat hij vijf voorbeelden van de naam *Ptolemaeus* had gevonden in de hiërogliefen, alfabetisch gespeld, in de cartouches op de Steen van Rosetta.

De Engelse regering was opgetogen over zijn vondsten (en er zeer op gebrand vóór de Fransen de sleutel tot de hiërogliefen te vinden) en gaf de consul-generaal in Egypte opdracht snel naar andere oude Egyptische teksten te zoeken en die op te sturen. ('Maar stuur alstublieft geen hele obelisken,' bevalen ze streng.)

De komst naar Londen van al deze opwindende antiquiteiten deed een nieuwe, jonge dichter, Percy Shelley, en zijn administrateur, Horace Smith, besluiten deze schatten in het museum te bezichtigen en daarna te zien wie van hen de beste gedichten erover kon schrijven. Juffrouw Proud had door haar vriendschap met hen een exemplaar van beide gedichten weten te bemachtigen, maar ze weigerde een oordeel uit te spreken. ('De ene is dichter,' zei ze droog tegen Rosetta, 'en de andere is boekhouder.')

Smith, de boekhouder, had een gedicht geschreven met als titel: OP EEN ONTZAGWEKKEND BEEN VAN GRANIET DAT STAAND IN DE WOESTIJNEN VAN EGYPTE WERD ONTDEKT MET ONDERSTAANDE INSCRIPTIE:

In Egyptes stille zand staat heel alleen
In de grote woestijn een gigantisch been,
Als enig voorwerp dat een verre schaduw geeft.
'Ik ben de grote Ozymandias,' zegt de steen,
'De koning der koningen; deze machtige stad
Toont de wonderen van mijn hand.' De stad is niet meer!
Niets dan het been is gebleven om het zicht
Op dit vergeten Babylon te openbaren.

Shelley, de dichter, had een gedicht geschreven met de titel: 'Ozymandias'.

Ik trof een reiziger uit een oud land.
Hij zei: Twee hoge stenen benen staan
Romploos in de woestijn. Ernaast, in 't zand,
Ligt het gehavende gezicht, en aan
De frons, de kille machtsgrimas ervan
Ziet men: de maker las de passies goed
Die voortbestaan (op deze dode steen),
De hand vol hoon, 't hart dat ze had gevoed;
Op 't voetstuk ziet men deze woorden staan:
'Mijn naam is Ozymandias, opperheer:
Gij Groten, zie mijn werk en dispereer!'
Meer is er niet. En rond dit kolossaal
Verval strekt zich daar, alle kanten heen,
Het vlakke zand, oneindig, eenzaam, kaal.

De vijftienjarige lady Rosetta Hawksfield las de gedichten heel zorgvuldig en bezocht toen het British Museum om deze schatten uit haar land zelf te zien. Ze bracht onmiddellijk verslag uit aan juffrouw Proud.

'Er zijn meer dan genoeg grote stenen benen in de Egyptische collectie om een gedicht over te schrijven, mocht iemand daar zin in hebben! Maar ik geloof niet dat meneer Shelley dat prachtige granieten hoofd van de jonge farao echt heeft gezien.'

'Waarom niet?'

'O juffrouw Proud, u zou het eens moeten zien. Het hoofd is heel groot en het is duizenden jaren oud, en het heeft oceanen overgestoken en het glimlacht nog steeds! Het is heel erg mooi! Het schijnt heel ver stroomopwaarts van de Nijl in het zand te zijn gevonden door een krankzinnige Italiaan die als sterke man in het circus heeft gewerkt en nu in dienst is van de Britse Consul in

Caïro. Het wordt "Het Hoofd van de Jonge Menon" genoemd en het werd in een Egyptische boot op de Nijl ge-
laden – ik denk dat de sterke man hem er gewoon in heeft
getild – en is toen helemaal de rivier af gedreven, naar
Alexandrië. Daarna is het in een bark gezet en helemaal
over de zee naar Engeland gekomen en het is een paar
keer bijna verdronken. Wat een idee om een gedicht over
een been te schrijven als er zo'n hoofd is!' Lady Rosetta
Hawksfield was een koele en beheerste jongedame, zodat
juffrouw Proud haar uitzonderlijke uitbarsting met belangstelling volgde.

'En daarom geloof ik niet dat meneer Shelley het hoofd
in het museum echt heeft gezien,' zei Rosetta weer tegen
juffrouw Proud.

'Waarom zeg je dat?'

'Omdat het gezicht dat oceanen heeft overgestoken
geen frons, geen kille machtsgrimas heeft! Het is mooi, en
heel vriendelijk.'

Juffrouw Proud moest van de dokters, zeer tot haar
misnoegen, in haar kamers blijven sinds de dag van de
begrafenis van de prinses, en ze kon Rosetta's woorden
dus niet verifiëren. Maar ze zei: 'Ik geloof dat Shelley het
eigenlijk over iets anders heeft.'

'Hoe bedoelt u?' vroeg Rosetta.

'Hij is erg boos op de regering. En op de kerk.'

'Vanwege die arme soldaten en matrozen, en de gedenktekens?'

'En over oneerlijke wetten. En over geld dat aan de
prins-regent en aan zijn paviljoen in Brighton wordt besteed. En op Wordsworth, ooit een revolutionair, die nu
de benoeming tot Distributeur der Postzegels heeft aanvaard – daar is Shelley heel boos over. En dat er mensen

worden opgehangen. En over dat de kerk het vorstenhuis steunt en geen kritiek heeft. En over dat de geschiedenis hopelijk anders over onze leiders zal oordelen. Ik denk dat hij het gedicht gebruikt om deze dingen te zeggen.'

Rosetta glimlachte met de glimlach van haar vader, gekleed in de blauwe jurk die zo goed bij haar ogen paste. Ze droeg, zoals Rose altijd had beloofd, een lapje over haar ene oog, als een piraat, en ze keek juffrouw Proud met het andere vertederd aan. 'U zorgt er altijd voor dat ik eronder kan kijken.'

'Ik wil alleen maar dat je de wereld begrijpt, liefje.'

Ze hoorden het geritsel van rokken, en Fanny, die altijd bij juffrouw Proud logeerde wanneer ze in Londen was, holde de trap af. Ze kuste Rosetta. 'Het spijt me dat ik je heb laten wachten.'

'Mama zal ons daar ontmoeten,' zei Rosetta.

'We zullen alles vertellen,' zeiden ze tegen juffrouw Proud toen ze door de vallende sneeuw naar het rijtuig liepen, dat als gewoonlijk South Molton Street blokkeerde.

Ondanks het slechte weer zat de zaal vol mensen, alsof de naderende datum van de geboorte van Jezus hen bedachtzamer maakte dan anders. Er waren boze, gewonde soldaten naast bedaarde middenklassemannen in vest, er waren dames met hoeden en omslagdoeken, en ook kinderen, die dicht tegen hun ouders aan kropen, op zoek naar warmte.

Toen Fanny sprak, werd het stil. Ze sprak heel eenvoudig, in haar grijze jurk. De mensen mochten haar graag en herkenden haar omdat haar rode haar nooit helemaal netjes onder haar grijze hoedje bleef zitten en omdat ze net een van hen leek, haastig naar deze plek gekomen ondanks de sneeuw, omdat dit belangrijk leek. En er was nog iets anders dat de mensen aan Fanny beviel. Om haar middel droeg ze een helderblauwe sjaal in de kleur van de Egyptische lucht. En de mensen glimlachten onwillekeurig omdat die sjaal zo mooi was, en zo feestelijk, en omdat hij hen hoopvol stemde.

Fanny zei: 'In deze drukke stad zijn we bijeengekomen om in stilte na te denken over ons leven. Laten wij allen even stil zijn. Laten we dit moment gebruiken om ons hart tot rust te brengen en te luisteren – in de stilte zal er misschien een stem zijn die tot ons spreekt, of misschien zal de oplossing voor de problemen in ons leven wat duidelijker worden.' Er was even wat geschuifel van voeten, en toen werd het stil. Sommigen kuchten en sommigen deden hun ogen dicht, en anderen keken ongemakkelijk om zich heen, alsof ze een beetje onthutst waren nu ze aan hun eigen gedachten waren overgeleverd.

Het was vanuit deze stilte, misschien juist dankzij deze stilte, dat een woedende stem opeens van ergens uit de zaal riep: 'Jij hoort thuis te zijn om voor je man en kinderen te zorgen! Het staat in de bijbel: *"Doch ik laat de vrouw niet toe dat zij lere, noch over den man heerse, maar wil dat zij in stilheid zij."* Eerste brief aan Timotheüs, hoofdstuk 2 vers 12!'

Er ontstond beweging in de zaal, de mensen draaiden zich boos om naar de stem, zagen dat deze toebehoorde aan een soldaat in een gerafeld en vies uniform, en dat hij geen armen had. De mensen in de zaal mompelden tegen elkaar, niet wetend of ze boos of beschaamd moesten zijn. Maar Fanny stak op verzoenende wijze haar hand uit naar de soldaat.

'Goede vriend,' zei ze zacht, 'zo'n woede als die van u

kan slechts tot droefheid leiden. Aan het eind van deze bijeenkomst zal een van mijn medewerkers naar je toe komen, misschien kunnen we je op enige manier helpen. Je hebt voor ons land gevochten en we zijn je dankbaar, en we zijn trots op je.' De soldaat zweeg en staarde naar Fanny omhoog. Net als de mannen met vest en de vrouwen en de andere soldaten. Ze bleven allemaal een tijdje stil, alsof de dame in het grijs, met het wapperende rode haar en de prachtige blauwe sjaal hun, hoe kort ook, even iets van rust bracht.

Fanny sprak over hoop en over het goede. Omdat ze gekleed was in haar grijze quakerjurk en omdat ze zo vriendelijk sprak, over liefde, veronderstelden de mensen in de zaal dat ze over God hoorden. Alleen Rose, douairière hertogin van Hawksfield, constateerde dat Zijn naam feitelijk niet werd genoemd.

Later die avond werd de roodharige quakervrouw gezien toen ze de Hanover Square Concert Rooms binnenging. Niet voor een recital met muziek van Haydn, zoals op dat moment vaak op het programma stond, maar voor een speciale bijeenkomst die was georganiseerd door het bestuur van het British Museum. De belangstelling hiervoor was zo groot dat de rijtuigen die buiten de zaal voorreden, het verkeer blokkeerden. Bij de roodharige vrouw was een donkerharige vrouw in een prachtige met bont gevoerde cape, en een wonderlijk uitziend meisje. Wonderlijk, omdat ze een olijfkleurige huid had, niet als de mensen in Londen, en omdat ze een zwarte lap over haar ene oog droeg, alsof ze de dochter van een piraat was. Ze gingen zitten, de zaal gonsde vol verwachting.

Rose keek om zich heen. De directeur van de raad van

beheer van het British Museum stak zijn hand op en glimlachte. Rose gaf na afloop, in haar grote huis op Grosvenor Square, een diner voor de filosofen, de taal- kundigen en de leden van het parlement. Ze glimlachte naar veel mensen. Ze zag George Fallon, burggraaf Gawk- roger, antiekjager bij uitstek, die daar met zijn vrouw was. Ze knikten koel tegen elkaar, maar zijn machinaties konden haar nu niet meer deren, want zij verkeerde met leden van het Koninklijk Huis. En George Fallon was daar waar hij altijd was geweest: rijker en rijker, maar buiten de magische cirkel.

Bij George stonden William en Ann, de hertog en her- togin van Torrence. Ann had lang geleden haar voortan- den laten trekken, veilig nu ze drie zonen had. Ze maak- te veel gebruik van haar waaier, want de porseleinen kunsttanden waren niet helemaal naar wens. Ze was op sociaal gebied nog steeds scherp en kritisch, maar eerder op een ondoorgrondelijke dan welsprekende manier, omdat de porseleinen tanden nogal luid klepperden als ze sprak. William ving de blik van Rose op en hief een hand als groet. Ann zag het, maar ze trok zich er niets van aan. Wat er tussen hen bestond deerde haar niet. Laat die vrome douairière maar kijken of ze iets met zijn beschon- ken tegenzin kon aanvangen.

Ann begreep het verkeerd.

Lang geleden hadden William en Rose op een avond, toen de hertog van Hawksfield onverwacht naar Windsor was geroepen, elkaar getroffen in de grote tuin waar nu mimosa groeide en waar de hertog en William eens een wierookboom hadden geplant, om te kijken of deze zou gedijen. William had wat gegeneerd om zich heen geke- ken, zoals altijd wanneer hij bij Rose in de buurt was. Hij wilde zo snel mogelijk weg bij deze vrouw die te veel van hem wist, maar Rose had losjes een hand op zijn arm gelegd. 'Je hoeft me echt niet te mijden, William, ik heb niet de minste behoefte om met mijn man over jou te praten,' zei ze koeltjes. 'Maar... ik heb gezegd dat ik je eens Dolly's boodschap zou overbrengen.'

Ze zag zijn verschrikte gezicht. Er vielen licht en schaduwen over de tuin waar Griekse beelden brandende fakkels in de hand hielden, maar ze zagen allebei de hete duisternis van Alexandrië voor zich, met de muskieten en het geweeklaag van de vrouwen, en Dolly. William kon Rose niet aankijken, hij had opeens veel belangstelling voor een standbeeld van Pallas Athene, de godin van de wijsheid.

'Ze vroeg me iets tegen jou te zeggen.' Ze zag dat hij het niet kon verdragen.

'Wat je ook van me mag denken, Rose, denk alsjeblieft niet dat ik niet weet dat ik' – hij kon haar naam niet uitspreken – 'mijn zusje in de steek heb gelaten.' Rose zweeg. 'Ik weet dat ze van me hield,' zei hij in de marmeren plooien van het soepele gewaad van Pallas Athene. 'Vanaf dat ze een klein kind was hield ze het meeste van mij, en ik hield niet genoeg van haar. Toen ze met George trouwde dacht ik dat hij voor haar zou zorgen. Ik heb tegen hem gezegd dat ze... veel liefde behoefde. Maar... hij verveelde zich bij haar. En... ik zag wat ik wilde zien.' Hij staarde nog steeds voor zich uit naar de witte gestalte in het donker. Ten slotte streek hij met zijn hand over het marmer, alsof hij zichzelf wilde troosten. 'Ik weet echter wat de prijs van mijn erfgoed is, Rose, daar hoef jij me echt niet aan te herinneren. En ik zal het weten voor de rest van mijn leven.'

'Ze vroeg me nog iets tegen jou te zeggen,' herhaalde Rose. 'Aan het eind.' Hij keerde zich eindelijk naar haar om, met tegenzin. 'Ze vroeg me te zeggen dat' – Rose dacht terug aan Dolly's wanhopige, stervende gezicht, zo lang geleden, en ze slikte moeizaam – 'het haar speet dat ze jou zo tot last was geweest, en... en dat ze meer van jou hield dan van wie ook ter wereld.'

Ze zag zijn gezicht, hoorde het geluid in zijn keel, zag zijn schouders omlaag gaan. Voor hij zich af kon wenden sloeg ze haar armen om hem heen en huilde met hem mee. Slechts enkele ogenblikken. Op dat moment werd er eindelijk, heel even, oprecht om Dolly getreurd, midden in de donkere, met fakkels verlichte tuin van haar oom, waar helemaal niets van de wierookboom te bekennen viel. Hij was in een vreemd land gestorven, net als zij.

Dus hief Rose haar hand nu, in de Hanover Square Concert Rooms, en groette Dolly's broer afstandelijk.

Bij hen allen, in de concertzaal, was nu de nieuwe vriend van George, Charles Cooper, terug uit de oorlog, een man met een missie. Hij moest dringend een rijke erfgename huwen, anders zou hij predikant moeten worden. Zijn kille, knappe gezicht overzag de zaal net zoals George dat eens had gedaan, behalve dat Charles Cooper bereid was stand aan geld op te offeren. Rose had George uitermate duidelijk gemaakt dat Rosetta niet te koop was.

'Als ze van mij was,' had George geantwoord, terwijl zijn oude woede weer boven kwam, 'zou ze met hem trouwen.' Maar lady Rosetta Hawksfield was niet van George.

Toen Rose, douairière hertogin van Hawksfield, de zaal verder rondkeek, zag ze opeens Pierre Montand, bezig de schoen van een jongetje dicht te knopen. De zaal draaide opeens om haar heen. Ze slaakte een gesmoord geluid en klampte zich vast aan de rugleuning van de stoel voor haar. Ze zag niet dat Rosetta keek. Binnen een oogwenk had ze zichzelf weer onder controle. Pierre Montand, nu met grijze strepen in het haar, gebaarde de jongen naast een vrouw en een andere, oudere jongen te gaan zitten. Hij glimlachte naar hen allen.

Alleen dit. Dit is nu de enige pijn waarvan ik wist dat ik die niet zou kunnen verdragen.

Pierre Montand liep bij zijn gezin vandaan en stapte op het podium, waar de sprekers zich nu verzamelden. Hij liep naar een paar heel grote, platte pakken die achter op het podium lagen en een jongeman hielp hem ze uit te pakken en de inhoud te onthullen. Toen zag Fanny hem opeens ook, en ze keek snel naar Rose, zag haar gezicht. Fanny zei helemaal niets, maar ze nam de gehandschoende hand van Rose in haar handen en hield die stevig vast.

'Wat is er, mama?' vroeg Rosetta, die alles had gezien, die de uitdrukking op haar moeders gezicht zag.

'Niets liefje. Er ging een gedachte door me heen.'

Toen het podium opeens door veel lampen werd verlicht, slaakten Rose en Fanny allebei een gesmoorde kreet. Op het toneel stond een van de vreemde en prachtige schilderijen die ze lang geleden in Parijs in de Commission de l'Egypte hadden gezien. Het was een schilderij met de Nijl en de weelderige vegetatie en de geblinddoekte buffels die langzaam de waterraderen ronddraaiden. Maar ook met de zeilen van de *djerms* en de *felucca's* in het zonlicht, en Rose herinnerde zich uit het verleden de rivier 's ochtends vroeg, met Flo, en het hardnekkige geluid van waterraderen... en het vinden van Rosetta. Ze keek naar Rosetta. Het meisje staarde naar het schilderij. Er lag iets in de manier waarop ze keek, iets wat onmogelijk een herinnering kon zijn, dacht Rose, maar het was toch iets heel aandachtigs, iets heel intens.

Het andere schilderij was van de hiërogliefen, met de havik, de leeuw, de zon en de scarabeeën. Rose keek omlaag naar haar handen – iemand die haar zag, zou hebben gedacht dat de hiërogliefen haar niet interesseerden.

Er klonk applaus. Dr. Young, de Engelsman die de tekst op de Steen van Rosetta als vakantielectuur mee naar Worthing had genomen, sprak het illustere publiek toe over zijn bevindingen met de hiërogliefen, en over de kleine triomfen wanneer geleerden zich langzaam naar de kennis bewogen en enkele woorden ontcijferden. Ze wisten nu zeker dat er verband bestond tussen de twee Egyptische teksten op de Steen van Rosetta, en dat de hiërogliefen in elk geval gedeeltelijk alfabetisch waren. Zijn gehoor werd hoorbaar opgewonden. Maar wetend dat er Fransen in de zaal waren, zei dr. Young niet dat hij nu was gaan denken dat de hiërogliefen ook gedeeltelijk fonetische klanken waren. 'De Britse Consul stuurt ons voortdurend allerlei bewijsmateriaal,' vertelde hij het publiek. 'Maar na twintig jaar staan we nog steeds pas aan het begin van het ontraadselen van de betekenis van het schrift van het Oude Egypte.' Hij keek even naar de Franse bezoekers.

Pierre Montand, die op het podium zat met zijn kostbare schilderijen, de schilderijen die waren verkregen met het verlies van zoveel Fransen die nog slechts herinneringen waren, luisterde naar de voortvarende Engelsman die voor hem stond. Hij wilde niet zeggen dat in Frankrijk een briljante, minvermogende student in de linguïstiek, Jean-François Champollion, die de militaire dienst in Napoleons allesverslindende legers had weten te

vermijden, in Parijs een oude koptische monnik had gevonden die hem de koptische taal had geleerd. Monsieur
Champollion wist dat deze taal het dichtste bij de oude
Egyptische talen kwam als maar mogelijk was. Deze jongeman zat tot diep in de nacht in het verslagen Frankrijk
te studeren, en hij geloofde dat hij op weg was het mysterie op te lossen. Pierres hoofd was gebogen en zijn gedachten waren ondoorgrondelijk. Toen het zijn beurt was
om te spreken, vertelde hij over de *Description de l'Egypte*,
over het nauwgezette werk dat jarenlang in het voorbereiden van de delen voor publicatie was gaan zitten, en
over de delen die nog zouden volgen. Het publiek, waarvan velen de schitterende boeken hadden gezien, of die
zelfs bezaten, luisterde geboeid. Pierre sprak over hoe ze
te werk waren gegaan, over het werk van de *savants* in
Egypte onder Napoleon, over Napoleons grote belangstelling voor alles wat Egypte was. Hij vertelde dit alsof
Napoleon Bonaparte nog steeds heerser over Frankrijk
was en niet ergens in de Zuid-Atlantische oceaan onder
Britse bewakers zat te niksen. Hij besloot met te zeggen
dat het zijn grootste droom was dat de hiërogliefen nog
tijdens zijn leven zouden worden ontcijferd en zodoende
iedereen in staat zouden stellen meer te weten te komen
over de onschatbare vondsten uit dat oude en fascinerende land.

Na afloop gingen de gasten naar het huis van Rose op
Grosvenor Square, opgetogen, verrukt en geboeid over
de belevenissen van die avond. Ze kwamen binnen in de
met kroonluchters verlichte hal – de filosofen, de doctors,
de taalkundigen, de schrijvers en de politici. Toen Pierre
Montand arriveerde, stelde hij zijn vrouw voor. Rose, de
douairière hertogin van Hawksfield, die een jarenlange

ervaring had in het verbergen van haar gevoelens, glimlachte haar gastvrouwenglimlach, ook naar de knappe vrouw aan Pierres zijde.

'*Bonsoir*, madame Montand,' zei ze. '*Bienvenue à Londres.*'

De directeur van de raad van beheer van het museum troonde hen mee. Er kwamen nog meer mensen. De huisknechten zweefden met dienbladen voorbij en Rose begaf zich onder de gasten, glimlachend en glimlachend.

De avond was een groot succes, de belangstelling voor Egypte was overweldigend, onder de kroonluchters en te midden van de wijn. Allerlei mensen spraken over hun verlangen naar Egypte te reizen, over de Nijl te varen, door de woestijn te lopen, de schatten te zien.

'Ik wil de piramiden bij maanlicht zien,' riep een dame vol ontzag.

'Wat ik wil zien,' zei een andere dame dramatisch, terwijl ze een pose aannam zodat de bloemen in haar haar hevig schudden, 'is waar de kleine baby Mozes in zijn mandje aan de oever van de Nijl door de vrouw van de farao werd gevonden. Of... was het zijn dochter?'

Pierre Montand knikte vriendelijk naar Fanny in haar quakerjurk, maar deed geen poging met haar te praten. Dr. Young, de Engelse linguïst, was ook quaker, en hij sprak uitvoerig met Fanny. Rosetta sprak met haar oom George, die ze niet erg aardig vond maar die ze al heel lang geleden had geleerd om haar vinger te winden: ze hoefde alleen maar te glimlachen. Ze behandelde haar oude grootmoeder, die nu naar haar bed was verbannen, kakelend over de troonsbestijging van Lodewijk XVIII in Frankrijk, op exact dezelfde manier, met een soort geïrriteerde intimiteit waarom Rose, als ze dit zag, haar bewonderde. Het was alsof Rosetta hen begreep, omdat ze familie van hen was. Ze waren ontzet over haar bestaan, ze aanbaden haar ondanks zichzelf, en ze begrepen haar helemaal niet.

'Je moet reizen, *Rosetta mia*,' zei George Fallon tegen zijn nichtje, 'je moet je eigen land zien. Ik zal alles regelen.' Hij had dit al twintig keer tegen haar gezegd, en twintig keer had Rosetta 'Engeland is mijn eigen land' geantwoord, alsof ze het meende.

'Natuurlijk is Engeland haar eigen land, George,' zei zijn vrouw hartelijk, hoewel ze eigenlijk dacht dat een Engelsman wel heel erg in geldnood moest verkeren om met een eenogig, onwettig kind met een olijfkleurige huid te trouwen. Zelfs Charles Cooper, die in geldnood zat, had vast niet zo'n hoge nood.

Toen de rijtuigen werden geroepen en Pierre Montand met zijn vrouw vertrok, boog hij opnieuw naar de douairière hertogin van Hawksfield.

'Dit is mijn dochter Rosetta,' zei Rose. Ze zag, toen hij boog naar Rosetta met haar schuine ooglapje en haar zelfverzekerde glimlach, dat Pierres zelfbeheersing het heel even begaf. Hij keek weer naar Rose. Ze zag dat hij zich ook het kind in het bedje in het zijkamertje herinnerde, de ramen die op South Molton Street uitkeken, de kaars die flakkerend uitging in de nacht, de opwinding, de liefde en het gevaar. Geen van hen zag dat Rosetta naar hen beiden staarde, zoals ze lang geleden had gedaan.

En toen was hij weg.

Vierendertig

*R*osetta liep van Grosvenor Square naar South Molton Street. Het ongelijke oppervlak van de gevaarlijke straten was bedekt met smeltende sneeuw en modder en de gebruikelijke viezigheid: drollen, sinaasappelschillen, kranten, botten, dode ratten, kapotte flessen, vissenkoppen. Rose en juffrouw Proud hadden liever niet dat Rosetta deze korte afstand in haar eentje liep, want er waren bedelaars, soldaten en straatkinderen, zelfs in Mayfair. Maar Rosetta beweerde hardnekkig dat de mensen bang waren voor haar en haar ooglapje, niet andersom. Ze droeg een cape en stevige laarsjes. Het sneeuwde nog steeds licht, maar Rosetta was zo in gedachten verzonken dat ze het niet opmerkte. Het dienstmeisje deed open, pakte haar cape aan en bracht haar naar de oude, gebogen dame bij het haardvuur. Juffrouw Proud zat aan haar tafel te midden van boeken en kranten, en ze fronste haar wenkbrauwen over het werk van een nieuwe dichter die ze anderen begon aan te bevelen, een jongeman die John Keats heette. Hij had zojuist zijn eerste dichtbundel uitgegeven, maar buiten zijn vrienden wilde niemand die kopen.

'De mensen herkennen geen nieuw talent wanneer het hen onder ogen komt,' zei ze streng tegen Rosetta, 'alleen omdat hij een opleiding tot apotheker heeft.' Toen knipperde ze met haar ogen en glimlachte. 'Goedemorgen, lief kind. Ik vergat even waar ik was.'

Rosetta lachte en kuste de oude dame. 'Heb ik tante Fanny gemist?'

Juffrouw Proud keek door haar nieuwste, heel sterk vergrotende bril. 'Ze is al teruggegaan naar Wentwater. Je weet dat ze vindt dat ze weer snel naar huis moet, zeker met het ophanden zijnde huwelijk van Jane!'

'Natuurlijk. Ik had vroeger moeten zijn. Ik had Arabische les bij die gekke oude professor die mama in het museum heeft gevonden.'

'Is hij echt gek?'

Rosetta dacht na. 'Ja,' zei ze. 'Hij is een Engelsman maar hij denkt dat hij een Arabier is. Hij draagt Arabische kleren en een kleine tulband, maar hij lijkt nog steeds een Engelsman! Ze zeggen dat hij een *shisha*, een waterpijp, in zijn huis heeft en dat er veel belangstelling bestaat voor wat hij erin stopt. Maar zijn kennis van de taal is echt geweldig. Het spijt me wel dat ik tante Fanny heb gemist. Ik vond het heel interessant om haar gisteravond te horen. De mensen vinden haar aardig omdat ze zo eenvoudig en direct is.'

'Ze zegt dat dominee Horatio Harbottom weer te bed ligt.'

'Zoals altijd wanneer zij weg is! Maar Jane en Horatio vertelden me dat hij, zodra ze weer terug is, zegt: "Ik denk dat ik zo langzamerhand wel weer wat soep zou kunnen verdragen"' Juffrouw Prouds ogen lachten naar Rosetta door haar bril, maar ze zag dat het meisje ergens over piekerde. Juffrouw Proud had geleerd dat Rosetta op haar eigen tijd zou komen met wat ze op haar hart had.

'Arme dominee Harbottom,' zei juffrouw Proud. 'Hij is al lang geleden buitenspel gezet. Hij weet nooit wanneer de hertogin van Brayfield op bezoek zal komen, en lord Stone, en zij komen echt vaak even langs. Het draagt veel bij aan Horatio's aanzien in Wentwater als die mooie rijtuigen bij de pastorie stoppen, maar zulke onverwachte bezoekjes houden hem aardig onder de duim!' Rosetta giechelde, wat juffrouw Proud deed beseffen dat ze zowel intelligent als ontwikkeld en welbespraakt was, maar dat ze ook nog steeds een jong meisje was. 'En je hebt sneeuwvlokken in je haar, jongedame!'

'En u hebt rode wangen van het haardvuur!' Rosetta ging tussen de boeken van juffrouw Proud zitten.

'Ik zie dat Jane Austen is overleden,' zei juffrouw Proud, terwijl ze een krant opvouwde. 'Ik wilde met haar praten, maar dat zal nu nooit meer kunnen.'

'Wat had u tegen haar willen zeggen?'

'Van alles. Ik bewonder haar werk, maar ik had het vooral over haar heldinnen willen hebben. Ik had graag willen weten hoe de schepper van Elizabeth Bennet ons later een heldin van het formaat van Fanny Price in *Mansfield Park* kon geven. Is dat de nieuwe vrouw, dat enigszins onnozele personage vol – zo zie ik het tenminste, maar misschien vergis ik me – zichzelf wegcijferende deugdzaamheid?' Juffrouw Proud timmerde opeens boos met beide handen op de tafel. 'Ik heb steeds maar het vreemde gevoel dat voor vrouwen de wereld achteruitgaat in plaats van dapper naar de toekomst! Ik kan die gedachte niet verdragen, want ik ben opgegroeid in een tijdperk van verlichting en nieuwe gedachten en hoop. Als vrouwen worden gedwongen...' Voor deze ene keer in haar leven leek juffrouw Proud om woorden verlegen te zitten. Ze legde haar gezicht even in haar handen en Rosetta zag de oude, rimpelige vingers die geen sieraden droegen. 'Als vrouwen door bepaalde krachten in de maatschappij achteruit gedwongen worden, en de haard het middelpunt van hun leven moet zijn... dan is onze mooie nieuwe toekomst tot ondergang gedoemd.'

'Ik zal uw nieuwe vrouw zijn,' zei Rosetta.

'Liefje, dat weet ik. Ik heb het niet over individuen. Er zullen altijd dappere individuen zijn. Het is... O, ik bespeur zo'n onheilspellend gevoel in de lucht, een gevoel dat alle vrijheden voor vrouwen, die we zelf naderbij hebben zien komen – met onze eigen ogen, kijk maar naar de avonturen van je moeder en je tante Fanny toen zij nog jong waren! Kijk naar mevrouw Venetzia Alabaster! – misschien voorbij zijn voor ze goed en wel zijn begonnen.'

Rosetta keek de oude dame plechtig aan met haar doordringende blauwe oog. 'Juffrouw Proud,' zei ze, 'ik heb gisteravond een Fransman ontmoet die Pierre Montand heette.'

Haar woorden brachten een schok teweeg. 'Echt?'

'Kent u hem, juffrouw Proud?'

'Ik heb hem wel eens ontmoet.'

'Hij was bij de lezing, met zijn vrouw en kinderen.'

Juffrouw Proud wendde opeens haar blik af. 'Juist ja.'

'Heeft mijn moeder hem ooit gekend?'

'Dat is een vreemde vraag.'

'O ja?' Rosetta had soms een vreemde, weinig damesachtige manier van zitten, met een been onder zich. Wanneer Mattie en Flo voor een bezoek naar Engeland kwamen, herinnerde juffrouw Proud zich dat Flo net zo zat. De twee meisjes waren in staat urenlang zo te blijven zitten, haast zonder zich te verroeren, zo stil als steen. Rosetta zat nu net zo, te midden van de boeken.

'Er is een deel,' zei Rosetta langzaam, 'dat mama voor me verborgen houdt.' Ze keek juffrouw Proud onderzoekend aan. 'Ze heeft me altijd mijn verhaal verteld, en hoe ze me heeft gevonden, en dat de hertog mama ten huwelijk vroeg zodat zij, samen met hem, de voogdij over me kreeg, maar juffrouw Proud... hoe wist ze dat ik was geboren?'

Juffrouw Proud leek even wat onthutst. De vreemde instincten van Rosetta konden haar altijd uit haar evenwicht brengen. 'Liefje... het... het was bekend dat je vader...'

'Ja, ja, dat weet ik allemaal. Maar later, toen mijn vader dood was. Hij heeft het nooit geweten. Hoe kon zij dan, midden in Londen, hebben geweten dat ik was geboren? Om naar mij te gaan zoeken? Ze wist zelfs dat ik een meisje was! Wie heeft het haar verteld?'

Juffrouw Proud gaf geen antwoord. Rosetta liet de vraag in de lucht hangen.

'Was er een prijs?' zei ze. Ze sprak terloops, maar ze deed haar ooglapje af, iets wat ze bijna nooit deed waar anderen bij waren, zelfs niet bij juffrouw Proud. Het beschadigde oog knipperde.

'Bedoel je geld?'

'Nee, nee, ik wist dat ze me moest kopen, dat heeft Flo me allemaal verteld. Ik bedoel een ander soort prijs.'

Juffrouw Proud glimlachte. 'Je hebt te veel romans gelezen!'

'En in romans, weet u, is altijd sprake van liefde.'

Juffrouw Proud bedacht dat Rosetta soms veel op haar

grootmoeder leek, met die directe manier van doen, die scherpe blik, de blauwe ogen. Ze zei niets, maar na een tijdje ging Rosetta verder, alsof ze van onderwerp veranderde, alsof haar woorden toevallig waren.

'Gisteravond, toen ik dat schilderij van de Nijl zag, voelde ik – en ik weet dat dit nergens op slaat – iets van heimwee.'

'O liefje.' Het bleef even stil. 'Maar natuurlijk, dat is niet meer dan normaal. We hebben het altijd tegen jou over Egypte gehad. Hoewel het, zoals we je al hebben verteld, een moeilijke plaats voor vrouwen is.'

'Natuurlijk. Egypte is een heel moeilijke plaats voor vrouwen, dat heb ik mijn hele leven gehoord. Maar het bedekken van mijn gezicht zal geen probleem voor me zijn.' En ze deed haar ooglapje weer voor. 'Maar daar is alles niet wat het lijkt.'

'Hoe bedoel je?'

'In Egypte is Flo's Engels zo goed dat ze samen met Cornie en Mattie en mevrouw Alabaster in het bedrijf werkt. Toch zou oom George, in deze vrijere wereld, in Engeland, mij in geen miljoen jaar in het familiebedrijf opnemen, ook al weet hij hoe goed ik in rekenen ben.'

Juffrouw Proud knikte zuur. 'Je hebt helaas gelijk.'

Rosetta tuurde naar de boekenplanken. 'Toen Flo op bezoek was... kon ik met haar heel anders praten, ook al is ze ouder dan ik en getrouwd en zit ze schijnbaar opgesloten. En het eerste dat ik altijd bij Flo deed was mijn ooglapje af doen. Oftalmie is voor haar niets bijzonders, ze wordt erdoor omringd. Ik doe het nooit af als Horatio of Jane er is. Ik voelde me alsof ik net zo was als Flo.' Rosetta fronste haar wenkbrauwen. 'Alsof ze familie van me was, ook al is alles aan haar opvoeding en haar opleiding anders geweest dan bij mij.' Ze pakte een boek, sloeg de bladzijden om, keek erin. 'Ik denk... dat ik niet veel zin heb om een Engelse erfgename te zijn. Alle meisjes die ik ken willen maar één ding: trouwen en een gezin krijgen. Niet trouwen is een schande.' (Ze vergat even dat ze het tegen juffrouw Proud had, die niet getrouwd was.)

'Alle jonge meisjes willen graag trouwen en een gezin stichten, dat is niet meer dan normaal.'

'En het is zelfs voor mij normaal, geloof het of niet. Maar ik zit met die ogen. Met dat ene oog,' verbeterde ze bitter. 'Ik zie hoe het ervoor staat in de wereld waarin ik woon. Wie zal er met mij willen trouwen, met een Arabisch meisje met één oog? Alleen iemand als mijn oom George, voor wie geld alles zou zijn. Oom George heeft een man meegebracht om met mama te spreken, een zekere meneer Charles Cooper. Hij is koortsachtig op zoek naar een rijke erfgename. Hij zat in het leger en was heel knap om te zien. Gelukkig waren mama en ik het erover eens dat hij heel ongeschikt was!' Opnieuw keek ze juffrouw Proud niet aan maar bladerde in een van de boeken die naast haar lagen. 'Ik denk dat mijn neef Horatio uit vriendelijkheid bereid zou zijn met me te trouwen, zolang ik maar mee naar India wilde gaan!'

'Hij is een lieve jongen.'

'Dat is waar. Maar ik wil niet met hem trouwen.' En toen kwam het hoge woord eruit. 'Ik wil naar Egypte! Ik heb het gevoel dat ik het ken.'

'Maar, liefje, je moeder heeft je altijd over Egypte verteld, ze was als kind al gefascineerd door dat land omdat haar vader haar er zoveel over had verteld, net zoals zij jou erover heeft verteld. Het is niet meer dan normaal dat je er zo over denkt.'

'Er is nog iets anders. Ik weet dat ik heel veel voorrechten heb, en daar ben ik erg dankbaar voor. Maar... ik ben geen Engelse. Niet echt.'

'Ach, meisje!' Juffrouw Proud zette haar bril af en wreef in haar ogen. Rosetta werd een vage gestalte in de kamer. 'Er zijn veel dingen van het menselijk hart die niet altijd te begrijpen zijn. Maar ik weet absoluut zeker dat Rose jou nooit zou weerhouden te doen wat je wilt doen. Ze weet dat Mattie en Flo daar zijn. En de geweldige mevrouw Alabaster, van ooit De Zingende Acrobaten, met haar bedoeïenensjeik, nu een van de machtigste kooplieden in Egypte! Je mama weet hoe Egypte mensen kan bekoren. Ze weet dat jij veel mensen zou hebben die voor jou zouden zorgen als je erheen zou willen.'

'O nee, u begrijpt het niet! Ik maak me geen zorgen over mezelf! Ik maak me zorgen over mijn moeder, over wat er met haar zou gebeuren! Stel dat ik daar wilde blijven? Daarom moet ik weten of er een prijs was' – ze stond plotseling op, worstelde om de juiste woorden te vinden – 'of zoiets... of ze om mij iets heeft moeten opgeven. En ik geloof dat ik gisteravond voor het eerst begreep dat dat er was.'

Juffrouw Proud was opnieuw verbijsterd over Rosetta's waarnemingsvermogen. 'Maar wat heeft dat te maken met of jij naar Egypte gaat?'

Rosetta zei langzaam: 'Ik wil, meer dan wat ook, naar Egypte gaan. Maar ik besef dat het nu misschien mijn beurt is. Dat ik misschien ook iets moet opgeven.' Ze rommelde even tussen de boeken. 'Ik kan natuurlijk een Engelse erfgename zijn, als dat moet.' Juffrouw Proud zag dat Rosetta bereid was haar leven op te geven voor haar moeder, en haar hart kromp ineen voor dit meisje, en voor Rose, die het allemaal zo goed had bedoeld.

'Rosetta, deze... deze zaken kun je moeilijk tegen elkaar afwegen.' Rosetta schudde haar donkere krullen, net zoals ze dat altijd deed wanneer ze ongeduldig werd. Voor juffrouw Proud zonder haar bril leek ze een nerveuze schaduw die nu door de kamer liep.

'Juffrouw Proud, ik ben bijna zestien. Ik begrijp de dingen. Ik beheers Frans en Duits even goed als veel andere meisjes, maar ik ben als een man onderricht in Grieks, wiskunde en filosofie. Ik heb de beste leraren gehad die een meisje in Engeland maar kan krijgen. Ik weet hoe ik moet denken.'

'Desalniettemin' – juffrouw Proud zette haar bril weer op – 'zijn er veel andere, minder tastbare dingen die je ook moet begrijpen. Ik denk dat je over die zaken met je moeder moet praten, niet met mij.' Maar ze zag de scherpe Fallon-ogen van Rosetta.

'Ik weet het. Ik weet dat er ook andere dingen in het leven zijn,' zei het meisje ongeduldig. 'Mijn opvoeding heeft me geleerd dat er nog andere aspecten zijn, zelfs als ik die... zelfs als ik die zelf niet zal ervaren. En ik weet hoe graag mijn moeder me wilde hebben, wat ze heeft gedaan om mij te vinden.' Rosetta staarde naar buiten, naar de sneeuw die in dikke vlokken langs de ramen in South Molton Street viel. 'Ik heb alleen wat losse herinneringen aan toen ik nog klein was, maar ik herinner me mijn moeder als... als een heel ander persoon. Ze is nu heel beleefd, een uitstekende gastvrouw, heel vriendelijk tegen mensen, zo geweldig kalm en beminnelijk dat het moeilijk te zeggen valt of die andere persoon er nog onder schuilt. Ik heb gisteravond meer emoties in haar gezicht gezien dan ik daar lange tijd had waargenomen.' Ze ging tegenover juffrouw Proud aan de tafel zitten. 'Mama vond het heerlijk om mij te leren lezen, dat herinner ik me nog. Ik heb leren lezen voor ik drie jaar oud was! Dus weet ik – en tante Fanny en u hebben me dat ook altijd verteld – hoe dol mijn moeder op woorden is. Ze was als kind al gefascineerd door woorden. Ik weet dat dat het begin was van haar belangstelling voor hiërogliefen, omdat die de woorden waren die iemand had geschreven. En dat is ook de grote belangstelling van monsieur Montand, hè?' Juffrouw Proud gaf geen antwoord. 'En ze heeft heel lang een dagboek bijgehouden.'

'Het is waar dat ik had gehoopt dat ze meer zou schrijven. Want er is haar heel veel overkomen, ze was altijd bezig met waarnemen, met schrijven en groeien... Ze is een heel intelligente vrouw. Ik dacht dat ze veel anderen tot hulp zou kunnen zijn.'

'En toen hield ze op.'

De oude dame legde op haar tafel enkele ganzenveren aandachtig bij elkaar.

'Juffrouw Proud, die kostbare dagboeken liggen in een oude hutkoffer te verstoffen. Ze schrijft nu niets meer. Ze zit achter haar moeders schrijftafel en ze schrijft alleen maar uitnodigingen voor de thee! Misschien is er wel niets meer dat eronder zit! Weet u dat ik haar nooit meer heb zien huilen sinds ik een klein kind was? Ze heeft een keer gehuild, dat is een van mijn vroegste herinneringen, en het was hier in dit huis, daar ben ik zeker van. Ze stond bij het raam boven te huilen, en ik geloof dat ik dacht dat het regen was die over haar gezicht stroomde.' Juffrouw Proud kon niets uitbrengen. 'Dus... was er een prijs? Heeft ze samen met de dagboeken iets moeten opbergen toen ze met de hertog trouwde?'

De oude dame in het zwart kende het vijftienjarige

meisje tegenover haar heel goed. Rosetta had een hart van goud onder haar vasthoudende manier van doen, en ze hield zielsveel van Rose, want Rose was, zoals ze ooit had beloofd, er altijd voor haar geweest. Maar er was ook iets van staal in de vijftien jaar oude ziel van Rosetta, net zoals dat bij Rose het geval was geweest.

'Er was... een prijs, Rosetta, ja.'

'Was het die Fransman, monsieur Montand?' En toen juffrouw Proud haar gezicht afwendde, ging Rosetta verder: 'Ik heb hen gezien. Ik zag hoe ze keken. Ik heb mijn moeder nog nooit zo zien kijken. Het was heel...' Juffrouw Proud dacht dat Rosetta romantisch zou zeggen, maar in plaats daarvan zei ze langzaam: 'vreselijk.'

Juffrouw Proud zuchtte. 'Nou goed dan. Maar ik had liever dat je moeder je dit vertelde dan ik, want ik was slechts een toeschouwer. Het was vreselijk, ja. Ik denk dat ze erg veel van elkaar hielden.' Toen juffrouw Proud over de gebeurtenissen vertelde, zag ze Rosetta's gezicht ernstig worden.

'Heeft ze die dag gehuild, toen ze de beslissing moest nemen? Is dat de dag die ik me herinner?'

Juffrouw Proud staarde in de verte. Ze zag weer het diepbedroefde gezicht van Rose terwijl ze op bericht uit Frankrijk wachtte, haar ontroostbare, wanhopige gehuil na het bezoek van de hertog van Hawksfield. 'Ja. Ja, dat is de dag die jij je herinnert.'

'Heeft ze nog iets van monsieur Montand gehoord?'

'Ik geloof dat ze nooit meer iets van hem heeft vernomen.'

'En ze had voor mij gekozen?'

'Ja, ze had voor jou gekozen, lief kind, omdat ze zoveel van je hield.'

Pierre Montand had niet verbaasder kunnen zijn dan toen lady Rosetta Hawksfield in het huis van de Franse ambassadeur in Londen werd aangekondigd. Ze klopte de sneeuw van haar schouders en stapte de kleine, elegante kamer met de gele satijnen gordijnen, waar hij aan een bureau zat te werken, binnen. Het meisje met de ooglap en de olijfkleurige huid had hem 's nachts achtervolgd, toen hij wakker lag, gekweld door gedachten aan haar beheerste, glimlachende moeder.

'*Bonjour*, mademoiselle Rosetta,' zei hij, opstaande en haar zijn hand reikend.

'*Bonjour*, monsieur Montand.' Hij was heel lang, en hij keek heel vriendelijk op haar neer. Ze verspilde geen tijd, keek hem recht aan met haar intense blik. 'Hebt u mij eerder gekend, monsieur Montand?'

'Alstublieft, mademoiselle,' zei hij met een vage glimlach, 'wilt u niet even gaan zitten?' Hij schoof een van de donkere, broze stoeltjes naar het vuur dat in de haard brandde. Zelf ging hij aan de andere kant van de haard staan. En toen ze was gaan zitten, beantwoordde hij haar vraag. 'Ja, Rosetta. Ik heb je lang geleden op een avond ontmoet. Ik heb je gezien toen je net in Engeland was gearriveerd.'

'Mijn moeder, heb ik begrepen – heb ik vandaag pas ontdekt – heeft mij boven u verkozen.'

Als hij al van zijn stuk was gebracht door haar directe, bijna onbeleefde manier van doen, liet hij dit niet merken. '*Oui*, Rosetta. Dat is juist.' Opeens deed iets aan haar hem denken aan de vijftienjarige Dolly van lang geleden. Het was niet de roekeloosheid van Dolly, maar het was dezelfde intensiteit, alsof het een kwestie van leven of dood was. En toen bedacht hij dat dat voor Dolly zo was geweest. Hij keek behoedzaam naar het meisje dat voor hem zat.

'Bent u getrouwd, monsieur?'

'Je hebt gisteravond mijn vrouw en zonen gezien, denk ik.'

'Dus u kunt nu niet met mijn moeder trouwen?'

'*Non. Je regrette.* Ik kan nu niet met je moeder trouwen.' Zijn stem klonk immens vriendelijk en Rosetta voelde opeens een vreemde prop in haar keel. Ze wendde zich van hem af, klopte haar rok af.

Toen zei hij verbaasd: 'Weet je moeder dat je naar mij toe bent gegaan?'

'Ik ben bijna zestien! Ik heb mijn eigen rijtuig, monsieur. Ik heb bedienden die beneden op me wachten. Ze weet het uiteraard niet.' Daarna zweeg ze even en hij zag dat ze haar volgende woorden heel zorgvuldig koos. 'Zou u... zou ik u een enorme gunst mogen vragen? Zou u... wilt u voor één keer met mij meegaan? Het hoeft niet meer dan een uur te duren.'

Heel zacht zei hij: 'Ik wil je moeder niet weer ontmoeten, Rosetta.'

'Waarom niet?'

'Omdat we allebei nu een ander leven leiden.'

'Eén uurtje maar.'

'*Non, ma petite.* Het is te lang geleden. Het is verleden tijd, *le chemin perdu.* Een ontmoeting kan geen enkel doel dienen, want wij zijn andere wegen ingeslagen. Eens zul je dit begrijpen.'

'Alstublieft. Ik smeek u.' Het blauwe oog staarde naar hem omhoog. 'Ze weet hier niet van. Ze zal er niet op voorbereid zijn. Ik wil heel erg graag dat u dit doet.'

Hij keek opnieuw niet-begrijpend. 'Ik snap niet wat je bedoelt.'

Rosetta zocht naar woorden. 'Er is iets in haar... verdwenen. Of gestorven. Ik denk dat dit terug moet komen. Monsieur Montand, u bent een Fransman.' Ze haalde diep adem. 'Als u niet met haar kunt trouwen, zou u haar minnaar kunnen zijn.' Hij was zo verbaasd, dat hij niet wist of hij moest lachen of huilen, maar ze gaf hem geen kans om een van beide te doen. 'In romans,' verklaarde ze, 'wint de liefde altijd.'

'In het echte leven,' zei hij langzaam, 'zijn er veel soorten liefde.' Hij keek naar het raam waar de sneeuw langs dwarrelde, en naar de elegante gele gordijnen, naar de daken van de huizen, naar een Engelse torenspits die in de verte door de sneeuw te zien was. 'Ik kan je moeder niet helpen, Rosetta. Ik heb nu mijn eigen kinderen, en ik houd van hen. Net zoals Rose van jou houdt.'

'Monsieur Montand, *ik smeek u*,' zei ze nogmaals. 'Eén uurtje maar.' Ze zag zijn gesloten gezicht. 'Luister naar me, *monsieur*. Mijn moeder is een van de bekendste en meest bewonderde gastvrouwen van Londen geworden, in haar prachtige huis op Grosvenor Square. Ze is charmant, ze glimlacht de hele tijd, ze is erg goed in het luisteren naar mensen, en ze is heel aardig. De oude koningin vraagt altijd naar haar. Maar ik weet dat ze ooit iemand anders is geweest. Ik heb me laten vertellen dat ze vroeger heel veel belangstelling voor hiërogliefen had. Ze was er helemaal gek mee.'

Hij glimlachte even bij Rosetta's woordkeus. Onwillekeurig hoorde hij de stem van Rose: *Ze hebben over hun leven geschreven. Ze proberen ons iets te vertellen.* En hij zag weer hoe ze haar vingers aandachtig over de tekens liet glijden, in een poging ze te begrijpen. En vanuit het verleden kwam een andere gedachte op, van Rose die tegen het beschadigde oppervlak van een oud stuk steen leunde.

'*Oui, mademoiselle*, ja. Zo was ze, net als je zegt, en dat was heel ongewoon voor een jonge vrouw in die tijd.'

'Ze was hartstochtelijk geïnteresseerd in de daad van het schrijven, het belang van het schrijven. Ik weet dit omdat ze me dit heeft bijgebracht toen ik nog heel klein was, voordat ik echte huisleraren kreeg.'

'Ja.'

'Maar wat schrijft ze nu? Invitaties voor sociale aangelegenheden! Het dichtste dat ze in de buurt van hiërogliefen komt is op Grosvenor Square glimlachen tegen de mensen die belangstelling hebben voor de nieuwe mode die Egypte is. Ze zouden hun oren niet geloven wanneer ze te weten kwamen dat ze er ook echt is geweest, in haar eentje in de woestijn. Waar is dat alles gebleven?'

'We veranderen, mademoiselle Rosetta,' zei hij vriendelijk.

'Niet in zulke dingen.'

'Je spreekt heel... stellig voor iemand die zo jong is.' Hij sprak opnieuw vriendelijk, opdat ze niet het gevoel zou krijgen dat hij de spot met haar dreef.

'Monsieur, ik weet dat ze iets in haar binnenste heeft weggestopt, op slot heeft gedaan. Dat is heel wreed. U kunt dat slot weer openmaken.'

Maar hij schudde slechts zijn hoofd en liep toen terug om weer achter zijn bureau te gaan zitten. De bespreking was afgelopen.

Ze staarde hem aandachtig aan tot hij weer naar haar keek, en toen zei ze: 'Was u het, monsieur, zoals juffrouw Proud me vanmorgen vertelde, die haar van mijn bestaan op de hoogte heeft gesteld? Zodat dit alles' – ze spreidde haar handen om hem en zichzelf en de hele wereld te omvatten – 'is gebeurd?'

Ze zag dat hij geschokt was, en hij keek naar zijn bureau, naar zijn papieren, legde de papieren recht. 'Ja,' zei hij ten slotte. 'Ik heb het haar verteld.'

'Dus dan zou je misschien kunnen zeggen,' zei Rosetta heel langzaam en heel eenvoudig, 'dat het allemaal door u is gekomen, door uw handelwijze, dat ik hier met u kom praten. Dat ik u voor slechts een uurtje om uw hulp vraag.'

Hij zweeg. Ze zag dat hij niets uit kon brengen.

'Hield u van haar, monsieur Montand?'

Na lange tijd zei hij: 'Ja. Ik hield meer van haar dan ik kan zeggen.'

In het rijtuig zag hij dat Rosetta beefde. 'Jij houdt ook heel veel van haar.'

'Ja. En ze heeft voor mij gekozen. Ik wil haar liefde waard zijn.'

De koude decembermiddag begon donker te worden en de kaarsen waren al aangestoken in de kristallen kroonluchters van het enorme huis op Grosvenor Square. Bij hun komst waren er huisknechten met paraplu's naar buiten gerend, er waren andere bedienden die zich soepel bewogen, er gingen deuren open, hun jassen werden aangepakt, de kaarsen flakkerden.

'Ze zal achter haar oude schrijftafel zitten, waar ze zo dol op is,' zei Rosetta. 'En ze zal niets schrijven.' Ze nam hem mee de kamer in.

Ze zag dat haar moeder lijkbleek werd en toen vuurrood, om vervolgens onhandig op te staan bij het oude mahoniehouten bureau dat in een kaarttafel kon veranderen. Ze hoorden allemaal de oude klok uit Genua diep ademhalen en vier uur slaan. Heel vaag hing er iets van sigarenrook.

Rosetta zag dat Pierre naar Rose toe liep en Rose naar hem. Ze liep langzaam in zijn armen, hij omhelsde haar en leek zijn gezicht in haar haar te begraven, en toen verroerden ze zich niet meer en zeiden ze niets. Rosetta dacht dat ze een zucht hoorde.

Ze ging de kamer uit en deed de deur zachtjes achter zich dicht. Er stond een antieke stoel in de grote hal en Rosetta gebaarde de wachtende bedienden zich terug te trekken. Zelf ging ze als een schildwacht in de stoel zitten, met een been onder zich, op haar eigen, wonderlijke manier. Het lapje over een oog, de blauwe jurk met hoge taille, een kasjmieren omslagdoek. Het licht verdween volledig uit de lucht en de avond viel over Londen.

En in het donker en het flakkerende kaarslicht bleef Rosetta zitten. Ze was even roerloos als de eeuwenoude, beschadigde figuren op de muren van de ruïnes in de woestijn, waar ze was gevonden.

Vijfendertig

*D*ie zomer, op een vroege morgen, schoof Rose de gordijnen in haar kamer open. Ze keek naar buiten, naar
het prachtige plein en de groene bladeren aan de bomen en
de bloemen eronder. Het was zo vroeg dat ze de vogels kon
horen zingen voordat de geluiden van Londen echt op gang
kwamen. Ze liep zachtjes de trap in het grote huis af, langs
de voorouders, de Romeinse urnen en de Griekse beelden,
naar de kamer met het bureau dat in een kaarttafel kon
worden veranderd. Ze zette haar nieuwe leesbril op. Rosetta's eerste brief, die uit Calais was verstuurd, lag daar om
vele keren te worden herlezen. Rose hield hem even in haar
handen, alsof ze het meisje opnieuw wilde vastpakken. Toen
haalde ze uit de geheime lade van haar bureau een vel blan-
co papier zoals ze dat in haar jeugd zo vaak had gedaan.
Juffrouw Proud had heel lang moeten wachten; ze had lang
geleden opgegeven te zeggen: *wanneer begin je weer te schrijven?*

Rose doopte haar ganzenveer in de inkt en begon meteen te schrijven. Weldra hoorde ze de klok uit Genua niet
meer, evenmin als de geluiden van het personeel of de rijtuigen die over het plein begonnen te rijden.

Die zomer (schreef ze) *verschenen de oude mannen net als anders boven op Vow Hill, met hun kleine verrekijkers. Ze wachtten, zeiden ze, om de glorieuze vloot van Zijne Majesteit de Koning van Groot-Brittannië in Het Kanaal te zien verschijnen, terugkerend van heldhaftige zeeslagen tegen de Fransen en de nieuwe generaal over wie iedereen het had: generaal Bonaparte. Soms was er helemaal geen vloot te bekennen, maar toch waren de oude mannen met hun kijkers op Vow Hill te zien, waar ze op mooie ochtenden vroeg arriveerden om de beste plek in te kunnen nemen. Vlak boven de badkoetsjes.*

Nawoord

*E*r bestaat sinds heel kort een vermoeden dat Arabische geleerden eveneens de hiërogliefen hebben ontcijferd, honderden jaren voordat de Steen van Rosetta door Franse soldaten werd gevonden, maar dat de informatie verloren was gegaan, of was verstopt, toen islamitische legers Egypte binnenvielen.

Het verhaal gaat dat op 14 september 1822 Jean François Champollion, die in zijn zolderkamer in Parijs aan het werk was, om zijn werk uit de eerste aanwijzing – de Steen van Rosetta – te vergelijken met enkele recent ontdekte hiërogliefen, plotseling, drieëntwintig jaar nadat de steen was gevonden, eindelijk begreep hoe de dingen op hun plaats vielen. Hij rende zijn zolder af, de straat door, naar het *Institute de France* waar zijn broer werkte. Hij holde naar binnen en schreeuwde zijn nieuws: Ik heb het!, waarna hij zo ongeveer bezwijmde. De Fransman had, geholpen door het eerdere werk van de Engelsman dr. Thomas Young, eindelijk de sleutel tot het geheimzinnige schrift gevonden. Er moest nog veel gebeuren, maar de sleutel was omgedraaid in het slot.

De hiërogliefen bleken alfabetische letters, fonetische klanken en lettergrepen te zijn, en zowel symbolische als werkelijke afbeeldingen van dingen. Sinds 1822 hebben ze steeds meer vertelt: over veldslagen en koningen en oude goden, over liefde en dood en boodschappenlijstjes en poëzie. Het waren geen magische symbolen, ze bleken uiteindelijk niet de geheimen van het leven te bevatten, maar ze waren desalniettemin de oude tijden die tegen ons spreken.

Bibliografie

$\mathcal{J}$k ben veel dank verschuldigd aan de auteurs van de volgende boeken:

The Pleasures of the Imagination: English Culture in the 18th Century door John Brewer (HarperCollins, London, 1997).

London: a Social History door Roy Porter (Hamish Hamilton, London, 1994).

Jane Austen and the French Revolution door Warren Roberts (Macmillan, London, 1947).

Extracts from the Journals & Correspondence of Miss Berry 1783-1852, bewerkt door lady Teresa Lewis (Longman & Co, London, 1866).

Letters from England by Don Manueal Alvarez Espriella, pseudoniem van Robert Southey (Longman, Hurst, 1807).

Witnesses for Change: Quaker Women over Three Centuries, bewerkt door Elizabeth Potts Brown en Susan Mosher Stuard (Rutgers University Press, 1989).

Letters on Egypt, Claude Etienne Savary, vertaald uit het Frans (London, 1787).

Travels in Various Countries of Europe, Asia & Africa: Part 2: Greece, Egypt and the Holy Land door ds. Edward Daniel Clarke (T. Cadell & W. Davies, London, 1816).

Voyage to the Cape of Good Hope and up the Red Sea; with Travels in Egypt, through the Deserts, etc. door Richard Renshaw (J. Watts, Manchester, 1804).

Journal of a Tour in the Levant door William Turner, Esq. of the Foreign Office (London, 1820).

Original Letters from India 1779-1815 door Mrs. Eliza Fay, met een inleiding van E.M. Forster (Hogarth Press, London, 1925).

The Great Belzoni door Stanley Mayes (Putnam, London, 1959).

The Hieroglyphs of Horapollo Nilous, Griekse versie met een Engelse vertaling door Alexander Turner Cory (William Pickering, London, 1839).

Cracking Codes: the Rosetta Stone and Decipherment, bewerkt door Richard Parkinson (British Museum Press, London, 1999).

The Rosetta Stone: the Story of the Decoding of the Hieroglyphs door Robert Sole en Dominique Valbelle, vertaald door Steven Rendall (Profile, London, 2001).

The Rosetta Stone: introduction and translations door Stephen Quirke en Carol Andrews (British Museum Publications, London, 1988).

The Warning Voice: a Sermon Preached on the Occasion of the Death of Princess Charlotte, 1817 door Weedon Butler, A.M., Rector of Woolston Magna (Nichols, Son, and Bentley, London, 1817).